POLITIQUE 2
1977-1981

OUVRAGES DU MÊME AUTEUR

Chez le même éditeur :

Ma part de vérité
Politique
Ici et maintenant

Chez d'autres éditeurs :

Aux frontières de l'Union française (Julliard)
Présence française et abandon (Plon)
La Chine au défi (Julliard)
Le Coup d'État permanent (Plon)
Un socialisme du possible (Le Seuil)
La Rose au poing (Flammarion)
La Paille et le Grain (Flammarion)
L'Abeille et l'Architecte (Flammarion)

François Mitterrand

Politique 2

1977-1981

Fayard

IL A ÉTÉ TIRÉ DE CET OUVRAGE
QUINZE EXEMPLAIRES HORS COMMERCE
NUMÉROTÉS H. C. 1 À H. C. 15

NOTE DE L'AUTEUR

Comme le premier volume de Politique, *ce livre a été réalisé par Georgette Elgey, avec la collaboration de Jean-Claude Berline, Colette Bourdache, Alice Deniau et Laurence Soudet. Je leur laisse la responsabilité des titres, du découpage, des transitions, des commentaires, des références. Pour le reste, comme son prédécesseur,* Politique 2 *n'a qu'un seul auteur, celui qui signe ces lignes.*

FRANÇOIS MITTERRAND.

Avant-Propos

En octobre 1977, l'auteur publie le premier volume de « Politique »[1], *anthologie de ses principaux discours et textes politiques de 1938 à 1977. Il répond à deux journalistes au sujet de cette parution :*

— Six cents pages de textes, articles et discours répartis sur presque quarante ans, de 1938 à 1977, en quoi cela fait-il, comme vous dites, « une mémoire neuve » de votre propre existence ?

— J'ai retrouvé dans ce livre de nombreux documents que j'avais oubliés et avec eux des projections, des choix du temps de ma jeunesse et qui étaient sortis de mon souvenir. Remarquez qu'il en est peu que je ne reprendrais à mon compte aujourd'hui, soustraction faite des inévitables contradictions que suppose toute action sur un tiers de siècle !

— Sur un tel parcours, en effet, il doit bien y avoir une part de contradictions et une part de continuité. Vous dites seulement dans votre préface que vous avez votre idée là-dessus...

— Je pense, par exemple, que bien des choses dites et écrites sur mon rôle dans la guerre d'Algérie ont été déformées, contrefaites. Je m'explique. En 1954, j'appartenais à un petit groupe[2] qui se trouvait à l'extrême pointe de l'expression politique en matière de décolonisation. Assurément, nous allions moins loin que des écrivains, des journalistes comme Martinet ou Bourdet[3] qui, eux, parlaient d'indépendance. Mais nous en disions assez pour que nul ne se trompe sur notre volonté d'en finir avec le système colonial. La preuve en est que Mendès France d'abord, et moi après lui, nous étions dénoncés comme des bradeurs d'empire. Par qui ? Par la droite, par les conformistes de gauche, par les grands féodaux d'Algérie, par de

---

1. François Mitterrand, *Politique*, 610 p., Fayard, 1977.
2. L'U.D.S.R., Union Démocratique et Socialiste de la Résistance, créée en juin 1945.
3. Gilles Martinet et Claude Bourdet sont, avec Roger Stéphane, les cofondateurs de l'hebdomadaire *France-Observateur*, dont le premier numéro a été publié le 13 avril 1950.

Gaulle et ses représentants. Bien entendu, si l'on compare nos positions d'alors à la situation d'aujourd'hui, quinze ans après l'indépendance, elles paraissent bien timides. Mais il ne faut pas changer le décor ! A l'époque, c'était un comportement de gauche que d'appliquer le statut de l'Algérie voté en 1947. Ce statut ordonnait l'intégration, autrement dit une législation indifférenciée pour la France et l'Algérie. Il avait été mis au point par le futur secrétaire général du P.S.U., Edouard Depreux, ministre de l'Intérieur du gouvernement Ramadier [4], et voté par les partis de gauche. Or, sept ans après, en 1954, il n'y avait toujours pas commencement d'exécution. D'où la volonté du gouvernement Mendès France de passer à l'action. Nous avons commencé par fusionner les polices d'Algérie et de métropole. Cela paraît insignifiant ? Eh bien, relisez les journaux d'Alger, d'Oran, de Constantine, quelle bordée d'injures ! Il en a été de même pour toutes nos décisions économiques, sociales, politiques. Et ce n'est pas la gauche mais la droite colonialiste qui nous a renversés.

— *Comment expliquez-vous le renversement ou le travestissement de la vision historique à votre sujet ?*

— Je vous répondrai par un apologue. Un homme a un début d'infection au pied à la suite d'un accident. Un médecin lui dit : « *Je suis obligé de vous couper le pied.* ». — « *Comment !* lui répond le patient, mais je me porte bien. Je suis venu voir un médecin, pas un boucher. Adieu ! » Et notre homme de se retourner vers des professeurs ou des rebouteux, je ne sais. Il tient le coup pendant quelques années sans qu'on lui coupe le pied. Naturellement, il dit : « *Ce médecin-là, je le retiens !* » Telle était notre situation, à Mendès France et à moi, devant le mal de l'Algérie. Puis voilà qu'apparaît la gangrène. De Gaulle arrive, il hésite trois ans et finit par couper la jambe. Et tout le monde de proclamer : « *Sans de Gaulle, il était mort.* » Oui, mais on lui avait coupé la jambe tandis que nous l'aurions sauvé à moindres frais. Mais la morale n'est pas si folle : nous avions échoué car le temps n'était pas venu. De Gaulle avait retardé l'heure mais fut présent au rendez-vous. Je n'essaierai pas d'avoir raison contre le calendrier. J'ajouterai seulement qu'on ne peut juger 1954 sur les données connues en 1977 et dire : comment se fait-il que des hommes de gauche au pouvoir en 1954 comme Mendès France et Mitterrand n'aient pas décrété tout de suite l'indépendance de l'Algérie ? C'est tout ignorer des réalités et raccourcir impudemment la maturation de l'Histoire.

— *Même dans cette perspective-là, il semble pourtant que votre image soit moins bien traitée que celle de Mendès France...*

— J'ai été ministre de l'Intérieur de Mendès France et j'ai toujours agi en étroit accord avec lui. Si j'ai eu un sort différent dans la mémoire historique cela est dû sans doute à ma présence au ministère de la Justice dans le

4. Le socialiste Paul Ramadier préside le Conseil des ministres du 28 janvier au 19 novembre 1947.

gouvernement de Guy Mollet, gouvernement sous lequel la guerre d'Algérie s'est amplifiée et que Mendès France a quitté, ce que je n'ai pas fait. J'avais démissionné trois ans plus tôt du gouvernement Laniel par refus de sa politique en Afrique du Nord[5]. Je ne voulais pas m'installer dans la position du démissionnaire perpétuel. Je croyais aussi pouvoir peser sur la décision. On oublie généralement que je n'avais aucune compétence ministérielle sur l'Algérie puisque Robert Lacoste était ministre-résident. Mais j'avais mon mot à dire au Conseil des ministres. Avec Gaston Defferre[6], j'ai défendu des thèses qui n'ont pas été retenues. J'ai fini par comprendre et ai refusé de rester au gouvernement quand, après Guy Mollet, son sucesseur, Bourgès-Maunoury, m'a demandé de rester à la Chancellerie. C'est donc sur l'Algérie que j'ai brisé avec le pouvoir.

Au moment de la crise de 1958, René Coty me fit appeler et me demanda : « *Accepteriez-vous les suffrages communistes ?* » Je répondis : « *Bien entendu ! Et si cela ne suffit pas, je les solliciterai.* » Il me dit alors : « *C'est impossible* ». A la fin de mai, de Gaulle fut appelé par Coty et Coty se comporta comme le chef de cabinet de De Gaulle. Il invita les responsables des partis à venir le voir à l'Elysée pour les convaincre de voter l'investiture. Je vins au titre de l'U.D.S.R. avec Roger Duveau[7]. Nous attendions dans le bureau du général Ganeval[8]. Coty entra, toujours les bras tendus, et s'écria : « *Mon cher Duveau, je vous prie de m'excuser mais je souhaite parler seul à seul avec mon ami François Mitterrand...* » Je lui coupai la parole respectueusement : « *Non, Monsieur le Président, je suis venu en délégation et ne puis accepter une conversation particulière.* » Alors il eut ce mot : « *Ah ! je vois, vous m'en voulez parce que je vous avais dit que je vous appellerais il y a trois semaines. Mais qu'est-ce que vous voulez, je ne le pouvais pas, il y aurait eu des incidents en Algérie...* » C'est formidable ! Il y avait eu le 13 mai, il y avait eu un coup d'Etat, un changement de régime, et Coty pensait qu'il avait réussi à éviter les incidents !

Non. Non. Je n'ai pas couru après les portefeuilles, même si cela me plaisait de participer au gouvernement de la France. Mais pour être juste, ce n'est qu'avec le temps que j'ai acquis le sens des proportions. Pour rien au monde, aujourd'hui, je n'échangerais les responsabilités que j'aies contre la fiction du pouvoir. Ce qu'on appelle les honneurs et qui suscite tant de vocations légères ou vaniteuses, faites-moi la grâce de croire que je n'y pense jamais — que pour rire.

---

5. Le 3 septembre 1953.

6. Gaston Defferre, ministre de la France d'outre-mer dans le gouvernement Guy Mollet, est l'auteur de la loi-cadre du 23 juin 1956. Cette loi institue le suffrage universel direct et le collège unique, crée dans chaque territoire une assemblée élue à pouvoirs délibérants et un conseil de gouvernement qui apparaît comme un embryon d'exécutif local. Avec cette loi-cadre, la France accepte, de fait, une évolution vers l'autonomie.

7. Roger Duveau est député de Madagascar.

8. Durant le septennat de René Coty, le général Ganeval est chef de la maison militaire du président de la République.

— Croyez-vous qu'un homme politique puisse toujours échapper à la contradiction avec lui-même ?

— Assurément non. Mais en laissant publier ce livre j'ai pris un risque évident. Qu'on m'accepte ou qu'on me refuse comme je suis. N'exagérons pas ce risque cependant : je n'ai jamais changé de camp. J'ai lu un journal allemand, récemment, après ma dernière visite au chancelier Schmidt[9] : « *Mitterrand, cet homme dont la carrière est remplie de virages en épingle à cheveux...* » Or, depuis trente ans et plus, j'ai appartenu au même parti. J'ai adhéré à l'U.D.S.R. en 1945. Elle s'est cassée en deux en 1958 (ceux qui étaient pour, ceux qui étaient contre la Vᵉ République), puis s'est fondue dans la Convention des institutions républicaines, laquelle s'est dissoute dans le Parti socialiste en 1971. Moi, je n'ai pas bougé de place. Sur le fond, depuis ma première élection, il y a trente et un ans, vous ne trouverez pas une loi économique ou sociale votée par les socialistes et que je n'aie votée moi aussi. Pas une seule ! Relisez les textes de ce gros livre et vous le constaterez. En dépit d'hésitations, ici ou là, d'approximations ou d'erreurs, au total je crois, oui, à l'unité de ma vie politique.

— N'en dirait-on pas davantage encore de de Gaulle ou de Mendès France ? Ne dit-on pas qu'ils ont une stature de marbre ou d'acier ?

— Mendès France a toujours été d'un très grand courage intellectuel, parfois même un peu provocant, avec une rigueur de caractère qui lui a fait une réputation de mauvais caractère. Jusqu'en 1954, il a exercé le rôle du Clemenceau de la première époque, combattant pour ses idées et combattu par tout le monde, sauf par quelques-uns dont j'étais. Il a subi les pires attaques, affronté les pires injustices. Aujourd'hui le sentiment général est que la France a méconnu en lui un personnage d'exceptionnelle dimension. Le respect qui l'entoure n'est qu'une façon de lui rendre justice.

De Gaulle, lui, a été sacré par le 18 juin 1940. Entre cette date et la fin de la guerre, il a été l'homme d'un choix difficile qui exigeait une vision audacieuse de l'histoire et... condamné à mort pour cela. Pas plus à cette époque que plus tard il n'a été, contrairement à sa légende, un homme de rassemblement. Pourquoi l'aurait-il été, d'ailleurs ! Seule la mort rassemble quand le message que laisse une vie a su exprimer l'essentiel. Mais la vie, elle, divise.

Quant à ses contradictions, permettez ! Voyez de quelle façon il est parti en 1946[10], laissant au gouvernement les communistes qu'il y avait appelés alors que Staline régnait sur la plus grande partie de l'Europe. Qui donc pouvait lui succéder ? Thorez. Si cela ne s'est pas produit ce ne fut pas de son

9. Le 29 septembre 1977, à l'occasion de la réunion des organisations socialistes internationales à Vienne.
10. Le 20 janvier 1946, à ses ministres convoqués en un conseil extraordinaire, le général de Gaulle annonce : « J'ai décidé de me démettre de mes fonctions (de président du Gouvernement provisoire de la République française). Ma décision est irrévocable. »
Le 23 janvier, l'Assemblée constituante confie la direction de l'Etat au socialiste Félix Gouin.

fait. Cela devrait ôter à ceux qui, aujourd'hui, se réclament de lui, un peu de leur superbe lorsqu'ils crient à la trahison à la seule idée que les communistes pourraient revenir au gouvernement avec l'Union de la gauche ! Après tout il s'en est fallu d'un rien que Thorez ne devînt chef de l'Etat après de Gaulle, démissionnaire de son plein gré. Et quoi de plus contradictoire que le de Gaulle de 1958 reprenant le gouvernement lâché douze ans plus tôt et restituant le pouvoir à la bourgeoisie d'affaires et aux notables contre lesquels il avait fait le 18 juin et mené le combat des forces populaires ? Je m'amuse toujours de ce cliché qu'adore la droite : un rassembleur. On ne rassemble qu'après avoir taillé. La nation se reconnaît en ceux qui ont incarné une grande idée et qui l'ont portée haut malgré l'opinion générale. Quelle anarchie que l'Histoire ! Pour ce qui me concerne je ne suis dépendant d'aucune force au monde. Si j'ai joué, si je joue un certain rôle dans la vie de la France : qu'est-ce que cela démontre ? L'incroyable confusion des puissances. Mais j'ai appris qu'un individu ne pouvait rien non plus s'il ne rencontrait le mouvement profond des masses. J'ai rencontré le socialisme et je l'exprime à ma façon.

— *Dans le rôle que vous jouez, que vous avez joué, vous est-il arrivé de vous sentir en communion avec l'Histoire, autrement dit de transformer la politique en Histoire ?*

— Oui, à deux reprises. Une première fois en 1950, alors que j'étais ministre de la France d'outre-mer. On était à la veille d'un conflit armé en Afrique noire. S'y déroulait alors le processus classique qui conduit de la revendication nationale à la répression coloniale et de là à la révolte ouverte et à la guerre. On avait, avant moi, doublé les garnisons, mobilisé les tribunaux, poursuivi, arrêté la plupart des responsables des mouvements nationalistes. J'ai personnellement sorti du bagne ou de la prison sept futurs présidents de la République [11] ! J'ai réglé l'affaire dans un environnement si hostile qu'il m'a fallu agir seul, ou presque. Finalement, j'ai quitté le gouvernement à cause de cela. Les élus blancs, ceux du Premier Collège, avaient demandé par télégramme à Vincent Auriol le départ du ministre qui avait « *vendu l'Afrique noire au communisme international en la personne du stalinien Houphouët-Boigny.* » Heureusement, il y a eu plus tard la loi-cadre Defferre et le passage à l'indépendance en douceur sous de Gaulle, en dépit de la constitution de la Ve République qui rendait stupidement incompatibles la notion d'indépendance et la notion de communauté, de telle sorte que toutes les indépendances africaines ont été proclamées malgré ou contre de Gaulle. Il s'agit là d'un autre contresens historique.

J'ai assuré à cette époque l'évolution pacifique de l'Afrique noire et j'en

11. Parmi les responsables politiques africains en difficulté avec la justice française jusqu'au passage de l'auteur au ministère de la France d'outre-mer et qui, par la suite, ont accédé à de hautes responsabilités dans leurs pays : Félix Houphouët-Boigny (Côte-d'Ivoire), Ouessin Coulibaly (Haute-Volta), Modibo Keita (Soudan), Sékou Touré (Guinée), Hammani Diori (Niger), Gabriel Lisette (Tchad), Justin Ahomadegbe (Dahomey).

revendique d'autant plus la responsabilité que le ministre de la France d'outre-mer était le seul maître à bord, auquel le gouvernement ne demandait aucun compte ! Cela tenait au fait singulier que ce ministère étant de création récente, son titulaire siégeait en bout de table au Conseil des ministres : la chronologie fait la hiérarchie. Comme les ministres plus anciens, donc plus importants, n'en finissaient jamais d'épuiser leur ordre du jour, quand on arrivait à mon tour, on remettait au mercredi suivant...

Avais-je une conception intellectuelle du devenir colonial ? Bien entendu je pressentais le mouvement du temps. Mais je suis un empirique dont les idées naissent des faits. J'avais noué en Afrique des rapports humains qui m'ont permis d'avancer plus vite dans la connaissance des choses. Pour répondre à votre question c'est, avant la période de l'Union de la gauche, celle de mes actions qui aura vraiment compté dans l'histoire contemporaine de notre pays. Mais cela n'a pas frappé l'imagination des Français et je ne me suis pas identifié à un symbole. La deuxième fois que j'ai eu le sentiment de transformer le cours des choses, ça a été en contribuant à la mise à jour de l'Union de la gauche.

— *Mais l'espérance de l'Union de la gauche, avant et pendant, avez-vous eu le sentiment d'y répondre et de la porter historiquement ?*

— Essayons d'être clair. Je ne le savais pas mais je le sentais. Disons que, d'instinct, je n'en ai jamais douté. C'est ainsi que s'écrit l'histoire des hommes. L'autre jour, devant le Comité directeur du Parti socialiste, j'ai dit à mes amis qu'en toute circonstance il fallait rester au point que l'on avait choisi. On me répète : « *L'Histoire ne passe pas deux fois.* » Je réponds : l'Histoire passe une fois, deux fois, dix fois mais il faut savoir la saisir. J'ai cité Pascal : « *Il faut un point fixe pour en juger.* » Quand on a un point fixe, que les événements se déroulent comme ils veulent, car eux aussi sont anarchiques, ils passent nécessairement un jour à portée de la main. Eh bien, j'ai mon point fixe. Quand Gaston Defferre s'est présenté à l'élection présidentielle en 1964 [12], je l'ai soutenu. Je n'avais pas prévu qu'il renoncerait. Mais quand il s'est retiré, j'étais prêt à prendre le relais car je pensais depuis longtemps que rien n'était possible sans l'Union de la gauche. Aujourd'hui, avec les communistes, quel est ce point fixe ? Encore l'Union de la gauche, mais ancrée sur un grand Parti socialiste. Je n'ai pas été surpris par la crise actuelle, même si j'en ignorais le moment. L'Union de la gauche, pour l'emporter, pour s'imposer, devait passer par deux phases. La première, facile, harmonieuse, correspondait à la période où les communis-

12. Alors que l'élection présidentielle, la première au suffrage universel, est fixée à 1965, la campagne présidentielle commence dès 1963. Le 10 octobre 1963, l'hebdomadaire *L'Express* lance la candidature du député-maire de Marseille, avec le portrait-robot du candidat possible à l'élection présidentielle de 1965, sous le titre de « M.X. ». Le 18 décembre 1963, après deux mois de rumeurs soigneusement orchestrées, l'identification de Gaston Defferre et M.X. est officielle. Le maire de Marseille exclut les négociations avec le Parti communiste, s'efforce de créer une fédération qui repose sur l'alliance des socialistes et des républicains populaires. Devant l'échec de ses pourparlers, Gaston Defferre retire sa candidature le 25 juin 1965.

tes n'imaginaient pas le rééquilibrage possible. La deuxième, heurtée, douloureuse, était fatale dès lors que les socialistes étaient devenus, grâce à l'union et à leur propre renouveau, la première force politique française. Nous y sommes. Mais il y a les masses, leurs besoins, leurs volontés. Il faudra bien que chacun se fasse à l'existence et à la réalité du Parti socialiste, donnée objective et condition nécessaire de la victoire de la gauche. Quand cela sera tout à fait démontré, le courant unitaire emportera toutes les digues.

— *Ce point fixe, un homme politique peut-il s'en passer ?*

— Je crois vous avoir répondu.

— *De Gaulle en avait-il un ?*

— Certainement : la France. Enfin telle qu'il la rêvait. Eternelle et bien de chez nous. Un mélange de Richelieu et de Royer-Collard. Retiré à Colombey, il était convaincu qu'on le rappellerait au bout de six mois. Puis il a commencé à désespérer. Comme il était âgé et impatient, car il avait déjà détenu le pouvoir, il a fini par ne plus y croire. Mais il restait dans la disposition d'esprit de le reprendre. Il attendait que l'Histoire repasse. Il a bien fait. Ceux qui courent après l'événement ne le rattrapent pas.

— *Avez-vous une idée de la France ? Laquelle ?*

— Je n'aime pas cette expression. Je n'ai pas besoin d'une idée de la France. La France, je la vis. J'ai une conscience instinctive, profonde de la France, de la France physique. J'ai la passion de sa géographie, de son corps vivant. Là ont poussé mes racines. L'âme de la France, je n'ai pas besoin de la chercher : elle m'habite comme elle habite notre peuple tout entier. Un peuple qui colle à sa terre n'en est plus séparable.

Je suis né dans la France en demi-teinte, en Saintonge, et j'ai vécu mon enfance au point de rencontre de l'Angoumois, du Périgord et de la Guyenne. Je n'ai pas besoin qu'on me raconte d'histoires sur la France. Ce que j'éprouve d'elle se dispense d'éloquence. J'ai vécu des saisons entières en pleine nature dans une famille nombreuse et solitaire. Elles reviennent toujours, les saisons, sauf le jour de la mort. Plus tard, il a fallu que je m'habitue à d'autres aspects de la France, celui de la montagne, de l'industrie, des corons, des banlieues. Je les ai abordés avec le même goût de connaître ce pays, le mien, si divers, si varié et pourtant semblable à lui-même, un. Mais j'avoue que j'ai besoin pour ne pas m'égarer de garder le rythme des jours avec un soleil qui se lève, qui se couche, le ciel par-dessus la tête, l'odeur du blé, l'odeur du chêne, la suite des heures. D'où le mal que j'ai à retrouver mes pistes dans la France anonyme du béton. Mais là encore, il est des chemins où je retrouverai la trace.

— *Solitaire, dites-vous. D'où tirez-vous ce goût de la tribune dans les grandes assemblées ?*

— J'étais un enfant timide. Je n'osais pas m'exprimer mais j'admirais les gens qui savaient s'exprimer. Rassurez-vous, je n'ai jamais consulté de psychanalyste. Disons que j'ai acquis de l'expérience. Je connais mes défauts. Par exemple, quand je suis fatigué, je n'en finis plus. On dit que je suis emphatique. Entendons-nous. Entre le public des assemblées parlementaires et une foule de 25 000 à 100 000 personnes, il n'y a pas seulement une différence de degré mais de nature : alors vous vous trouvez devant un corps social à la fois simple et monstrueux.

Essayez donc de capter l'attention d'une foule immense si un phénomène incantatoire ne se produit pas ! Les lois en sont très diverses. Comme un chanteur ne peut plus changer de ton après son attaque, un orateur n'arrive pas à se dégager du sillon dans lequel il se place dès les premiers mots. Je me souviens du dernier meeting de la campagne présidentielle de 1965 à Toulouse, devant 35 000 personnes. J'ai tenu pendant une heure et demie comme je vous parle, pas plus haut. Condition d'acoustique ? Le pire pour un orateur, c'est la nuit, où on ne voit personne, et le plein air, où les paroles s'envolent et ne vous reviennent pas. Alors on a l'impression que la communication est coupée. Quand on éprouve un grand sentiment de force pendant le meeting, on ressent après comme un vide. C'est exaltant, épuisant et parfois déprimant. Mais je ne suis pas de nature dépressive... Je me reproche toujours de n'avoir pas dit ce qu'il aurait fallu.

— L'écrivain va-t-il avec le politique aussi bien que l'orateur ? Etes-vous un écrivain rentré ou un politique par dépit ?

— Pas du tout. Je suis un homme politique, pas un écrivain. Si j'avais voulu l'être, je l'aurais été. Mais j'avais plus de goût pour l'action. Et comme écrivain, je n'aurais pas été un écrivain d'imagination. J'observe. J'écris. J'aime ce qui est écrit. La langue, la philosophie, la grammaire. Je crois que la vraie littérature, c'est l'exactitude du mot et de la chose. Je préfère celui qui sait exactement dire ce qu'il a vu et ressenti à celui qui vaticine en inventant ses propres impressions. A quoi cela tient-il ? J'ai été élevé dans la culture classique où la composition française et la récitation latine ordonnent le nombre de la phrase. Cela a structuré mon langage. Trop parfois : j'ai conscience qu'il faut briser le moule. Ceux qui brisent créent. Y a-t-il eu sur moi l'influence du milieu, de mon petit pays ? Il a donné des écrivains de même langue et de même style. Beaucoup de bons écrivains mineurs. Jacques Delamain écrivait des livres sur les oiseaux et les notules de la N.R.F. L'un des Boutelleau était Jacques Chardonne. Un de leurs cousins ou amis, Henri Fauconnier, eut avec son roman *Malaisie* un prix Goncourt des années 30. Sa sœur, Geneviève, a écrit quelques fort beaux livres sur fond de Double. Ah ! ces familles de Cognac où l'on épousait la porcelaine de Limoges ou les vins de Bordeaux... Bref, une société littéraire existait d'où émergeaient, plus loin dans le temps, les frères Tharaud partagés entre Charente et Limousin, ou, plus à l'ouest, là où les derniers coteaux de la Charente rejoignent l'océan, Fromentin. Mauriac était un de nos proches, par la terre et par l'esprit. Il était un ami de ma famille et il fut des « correspondants » que j'allai voir quand je débarquai à Paris en 1934. Je l'ai bien connu et aimé. Je lui garde beaucoup de tendresse. Non sans failles. Un jour qu'il m'avait accroché dans son bloc-notes, j'ai répondu la semaine suivante en le qualifiant « *d'excellent écrivain régionaliste...* » Il n'a pas très bien pris la chose...

— *La polémique, est-ce chez vous une nécessité ?*

— Une distraction, une concession que je me fais à moi-même. Je ne veux pas blesser. Et les bons mots sont meurtriers pour ceux qui les disent.

SOURCE

Le texte qui figure dans l'Avant-propos a été publié par le Quotidien de Paris. *On trouve en fin de volume l'origine de chaque citation.*

PREMIÈRE PARTIE
Les failles d'une société

« Nous pratiquons la démocratie. Nos adversaires politiques ne sont pas nos ennemis. Nous sommes minoritaires. Nous en connaissons la loi et la rigueur. Nous défendons nos idées et, ensuite, nous respectons le droit lorsqu'il est établi, même lorsqu'il l'est à l'encontre de nos sentiments, comptant sur notre capacité de conviction pour parvenir au jour où les Français nous écouteront et permettront de changer la loi. Voilà ce que nous faisons. »

18 novembre 1979.

INTRODUCTION

« *Un problème de civilisation* »

26 avril 1977.

C'est une loi du capitalisme que de provoquer, par l'accumulation du capital, la concentration industrielle.

C'est une loi du capitalisme, parvenu surtout au stade multinational, que de rechercher le travail à bas prix. On le voit aujourd'hui même quitter ses bases, les grands pays industriels, pour s'installer dans le tiers monde.

C'est la loi du capitalisme que de rechercher la satisfaction des besoins les plus immédiats et les plus rentables sur le marché au détriment de besoins fondamentaux — culture, éducation, santé —, ce qui élimine un immense potentiel dont sont porteurs les hommes d'aujourd'hui.

C'est une loi du capitalisme que d'avoir toujours préservé ce qu'un célèbre auteur a appelé « l'armée de réserve » : travailleurs sous-employés, femmes, immigrés, jeunes et combien d'autres sous-prolétaires ! Et il est vrai que les problèmes posés par la chute de la croissance s'imposent à vous comme ils s'imposeraient à nous-mêmes puisque 5 p. 100 de progrès en une seule année représentent sans doute une capacité de 200 000 emplois nouveaux, ce qui correspond à peu près à la courbe démographique, mais pas davantage, et ne permet pas, par effet mécanique et sans politique volontaire, le rattrapage du million de chômeurs que l'on a déjà dépassé.

Enfin, c'est une vérité d'évidence, [...] que le chômage nourrit l'inflation, que l'inflation nourrit le chômage et qu'il convient de traiter en même temps les aspects divers et complémentaires de ce couple infernal.

C'est la société industrielle tout entière qui, faute d'une vue d'ensemble, n'a pas adapté ses structures au développement du machinisme.

C'est d'ailleurs un problème qui se pose dans tous les pays, pour tous les Etats et dans le cadre de toutes les expériences politiques et économiques.

6 janvier 1979.

Depuis le début des années 70, le capitalisme mondial, et plus particulièrement le capitalisme français est entré en crise. Crise grave qui affecte la division internationale du travail, l'organisation de la production et la nature du modèle de consommation. Crise que le capitalisme gère depuis 1971 par l'inflation et depuis 1975 par le chômage aussi. Crise entretenue et non déclenchée par le choc pétrolier de 1973.

18 janvier 1979.

Le grand capital international a lancé des plans sur l'ensemble du monde capitaliste et du tiers monde, dont la France n'est malheureusement que l'exécutant à partir du moment où elle est sous la coupe d'hommes politiques conservateurs qui épousent la théorie économique et politique du grand capital multinational.

2 avril 1979.

La crise économique, [...] provoque dans les classes moyennes appauvries des réflexes et des crispations qui les poussent à radicaliser leur protestation. Il y a longtemps que l'on sait que la prolétarisation de ces groupes sociaux produit un type de révolte où l'extrémisme de la droite, le fascisme, s'alimente. Surviennent alors les philosophes, les écrivains qui croient être les inspirateurs d'un nouveau mouvement populaire quand ils n'en sont que des interprètes. Et, dans la foulée, les politiques. Une droite de ce type va renaître en effet. [...]
Comment (*notre modèle de démocratie*) progresserait-il alors que le système économique qui domine sécrète la récession ? La démocratie s'épanouit avec l'expansion des forces créatrices. Nous n'avons pas parlé — parce que vous ne m'avez pas interrogé là-dessus — d'inflation, de chômage et de la baisse de la croissance. C'est par là pourtant qu'il fallait commencer. Le bien-être à Lonwy ?[1] Je vois plutôt la société industrielle en panne de civilisation

---

1. 1978 et 1979, deux années noires pour la Lorraine. Dans le secteur de Longwy particulièrement touché par la crise de la sidérurgie, en 1978, les licenciements portent sur plus de 12 000 postes de travail. Dans le premier trimestre 1979, les incidents se multiplient à Longwy : occupation de la Trésorerie générale, de l'émetteur de télévision, blocage de certaines voies ferrées. Le 23 mars, arrivée à Paris de la marche des sidérurgistes lorrains.

5 octobre 1979.

Pour gérer sa crise, le capitalisme utilise successivement puis simultanément l'inflation et le chômage, et déplace ses activités vers des secteurs nouveaux, sans autre considération que de récupérer sinon d'augmenter son profit.

Rappelez-vous la crise des années 1880-1890 qui a conduit à l'apparition des Etats-Unis sur la scène économique mondiale, au développement du travail à la chaîne et à l'apparition de l'automobile comme bien de consommation. Et la crise de 1929-1940 qui a conduit au développement du commerce extérieur des grandes nations, à l'apparition d'entreprises multinationales, au développement des biens d'équipement ménager, sources nouvelles de profit. Aujourd'hui, le capitalisme cherche à retrouver sa rentabilité. Pour cela, il pille les épargnants par l'inflation, il bouleverse les conditions de travail par l'automatisation sauvage, il pèse sur les salaires par un chômage massif, il fait payer par les contribuables les pertes des secteurs qui ne sont plus rentables — telle la sidérurgie — et il transfère ses activités vers les pays et les domaines où l'exploitation des travailleurs se révèle plus facile. La politique de Valéry Giscard d'Estaing s'inscrit dans cette stratégie. Pour lui, la nation française est un « canard boiteux [2] », avec lui la nation française est un gibier offert à la chasse des multinationales.

26 octobre 1979.

De jour en jour la société capitaliste a fait payer plus chèrement sa crise aux travailleurs. Docile aux riches et aux puissants, elle réserve aux faibles ses coups. Profit et privilèges sont sa philosophie. Inflation, chômage, inégalités, soumission aux intérêts du capitalisme étranger, bureaucratie colorent le fond du tableau sur le devant duquel s'agitent les personnages qui décident pour la France et parlent en son nom... Qui s'étonnera de l'amertume, de l'anxiété, parfois de la colère — et en tout cas du désir de changement — des Français ? Un grand peuple ne supporte pas longtemps d'être privé d'un grand dessein.

2. L'expression « canard boiteux » a été employée par le Premier ministre Raymond Barre qui, le 19 avril 1978, a défini, devant l'Assemblée nationale, la politique économique de la nouvelle législature. Il désigne ainsi les entreprises, qui meurent faute de dynamisme et que les pouvoirs publics ne peuvent et ne doivent pas aider. « La politique Barre, écrit Gérard Vincent, consiste en gros à jouer la carte du « capitalisme sauvage » (*Les Français, 1976-1979,* Masson éd, p. 142).

20 avril 1980.

Cela fait longtemps que cette vieille machine, depuis le XIXᵉ siècle, sort et ressort, celle qui consiste à dire : « Eh bien ! on va faire de tous les ouvriers des capitalistes et, à partir de ce moment, il n'y aura plus de problème entre le capital et le travail. » Nous, socialistes, nous avons une autre idée du développement de notre société. Nous croyons, nous, qu'il existe une lutte des classes. Nous estimons d'ailleurs que la classe qui mène cette lutte, c'est la classe de la bourgeoisie d'affaires qui gouverne aujourd'hui, et, naturellement, lorsqu'elle engage la lutte pour organiser l'oppression, il est tout à fait naturel de penser que les autres doivent s'organiser pour sortir de cette oppression. Mais notre objectif est de créer cette société où précisément cet antagonisme des classes cessera.

Conséquence de la crise du capitalisme : le terrorisme qui, à partir de 1975, prend une ampleur grandissante.

Le 28 avril 1977, en Allemagne, Andréas Baader et deux de ses co-accusés sont condamnés à la prison à vie. Avec Ulrike Meinhof, ancienne journaliste comme lui, Andréas Baader a organisé un réseau terroriste, qui a commis de multiples attentats. Le 5 septembre 1977, à Cologne, Hans Martin Schleyer, président du patronat allemand, est enlevé. Les ravisseurs exigent la libération de onze membres de la Fraction Armée Rouge (dite groupe Baader Meinhof) en échange de leur otage. Le 13 octobre, un commando composé de trois Allemands et d'un Palestinien détourne un Boeing 737 de la Lufthansa. Il se pose finalement à Mogadiscio, en Somalie. Il exige à nouveau la libération des onze détenus de la Bande à Baader. Le 18 octobre, le groupe d'intervention allemand libère les 91 otages du Boeing. Le même jour, Andréas Baader et certains de ses co-accusés sont découverts morts dans leurs cellules à la prison de Stuttgart-Stammheim. Officiellement, il s'agit de « suicides collectifs ». Le lendemain 19 octobre, le cadavre de Hans Martin Schleyer est découvert dans une voiture allemande à Mulhouse.

21 octobre 1977.

Je fais confiance aux Français pour ne pas entrer dans une ère de violence. Mais c'est vrai que les partis conservateurs, qui ne représentent pas le fond de notre peuple, risquent de mal maîtriser les problèmes sociaux. De même qu'ils ont mal maîtrisé les problèmes économiques. Ce qui veut dire que leur gouvernement accroît les tensions sur le plan social. C'est une évidence. Comment pourraient-ils répondre aux besoins des masses alors qu'ils sont les représentants des privilégiés ? Alors les tensions s'aggraveront, sans aucun doute.

Et puis il y a un problème de civilisation. Je crois que l'affaire terroriste en Allemagne n'est pas une affaire terroriste allemande.

C'est une affaire qui tient aux normes mêmes de la civilisation occidentale. Vous observerez que ceux qui poussent la révolte jusqu'au nihilisme, jusqu'à la barbarie du nihilisme, sont généralement issus des milieux bourgeois, parfois de la haute bourgeoisie. On pourrait dire, même si la réponse qu'ils apportent ne saurait nous convenir, que c'est une façon de s'opposer spirituellement aux valeurs mêmes de l'Occident.

C'est un problème qu'on doit se poser pour nous-mêmes, que l'on doit se poser encore davantage dans les couches dirigeantes, celles qui produisent essentiellement ce phénomène et qui, ayant privé notre civilisation de toute forme d'idéal, fabriquent même ce type d'opposition.

S'il était prouvé qu'on avait « aidé » Andréas Baader à se suicider, condamneriez-vous une telle attitude des autorités allemandes ?

C'est une hypothèse. Je ne sais rien de cette enquête, et si j'acceptais la question, je vous répondrais que l'on défend le droit par le droit. Un pays civilisé ne peut se défendre contre le terrorisme que s'il est sans complaisance pour ce terrorisme, mais il doit inscrire cette sévérité dans le cadre du respect pour le droit des gens. On ne peut pas manquer au droit des gens lorsque l'on est civilisé, ou bien alors c'est que l'on subit la contagion des barbares. [...]

La société politique allemande est un peu plus bloquée que d'autres, dans la mesure où l'Allemagne sort d'une guerre terrible, qu'elle a subie de la faute des responsables de l'époque. Ce qu'elle a subi l'a amenée à vivre toujours sur ses gardes. Le phénomène des deux Allemagnes, la coexistence de deux sociétés, une période d'occupation : l'Allemagne a été traumatisée. Et aujourd'hui l'Allemagne est psychologiquement atteinte par le nazisme : dans une certaine mesure, je dirai que le terrorisme pourrait réveiller le nazisme. C'est peut-être une résurgence, au fond, du nazisme. Dire que la société politique allemande est vraiment bloquée, c'est excessif. Après tout, en Allemagne, il y a de grands partis démocratiques.

23 octobre 1977.

— *L'affaire Baader a-t-elle oui ou non mis mal à l'aise la gauche française ?*

Pourquoi mal à l'aise ? Nous condamnons toute forme de terrorisme et celle-là notamment, plus intolérable, si j'ose dire, que toute autre. Une très grande fermeté face à ce type d'action me paraît nécessaire. Premier point : la répression doit s'exercer dans le respect des droits des gens. On défend le droit par le droit. Sans quoi le terrorisme aura réussi dans son entreprise puisqu'il aura contraint la société, qu'il combat, dans la voie où elle se perdra. Et s'il s'agit maintenant de rechercher les causes de ce terrorisme ; et si on les découvre pour une large part dans la crise de la civilisation occidentale, pourquoi la gauche française en serait-elle mal à l'aise ? L'injustice sociale, la vacuité spirituelle, l'absurdité du système économique, la loi du profit pour le profit engendrent la violence. Le terrorisme est le cri du malheur. Certes, ceux qui s'y adonnent sont le plus souvent issus de la bourgeoisie, et même de la bourgeoisie aisée, et le type de combat qu'ils choisissent ne peut convenir aux travailleurs en lutte contre l'exploitation. Mais le désarroi qu'ils révèlent doit être considéré avec un grand sérieux.

— *Dans cette affaire, le gouvernement et la société allemande sont-ils au-dessus de tout soupçon ?*

— Non, personne n'est au-dessus de tout soupçon. Ce que je viens de vous dire constitue déjà une réponse. Mais le terrorisme n'est pas une affaire allemande. Il s'agit d'un mal de civilisation, la nôtre, celle de l'Occident industriel.

— *Faut-il une internationale antiterroriste comme il y a peut-être une internationale terroriste ?*

— Assurément. Cette internationale s'est créée spontanément entre l'Ouest et la République de Somalie que, cependant, deux mondes séparent.

— *La contamination terroriste est-elle, selon vous, possible en France ?*

— En France, oui. En Occident, partout où existe et se développe la société industrielle, oui. Que la société allemande soit plus fermée qu'une autre, on peut le comprendre quand on sait ce que l'Allemagne a vécu avec la dernière guerre mondiale et pendant les années qui ont suivi. Et quand on remonte l'histoire au lendemain de la guerre de 14-18, rappelez-vous cette formidable explosion de la jeunesse allemande qui a cherché réponse à l'angoisse d'un certain néant dans l'aventure des commandos et dans les premiers éveils du nazisme. C'est vrai, la société allemande a tendance à se refermer sur elle-même. De là à prétendre qu'elle est une société bloquée, non. L'Allemagne avance dans notre siècle entre des bornes trop étroites pour ne pas laisser une part d'elle-même de chaque côté de sa route. Je n'en tire pas, je le répète, la conclusion que le terrorisme devait être, ne pouvait qu'être allemand. Au contraire. D'où la solidarité que j'éprouve à l'égard des sociaux-démocrates allemands, dans l'affaire qui nous occupe.

Le 23 janvier 1978, à Paris, le baron Edouard-Jean Empain est enlevé.

26 janvier.

Tout enlèvement politique, pour quelque raison que ce soit, est un acte de barbarie. C'est un recul de civilisation, il n'y a pas d'excuse. C'est au demeurant dérisoire pour quiconque veut changer la société de penser que des actes de violence individuelle auront d'autre résultat que de renforcer la capacité contrerévolutionnaire du pouvoir en place.

Le Parti socialiste condamne donc formellement ce type d'action, et je forme le vœu que cet enlèvement n'ait pas de conséquences tragiques. Selon nous, la qualité des personnes, leur situation sociale, leur fortune ou leur absence de fortune, leur position politique importent peu. Nous tiendrons ce raisonnement pour quiconque et nous le tenons en la circonstance pour le baron Empain[3].

Le 16 mars 1978, à Rome, Aldo Moro, président de la Démocratie chrétienne est enlevé par les Brigades Rouges ; cinq gardes du corps sont tués.

Le même jour.

J'ai déjà fait connaître (*ma réaction*) à la radio et à la télévision italiennes qui m'ont interrogé au début de l'après-midi. Je leur ai dit ce que m'inspirait cet événement. Cette fusillade tuant cinq hommes, blessant sans doute l'ancien Président du gouvernement italien, cela s'inscrit dans la suite d'événements barbares qui marquent la dislocation de la société occidentale, qui marquent que la violence désormais apparaît comme la solution à tous ceux qui n'ont pas de réponse aux questions qu'ils se posent. C'est inacceptable, impardonnable de la part de ceux qui se livrent à ce genre d'attentats. Il n'y a aucune excuse, même devant l'histoire. J'ai donc déclaré aux Italiens ce que je viens de rappeler à l'instant et assuré, autant que je le puisse de si loin, la démocratie italienne du souci que nous nous faisons pour elle, nous Français.(...)

Je ne crois pas que la France puisse être indemne de cette contagion. J'avais déjà exprimé cette opinion lors des événements qui avaient frappé l'Allemagne fédérale au moment de l'affaire de Mogadiscio[4] notamment. J'avais assuré les gouvernants allemands de ma solidarité dans la nécessaire recherche des moyens de mettre un terme au développement du terrorisme. J'avais, bien entendu, ajouté que cette lutte ne me paraissait concevable que dans un respect extrêmement scrupuleux du droit, sans quoi la société qui prétend se sauver se détruit elle-même puisqu'elle détruit ses propres principes. Pourquoi la France y échapperait-elle ? L'Italie et l'Allemagne fédérale, malgré tout, c'est le même type de société. Et puis, dépassons si vous voulez nos querelles qui sont importantes et non point négligeables sur le type de société, dépassons, pour atteindre à un certain niveau d'analyse ou

---

3. Le président-directeur général du groupe franco-belge Empain-Schneider, détenteur du quasi-monopole des réacteurs nucléaires en France, passe soixante-trois jours enchaîné sous une tente clouée au plancher d'un pavillon de banlieue. Il est finalement relâché, après l'arrestation d'un des ravisseurs.

4. Cf. *supra*, p. 22.

d'approche morale ou philosophique, tout ce qui touche à la conscience, à l'explication que l'homme donne ou se donne du monde et de lui-même.

Il semble bien qu'il y ait comme une sorte de vide. Pas de réponse, certains peuvent s'en contenter, mais d'autres en souffrent et se révoltent, agissent par violence, tandis que d'autres subissent la violence et entrent dans le cycle infernal. Je crois que la France devrait être elle-même plus scrupuleuse sur le plan qui nous occupe aujourd'hui.

Le 29 mars, les Brigades Rouges diffusent une lettre d'Aldo Moro. Le président de la Démocratie chrétienne demande au Gouvernement de négocier sa libération.

En dépit d'un appel du pape Paul VI en faveur d'Aldo Moro, les Brigades Rouges, le 15 avril, annoncent l'exécution par « suicide » de leur prisonnier.

19 avril 1978.

Des groupes fascinés par la théorie des minorités agissantes refusent toute loi pour imposer la leur au nom d'un peuple qui ne les a pas choisis, se réclament d'une classe dont ils savent si peu. Ils dénoncent le pouvoir. En possèdent-ils une parcelle, c'est aussitôt pour en user à la façon de tout pouvoir qui se veut absolu.

Quel absolu ? Celui de tuer. La belle victoire !

La mort d'un homme livré, abandonné et démuni de tout, même de sa solitude. Mort d'un otage : est-ce ainsi que demain vont naître les civilisations ?

Toute société, en tout temps, a produit ses révoltes. Ce n'est pas un mal allemand, ce n'est pas un mal italien. Interrogeons-nous sur sa nature. On élevait au Moyen Age des murs contre la peste. Qui dressera le barrage aujourd'hui ?

Il y faudra un grand courage, sans jamais oublier que la stratégie de la terreur est précisément d'organiser l'enchaînement de la violence, sans oublier non plus que ceux dont je vous parle sont peut-être aussi l'avant-garde désespérée de tant et tant d'hommes et de femmes qui crient toutes les questions sans jamais obtenir réponse, qui cherchent une vérité, fût-ce dans le crime, faute d'avoir rencontré personne qui en ait dit une autre.

Dans ce manège infernal de la violence et de la contre-violence, le problème n'est pas de savoir qui a commencé, mais bien qui finira.

Le 20 avril 1978, les Brigades Rouges diffusent une photo d'Aldo Moro vivant ; le 9 mai 1978, criblé de onze balles, le corps du président de la démocratie chrétienne est retrouvé dans le coffre d'une voiture à Rome. Fin tragique de 51 jours de détention.

Mercredi 10 mai

Nous l'avons appris hier : Aldo Moro est mort, pauvre corps jeté à la rue, aux regards. J'éprouve une violente pitié pour cet homme.

Mais j'entends qu'on me souffle : un mort, la belle affaire ! Remontent à ma mémoire les cortèges de suppliciés qui ont rythmé ma vie. Je suis né par temps de guerre : dix millions de morts. J'ai combattu dans une guerre : trente millions. Dans l'intervalle, Staline, Hitler, Franco, les autres. Après ? La liste serait longue et vous la connaissez avec, en contrepoint, l'ombre sans nombre qui porte un nom : Goulag, Indonésie, Chili, Argentine, Cambodge — et le reste. F. me dit que c'est ainsi que tuent les Montoneros — j'approuve leur cause —, que c'est ainsi que tuent ceux qui tuent les Montoneros — dont j'exècre la cause — et que la dernière aube d'un condamné à mort ignore les attendus et les considérants, qui a jugé et qui a défendu, au nom de quel droit, au nom de quelle Histoire. Comment démêler cet atroce écheveau ? Le plus simple est de revenir aux choses simples qui donnent un sens au jour, à la lumière, à l'espérance. Toute société et en tout temps a produit ses révoltes. Elles sont parfois nécessaires. Mais pour quelles valeurs ? Je n'en connais pas qui justifient le crime. Violence et violence, peur et peur, sang et sang, chacun y perd, chacun s'y perd.

Durant l'été 1980, trois attentats à la bombe particulièrement meurtriers sont commis en Europe : le 2 juillet, à Anvers, au départ d'une colonie de vacances d'enfants juifs (1 mort, 16 blessés), le 2 août, à la gare de Bologne (84 morts, 150 blessés), le 26 septembre, à la fête de la bière de Munich (13 morts, 210 blessés).

Le vendredi 3 octobre 1980, à Paris, l'explosion, à l'heure de l'office, d'une bombe placée devant la synagogue de la rue Copernic, provoque la mort de quatre personnes ; une vingtaine d'autres sont blessées. Alain de Rothschild, président du C.R.I.F. (Comité Représentatif des Institutions juives de France) dénonce « la passivité des pouvoirs publics et l'inexplicable impuissance de la police ».

Le 8 octobre, à l'Assemblée nationale :

« Trois cents mille personnes rassemblées en cortège dans les rues de Paris[5], et des dizaines de milliers, à Marseille, à Lyon, à Lille, à Grenoble, à Aix-en-Provence, à Montpellier, à Strasbourg. Un mouvement de protesta-

---

5. Ces manifestations ont lieu le 7 octobre 1980.

tion, de solidarité et de colère comme la France n'en avait pas connu depuis ses grandes heures ; l'unanimité retrouvée des forces spirituelles, politiques et sociales qui se partagent l'adhésion de la nation ; votre présence à vous, membres du gouvernement, notre présence à nous, représentants du peuple, au-delà de frontières si rarement franchies, pour témoigner qu'il est entre nous une cause commune dont le nom le plus simple est celui de patrie — pas seulement celle de la terre et des hommes qui l'habitent, mais aussi celle de l'esprit.

Notre Assemblée, réunie hier, aujourd'hui, son Président, ses groupes, ses orateurs, et le Chef du gouvernement maintenant, unanimes pour proclamer l'horreur et le refus du crime.

Essayons, quelque opinion que l'on ait sur la nature du mal et les responsabilités encourues, d'en comprendre le sens. J'y vois d'abord, et les socialistes avec moi, le réflexe de sauvegarde d'une communauté qui se sent menacée. Quelle communauté ? La nôtre ; la communauté française, frappée dans l'une de ses composantes, mutilée en même temps que celle-ci, souffrante, atteinte dans son existence, comme l'ont été ces pauvres corps : pauvres vies, pauvres morts qui ont payé, vendredi soir, le prix de la haine et du sang. Me hante, encore et toujours, je l'ai déjà dit à cette tribune, naguère, cette fameuse question-réponse, thème de nos réflexions et, depuis si longtemps, cri repris par Hemingway pour tirer la leçon de la Guerre d'Espagne : « Pour qui sonne le glas ? Il sonne pour toi ! »

Oui, pour qui sonne le glas, quand tombe au loin un peuple assassiné ? Pour qui sonne le glas quand tombe, auprès de nous, un seul des nôtres, assassiné ; quand la violence raciste tue ou veut tuer nos frères juifs ? Pour qui sonne le glas ? Il sonne pour nous. Qui, nous ? La France et la démocratie.

Aussi, étais-je presque surpris, hier, de cet étonnement que, ici et là, je percevais, y compris dans nos rangs. Quoi, entendais-je, nous irions donc de la Nation à la République avec des hommes, avec des femmes qui sont nos adversaires ? Qui soutiennent le gouvernement de leurs votes, quand nous le combattons ? Quoi, nous irions mêler nos pas, nos actions, peut-être nos pensées à ceux qui n'ont pas écouté ou voulu écouter nos avertissements ? N'est-ce pas se prêter aux pires confusions ? Eh bien, je n'hésite pas à le dire : tel n'est pas mon sentiment ! Et je salue ceux de nos adversaires de la majorité qui ont partagé avec nous cet intense moment d'émotion populaire. Nous le devions aux victimes, à la Communauté juive, qui n'a pas à connaître, face au danger, nos divisions. Nous le devions au pays que d'autres épreuves attendent. Mais, à notre sens, ce réflexe de sauvegarde d'une communauté qui se sent menacée se double d'une prise de conscience. Prise de conscience que l'attentat de la rue Copernic n'est pas un acte isolé, un accident, une folie : il s'inscrit dans une longue suite de violences, et dans le temps et dans l'espace. Dans le temps, depuis les jours qui paraissaient lointains de l'Holocauste, jusqu'à ce jour où je vous parle, ainsi que ces derniers mois, ces dernières semaines et hier encore ! Dans l'espace, car d'Italie en Allemagne, et d'Allemagne en France, et bientôt partout, je ne sais par quel chemin s'organise et s'étend la conspiration qui prépare sa revanche contre nos libertés.

A ce réflexe de sauvegarde, à cette prise de conscience s'ajoute le sentiment qu'éprouvent les victimes désignées par ce retour en force des idéologies et des méthodes racistes et nazies, de n'être pas protégées.

Il est difficile, je le sais, d'aborder ce problème devant cette Assemblée, sans que l'on vous reproche aussitôt « d'abaisser le débat », de le politiser, de le réduire à nos querelles : je m'efforcerai de parler, comme je le dois, à un Chef de gouvernement et à des ministres, moi, député de l'opposition. Mais, tout autre que moi, de la majorité, aurait le même devoir. Comment faire ? Faut-il se taire ? Quand le Chef de l'Etat, quand le Chef du gouvernement, quand les ministres parlent, ils ne font pas de politique. Quand, à son tour, l'opposition s'exprime, elle en fait ! A qui serait-il donc interdit, sinon au Parlement, aux partis politiques, et à eux seuls en France, d'essayer de comprendre, avant de condamner, de demander et d'obtenir des explications sur les responsabilités et de faire jouer les institutions pour approcher la vérité ? Qui manquerait à ses obligations ? La nôtre est d'interroger, la vôtre, au gouvernement, est de répondre et d'informer : c'est au respect de ces obligations que nous participons tous ensemble cet après-midi. Enfin, si l'on devait se taire, l'Exécutif serait-il seul maître, seul juge pour apprécier la portée de ses actes ? Institutionnellement, ce serait déjà contestable, la souveraineté populaire s'exprime ici autant et plus qu'ailleurs. Pratiquement, le gouvernement mérite-t-il non pas de garder notre confiance — la question n'est pas encore posée —, mais de rester à l'abri des questions que partout en France l'on se pose ?

Vous avez bien voulu accepter ce débat, Monsieur le Premier ministre : même si nous eussions désiré qu'il vînt plus tôt, nous avons entendu vos déclarations. C'est bien ainsi. Mais, je vous le répète au nom des socialistes : les victimes désignées aux coups de ceux dont nous apercevons l'ombre redoutable ont le sentiment de n'être pas sous votre garde. Quand je dis sous votre garde, bien entendu, je pense au gouvernement, aux institutions, aux pouvoirs publics ; je ne tiens pas le compte des pensées, des intentions, des actes de courage du passé, honnête et sûr pour la plupart d'entre vous au regard des obligations dues à la patrie. Mais les victimes désignées aux coups de ceux dont nous parlons n'ont pas le sentiment d'être sous votre garde.

J'ai, sous les yeux, un extrait d'une liste des attentats, agressions ou violences, sanctionnés ou non, commis au cours des cinq dernières années. Elle a paru dans un grand journal du soir. Je me bornerai à remonter au 18 mai 1980 :

18-5-1980   *Diverses déprédations sont commises à Versailles contre le
                3ᵉ festival des immigrés, signées « Regroupement Occidental
                Chrétien »* : Pas de suite.

25-5-1980   *Les vitrines du local de la même fédération sont brisées* : Pas de
                suite.

30-5-1980   *Des cocktails molotov sont découverts, non explosés, à la
                synagogue de Marseille. Le même jour à Bondy, un commando
                agresse un jeune Algérien. Des militants d'un parti d'extrême
                droite sont soupçonnés* : Pas de suite.

31-5-1980   *Le local de l'Union locale C.G.T. est saccagé à Trappes* : Pas de
                suite.

 2-6-1980   *Un nouvel incident à Bondy : un cocktail molotov lancé sous un
                porche où stationnent de jeunes Algériens* : Pas de suite.

 5-6-1980   *Un ouvrier turc est assassiné, à Sochaux, par un de ses
                compatriotes connu pour ses opinions et ses fréquentations avec
                l'extrême droite* : Pas de suite.

 7-6-1980   *Un incendie chez un membre du Parti communiste français à
                Aubervilliers est revendiqué par des commandos dits « Delta »* :
                Pas de suite.

 8-6-1980   *Toujours à Bondy, des coups de feu sont tirés contre des
                Maghrébins :* deux des agresseurs arrêtés sont condamnés à
                quatre mois de prison avec sursis.

12-6-1980   *Plusieurs agressions sont commises dans le quartier du Marais par
                des groupes qui se qualifient eux-mêmes de fascistes* : Pas de suite.

15-6-1980   *Les mêmes incidents se renouvellent dans le Marais, et le local de
                la commission Justice et Paix, où a lieu une exposition sur le
                Nicaragua, est saccagé. Ces incidents sont également provoqués,
                dit-on, par des militants de la F.A.N.E.* [6] Pas de suite.

                *Le même jour, à Bobigny, un coup de feu blesse un Algérien et, à
                Orléans, un militant réunionnais est agressé par des membres
                d'une organisation dite « Action-Jeunesse »* : Pas de suite.

17-6-1980   *Un local du Parti communiste français est incendié à Trappes* :
                Pas de suite.

21-6-1980   *Deux militants socialistes sont agressés à Clichy* : Pas de suite.

22-6-1980   *Un attentat est tenté contre le monument aux morts de Châtillon
                d'Azergues, dans le Rhône. Au même moment, à quelques
                kilomètres, se tient un rassemblement d'un parti d'extrême droite* :
                Pas de suite.

26-6-1980   *Attentat contre le siège du M.R.A.P.* [7], *le mouvement antiraciste
                qui nous conduisait hier, au long du défilé* : Pas de suite.

---

6. Fédération d'Action Nationale et Européenne : mouvement se revendiquant d'une idéologie proche du national-socialisme.

7. Mouvement contre le Racisme, l'Antisémitisme et pour la Paix.

1-7-1980   *Attentat contre un magasin « juif » : il est attribué à une organisation d'extrême droite.*
A la suite de ces deux derniers attentats, onze militants de la F.A.N.E. et du M.N.R. [8] *sont interpellés et dix relâchés.*
Début juillet toujours, quatre personnalités musulmanes reçoivent, à Paris, des menaces de mort et, à Saint-Ouen, la plaque commémorant la fin des combats en Algérie est détruite : Pas de suite.

Cette liste est longue n'est-ce pas, très longue même. Elle est peut-être lassante ? Et pourtant elle durera jusqu'à... hier !

16-7-1980   *Un Maghrébin est tué à Bicêtre (Val de Marne) :* Pas de suite.
17-7-1980   *Des cocktails molotov sont lancés contre l'Ambassade d'Afghanistan à Paris. L'attentat est revendiqué par un « Groupe d'Intervention Nationaliste ».* Quelle suite ? On ne sait.
19-7-1980   *Coups de feu contre un foyer d'immigrés à l'Hay-les-Roses.* Pas de suite.
Dans le courant du mois de juillet, des menaces sont adressées à M. Jean-François Kahn[9] : Suite inconnue.
1-8-1980   *Agression contre un jeune Juif, rue des Rosiers. 7 hommes sont déférés au Parquet et 3 laissés en liberté.*
2-8-1980   *Incendie d'un local du Parti communiste international, à Paris :* Pas de suite.
5-8-1980   *Attentat contre la librairie « Les Reclus », à Paris :* Pas de suite.
6-8-1980   *Cocktail molotov contre la librairie « Les Mille Feuilles », à Paris.*
A la suite de ces deux attentats contre des librairies, 3 militants d'extrême droite sont arrêtés.
11-8-1980   *Important attentat contre l'Imprimerie « Encre Noire », à Paris. 11 blessés et 1 mort. Revendiqué par «* Ordre et Justice Nouvelle ». Une dizaine de militants d'extrême droite sont interpellés puis relâchés.
13-8-1980   *Cocktail molotov contre le domicile de la veuve d'Henri Curiel, revendiqué par un commando dit « Mario Tuti ». L'attentat fait suite à plusieurs lettres de menaces,* mais pas de suite.
Le même jour : profanation, à Suresnes, de la Stèle à la mémoire de Salvador Allende : Pas de suite.
14-8-1980   *Incendie au Centre culturel irakien, à Paris :* l'auteur, arrêté, se revendique d'extrême droite.

8. Mouvement Nationaliste Révolutionnaire, proche de la F.A.N.E.
9. Jean-François Kahn est directeur de la rédaction de l'hebdomadaire *Les Nouvelles littéraires.*

21-8-1980   *Contre un restaurant coopératif, à Marseille, menaces signées
                « Ordre et Justice Nouvelle », avec un tract de la F.A.N.E.* Pas
                de suite.

23-8-1980   *Un Algérien reçoit une balle dans le dos, à Bondy;* l'agresseur,
                sympathisant du « Front National », est arrêté.

28-8-1980   *Plusieurs dizaines de stèles sont profanées dans le cimetière
                israélite de Forbach (Moselle) :* Pas de suite.

                *Courant août, des actes de vandalisme sont commis à Oradour-
                sur-Glane (Haute-Vienne) :* Pas de suite.

26-8-1980   *Des coups de feu tirés contre le Mémorial du Martyr juif inconnu,
                contre une crèche, contre l'école Lucien Hirsch et contre la
                synagogue de la Victoire :* Pas de suite.

                *Un incendie provoqué chez le président de la Ligue des Droits de
                l'Homme, M. Henri Noguères :* Pas encore de suite.

Bien sûr, cette liste est longue, propre à lasser l'attention d'une Assemblée
pressée. Elle aurait pu être plus longue. Mais elle aurait pu aussi être
tellement plus courte ! Il ne dépendait pas de moi. De qui donc ? Ne
pourrions-nous interroger le ministre de l'Intérieur ? Cela sera possible sans
doute incessamment. Ne pourrions-nous lui demander tout simplement :
pourquoi ? Ce n'est pas moi qui accuserai le ministre de l'Intérieur d'une
complicité subjective ou volontaire : bien entendu, je ne m'abaisserai pas à
ce type d'argument. Pourquoi, douterais-je, a priori, de ses qualités
d'homme ? Mais je m'adresse ici au ministre, au responsable de l'ordre
public. Or, ce ministre et ce gouvernement ne manquent pas de vigilance,
partout, quand il s'agit d'en appeler ou de renforcer l'arsenal répressif ! Une
loi est en attente au Sénat — et quelle loi ! —; ce ministre et ce
gouvernement sont prompts à user de la police, de l'armée et même de la
marine pour réprimer les mouvements sociaux, pour chasser les travailleurs
d'une usine occupée, pour surveiller ou expulser des étudiants étrangers et
pour faire taire des radios libres. Ils font preuve d'une grande maîtrise, et je
les en approuve, quand ils règlent, comme récemment, des prises d'otages,
lorsqu'ils détruisent des noyaux d'Action Directe. Ils frappent dur le
terrorisme rouge, s'ils ignorent encore le terrorisme noir. Ils n'hésitent pas à
pourchasser les pensées indociles : ici, Maria-Antonietta Macchiocci[10],
député européen, là, Simon Malley[11]. Il serait scandaleux d'attendre du

10. Journaliste, personnalité du Parti communiste italien, Maria-Antonietta Macchiocci,
enseigne depuis 1973 à l'Université de Paris VII-Vincennes, où ses cours et ses séminaires de
sociologie attirent un nombre croissant d'étudiants. Exclue du P.C.I. en 1977, elle est élue en
juin 1979 sur la liste radicale au Parlement italien ; elle en démissionne en janvier 1980 après
avoir été nommée au Parlement européen. En septembre 1980, le ministre des Universités,
Madame Alice Saunier-Séïté, met fin brutalement aux fonctions de professeur de Maria-
Antonietta Macchiocci à l'Université de Paris VII, sous le prétexte d'incompatibilité de cet
emploi avec son mandat de député italien au Parlement européen.

11. Le 3 octobre 1980, Simon Malley, directeur de la revue *Afrique-Asie*, est interpellé dans
la rue par la police et immédiatement expulsé vers les Etats-Unis.

ministre de l'Intérieur qu'il démissionne afin de marquer le sens de ses responsabilités. Mais le dernier président du Conseil italien, M. Cossigna, n'est pas sorti déshonoré, lors de sa démission, après l'attentat contre M. Aldo Moro[12]. Il l'a fait sans que l'on songe à l'atteindre dans son honorabilité : que dis-je, cette honorabilité a été d'autant plus reconnue qu'il avait démontré ainsi son sentiment de ses devoirs.

D'où vient, disait Gaston Defferre hier soir, cette torpeur ? Découvrir les coupables, bien entendu, Monsieur le Premier ministre, et les punir, démanteler les réseaux, faire que les violents ne puissent agir avec violence : cela est de votre domaine, et j'imagine l'extrême difficulté qu'il y a à saisir des actes terroristes qui, par définition, échappent aux regards.

J'aimerais pouvoir soutenir ceux qui, responsables de l'ordre public, mèneront à bien cette action. Mais notre rôle est de poser toujours des questions. Quel est le rôle de la police ? N'est-ce pas un syndicat important de la police parisienne qui a lui-même déclaré que les mouvements extrémistes étaient, pour une large part, nourris de policiers[13] ? N'est-ce pas l'un de ces policiers qui s'est trouvé compromis dans un des plus graves crimes de ces dernières années, l'attentat de Bologne ? Et le rôle de la Justice ? Qu'on nous donne des explications sur cette initiative de M. le Garde des Sceaux confiant à la Cour de Sûreté de l'Etat le soin d'aller plus loin ! La magistrature française, dite de droit commun, est-elle donc incapable de défendre les libertés ? Faut-il une magistrature d'exception qui observe le secret et qui ne peut accorder à la défense, et à la libre connaissance de l'opinion, ce que la magistrature connaît depuis toujours, depuis la République, sauf dans les années noires ? Faut-il à ce point redouter la conscience des magistrats qui, dans le droit commun, agissent publiquement ?

Monsieur le Premier ministre, nous avons entendu à l'instant[14] une exhortation. Je ne suis pas insensible aux accents, qui sont entendus, ceux que l'on peut deviner. Ce qui se passe à l'intérieur de soi-même, quand on est responsable et que l'on sent son pays engagé dans de telles épreuves, vous y réfléchissez sans doute, et le sentez autant qu'un autre. Mais vous êtes responsable. Vous ne pouvez vous contenter d'idées générales d'exhortations, de bons conseils. Vous êtes le gouvernement de la France !

Nous sommes nombreux ici, assez nombreux encore, de ma génération, celle qui avait vingt à vingt-cinq ans lors des jours cruels de la dernière

---

12. Cf. *supra*. p. 25.
13. Le 4 octobre 1980, au lendemain de l'attentat de la rue Copernic à Paris, deux secrétaires généraux de la Fédération autonome des syndicats de police et du Syndicat national autonome des policiers en civil demandent la création d'une commission d'enquête parlementaire « pour faire la lumière sur la présence de l'extrême droite dans la police ». Deux mois plus tôt, en août, la hiérarchie policière avait découvert qu'un inspecteur stagiaire, qualifié par le ministre de l'Intérieur lui-même de néo-nazi, avait été affecté à la protection rapprochée du grand rabbin de France.
14. Raymond Barre a demandé aux Français « d'être solidaires dans l'épreuve ».

guerre qui ont marqué notre siècle. J'évoquerai pour finir juste une figure, une figure lumineuse. Je ne pourrais pas lire les lignes qu'elle avait écrites sans sentir un déchirement intérieur. C'était Anne Frank[15], ma jeunesse, dans cette figure lumineuse, cette petite fille qui continuera d'éclairer notre nuit. Or, Monsieur le Premier ministre, on assassine ses frères. »

15. Sous l'occupation nazie, cette jeune Hollandaise, qui vit cachée avec sa famille, tient jusqu'à son arrestation en 1944 son journal. Elle meurt en déportation en 1945 à 16 ans. Le *Journal* d'Anne Frank a été tiré à plusieurs millions d'exemplaires.

Un monde dangereux

25 janvier 1979.

Je ne sais pas comment qualifier la politique étrangère de la France, je ne veux pas être déplaisant à l'égard de ceux qui la conduisent — ils ont certainement de grandes qualités — mais je la trouve fade. La France n'a pas aujourd'hui une parole assez haute pour être entendue tout autour de la planète. Je le sens et je l'éprouve à tout moment. On répète un certain nombre de refrains du moulin à prières sur la paix, sur l'équilibre international, mais sans force, sans vigueur et finalement sans grand intérêt. Je le regrette, bien entendu, parce que je pense que la France est un grand pays qui a précisément quelque chose à dire.

Le 17 avril 1980, à l'Assemblée nationale.

Puisque M. le ministre des Affaires étrangères a ouvert le débat — ce qui est bien normal — j'ai mis de côté l'exposé que je comptais vous présenter et j'examinerai les problèmes qu'il a traités dans l'ordre qu'il a lui-même choisi, ce qui me permettra de le suivre à la trace et de poser des questions plus précisément adaptées à la façon de voir du Gouvernement. On me pardonnera donc si, dans ce débat sur l'ensemble de la politique étrangère, je me dispense d'autre préambule.
S'agissant du Moyen-Orient, M. François-Poncet[1] a énoncé les trois principes, ou plutôt les trois raisons — c'est son terme — qui inspirent l'action du Gouvernement.

D'abord, a-t-il dit, prenons la mesure de l'événement. Pour prendre cette

1. Jean François-Poncet, secrétaire général de la Présidence de la République de 1976 au 29 novembre 1978, date à laquelle il est nommé ministre des Affaires étrangères, en remplacement de Louis de Guiringaud.

mesure, il a relevé qu'étaient en cause l'indépendance nationale de ce pays, son droit de disposer de lui-même, que l'Afghanistan se trouvait dans une zone stratégique majeure, enfin que l'ordre mondial établi depuis quinze ans était menacé par l'intervention soviétique[2].

J'ai noté dans son discours une certaine insistance : « La paix, a-t-il dit, se gagne par la fermeté » et, un peu plus loin, « la France dispose de deux armes : la première est la fermeté ».

Vous me permettrez, Monsieur le Ministre, de vous poser à cet égard quelques questions.

La première se rapporte à l'affirmation du principe de l'indépendance nationale. L'indépendance de l'Afghanistan, oui, mais nous trouvons votre réaction bien tardive. Dès lors qu'un principe aussi fondamental est mis à mal, quel peut être le réflexe du Gouvernement de la France, sinon de le dire aussitôt ? Vous avez vous-même tenu à rappeler — sensible à cette critique qui vous a été faite souvent depuis le mois de décembre — qu'à deux reprises, le 29 décembre et le 6 janvier[3], le Gouvernement avait fait connaître par des déclarations officielles sa position à ce sujet en l'articulant autour d'un adjectif : inacceptable. Je vous ai même entendu ajouter : « Le départ de l'armée soviétique n'est pas aisé, mais il est nécessaire. »

Je vous le demande, Monsieur le Ministre, si vous êtes intervenu le 29 décembre et sur une affaire aussi simple que l'énoncé d'un principe, pourquoi avoir attendu quatorze jours puisqu'on apprenait par les dépêches, dès le 15 décembre, que des troupes soviétiques pénétraient sur le territoire afghan ?

Deuxième question : s'il s'agit d'une zone stratégique majeure — et vous avez raison de l'affirmer — comment expliquer qu'en 1978, après l'assassinat du dictateur Taraki, puis de son successeur Amin[4], tyran plus

2. Le 27 décembre 1979, les chars soviétiques pénètrent dans Kaboul, la capitale de l'Afghanistan, ce qui permet à Karmal Babrak (dirigeant de l'une des branches du Parti populaire démocratique-communiste) de s'emparer du pouvoir détenu par Hafizullah Amin. Le putsch fait des centaines de morts. La radio annonce l'exécution d'Amin, condamné à mort par un tribunal révolutionnaire. Aussitôt Karmal Babrak se félicite du « renversement du régime fasciste d'Hafizullah Amin ».

3. Déclaration du ministère des Affaires étrangères à Paris, le 29 décembre 1979 : « Fidèle à sa conception globale de la détente, le gouvernement français est convaincu que dans cette partie du monde, comme ailleurs, la paix et le progrès ne sauraient être fondés que sur le respect du droit à l'autodétermination, des légitimes aspirations des populations et de la souveraineté de tous les Etats. » Déclaration de Jean-François Poncet, ministre des Affaires étrangères, le 6 janvier 1980 : « ... Nous n'envisageons pas, comme vous le dites, des représailles, mais nous envisageons d'avoir avec l'Union soviétique des conversations qui lui montreront que nous sommes attachés à une détente et que nous le sommes à la fois sans faiblesse, sans complaisance, mais profondément, en espérant qu'elle adaptera son comportement à cette exigence, dont elle-même s'est bien souvent réclamée. »

4. Le 16 septembre 1978, Nur Mohammed Taraki, chef tout-puissant de l'Etat afghan, a été assassiné à la suite d'une révolution de palais, par son Premier ministre Hafizullah Amin. Depuis le 27 avril 1978, date de l'arrivée au pouvoir des communistes prosoviétiques, une lutte de factions s'est déroulée au sein du Parti démocratique et populaire. Amnesty International dénonce les « violations constantes des droits de l'homme » sous le régime Taraki.

sanguinaire encore, l'un et l'autre se réclamant et de l'idéologie marxiste-léniniste et de l'amitié avec l'Union soviétique, comment expliquer que l'Union soviétique ait pu prendre sans difficulté ses gages en envoyant 5 à 6 000 techniciens à Kaboul et en s'assurant du contrôle économique et politique de ce pays, oui, sans que personne n'ait protesté, même pas les Etats-Unis d'Amérique ?

Cela signifiait-il que l'Afghanistan était déjà considéré, à l'Ouest, comme appartenant à la zone d'influence soviétique, tandis que les Américains se voyaient conférer un rôle privilégié — c'était avant Khomeiny — en Iran comme ils l'avaient déjà au Pakistan ? S'agissait-il d'un partage d'influence implicite ? L'Union soviétique pouvait-elle considérer l'Afghanistan comme partie de son domaine ?

Quant à l'ordre mondial établi depuis quinze ans, je reprendrai le même argument : cet ordre mondial supposait-il un Yalta[5] au Moyen-Orient ? C'est ce que l'on pouvait croire à la lecture des journaux de l'époque et en observant la réalité politique établie en 1978, et non depuis le 15 décembre 1979. Alors, pourquoi avoir attendu 1980 ? Il faut nous dire, Monsieur le Ministre, ce que vous pensez sur ce point.

Autre question : qu'allons-nous faire ? Bien entendu, il n'incombe pas à la France de déterminer par ses seuls moyens le sort de cette région du monde. Mais nous pouvons peser sur la décision des autres, et même y contribuer.

De ce point de vue, si votre exposé a été un peu plus loin que ce que nous avions entendu jusqu'à présent, il ne nous a pas apporté les précisions que nous attendions.

Vous avez suggéré une concertation des pays voisins de l'Afghanistan qui pourraient définir les conditions de sa sécurité et de la leur. Mais vous ne nous avez pas révélé ce que vous pensiez de la proposition de Cuba[6], ce que vous pensiez de la proposition de l'Inde. Et maintenez-vous la proposition des pays de l'Europe du Marché commun sur la neutralité future de l'Afghanistan ?

Parlons maintenant de l'Iran. Aurai-je la cruauté de rappeler que, pendant le règne du Chah, nos gouvernements associaient plus qu'il n'eût convenu la France à ses fastes. Nous allions à Persépolis tandis qu'on fusillait ! Et nous

5. Du 4 au 11 janvier 1945, le président Roosevelt, le maréchal Staline et Winston Churchill sont réunis en Crimée, à Yalta. L'essentiel de la conférence porte sur l'Europe libérée. Il est généralement admis que le sort de l'Europe fut décidé à Yalta. Et Yalta est employé couramment pour désigner un partage du monde. En réalité, les zones d'influence en Europe de l'Union soviétique d'une part, de la Grande-Bretagne et des Etats-Unis d'autre part, avaient été décidées à Moscou le 13 octobre 1943, au cours d'un entretien Staline-Churchill.

6. Le 14 janvier 1980, l'Assemblée générale des Nations unies, réunie d'urgence en session extraordinaire, demande par 194 voix contre 18 « le retrait immédiat, inconditionnel et total de toutes les troupes étrangères d'Afghanistan ». Les pays de l'Est (sauf la Roumanie qui n'a pas pris part au vote) ont voté contre cette résolution, ainsi que l'Afghanistan, l'Angola, Cuba, l'Ethiopie, Grenade, le Laos, le Mozambique, le Vietnam et la République démocratique du Yemen. Dix-huit pays se sont abstenus, dont l'Algérie, la Syrie, l'Inde, la Finlande et le Nicaragua.

nous flattions tous les six mois de passer avec son administration des
« contrats du siècle[7] ».

Mais voici que la révolution est passée par là. On pouvait la pressentir ;
elle s'est produite. Nous n'avons rien à y redire. C'est une affaire intérieure à
l'Iran, encore que la démarche révolutionnaire, si elle devait conduire à
installer un régime contraire aux droits de l'homme et du citoyen, justifierait
notre protestation.

Or, précisément, par un acte inadmissible, l'Etat nouveau et reconnu par
tous s'est permis de valider une prise d'otages. Cela revient à procéder
comme ces terroristes qui, se plaçant en marge de la loi internationale,
entendent faire valoir leurs principes et leurs droits, ou du moins ce qu'ils
appellent leurs droits.

Vous avez parlé, là aussi, Monsieur le Ministre, d'efficacité, comme si ce
mot compensait dans votre bouche l'absence d'efficacité dans les faits.

Vous avez dit que vous condamniez cette action. Mais pourquoi avoir
encore attendu quinze jours pour le dire ? Cette lenteur de vos réactions,
aussi bien dans l'affaire de l'invasion militaire de l'Afghanistan que dans
celle de la prise d'otages de Téhéran, traduit autre chose qu'une hésitation.
J'y vois l'expression d'une politique qui tend en toute circonstance à
échapper à ses responsabilités. Certes, et je rejoins sur ce point l'analyse de
M. Sudreau[8], la France n'a pas à se conduire en boutefeu, n'a pas, si je puis
dire, à en rajouter. Elle doit, au contraire, à tout moment, proposer le
chemin de la paix, les moyens de la conciliation, être présente là où l'on
parle, à condition qu'elle ose, par avance, définir les points forts sur lesquels
elle entend fonder la société internationale. Aussi bien dans un cas que dans
l'autre, le Gouvernement de la France a été, à mon sens, défaillant.

Puisque vous vous en êtes déjà expliqué, je ne vous demande pas, comme
j'en avais l'intention, ce que vous pensez des éventuelles représailles
imaginées par M. Carter : sanctions économiques, sanctions militaires,
contrôle des ports, mouvements de la flotte. Comment entendez-vous
répondre aux pressions exercées sur vous comme sur les autres gouvernements alliés ?

A vrai dire, il est fort difficile de s'y reconnaître dans les cheminements de

7. Le 12 octobre 1971, à Persépolis, le chah d'Iran célèbre le 2 500e anniversaire de la
fondation de l'Empire perse. Les festivités somptueuses durent deux semaines. Elles
rassemblent des chefs d'Etat, rois, princes, présidents de la République, des chefs de
gouvernement, logés dans des tentes plantées au pied des colonnades de Persépolis et
aménagées somptueusement par des décorateurs de renommée internationale. L'opposition
iranienne assure que l'événement a coûté plusieurs centaines de millions de dollars.
Le Premier ministre, Jacques Chaban-Delmas, est présent à Persépolis. Trois ans plus tard,
du 20 au 23 décembre 1974, le Premier ministre, Jacques Chirac, se rend en Iran. Des contrats
sont signés pour un montant de trente-cinq milliards de francs. A son retour, Jacques Chirac
déclare : « La France deviendra le premier fournisseur de l'Iran, alors qu'elle est aujourd'hui au
quatrième rang. » En fait, la plupart des contrats signés étaient en cours de négociation, sauf
l'adoption du procédé de télévision S.E.C.A.M.
8. Pierre Sudreau, ancien ministre, député centriste de Blois.

la politique américaine. Hier, un grand journaliste, dans un important journal du soir, rappelait à peu près en ces termes le mot de Théodore Roosevelt[9] : « Prenez un gros bâton, et parlez à voix douce. » Or, dans les situations internationales difficiles, j'ai le sentiment que l'on agit à Washington exactement en sens inverse.

Mais cela n'est pas notre affaire. Il importe que la France veille, dans la mesure du possible, à ne pas s'associer imprudemment — je rejoins sur ce point l'avis de M. le président de la commission des affaires étrangères — à des ripostes qui seraient seulement dictées par les intérêts ou, pis, par les seules réactions d'humeur, quand ce ne serait pas par les réactions électorales, du chef d'un gouvernement étranger.

Mais il est, Monsieur le Ministre, un sujet que vous n'avez pas traité et que j'ajoute à votre réflexion : puisque nous parlons de l'Iran, pouvez-vous préciser où nous en sommes avec l'Irak ? Les deux questions sont liées, vous l'avez compris, dans la mesure où un conflit larvé, qui apparaît de temps à autre à la surface, s'installe entre ces deux pays[10].

Je me permettrai à cet égard de rappeler à l'Assemblée nationale un fait que certains pourraient ignorer : la France vend actuellement à l'Irak 25 p. 100 de l'armement de ce pays — avions, hélicoptères, blindés légers, missiles. De plus, nous formons les pilotes irakiens dans nos écoles. Or, parallèlement, on prétend préserver nos chances de dialogue avec l'Iran. Certes, on a le droit de choisir ses amis, ses alliés. Mais alors, Monsieur le Ministre, quels sont-ils ? Prétendre favoriser les progrès de la paix dans cette zone et contribuer en même temps à l'accumulation des charges et explosifs ne nous paraît pas très logique.

J'en arrive au Proche-Orient, et plus précisément au conflit israélo-arabe. Là aussi, vous avez posé quelques principes.

« Ni la force des armes ni le terrorisme », avez-vous dit. « Ni la force des armes », chacun a compris que vous refusiez à Israël le droit de prolonger l'occupation militaire de territoires qui lui ont été refusés par les Nations unies. « Ni le terrorisme », cela visait sans aucun doute la méthode de combat des Palestiniens.

Deuxième principe : « Chacun de ces deux peuples a droit à sa patrie. »

Troisième principe : « Le règlement politique du conflit ne peut qu'être global. »

De ces principes découlent un certain nombre de conséquences que vous avez évoquées, et qu'il convient de rappeler.

D'abord, les territoires arabes occupés à partir de 1967 par l'Etat d'Israël devraient être évacués.

9. Théodore Roosevelt, président des Etats-Unis en 1901, réélu en 1904, employait l'expression de « gros bâton » pour définir sa politique en Amérique latine.

10. Au début d'avril 1980, la tension croît entre l'Iran et l'Irak. Le 9 avril, des incidents éclatent à la frontière, tandis que les autorités irakiennes commencent à expulser des chiites d'origine iranienne. A partir du mois de septembre 1980, c'est la guerre entre l'Iran et l'Irak.

Cette affirmation nationale a été souvent nuancée par vos prédécesseurs, surtout à la veille d'élections, lorsqu'ils rappelaient la résolution 242 de l'O.N.U. [11], compte tenu de l'extrême étroitesse des frontières israéliennes de 1948, de la difficulté à admettre que la route de Tel-Aviv à Jérusalem puisse rester sous le tir des mitrailleuses adverses — n'oublions pas qu'en son centre le territoire de cet Etat ne dépasse pas en largeur la distance qui sépare le Palais-Bourbon d'Argenteuil — compte tenu, enfin, de la réalité historique, politique et spirituelle de Jérusalem.

Lorsque vous demandez le retour aux territoires d'avant 1967, estimez-vous que Jérusalem doive être restituée aux Arabes, du moins jusqu'aux limites admises avant la guerre de 1967 [12] ? Il serait utile, Monsieur le Ministre, que vous répondiez là-dessus.

Deuxième conséquence de vos pétitions de principe : il faut, dites-vous, que les Palestiniens disposent d'une terre et il convient de donner à Israël la garantie qu'il pourra à son tour disposer de la sienne en toute sécurité. Personne ici ne contestera cette évidence.

Mais pensez-vous, Monsieur le Ministre, que cela soit compatible avec la charte de l'O.L.P., qui suppose la destruction préalable de l'Etat d'Israël [13] ?

Au demeurant, que pensez-vous de la venue en France de M. Arafat [14] ?

---

11. Le 22 novembre 1967, au lendemain de la guerre des Six Jours, le Conseil de sécurité a voté la résolution 242. Elle prévoit le retrait des forces israéliennes des territoires occupés lors des récents combats, le respect et la reconnaissance de la souveraineté, de l'intégrité territoriale, de l'indépendance et du droit de vivre en sécurité de chaque Etat de la région.

12. Le 10 mai 1967, Israël informe le Conseil de sécurité de l'O.N.U. qu'il ne restera pas sans réagir aux agressions armées venues de Syrie. Le 18 mai, la République arabe unie demande le retrait des 3 400 Casques bleus de l'O.N.U. stationnés depuis 1956 en Egypte et à Gaza. Le 19 mai, le secrétaire général de l'O.N.U. U Thant accepte. Le 22 mai, la République arabe unie interdit le golfe d'Akaba aux navires israéliens et aux matériaux stratégiques destinés à Israël. Le 31 mai, accord de défense jordano-égyptien. L'Irak y adhère. Le 5 juin, éclate la guerre éclair « de Six Jours ». Israël avait déclaré qu'il considérerait comme un *casus belli* le blocus du Golfe d'Akaba. La guerre se termine le 10 par la défaite des armées arabes et Israël s'empare de différents territoires : le Sinaï et la bande de Gaza, la Cisjordanie et Jérusalem-Est jusque-là incorporée à la Jordanie, et le plateau du Golan qui fait partie de la Syrie.

13. L'Organisation de Libération de la Palestine a été créée le 28 mai 1964. Elle regroupe toutes les organisations de fedayin, notamment le Fath créé en 1957 par Yasser Arafat, le F.D.P.L.P. (Front démocratique et populaire de libération de la Palestine), la Saïka créée en 1966 et installée en Syrie. Elle comprend trois organes : un conseil national (parlement), un comité exécutif (dirigé par Yasser Arafat), une armée (l'A.L.P. — Armée de Libération de la Palestine).

14. A l'automne 1979, la rumeur d'une prochaine venue à Paris du leader palestinien circule avec insistance. Le ministre des Affaires étrangères, Jean François-Poncet, déclare : « Une telle visite ne pose pas de problème de principe » (cité par *Tribune juive*, du 19 octobre 1979). En fait, cette visite n'a pas lieu.
Yasser Arafat est né à Jérusalem en 1929. Il milite dès sa jeunesse dans les milieux nationalistes palestiniens. En 1952, il ébauche les « premiers fondements du mouvement palestinien » et met sur pied le premier embryon de l'organisation Fath et de sa branche militaire El Assifa (la tempête). Pour le Fath, la libération de la Palestine ne peut être réalisée que par les Palestiniens eux-mêmes dans le cadre d'une lutte armée populaire dont l'escalade doit, à la longue, amener l'Etat hébreu à composition. Le 4 janvier 1969, Yasser Arafat succède à Ahmed Choukeiri à la tête de l'Organisation de Libération de la Palestine. Il est désormais reconnu par tous les membres de la Ligue arabe.

J'ai noté que des manifestations puissantes s'étaient déroulées à Paris pour prévenir le Gouvernement que cette présence en France ne serait pas acceptée.

J'ai été interrogé par la presse, comme beaucoup d'autres, à ce sujet, pour savoir ce que j'en pensais. J'ai répondu que j'aurais trouvé fort surprenant que le Gouvernement français — mais je sais que ce n'était pas son intention — fît interdire le sol de notre pays à un visiteur étranger, y compris M. Arafat. Mais j'ai ajouté que ce qui importait, c'était de connaître la raison de cette visite. Bref, le Gouvernement a-t-il adressé une invitation à M. Arafat et pour quoi faire ?

Vous avez dit encore, et c'est la troisième conséquence des principes précédemment énoncés, qu'il convenait d'obtenir une garantie internationale quant au règlement politique que vous souhaitez global.

Cela signifie-t-il que vous êtes, sinon hostile, du moins réservé devant l'idée d'accords particuliers ? Il ne faut tout de même pas oublier qu'il existait une garantie internationale pour Israël depuis 1948, répétée plusieurs fois depuis lors. Les pays qui ont voté pour l'entrée d'Israël à l'O.N.U. [15] ont reconnu par là même son statut de droit international et garanti son droit à l'indépendance et à la pérennité. Or, en dépit d'accords multiples et même de l'intervention des Nations unies, une guerre, plusieurs guerres ont éclaté. Et aux premiers signes avant-coureurs de ces conflits, conformément d'ailleurs à leurs obligations, les Casques bleus [16] se sont retirés.

Comment ne pas imaginer le sentiment d'insécurité du peuple d'Israël qui a vu s'évanouir de la sorte la fameuse garantie internationale qu'on lui propose de nouveau aujourd'hui ? Comment ne penserait-il pas que la meilleure garantie réside dans son énergie, dans sa résolution, dans son armement, voire dans son entêtement ? Comment ne préférerait-il pas des accords particuliers possibles négociés directement par lui-même à un accord global présentement irréalisable ? Sur Camp David [17], je vous ai trouvé plus

---

15. Le 11 mai 1949, par 37 voix contre 12 et 9 abstentions, l'Etat d'Israël est entré à l'O.N.U. Les Etats-Unis, l'Union Soviétique, la France et la Chine se sont placés en tête des supporters du nouvel Etat. Seule des Cinq Grands, la Grande-Bretagne s'est abstenue. Contre l'admission : aux côtés des Etats arabes, les nations indo-musulmanes, à l'exception de la Turquie.

16. Forces composées de contingents nationaux fournis par les Etats membres de l'O.N.U., sur la base d'un libre accord avec les Nations unies et placées sous un commandement international. Elles sont susceptibles de participer à des « opérations de maintien de la paix ».
Le 19 mars 1978, une résolution du Conseil de sécurité décide la mise sur pied des Forces internationales des Nations unies au Liban (F.I.N.U.L.). Elles doivent éviter les affrontements entre palestiniens et israéliens au Sud-Liban. « Les Casques bleus » au Liban comprennent environ 4 000 hommes, appartenant aux armées de huit pays : Iles Fidji, France, Ghana Irlande, Hollande, Nigeria, Norvège, Sénégal.

17. Le 26 mars 1979, à la suite d'entretiens à Camp David, résidence du président des Etats-Unis, le traité de paix israélo-égyptien est signé à Washington par le président égyptien Anouar El Sadate, le Premier ministre israélien Begin et le président Carter. Il prévoit le retrait de l'armée israélienne derrière la frontière internationale reconnue entre l'Egypte et la Palestine sous mandat ; le rétablissement de la souveraineté de l'Egypte sur le Sinaï ; le respect mutuel de

compréhensif que naguère. Peut-être fallait-il corriger quelque peu l'effet produit par les déclarations du président de la République lors de sa visite dans les Emirats.

Il reste que vous avez manqué de clarté. Il y avait une certaine contradiction dans votre propos puisque, après avoir affirmé la nécessité d'un accord politique global, vous avez dit que Camp David pouvait constituer un premier pas et que vous vous réjouiriez s'il était suivi de négociations du même type.

Je me souviens de quelle façon la diplomatie française, lors du rapprochement Sadate-Begin [18] — j'ai déjà employé l'expression — rasait les murs. Nous, socialistes, nous avons approuvé Camp David.

Il faut dire ce qu'on pense. Lorsque, en tant que représentant du Parti socialiste français, je me suis trouvé, à Tel-Aviv et à Jérusalem, face à la presse de ce pays, qui n'est pas si commode, j'ai déclaré qu'il convenait de reconnaître la réalité palestinienne, une patrie pour ce peuple.

Il faut trouver une solution où ce ne soit pas la même terre qui serve de même patrie. On a parlé de la Cisjordanie. Pourquoi pas ? Mais ce qui importe, c'est de savoir si vous pensez que, par des négociations directes, il est possible d'espérer une contagion de la paix.

J'en viens directement aux récentes déclarations du président de la République lors de son voyage dans les Emirats et en Jordanie, et à sa proclamation du droit des Palestiniens à l'autodétermination [19].

Si l'on recolle tous les morceaux de discours égrénés au fil des étapes on y retrouve à peu près tous les éléments que vous avez vous-même indiqués à cette tribune et que nous avons coutume de répéter à satiété : à chacun son

la souveraineté, de l'intégrité territoriale et de l'indépendance respectives ; la pleine reconnaissance des relations diplomatiques, économiques et culturelles ; le libre mouvement des personnes et des biens entre ces deux pays ; la protection mutuelle des citoyens. Des accords de sécurité sont prévus.

La France s'abstient de toute déclaration officielle, mais « les milieux autorisés » ne dissimulent pas leurs réticences devant ces accords de Camp David. Ils leur reprochent essentiellement de ne pas constituer une solution globale et de ne pas être acceptés par l'ensemble du monde arabe.

18. Le 10 novembre 1977, le chef de l'Etat égyptien, le président Sadate, se rend à Jérusalem où il est reçu par le Premier ministre israélien Begin. Pour la première fois, un chef d'Etat arabe brise la barrière qui sépare Arabes et Israéliens. En dépit des multiples divergences qui demeurent (évacuation par Israël des territoires occupés, reconnaissance des droits des Palestiniens à avoir leur propre Etat), le président égyptien reconnaît par ce geste l'existence de l'Etat hébreu.

19. Le président Valéry Giscard d'Estaing s'est rendu dans les Emirats du Golfe persique du 1er au 9 mars 1980. Sa visite au Koweit a donné lieu à la signature d'accords de coopération pétrolière et industrielle et à une prise de position de la France en faveur de l'autodétermination des Palestiniens. Le communiqué franco-koweitien du 1er mars remet en cause la résolution 242 du Conseil de sécurité, en affirmant que le problème palestinien « n'est pas un problème de réfugiés », mais celui d'« un peuple qui doit disposer [...] de son droit à l'autodétermination ». Le voyage du président de la République s'est terminé le 9 mars 1980 par une visite à la Jordanie, essentiellement consacrée à la situation internationale. Le communiqué final franco-jordanien admet comme principe d'un règlement de la crise du Proche-Orient « la reconnaissance du droit de tous les Etats de la région à vivre en paix dans des frontières sûres, reconnues et garanties ».

Etat, sa patrie, sa sécurité ; à chacun sa garantie ; respect des décisions de l'O.N.U. ; évacuation des territoires occupés et, lorsque la sécurité d'Israël est en jeu, garantie internationale ajoutée — c'est moi qui le dis — à la négociation directe.

Je rappelais il y a un moment les propos que j'avais tenus à Jérusalem et à Tel-Aviv[20]. Permettez-moi d'évoquer maintenant ce qu'au nom de mon parti j'ai dit aussi à Alger, à côté de M. Boumediène[21] comme en 1974 au Caire, invité par M. Sadate, et après y avoir rencontré M. Arafat[22]. « Il faut que vous, Arabes, reconnaissiez le droit à l'existence, aux moyens d'existence et à la sécurité de l'Etat d'Israël. »

La seule chance d'être entendu est de tenir le même langage. La difficulté éprouvée par M. le président de la République après ses déclarations tient au fait qu'il a séparé ce qui n'était pas séparable et qu'il a affirmé, dans les Emirats, devant un public dur, ce qui pouvait convenir à ce public dur : le droit à l'autodétermination des Palestiniens, pour réserver, huit jours plus tard, là où elles pouvaient être prononcées sans grand risque — bien qu'elles fussent accompagnées d'une imprudente visite au dispositif militaire de l'Etat jordanien en direction d'Israël — les paroles favorables au respect des droits d'Israël.

C'est cette séparation qui a donné le sentiment que M. Giscard d'Estaing voulait plaire successivement à chacun, ce qui est la meilleure façon, au bout du compte, de ne plaire à personne, d'être suspect à tout le monde. Tout à l'heure, dans un mouvement vertueux qui ne m'étonne pas de vous, Monsieur le Ministre des Affaires étrangères, vous avez dit : « Comment supposer que l'attitude du président de la République puisse être inspirée par de viles considérations touchant à des intérêts économiques ? » Mais tout le monde avait pensé « pétrole » avant vous, Monsieur le Ministre des Affaires étrangères ! Et si vous avez été obligé d'insérer ce passage délicat dans votre exposé écrit, c'est parce que vous savez où est la vérité, et que si Israël avait du pétrole, et non pas les Emirs, le discours du président de la République eût été différent.

A propos du Proche-Orient, je consacrerai quelques instants au Liban. Je ne vous reprocherai pas de ne pas vous y être attardé, vous aviez beaucoup de choses à dire ! Observez la façon dont le mini-Etat séparatiste du Sud persévère dans son action, y compris jusque dans l'attaque des forces des Nations unies[23].

Vous avez vous-même relevé, en d'autres circonstances, que le fait

---

20. En 1976 (du 27 au 29 octobre) et en 1977 (du 19 au 23 février), l'auteur a effectué de brefs séjours en Israël.

21. L'auteur s'est rendu à Alger le 26 février 1976.

22. L'auteur a séjourné au Caire du 28 janvier au 1er février 1974.

23. Le 13 mars 1978, en représailles d'un attentat palestinien, les Israéliens chassent les Palestiniens au nord du Litani, fleuve situé en territoire libanais. Après un cessez-le-feu intervenu le 22 mars, 4 000 Casques bleus dont 700 Français s'installent au Liban (cf. *supra*, p. 41).

libanais ne pouvait être traité dans l'ignorance du fait palestinien. On sait que la Syrie s'intéresse au Liban, et si l'on en parle moins aujourd'hui, c'est parce qu'elle connaît chez elle de difficiles problèmes[24].

Vous connaissez sans doute le plan récemment proposé par le Mouvement national de M. Walid Joumblatt[25] ? Il demande avant toute autre chose le maintien de l'intégrité de son pays, la reconstitution de l'appareil d'Etat et la reconstruction d'une armée « laïque », équilibrée entre les différents groupes ethniques et religieux aujourd'hui divisés.

Cette position du Mouvement national, parti de gauche désireux d'obtenir de profondes réformes sociales et le changement des structures économiques, mais qui a le courage intellectuel et moral de remiser provisoirement ses aspirations propres par amour de son pays, mériterait sans doute de la part du Gouvernement français une attention particulière.

J'évoquerai d'un mot la situation de la Turquie, qui ne peut manquer de nous préoccuper. L'évolution actuelle du régime, l'état de siège décrété dans de nombreuses villes et provinces, les interdictions de la presse, les manquements aux droits élémentaires sinon fondamentaux des citoyens, enfin la multiplication des arrestations d'opposants font craindre que ne se produise à bref délai un nouveau phénomène que l'on appellera par commodité « déstabilisation » dans ce Proche-Orient déjà si tourmenté[26].

Je présenterai maintenant quelques réflexions sur plusieurs pays d'Extrême-Orient, ou plus précisément de la péninsule indochinoise. Dix pour cent de la population du Laos — les Laos et les Hmongs — ont quitté le pays. Les *boat people*[27] continuent de fuir le Vietnam : deux mille environ

24. La situation intérieure syrienne est perturbée par les actions terroristes des intégristes musulmans. En juin 1979, 32 élèves officiers sont tués et 54 autres blessés au cours de l'attaque de l'école militaire d'Alep, dans le nord de la Syrie, par des membres de l'association intégriste sunnite des Frères musulmans. Cette confrérie, accusée par le gouvernement « d'agir pour le compte des Etats-Unis et du sionisme », se serait livrée à une « série d'assassinats » à Alep, Homs, Damas, de même que dans d'autres villes syriennes. La plupart des victimes appartiendraient à la communauté alaouïte, secte musulmane minoritaire dont fait partie le chef de l'Etat.

25. Walid Joumblatt est le chef du Mouvement national libanais (coalition de la gauche libanaise). Il a été nommé à la tête de ce mouvement en remplacement de son père Kamal Joumblatt, assassiné le 18 mars 1977. Le parti de Walid Joumblatt et l'organisation du parti Baas (pro-syrien) au Liban présidée par Assem Kanso, ont conclu le 12 septembre 1977 à Damas, un accord pour la création d'un Front national « ouvert à tous les partis, organismes et forces politiques et sociales, ainsi qu'à toutes les personnalités politiques » qui accepteront ses objectifs. Un communiqué commun, précisant les objectifs du nouveau Front national, demande « l'abolition du confessionnalisme politique dans les institutions et les services de l'Etat, la création d'une armée libanaise capable de restaurer la sécurité, de sauvegarder l'unité du pays et de participer à la lutte nationale contre l'ennemi sioniste, une coopération au plus haut niveau entre le Liban et la Syrie et l'application des accords libano-palestiniens conclus entre le pouvoir libanais et l'O.L.P. ».

26. Cette situation aboutit le 12 septembre 1980 en Turquie à un coup d'Etat militaire, le troisième depuis 1960. Le général Kenan Evren, qui prend la tête du coup d'Etat, ainsi que les chefs des forces armées, accusent les partis politiques d'impuissance. Ils justifient l'intervention armée par le « danger mortel » couru par le pays.

27. *Boat people*, expression employée pour désigner les réfugiés fuyant le Vietnam par mer. En novembre 1978, plus de 50 000 réfugiés vietnamiens ont déjà pris pied en Malaisie et sont

chaque mois dans des conditions épouvantables. Le haut-commissariat aux réfugiés appelle au secours, mais ne peut pas grand-chose.

Au Cambodge, ou plutôt parmi les Cambodgiens, on observe qu'au moins 20 000 d'entre eux sont dans des camps légaux en Thaïlande et 130 000 dans des camps provisoires ; 500 000 à 600 000 attendent le long de la frontière thaïlandaise, prêts à la traverser.

M. le président de la commission des affaires étrangères [28] et vous-même, Monsieur le Ministre, avez estimé que rien ne sera possible sans avoir reconstruit l'indépendance du Cambodge autour d'un gouvernement national, ce qui implique, sans qu'il y ait rupture entre la France et le Vietnam, que nous pesions sur le Vietnam pour qu'il renonce à l'occupation du Cambodge. Comment faire ? De ce point de vue je comprends votre embarras ; tout autre l'éprouverait.

Je formulerai simplement une remarque à cet égard. Avez-vous observé cette propension, sur la scène du monde, à se servir de causes dont la justesse apparaît aussitôt ?

Au Cambodge, le régime de Pol Pot [29] il fallait s'en débarrasser. Cela justifie-t-il pour autant l'occupation militaire durable du Cambodge par un pays étranger ?

Idi Amin Dada [30], l'affreux dictateur, il fallait s'en débarrasser. Cela

parqués dans des îlots par les autorités malaisiennes. A partir de la fin 1978, les nouveaux arrivants sont repoussés à la mer. Au début de février 1979, on évaluait à près de 100 000 les « boat people » qui partant du Vietnam avaient gagné, par mer, les pays voisins ; on estimait parfois que les noyés en cours de route étaient aussi nombreux. En juin 1979, plus de 75 000 réfugiés se trouvaient en Malaisie.

28. Maurice Couve de Murville, ancien ministre des affaires étrangères et Premier ministre du général de Gaulle, préside la commission des affaires étrangères de l'Assemblée nationale en 1978 et en 1980.

29. Le 5 janvier 1976, par une nouvelle Constitution, le Cambodge est devenu le Kampuchéa démocratique. Le 4 avril 1976, le prince Sihanouk a présenté sa démission de chef de l'Etat. Le 27 septembre 1977 est proclamée officiellement l'existence du Parti communiste khmer. Pol Pot accède aux postes de secrétaire général du Parti et de Premier ministre. Les Khmers rouges instituent un régime de terreur, évacuant de force toutes les villes. La population connaît la famine. Dans le cadre de la rivalité sino-soviétique, les dirigeants khmers se placent résolument du côté chinois. La tension entre le Kampuchéa et le Vietnam, qui a semblé s'apaiser durant l'année 1976, se ranime dès les premiers mois de 1977. Le 31 décembre 1977, Phnom Penh annonce la « rupture temporaire » des relations diplomatiques avec le Vietnam et dénonce l'invasion de son territoire par des troupes vietnamiennes soutenues par l'U.R.S.S. Au début de janvier 1978, l'ambassadeur du Vietnam à Paris, Vo Van Sung, fait état des « atrocités insupportables » commises par les Cambodgiens. Le 1er janvier 1979, dans la nuit, les troupes de Hanoi lancent une offensive à l'intérieur du Cambodge pour soutenir les partisans du Front uni de salut national du Kampuchéa (F.U.N.S.K.) fondé le 3 décembre 1978 par des Cambodgiens hostiles au régime de Pol Pot et provietnamiens. Le 7 janvier 1979, un communiqué de Radio-Hanoi annonce que la capitale cambodgienne a été entièrement libérée, que « le régime dictatorial et militant de la clique Pol Pot-Ieng Sary s'est complètement effondré ».

30. Le 21 janvier 1971, le général Idi Amin Dada renverse le président Obote, chef de l'Etat ougandais. S'instaure alors en Ouganda un véritable régime de terreur. Amin Dada se proclame président à vie. Selon Amnesty International, 300 000 Ougandais auraient été massacrés depuis 1971. Le 1er novembre 1978, l'Ouganda envahit la Tanzanie ; Amin Dada invite le chef de l'Etat

justifie-t-il pour autant l'occupation durable de l'Ouganda par les troupes de Tanzanie ?

On peut appliquer ce raisonnement à l'Afghanistan. Après tout, l'argument humanitaire y a été de même employé : les dirigeants soviétiques n'ont-ils pas souligné que Taraki et Amin étaient d'insupportables tyrans et qu'il était urgent de mettre en place des dirigeants capables de rallier les rebelles et de réconcilier les fractions ? Mais cela justifie-t-il une occupation militaire durable de l'Afghanistan ?

Enfin — et croyez bien que j'ai le sens des proportions — êtes-vous sûrs que le fait de s'être débarrassé de Bokassa puisse justifier durablement l'occupation par l'armée française de tous les carrefours de la politique centrafricaine [31] ?

Ainsi, depuis quelque temps, l'alibi humanitaire sert-il désormais à justifier les manquements au droit. Peut-être est-ce nécessaire. En tout cas j'y vois une hypocrisie qu'il conviendrait de dénoncer.

Enfin, Monsieur le Ministre, qu'en est-il des cinq mille réfugiés du Vietnam et du Cambodge que la France doit, selon la promesse de M. Valéry Giscard d'Estaing, accueillir en plus des quotas habituels [32] ? J'ai entendu dire que nous étions encore loin du compte.

Je parlerai peu de l'Afrique. Deux des collègues de mon groupe traiteront ce sujet.

Je citerai cependant le Tchad. M. François-Poncet a déclaré vouloir « rendre l'Afrique à elle-même ». Cela vaut, en effet, pour le Tchad comme pour le reste. Or les méandres de la politique française dans cette partie de l'Afrique restent assez surprenants.

Pendant longtemps, nous nous sommes appuyés sur Tombalbaye, puis sur Malloum, en désignant les populations du Nord, leurs tribus et leurs chefs comme les adversaires de l'unité du Tchad. Nous les avons combattus avec nos armes et nos soldats. Comme il s'est trouvé que votre diagnostic s'est révélé inexact, vous vous êtes adapté à la situation — je ne dis pas que vous ayez eu tort — et, aujourd'hui, vous êtes pris dans l'imbroglio. Vous avez négocié avec les anciens chefs rebelles du Nord : Goukouni, Hissène Habré [33], et voici qu'ils organisent la guerre civile. Vous rejetez la

tanzanien Nyerere à régler le conflit sur un ring de boxe. Le 28 novembre, plusieurs milliers de soldats tanzaniens pénètrent en Ouganda. Malgré une aide libyenne, Idi Amin Dada est renversé en avril 1979.

31. Sur le « renvoi » de Bokassa, cf. *infra* p. 154 et 160.

32. Les quotas habituels oscillent entre 500 et 1 000 réfugiés par mois.

33. Le 8 novembre 1960, le Tchad accède à l'indépendance. François Tombalbaye devient président. Dès 1963, l'armée française intervient directement à plusieurs reprises pour le soutenir contre des mouvements rebelles. En 1966, est créé le Front de libération nationale (Frolinat), dirigé d'Alger par le Dr Abba Siddick et aidé militairement et financièrement par la Libye. En désaccord avec Abba Siddick, Oueddeï Goukouni, chef coutumier, et Hissène Habré, créent en 1972 la deuxième armée. Ils deviennent les deux hommes forts des rebelles tchadiens opérant dans le Tibesti. Lors d'un coup d'Etat militaire dirigé par le général Noël Odinger, le 13 avril 1975, François Tombalbaye est tué. Le général Félix Malloum devient chef

responsabilité sur la Libye. C'est trop facile! La France s'est voulue responsable. C'est à son Gouvernement de rendre compte de ses variations, de ses contradictions.

J'ai évoqué il y a quelques instants le Centre-Afrique. Je n'insisterai pas. Il me semble, toutefois, que le Gouvernement français devrait exiger que soit assurée la sécurité des personnes dès lors que c'est son autorité qui a permis l'installation du nouveau pouvoir [34]. Qui, par exemple, se trouve dans les prisons et dans quelles conditions? Il faudrait chercher à le savoir si nous voulons éviter des massacres du genre de ceux que vous avez tolérés du temps de vos faiblesses pour l'empereur. Veillons à ne pas compromettre la France dans une nouvelle et sinistre aventure.

Pour l'Algérie, on a parlé de difficultés à propos du prix du gaz. Les dernières relations entre nos deux pays n'avaient donc pas permis d'éliminer ce type de problème irritant? Il me semblait pourtant que l'on avait, au cours de ces derniers mois, rétabli la confiance. Est-ce vrai? Je vous pose la question.

Peut-on également, Monsieur le Ministre, connaître vos intentions pour un autre pays d'Afrique, le Zimbabwe [35], qui doit célébrer prochainement son indépendance? Comment la France compte-t-elle s'associer au développement de ce pays, après l'affirmation de son indépendance par le suffrage universel et sous contrôle international?

Je ne m'attarderai pas outre mesure dans des considérations à caractère géopolitique et stratégique à propos de l'Afrique. Je ferai observer cependant qu'il est impossible de traiter de ce continent sans relier ce que la géographie a déjà rattaché : la corne de l'Afrique, l'océan Indien et le golfe Persique. La présence soviétique en Ethiopie [36] et au Yémen du Sud ferme

de l'Etat. En février 1979, N'Djamena, la capitale tchadienne, est le théâtre de violents combats. Hissène Habré contrôle la ville. Le général Malloum se réfugie au Soudan. L'armée française intervient pour évacuer les ressortissants français. Un gouvernement de réconciliation nationale est formé. Le 23 mars 1979, Oueddeï Goukouni devient président du Conseil de l'Etat provisoire. Félix Malloum et Hissène Habré ont démissionné. Choisi le 21 août 1980 pour présider le gouvernement d'union nationale de transition né de l'accord de Lagos qui a jeté les bases de la réconciliation nationale, Oueddeï Goukouni prend la tête de l'Etat tchadien.

34. Le 21 septembre 1979, David Dacko, ancien président de la République centrafricaine, profitant d'un séjour du général Bokassa à Tripoli, prend le pouvoir avec l'aide de l'armée française et abolit l'Empire, « régime détesté qui s'est décomposé ». Dans un communiqué publié le 18 août 1979, le ministère de la Coopération avait annoncé la décision prise par Paris de suspendre l'aide financière française à l'Etat centrafricain. En avril de la même année, le massacre à Bangui d'au moins quatre-vingts écoliers centrafricains avait ébranlé l'opinion internationale. Malgré les efforts du gouvernement français pour minimiser les responsabilités de Bokassa, une commission d'enquête avait jugé, quatre mois plus tard, celles-ci quasi certaines. (Sur le scandale Bokassa et les conditions de son départ d'Afrique, cf. *infra* p. 153.)

35. Nom de l'ancienne Rhodésie du Sud, officiellement République indépendante à partir du 18 avril 1980. Après une victoire éclatante aux élections des 27, 28 et 29 février, Robert Mugabe, secrétaire général de la Zanu, principal mouvement de libération, forme, le 11 mars 1980, un cabinet de « front national » comprenant deux Blancs qui se voient confier les ministères de l'Agriculture et de l'Industrie. Le Révérend Canaan Banana est président de la République.

36. Le Yémen du Sud et l'Ethiopie font partie du Mouvement des pays non alignés, comme Cuba, le Vietnam, le Laos, l'Afghanistan, l'Angola, pour qui l'Union soviétique est l' « alliée

l'entrée sud de la mer Rouge. Or je ne vous ai pas, Monsieur le Ministre, entendu parler de cette région.

Je ne suis pas de ceux — je l'ai déjà dit à cette tribune à vos prédécesseurs — qui pensent que dans l'équilibre général de l'Afrique au cours des quinze dernières années on ait assisté à une avance de la stratégie soviétique — si toutefois elle a été tentée. Ce qui s'est passé en Guinée, en Libye et — tout le monde l'a en mémoire — en Egypte, l'évolution de l'Angola, les conditions de l'indépendance du Zimbabwe, tout cela démontrerait plutôt le contraire.

Je pense même que l'on a assisté de ce point de vue au recul d'une stratégie qui n'était pas celle de Staline mais celle de ses successeurs. Je rappellerai à cet égard — ce qui éclairera d'un autre jour l'affaire de l'Afghanistan — ce propos attribué à Staline : « Il ne faut aller que là où l'on peut se rendre à pied. » Une certaine prudence de la politique soviétique en Afrique me paraît donc découler de ces observations. En revanche, je continue de penser que la concentration de sa puissance, de son contrôle dans la corne de l'Afrique a une signification de caractère général.

L'Europe, l'Europe du Marché commun. J'ai dit en commençant que mon « rôle serait de vous suivre à la trace et de vous poser les questions que vous aviez vous-même suscitées ». Je rappellerai que les principes posés dans la partie de votre discours qui s'appliquait à l'Europe du Marché commun étaient les suivants.

Premièrement, respecter le contrat de Rome[37] ; avant de songer à changer le traité, appliquons-le. Je ne saurais que vous donner raison.

Deuxièmement, respecter l'objet de la politique agricole commune. Mais j'ai éprouvé une grande surprise quand vous avez ajouté que cet objet était de protéger l'exploitation familiale agricole. Cette affirmation était plus saugrenue dans votre bouche. Sans doute le conseiller général de Lot-et-Garonne perçait-il à ce moment sous le ministre des Affaires étrangères[38]. Mais il a bien vite disparu.

Troisièmement, la Communauté, avez-vous affirmé, doit assurer sa propre consommation et même avoir des ambitions plus hautes, c'est-à-dire exporter. Bien entendu !

naturelle ». Depuis 1977, l'U.R.S.S. a effectué vers l'Ethiopie des livraisons considérables d'armes. Malgré les démentis éthiopiens, en 1978, selon Washington, il y avait dans le pays 1 000 Soviétiques et 3 000 Cubains sur les 6 000 à 7 000 Cubains stationnant alors en Afrique aux côtés de 1 500 ressortissants d'Europe centrale, Tchécoslovaques et Est-Allemands principalement.

37. Le 23 mai 1957, la République fédérale d'Allemagne, la Belgique, la France, l'Italie, le Luxembourg, les Pays-Bas, ont signé à Rome le traité instituant la Communauté économique européenne (C.E.E.) dite Marché commun. Le but du traité est l'expansion continue et équilibrée, le relèvement accéléré du niveau de vie par la libre circulation des marchandises, le libre établissement des personnes et des capitaux, la mise en place de politiques communes : agriculture, commerce, concurrence, énergie et transports.

38. Il s'agit de Jean François-Poncet, alors secrétaire général de la présidence de la République, qui a été élu le 12 mai 1978 à la présidence du Conseil général du Lot-et-Garonne.

Quatrièmement, vous avez lié, d'une façon que j'ai trouvée heureuse, deux principes : le respect de la préférence communautaire qui fait la singularité, l'originalité de la Communauté, et l'organisation des marchés.

Je vous poserai sur ce point plusieurs questions, sans abuser des commentaires.

D'abord, puisque vous nous avez parlé de l'organisation des marchés, est-il exact que M. Giscard d'Estaing ait accepté, en 1962, lorsqu'il était ministre des Finances, puis renouvelé en 1974, en qualité de président de la République, dans le cadre des négociations G.A.T.T. [39] et conformément à l'article 24, alinéa 6 de ce traité, l'ensemble des dispositions qui affectent aujourd'hui le marché du mouton [40] ?

Pouvez-vous confirmer cette affirmation de M. Peter Walker, ancien ministre britannique de l'Industrie et du Commerce, selon lequel « le président Giscard d'Estaing n'a jamais révélé que, lorsqu'il était ministre des Finances et que j'étais au ministère du Commerce et de l'Industrie britannique, nous avons tous les deux signé l'accord à long terme du G.A.T.T. autorisant la Nouvelle-Zélande à fournir à la Communauté européenne des quantités illimitées de moutons, à condition qu'il y ait une taxe de 20 p. 100 sur ces exportations » ? Ces déclarations de M. Walker sont-elles fondées ou bien ne le sont-elles pas ?

Deuxième question : pourquoi, puisqu'il était établi que l'on pouvait, pour l'organisation du marché, négocier les accords transitoires jusqu'au 31 décembre 1977, la France n'a-t-elle pas suscité une négociation de ce genre avant la fin du délai ?

Si j'en avais le temps — je me contenterai d'une brève esquisse — j'aurais tenu le même raisonnement à propos du marché de la viande bovine. J'aurais dit : après tout, comment se fait-il que, dans l'élargissement de six à neuf de la Communauté, le marché de la viande bovine n'ait pas été modifié, organisé, de telle sorte que l'on tienne compte de la différence de nature découlant de l'augmentation de six à neuf du nombre des participants à la Communauté ? Vous savez que c'est précisément le même ministre des Finances français, M. Giscard d'Estaing, qui, en 1972 et 1973, avait

39. Le G.A.T.T. (General Agreement on Tariffs and Trade — Accord général sur les tarifs douaniers et le commerce) a pour objet de favoriser la libération des échanges internationaux. Il est entré en vigueur en 1948. Depuis lors, plus d'une centaine de pays l'ont ratifié ; l'U.R.S.S. et la Chine sont restées en dehors du système mis en place par le G.A.T.T.

40. A la demande des éleveurs français, le Gouvernement limite les importations de mouton en provenance de Grande-Bretagne, ce qui est contraire à la règle communautaire de la libre circulation des marchandises. En revanche, Londres ne respecte pas le principe de la préférence communautaire. Les Anglais, en effet, importent massivement de la viande de mouton congelée en provenance de Nouvelle-Zélande pour leur propre consommation et vendent à la France de la viande fraîche produite chez eux. Or, le prix de revient du mouton est nettement plus avantageux de l'autre côté de la Manche. Il s'agit pour la France d'une concurrence déloyale qui met les éleveurs français en état d'infériorité au niveau des prix.

demandé l'application de la clause de pénurie [41] pour faire baisser le prix de la viande et donc l'indice du coût de la vie en France, clause qui supposait que l'on importât sans prélèvement ni droit de douane, c'est-à-dire sans contrôle — donc sans organisation du marché — la viande bovine. Les frontières ont été ouvertes, sans que le marché soit organisé. Et, de ce fait, en 1973, la Communauté a importé de 900 000 à 950 000 tonnes de viande sans que les éleveurs en eussent été informés, au moment où notre production devenait suffisante pour nos besoins.

Les frigorifiques se sont remplis, on n'a pas su quoi faire des stocks. Bref, au moment même où les Britanniques obtenaient, dans une négociation parallèle, de revenir sur le statut des céréales, le Gouvernement français, lui, se révélait incapable d'obtenir, pour la viande ovine et pour la viande bovine, la moindre concession des mêmes partenaires. N'y a-t-il pas dans cette affaire une différence sensible quant à la qualité des négociateurs, ou malheureusement dans la force et la constance de la volonté nationale ?

Je pourrais tenir le même raisonnement à propos du lait. Je me souviens d'une campagne récente — elle date de l'année dernière — où l'on a beaucoup parlé à la télévision, entre responsables politiques, de la taxe de coresponsabilité afin de résoudre le problème des excédents laitiers. On en est toujours au même point et il nous semble bien que, même sur le plan des montants compensatoires, dont on nous avait promis la suppression intégrale, on soit largement en retard sur les échéances promises.

Quant aux prix agricoles, vous connaissez le débat.

Les décisions qui viennent d'être prises pour la réduction des montants compensatoires permettent à la France d'offrir sa part sur l'autel de la conciliation. Il faut maintenant atteindre les 7,9 p. 100 d'augmentation demandés justement par les organisations syndicales agricoles. Quelles sont vos prévisions en ce domaine ?

Je reviens sur la politique agricole dont vous avez osé prétendre qu'elle tendait à protéger les petites et moyennes exploitations familiales. Vous les aimez, ces exploitations familiales ! Du moins, dans le discours ! Mais vous savez pourtant que la politique européenne d'aujourd'hui, s'ajoutant à la politique gouvernementale française, ne fait et ne peut qu'accentuer le processus de leur disparition.

On assiste à un phénomène accéléré de concentration au bénéfice de quelques-uns, des industriels, de l'agriculture ou de puissances financières et bancaires, nationales et internationales.

Alors qu'on nous annonce que d'ici peu le nombre des agriculteurs français sera réduit à un million, c'est le moment que vous choisissez pour dire au Parlement que l'objet de tous vos soucis dans les négociations à

41. La clause de pénurie dans le Marché commun a été instituée par le règlement communautaire de 1972. En cas de hausse des prix, il est possible à la Communauté européenne d'alléger les charges à l'importation des marchandises, voire même de les supprimer complètement.

Bruxelles et ailleurs est l'exploitation familiale agricole ? Ne voyez-vous pas dans ce propos comme une dérision ? La théorie qui prévaut en France est celle de la fausse concurrence, sous couleur de liberté des prix. [...]

Il est assez surprenant de vous entendre entonner un couplet contre le libre-échange, alors que la pression américaine, la volonté de la moitié de nos partenaires du Marché commun et la réalité profonde de la **politique** française s'inscrivent précisément dans cette perspective.

Je m'interroge enfin, Monsieur le Ministre, reprenant un argument de M. le président de la commission des affaires étrangères, sur l'inexistence ou l'incapacité du Conseil des ministres et l'impréparation du prochain Conseil européen. Je vous demande : Qu'allez-vous y faire ? Mieux vaut ne pas négocier quand la négociation ne doit pas aboutir. Il est temps, grand temps d'arrêter la Communauté sur la pente où elle s'est engagée et qui la conduira à sa propre destruction, si tant est qu'elle n'entraîne pas en même temps la destruction d'un large pan de notre économie.

La crise internationale : j'en ai traité, et largement, au travers des problèmes que j'ai successivement examinés. A ce sujet, il faut s'entendre sur quelques principes simples.

Sommes-nous bien d'accord, Monsieur le Ministre, sur le fait que l'Alliance atlantique [42] doive être maintenue ? Sommes-nous bien d'accord pour estimer que cette alliance s'exerce dans un périmètre géographique donné, ce qui veut dire qu'il est de larges zones de la planète où elle n'a rien à faire et ne comporte d'obligations pour aucun de ses membres ? Etes-vous d'accord pour considérer — vous l'avez dit d'une autre façon — qu'alliance ne peut signifier sujétion ? Et si nous sommes d'accord là-dessus, le serons-nous encore pour poser en principe que l'alliance entraîne des solidarités hors de son champ d'application ?

Etes-vous enfin d'accord pour considérer que ces solidarités doivent être réciproques ? Quand on dit cela, on délimite du même coup les obligations, les devoirs et aussi les libertés qui sont ceux de la France dans le cadre de son alliance au regard de ses intérêts.

J'ai été très sensible aux propos tenus tout à l'heure par M. Sudreau qui a axé son exposé sur la nécessité de sauvegarder les chances du dialogue, de préserver la détente et de retrouver le chemin de la paix. L'Alliance atlantique nous place dans un bloc et cependant il faut que les blocs disparaissent. Telle est la volonté des socialistes dont le postulat est qu'en tout état de cause notre pays, compte tenu des contrats qu'il signe, des

---

42. Le 4 avril 1949, le Pacte Atlantique est solennellement signé à Washington. « Douze pays s'engagent à organiser « dès le temps de paix la coordination des forces armées... », à se considérer solidaires de toute agression contre l'un d'eux. » Outre les nations du pacte de Bruxelles (France, Grande-Bretagne, Belgique, Hollande et Luxembourg), le Canada, le Danemark, l'Islande, l'Italie, la Norvège, le Portugal, et naturellement les Etats-Unis sont désormais liés, dans le cadre de l'O.T.A.N. (Organisation du Traité Atlantique-Nord), par une alliance militaire défensive, sans précédent en temps de paix.

engagements qu'il prend, doit préserver ses chances et ses moyens de décider lui-même pour lui-même.

Quelle est la position du Gouvernement sur le désarmement aujourd'hui, sur la prolifération nucléaire, au sujet de laquelle M. Sudreau a excellemment dit avant moi que l'on dépassait les limites de l'absurde, puisque deux pays dans le monde disposent de plusieurs fois le moyen de le détruire, sans oublier ceux qui, d'ici à 1990, d'après les conclusions d'une conférence de Stockholm, seront cinquante et un à détenir l'arme atomique ?

Que ferez-vous si l'on vous invite, S.A.L.T. II ratifié — et c'est toujours possible, — à négocier S.A.L.T. III ? [43] Vous connaissez sans doute les grandes réserves qu'émet mon groupe. [...]

Il n'empêche que nous sommes tout à fait désireux de retrouver nos principaux partenaires de l'Est et de l'Ouest partout où l'on discute du désarmement, de l'arbitrage ou de la sécurité collective, à la seule condition de savoir ce que l'on y fera. Mais enfin j'aimerais savoir ce que vous en pensez, car je suis de ceux qui prévoient que, le gros de la crise passé, Américains et Russes reprendront leurs conversations.

En ce qui concerne les fusées installées en Europe, qu'en est-il de l'idée que l'on prête au chancelier allemand d'obtenir un moratoire pour l'installation des fusées Pershing ? C'est déjà envisagé — mais pour des raisons purement matérielles et non pas des raisons de diplomatie — au moins trois ans avant qu'elles ne soient installées. Ce délai, rendu nécessaire par les problèmes techniques, sera-t-il utilisé pour des négociations ?

J'ai déjà dit à cette tribune que, pour les socialistes, la différence entre armes nucléaires stratégiques et armes nucléaires tactiques n'avait guère de sens, dès lors que nos villes et nos populations seraient sous le coup des unes et des autres, ce qui fait que les armes tactiques soviétiques, appelées S.S. 20, présentent pour nous un danger aussi évident et aussi immédiat que des armes stratégiques capables de franchir l'Atlantique.

---

43. Les conversations S.A.L.T. (Strategic Arms Limitation Talks) entre l'U.R.S.S. et les U.S.A. sur la limitation des armements stratégiques ont commencé à Helsinki en novembre 1969 et ont abouti au traité de Moscou en 1972 (S.A.L.T. I). (Cf *infra*, p. 65). En 1975, reprise des négociations, nommées S.A.L.T. II, prenant fin en 1977. Un accord est signé à Vienne en juin 1979 après de difficiles négociations entre Leonid Brejnev et Jimmy Carter. Il donne un coup d'arrêt au développement quantitatif des armements stratégiques. De nouvelles négociations, S.A.L.T. III, portant sur de nouvelles limitations et réductions, doivent être engagées dès 1980. A la suite des événements d'Afghanistan, elles sont renvoyées *sine die*. Le président Carter gèle la ratification de l'accord conclu à Vienne. En mai 1980, l'auteur précise : « Je comprends et j'admets le gel de S.A.L.T. II. Puisque l'U.R.S.S. use de la force armée, elle ne peut se plaindre de l'armement des autres. Je comprendrais moins bien le gel de la Conférence de Madrid, bien que l'U.R.S.S. n'ait pas respecté les accords d'Helsinki et se soit exposée à ne plus être crue lorsqu'on parlera de nouveau des droits de l'homme. Je conteste, je l'ai dit, le boycott des jeux Olympiques. Je comprends mal le blocus alimentaire — qui n'empêche pas, je l'ai dit aussi, les livraisons de blé américain en U.R.S.S. Voilà, c'est clair. Le boycott et le blocus sont des actes de faiblesse, de la poudre aux yeux. Et puis, il y a le droit. Moi, j'y crois, même si cela fait sourire. Un pays comme la France, s'il parle le langage du droit, de l'indépendance, de la liberté, bref du respect des autres, sera entendu partout, profondément, je vous assure ! »

Pour les jeux Olympiques[44], sujet qui a peu occupé les orateurs précédents, j'avouerai que, par rapport au problème de l'Afghanistan, par rapport à l'ensemble des problèmes qui prennent l'humanité à la gorge, par rapport aux capacités de destruction des plus puissants, c'est un petit jeu dérisoire que celui qui consiste à attribuer au sport et aux sportifs une vertu exemplaire, tirée de la leçon du : « Jusqu'ici et pas plus loin », termes prononcés par le cardinal Innizer ou par le chancelier Schuschnigg, à la veille de l'Anschluss. Jusqu'ici et pas plus loin : c'est le langage que tenaient de braves et d'honnêtes gens en 1938 ! Jusqu'ici les jeux Olympiques, et on n'ira pas plus loin ! Ce n'est pas sérieux !

Tant que les sportifs seront empêchés de sauter à la perche à Moscou et que les hommes d'affaires pourront y signer des contrats qui permettront aux sociétés multinationales de gagner des milliards, on ne pourra pas prendre au sérieux cette méthode.

Mais la question principale qui me vient à l'esprit est celle de la conférence de Madrid[45]. Il m'a semblé, Monsieur le Ministre, que, dans vos propos, une intonation nouvelle ou particulière traduisait votre souhait que cette conférence pût se tenir à l'heure dite.

La position du Gouvernement a varié sur ce point. Le 2, puis le 15 février 1980, il n'y a donc pas si longtemps, vous ne parliez que de la nécessité de restaurer la confiance pour que la réunion de Madrid pût utilement se tenir. Jugez-vous la confiance restaurée ? La confiance, s'agit-il d'une nouvelle condition de la France ? La situation en Afghanistan vous rassure-t-elle ? L'état de vos conversations — vous le saurez bientôt — avec M. Gromyko vous permet-il de penser qu'on ira à Madrid ?

Le 4 mars dernier, à Varsovie, M. Stirn[46] a fait état du retrait des troupes soviétiques d'Afghanistan comme d'un préalable éventuel. Je reconnais que « préalable éventuel » est une formulation ambiguë destinée à permettre à M. Stirn d'échapper à toute critique. Néanmoins, il semble que sur le plan de la simple sémantique, un ministre des Affaires étrangères qui dit initialement : « Il faut d'abord restaurer la confiance... » et un secrétaire d'Etat qui déclare ensuite : « Il faut un préalable », même s'il est éventuel, cela marque pour le moins, sans abus d'interprétation de ma part, une réticence. Et ce flottement, ce double flottement a déjà conduit la presse américaine à annoncer que la France demandait à ses alliés l'annulation de la conférence de Madrid. C'est certainement faux. Cela a été écrit, le 21 mars 1980.

Bref, démentis, contradictions ! Quelle est votre position ?

J'ai dit tout à l'heure, pour vous rendre justice, que les termes employés ce

44. Cf. *infra*, p. 65 et 66.
45. La seconde « conférence bilan » sur l'application des accords d'Helsinki (cf. *infra*, p. 000) doit s'ouvrir à Madrid le 11 novembre 1980.
46. Olivier Stirn, secrétaire d'Etat auprès du ministre des Affaires étrangères.

matin étaient déjà plus précis. En tout cas, j'exprimerai notre point de vue qui est le suivant. Nous souhaitons que la conférence de Madrid ait lieu comme prévu, afin d'engager si possible un processus autre que celui qui, depuis quelques mois, nous entraîne, avec une apparence d'inéluctabilité, vers le conflit universel.

Sur le plan du désarmement, ce n'est pas la querelle autour des S.S. 20 et des Pershing qui facilitera la discussion. Mais il faut que la conférence ait lieu.

Sur le plan de la coopération économique, l'Union soviétique est excédentaire dans ses échanges avec l'Ouest, mais pas les autres pays du Comecon. Rien ne sera facile. Mais il faut que la conférence ait lieu.

Sur le plan des droits de l'homme, faut-il, pour symboliser notre débat, parler de Sakharov [47] ? Mais il faut que la conférence ait lieu.

Il est capital que soit solennellement proclamée la non-ingérence de chacun dans les affaires d'autrui. Beaucoup de pays de l'est de l'Europe tiennent à leur indépendance.

Je rappelle à cet égard la suggestion que j'ai faite il y a quelques années, d'une conférence européenne de désarmement concernant l'ensemble des armements classiques et nucléaires [48], la France devant s'y rendre telle qu'elle est, c'est-à-dire en partenaire à part entière, échappant à toute décision qui résulterait de la seule instance qu'on appelle le « commandement intégré ».

J'aborderai pour finir trois questions que n'a pas traitées le ministre des Affaires étrangères. Le dossier Nord-Sud ? A ma connaissance, peu de résultats, pas de remise en cause du pouvoir économique mondial comme le demandaient les soixante-dix-sept, il n'y a pas si longtemps, pas de remise en ordre des organisations internationales, telles que le F.M.I., le G.A.T.T., la B.I.R.D. [49] et autres ! Un résultat positif : l'acceptation du principe d'un fonds commun de stabilisation des cours des matières premières. Où en sommes-nous exactement ?

Deuxième question : le gouvernement français a-t-il l'intention de soumettre aux pays occidentaux, auxquels il faut ajouter le Japon, les éléments d'un nouvel ordre monétaire international, hors duquel rien de ce que nous avons dit jusqu'alors n'aurait de sens ? Car l'un des aliments fondamentaux des conflits qui se déroulent et de la faiblesse de l'Occident, sans oublier la situation difficile de la France, tient précisément au fait qu'en

---

47. En janvier 1980, de nouvelles mesures sont prises par l'Union soviétique à l'encontre du savant russe Andreï Sakharov, Prix Nobel de la Paix en 1975, exilé à Gorki.

48. Cf. les « 28 propositions de la campagne présidentielle », 25 novembre 1965, *Politique 1*, p. 427.

49. Le Fonds Monétaire International, la Banque Internationale pour la Reconstruction et le Développement sont, comme le G.A.T.T., des institutions spécialisées des Nations unies. Elles ont leur siège à Washington.

Sur le G.A.T.T., cf. *supra*, p. 39 et *infra*, p. 65.

1971 M. Richard Nixon, après avoir cassé le système de Bretton Woods — il fallait le réformer, mais à la condition qu'on pût lui substituer un autre système — a livré en fait les échanges internationaux à la souveraineté du dollar.

De quoi parle-t-on à propos du pétrole, dès lors que l'évolution de son prix est strictement commandée par celle du dollar, c'est-à-dire par la politique intérieure et extérieure des Etats-Unis d'Amérique ?

(La troisième question de ce tableau du monde en 1980 concerne l'Amérique latine et plus spécialement les droits de l'homme)[50].

---

50. Cf. *infra,* p. 99.

Au printemps 1978, les négociations entre Egyptiens et Israéliens menées avec l'appui des Etats-Unis stagnent. A plusieurs reprises, elles sont interrompues.

4 mars 1978

Je dis, sur les problèmes du Proche-Orient, toujours la même chose. Et je connais tellement bien ce que j'ai à dire qu'il n'y a pas la moindre inflexion dans mes propositions, dans la mesure même, d'ailleurs, où la situation n'a pas changé, malheureusement, dans cette partie du monde.

Quand un interprète abusif dit tantôt : « M. Mitterrand fait choix de l'O.L.P. contre Israël... » ou le contraire, il raconte des histoires. C'est uniquement des manœuvres électorales de dernière minute. Car je dis toujours la même chose. Et je vais, en termes schématiques, vous rappeler ce que je dis :

1. Le Parti Socialiste est fermement attaché à l'existence de l'Etat d'Israël.

Cette existence a été reconnue par l'O.N.U. en 1948, par, donc, tous les grands pays du monde, et le premier pays à reconnaître diplomatiquement l'existence d'Israël, a été l'Union soviétique.

2. A compter du moment où l'on reconnaît à un état — comme c'est le cas pour Israël, — le droit à l'existence, il faut lui en reconnaître les moyens. Et acculer Israël à disparaître de façon hypocrite en semblant le défendre, ce n'est pas le cas du Parti Socialiste.

3. Il y a eu des guerres dans cette partie du monde, et des territoires sont passés des mains d'un pays à l'autre, en la circonstance. Israël a élargi son territoire à la suite de la guerre de Six Jours. Nous disons, nous, qu'il faut appliquer et respecter les résolutions de l'organisation des Nations unies [51].

---

51. Cf. *supra* p. 41.

Mais nous estimons qu'Israël a parfaitement le droit, pour sa négociation, qui aura lieu un jour ou l'autre, de détenir un certain nombre de gages. Nous disons que, pour mener la négociation, nous préférons, nous socialistes, la négociation directe entre les intéressés, plutôt que la négociation internationale et globale, étant bien entendu que cette négociation directe devra, dans l'intérêt même d'Israël et des autres pays de cette région du monde, être garantie de façon internationale. Et en ce sens nous avons tout à fait approuvé la démarche du Président Sadate et l'acceptation, par le Président Begin, des rencontres de Jérusalem et de l'ouverture des négociations particulières. Voilà pour Israël.

Pour ce qui concerne les Palestiniens nous disons, comme beaucoup d'autres, et depuis plusieurs années — je l'ai dit à Jérusalem devant toute la presse, avec mes amis dirigeants israéliens de l'époque, avec Golda Meir[52], avec Simon Perez, Isaac Rabin, à tous ceux-là j'ai dit : « Les Palestiniens ont bien le droit, comme les autres, d'avoir une patrie. » Problème extrêmement difficile puisque les Palestiniens et les Israéliens réclament pour patrie le même territoire. Mais comme nous reconnaissons de plein cœur — non seulement de plein droit mais de plein cœur — à Israël le droit d'être chez lui dans son territoire, il faut bien que les Israéliens aient une patrie quelque part. Et cela est une répétition constante de nos positions : je les ai dites à Boumediene à Alger — je les ai dites à Sadate au Caire — je les ai dites, je le répète, à Jérusalem. Mais moi, j'ai toujours dit la même chose. Je n'ai pas joué le double jeu selon que je me trouve ici ou là.

Les Arabes et les Israéliens ont droit à une patrie. Alors, quelle patrie ? Là-dessus je m'interroge. Ce n'est pas moi qui décide. Ni la Russie ni l'Amérique ni la Grande-Bretagne ni personne n'a réussi à trouver de solution, ce n'est pas moi qui vais me substituer à eux.

Il y a plusieurs hypothèses ; certains disent, ce sont surtout les Israéliens : Pourquoi pas un état commun ? Jordanie, Cisjordanie. D'autres disent : Non, il faut un État spécifique pour la Cisjordanie qui deviendrait l'État palestinien, donc un nouvel Etat. Moi je ne tranche pas du tout cette question. Je dis qu'il appartient précisément aux négociateurs de parvenir, sur ce plan-là, à une décision.

Et j'ajoute, puisqu'on me parle de l'O.L.P. : l'O.L.P., ce n'est pas moi qui ai installé son bureau à Paris, c'est le Gouvernement, c'est M. Giscard d'Estaing, c'est M. Chirac[53], et il est quand même extraordinaire que des journaux qui soutiennent la majorité m'attaquent parce que je ne demande pas la fermeture de ce bureau, et ils n'attaquent pas et ils soutiennent ceux qui ont ouvert ce bureau. Cessons avec ces discussions misérables, je dis

52. Golda Meir a été nommée Premier ministre le 15 décembre 1969. Ytzhak Rabin lui succède le 31 décembre 1973. Shimon Pérès est le chef du parti travailliste israélien, fondé en 1930 par Ben Gourion et Golda Meir.
53. Le 31 octobre 1975, le gouvernement français (Jacques Chirac est alors Premier ministre) autorise l'O.L.P. à ouvrir un bureau d'information et de liaison à Paris.

simplement que je ne me sens pas en droit de demander à l'O.L.P. qui a été reconnue par l'organisation des Nations unies[54], pas par moi, comme interlocuteur privilégié au nom des Palestiniens, de disposer d'un bureau à Paris. Mais j'ajoute — et c'est très clair — que l'O.L.P. se prive de la capacité qui lui a été reconnue par les Nations unies et par le Gouvernement français, lors de l'ouverture du Bureau, de négocier au nom des Palestiniens, tant qu'elle ne reconnaît pas l'existence d'Israël, qui est le droit fondamental reconnu par la Société des Nations — le terme étant pris dans son terme véritable, le concert des Nations, l'organisation des Nations. C'est aussi simple que cela.

Je suis, comme beaucoup de Français, l'ami de plusieurs. Et, dans les deux camps, la France a d'immenses intérêts, de grandes amitiés dans les pays arabes. Elle a aussi de grandes amitiés — et cela remonte peut-être aux origines de notre culture, de tout ce qui forme ce que nous sommes —, là-bas, avec Israël, la terre de la Bible, la terre de l'Ancien Testament, la terre du Nouveau Testament, et puis aussi l'immense drame de ce peuple avec sa Diaspora, qui a tant souffert, quand ce ne serait que, lorsque, il y a quelques années, il a supporté le sacrifice suprême sous les coups du nazisme. Voilà. Je suis l'ami des dirigeants, mais naturellement je connais mieux les dirigeants socialistes, travaillistes israéliens que les autres, bien que je connaisse personnellement Begin. Je suis l'ami de Golda Meir, je suis l'ami de Perez, je suis l'ami de Rabin et des autres. J'ai entretenu de bonnes relations avec le général Dayan. Il est venu me voir à Paris lorsqu'il a présenté son livre sur la bataille du Sinaï[55]. Je sens profondément la nécessité de tout ce que représente ce peuple qui est inscrit dans notre mémoire historique et dans la réalité d'aujourd'hui mais j'essaie d'être juste en raison des intérêts vitaux qui touchent aussi d'autres peuples, qui souffrent d'être comme cela sans une terre, et j'essaie de répondre avec le Parti socialiste honnêtement et sans parti excessif, en tenant compte des réalités d'aujourd'hui, — je tiens compte de cette réalité mais je maintiens le droit, tel que je viens de le répéter, et il n'y a pas d'interprétation possible.

Durant cette même année 1978, le Liban devient le théâtre d'affrontements presque quotidiens. Les Palestiniens, combattus par les milices chrétiennes, y ont établi des bases importantes. En mars, les Israéliens ont pénétré au Sud-Liban pour pilonner les camps de fedayin et le Conseil de Sécurité de l'O.N.U. a envoyé un premier contingent de 4 000 Casques bleus. Au début de l'automne, la bataille

54. Le 13 novembre 1974, Yasser Arafat a été accueilli aux Nations unies comme représentant légitime du peuple palestinien. La résolution adoptée le 22 novembre 1974 par 89 voix contre 8 et 37 abstentions reconnaît que « le peuple de Palestine a droit à l'autodétermination » et affirme « le droit à l'indépendance nationale et à la souveraineté [...], le droit du peuple palestinien à recouvrer ses droits par tous les moyens conformément aux buts et aux principes de la Charte des Nations unies ».
55. Moshé Dayan, *Journal de la campagne du Sinaï*, Fayard, 1966.

fait rage à Beyrouth. Le 16 octobre 1978, le ministre des Affaires étrangères du gouvernement Raymond Barre, Louis de Guiringaud, accuse Israël de « poursuivre un rêve alarmant de partage des pays ». A l'en croire, les milices chrétiennes (soutenues par Israël) sont responsables de la bataille de Beyrouth.

Le 18 octobre, à l'Assemblée nationale.

Pour ce qui concerne le Liban lui-même, nous considérons, nous, que l'heure n'est pas venue de faire le compte des erreurs, des fautes, des manquements à la parole donnée qui occupent la scène tragique de ce pays depuis plus de trois années. Ou bien il faudrait rappeler la liste terrible qui va de morts en morts, de destructions en destructions, des Palestiniens à l'abandon accueillis sur cette terre d'asile et des désordres qui ont suivi, au massacre de Tall el Zaatar [56], des guerres civiles entre musulmans et chrétiens, aux guerres civiles entre musulmans, aux guerres civiles entre chétiens, des ambitions territoriales, du désir de conquête des pays voisins de l'occupation étrangère au jeu des grandes puissances réglant sur ce petit et noble pays les comptes qui le séparent à la surface de la planète [...].

Faudrait-il rappeler les incertitudes de la France elle-même et que je résumerai d'un mot : si le Gouvernement de la France dispose d'un pouvoir, qu'il s'en serve. S'il n'en a pas, ou trop peu, pour aboutir aux résultats politiques qu'il souhaite, exprimés par le Premier ministre il y a un instant, et que nous approuvons, alors qu'il prenne garde à préserver les chances, à ne pas prononcer les condamnations qui ajouteront au trouble général ! Ce que vous avez déclaré à l'instant, Monsieur le Premier ministre, je ne puis, je le répète, que l'approuver. Mais j'aurais aimé, l'Assemblée aurait aimé percevoir sous l'apparence des mots la réalité des choses.

Il faut tout entreprendre. C'est pourquoi le Parti socialiste ne refusera son concours à personne, ni sur le plan national ni sur le plan international. Il faut tout entreprendre pour aller à la paix, pour la garantir, pour préserver les dernières chances d'unité et d'indépendance du Liban, pour assurer la sauvegarde des populations civiles.

J'ai dit tout à l'heure : « Si le Gouvernement dispose d'un pouvoir, qu'il s'en serve ! » Qu'il s'en serve en faveur de la paix et du salut de nos amis du Liban. Tous les Libanais, quels qu'ils soient, sont nos amis, si proches d'eux nous nous sentons par l'histoire et par la culture. Pouvons-nous douter du rôle qu'y a rempli la France lorsque nous entendons, lorsque nous voyons, par les images qui nous parviennent, les persécutés, et les survivants, parler, se plaindre et espérer encore dans notre langue.

---

56. Le 3 août 1976, au Liban, à la suite d'un accord entre la Croix-Rouge et la Ligue arabe, commence l'évacuation des blessés du camp palestinien de Tall el Zaatar.
Le 4 août, les forces chrétiennes rompent le cessez-le-feu.
Le 12 août, après 51 jours de siège, Tall el Zaatar tombe sous l'assaut des forces chrétiennes, alors soutenues par le Syriens.

Nous socialistes ne refuserons l'examen d'aucune responsabilité. Mais l'heure n'est pas venue.

Le Gouvernement s'est-il servi de son pouvoir quand il fallait demander à la seule instance capable d'intervenir, le Conseil de sécurité des Nations unies, qu'il agisse à temps pour éviter les massacres ?

J'ai bien entendu l'énumération des lettres, des missives, des interventions d'ambassadeurs évoquée par le Premier ministre, et je ne doute pas qu'elles ont été faites dans l'esprit que nous réclamons. Mais le rôle du Gouvernement n'est pas de distribuer les bons sentiments. Il est d'agir, s'il le peut, d'autant plus que la France, disposant de la présidence du Conseil de sécurité, était mieux en mesure que personne de saisir cette instance.

Nous pensons que trop de temps a été perdu. Les raisons de ce retard, sont, je le suppose, importantes. Qu'on nous les dise !

Mais si le Gouvernement n'a pas de pouvoir, ce qui peut se concevoir dans l'état où se trouve cette partie du monde, qu'il évite alors de compliquer la situation par des paroles imprudentes.

Le ministre des Affaires étrangères, lorsqu'il parle du fanatisme de telle ou telle milice ou groupe minoritaire, lorsqu'il établit la hiérarchie des responsabilités, a sans doute ses raisons, et de solides raisons !, de s'exprimer ainsi. Mais est-il juste, est-il opportun, est-il sage, alors qu'une communauté d'hommes et de femmes innocents est engagée dans un combat, alors que les populations chrétiennes de Beyrouth sont sous le tir, alors que leur vie est en péril, de porter condamnation, même si l'histoire, plus tard, confirme cet arrêt ?

Monsieur le Premier ministre, si j'ai approuvé vos propos je leur reprocherai d'être restés intemporels. Ils auraient pu aussi bien être tenus il y a trois ans, il y a six mois, avant-hier. J'attendais davantage de la parole du gouvernement de la France.

Vous avez déclaré que l'objectif du Gouvernement français était de consolider le cessez-le-feu. Estimez-vous que les propos du ministre des Affaires étrangères, cherchant à démêler le vrai du faux, à dire qui était coupable et qui ne l'était pas, à accuser d'un côté en oubliant de marquer les responsabilités d'en face — ce qui est en vérité toute l'affaire — a bien servi la paix ?

Considérez-vous que le ministre des Affaires étrangères de la France a contribué — je reprends vos propres termes — à apaiser les passions au Liban ?

Vous vous êtes reporté au rôle du président de ce pays, M. Sarkis [57], et il est vrai qu'il incarne la seule autorité reconnue, et que nous la reconnaissons.

Mais qu'allez-vous dire aux populations menacées ? Que c'est la faute de tel chef, ou de telle milice, que l'armée syrienne s'en occupe !

---

57. Elias Sarkis, gouverneur de la Banque du Liban, a été élu le 8 mai 1976 Président de la république libanaise, avec les voix des partis de droite. Il était soutenu par la Syrie.

Se contenter d'invoquer le président Sarkis tandis qu'ils se battent, invoquer le président Sarkis tandis qu'ils meurent, invoquer le président Sarkis tandis que le siège se resserre et qu'à tout moment la guerre peut reprendre, est-ce répondre à l'angoisse de ceux qui souffrent, de ceux qui ont tant besoin d'éprouver la solidarité de la France ?

Il nous semble que votre déclaration, Monsieur le Premier ministre, ne répondait pas exactement à l'ampleur du sujet. Beaucoup de choses nous séparent, nous, socialistes, de l'analyse faite à diverses reprises ici même par plusieurs de nos collègues, puisque, l'autre jour, après avoir écouté l'un des orateurs de la majorité qui en appelait à la solidarité à l'égard de nos « frères chrétiens » du Liban, je lui ai répondu que le problème n'était pas là, que la solidarité française s'appliquait au peuple libanais tout entier, sans chercher à démêler, pour l'instant, qui survivra, qui périra, qui rendra compte devant l'histoire, qui sera reconnu innocent ou coupable.

Voilà pourquoi, au moment où nous abordons les questions d'actualité — est-il actualité plus pressante que celle-là ? — nous estimons qu'il n'est pas possible au Gouvernement de s'en tenir à des pétitions de principe, comme tant d'autres fois, sans résultat et sans utilité pour le rôle de la France dans le monde et pour la sauvegarde du Liban, et d'en rester là.

Le 12 mai 1978, Kolwezi, au Zaïre, important centre minier du Shaba, est attaquée par 4 000 « rebelles » (anciens gendarmes katangais) venus d'Angola. 3 000 Européens, dont 1 200 Français, sont bloqués dans la ville. Le 20 mai, les parachutistes de la légion (2ᵉ R.E.P.) prennent le contrôle de la ville.

Cette opération est présentée en France comme un exploit militaire.

Samedi 27 mai.

« Comment ne pas voir qu'une opération militaire comme celle de Kolwezi exige rapidité et discrétion ? », s'interroge Jean d'Ormesson dans sa « Chronique » du *Figaro*. Bon lecteur de Jean d'Ormesson, je ne cacherai pas que je prête davantage attention à ses gammes littéraires qu'à ses exercices politiques et qu'au bretteur à la fois rageur et lassé — il fait de la politique comme d'autres l'amour : plus de désir que de plaisir — je préfère le vagabond à l'ombrelle trouée qui promène son vague-à-l'âme. On aimerait l'aimer, ce cœur unanimiste. Dommage qu'entré en Politique, il coule son talent dans le ciment des postulats. Du coup plus de surprise : il écrit maintenant ce qu'on attend de Michel Droit [58]. Et cependant, j'espère encore...

La semaine dernière, j'ai démonté le calendrier de l'expédition au Zaïre. Jean Daniel, dans *Le Nouvel Observateur*, complète mon information en datant le premier carnage au mardi 16 mai. Ce qui veut dire que lorsque Valéry Giscard d'Estaing annonce deux jours plus tard l'envoi de troupes à Kolwezi, rien ne l'empêche, bien au contraire, de proclamer à la face du monde, et particulièrement à l'usage des révoltés du Katanga, qu'il n'a d'autre intention que de sauver les Européens en péril. Or, il néglige cet

58. Michel Droit est chroniqueur au *Figaro*.

argument humanitaire qui lui vaudrait partout compréhension et sympathie et s'abrite derrière l'argument militaire d'un accord avec le Zaïre. Et ce, Jean d'Ormesson, qui exigez rapidité et discrétion, près de vingt heures *avant* que les paras ne sautent ! A l'acte de guerre, clamé aux quatre vents, dont il a pris l'initiative, le président de la République pouvait substituer un message de paix : il lui suffisait pour cela de signifier que nos soldats n'étaient les ennemis de personne, qu'ils n'appartenaient à aucun des deux camps en présence et qu'ils venaient remplir un devoir d'assistance. Pourquoi ne l'a-t-il pas fait ? Comment n'a-t-il pas compris qu'en présentant la France comme l'auxiliaire de Mobutu il aggravait le risque encouru par nos compatriotes ? Pourquoi n'a-t-il invoqué le mobile humanitaire qu'*après coup ?*

Jean d'Ormesson sait tout autant que moi que nos soldats assurent depuis longtemps l'encadrement des forces zaïroises, qu'ils entretiennent le matériel du service antiguérilla, que le Zaïre n'en est pas à sa première guerre, que la France n'en est pas à sa première intervention. Il a lu comme moi l'appel d'un groupe d'intellectuels qui, autour de Jean-Pierre Vigier [59], affirment que le Front de libération nationale congolais avait proposé l'évacuation de Kolwezi par les Européens sous l'égide de la Croix-Rouge. Se posera-t-il des questions ?

Le 8 juin 1978, débat sur la défense à l'Assemblée nationale.

Si les interventions militaires de la France ne relèvent pas d'un accord de coopération, alors de quoi s'agit-il ?

Une première réponse s'est imposée à Kolwezi. Elle pourrait s'imposer à nouveau. Encore faudrait-il que le Gouvernement voulût bien dans ce cas faire confiance à l'Assemblée nationale, faire confiance à l'opposition et les informer en temps utile. Je veux dire que la France peut être conduite à décider d'intervenir afin de garantir la sécurité de nos ressortissants. Nous ne pouvons, nous, socialistes, que nous sentir solidaires de toute action courageuse devant sauver des vies humaines.

Mais l'objectif humanitaire était-il le seul à inspirer le Gouvernement lorsqu'il a déclenché l'opération militaire au Zaïre ? [...].

Bien entendu, il est parfaitement normal que la France ait des alliés et qu'elle les aide dans le cadre des engagements auxquels elle souscrit. On doit considérer qu'elle a des obligations particulières à l'égard des pays francophones. On ne peut rester indifférent aux rapports de force stratégiques si on partage les richesses du monde. Mais s'agit-il de zones stratégiques ou de matières premières ? Ce n'est pas par l'action militaire directe en pays étranger que nous pourrons nous en assurer la possession.

59. Jean-Pierre Vigier, enseignant et chercheur dans le secteur de la physique fondamentale, théoricien et militant révolutionnaire, spécialiste de stratégie mondiale.

Défendre qui et contre qui ?

Prenons le cas du Tchad [60] ! Qui y combattons-nous ? Aussi surprenant que cela paraîtra, nous n'en savons encore rien. Oui, si nous nous reportons aux déclarations officielles, nous ne savons pas qui nous combattons. [...]

Aux informations de la chaîne de télévision TF 1. Il y a trois jours, un journaliste expliquait la carte de l'Afrique, la couleur rouge, naturellement, signalait les pays appelés « communistes », la couleur bleue les pays dits « occidentaux », tandis que les pays qui ne pouvaient être *a priori* rangés dans l'un ou l'autre camp figuraient en grisé. Froidement, le journaliste, pour des millions de Français — et nul n'ignore qu'il existe certaines relations entre le pouvoir établi en France et sa télévision — rangeait la Libye comme l'Angola, le Mozambique, l'Ethiopie, d'autres encore, parmi les pays « communistes ». Selon cette thèse qui a le mérite de la simplicité dans l'absurde, la Libye est donc un pays communiste engagé dans l'action contre le Tchad pour le compte du communisme international. Dérision, ironie de l'histoire ! Le jour même où le président de notre commission des affaires étrangères demandait l'ajournement du traité avec le Zaïre, faute d'avoir obtenu les informations suffisantes, était examiné devant la même commission le rapport de M. Odru [61] sur plusieurs accords de coopération. Avec qui ? Avec la Libye !

Tout cela dans le cadre d'un acte diplomatique qui s'intitule : Traité d'amitié et de bon voisinage. [...]

Les parlementaires n'auraient-ils pas le droit de savoir s'il y a ou s'il n'y a pas volonté française de faire reculer les soldats cubains ou les ambitions libyennes, les unes et les autres camouflant la stratégie internationale du communisme ?

Le Gouvernement laisse entendre, mais il ne nous dit rien. Si vous demeurez silencieux, votre propagande est orientée de façon à convaincre l'opinion publique d'une intervention extérieure. Il s'agit là d'un double jeu que je dénonce car il ne sera pas possible d'avancer dans la voie du règlement politique réclamé tout à l'heure par mon prédécesseur à cette tribune si l'on ne parle pas clairement. [...]

Au nom de qui, pour qui et contre qui intervenons-nous ? Je continuerai : avec qui ?

Un début de réponse est fourni par cette nouvelle « alliance »..., je ne sais quel terme employer, que constitue le bloc des Cinq : Etats-Unis, Belgique, Allemagne de l'Ouest, Grande-Bretagne et France.

Nouvelle alliance ? Alliance virtuelle ? Je pense — peut-être nous le confirmerez-vous, Monsieur le Ministre des Affaires étrangères — qu'il ne s'agit pas d'une extension de l'O.T.A.N. D'abord, cela ne s'avouerait pas, vous le savez bien. Où se trouverait votre majorité pour l'affirmer ?

60. Cf. *supra*, p. 46-47.
61. Louis Odru, député communiste de la Seine-Saint-Denis.

Au demeurant, une réunion dans le cadre de l'O.T.A.N. serait absurde, puisque cette organisation s'occupe de l'Atlantique Nord. J'ajoute que, dans le cadre de l'O.T.A.N. qui suppose un commandement intégré sous autorité américaine, nous ne serions pas allés au Zaïre.

Si ce n'est pas l'O.T.A.N. peut-être affirmera-t-on que c'est l'Alliance atlantique, à laquelle vous avez réaffirmé notre fidélité. Mais l'Alliance atlantique comprend d'autres membres que les cinq pays que j'ai cités. Où sont-ils ?

Alors s'agirait-il de la Communauté européenne ? Non, car les Etats-Unis d'Amérique ne sont pas dans l'Europe — ou, s'ils y étaient, ils n'y sont plus — c'est la géographie qui nous l'enseigne, même si la politique nous apprend tout autre chose ?

Les conférences de Genève et de Tokyo [62] n'ont-elles pas pour fin de défendre l'Europe contre les importations agro-alimentaires américaines ? [...]

En vérité, si la France veut remplir un rôle déterminant, un rôle à sa mesure, elle doit poser le problème africain en termes politiques.

Il existe assez de moyens d'information et de contacts ; il existe assez de conférences internationales, assez d'endroits où l'on débat, où l'on discute pour chercher, connaître et définir les moyens de détente à une époque où elle se porte mal. Il existe une assemblée des Nations unies, il existe une organisation des Etats africains [63], il existe une conférence — dont il faudrait bien savoir, au travers des avatars diplomatiques, ce qu'elle devient — je veux parler de la conférence d'Helsinki [64].

Usons-en en faveur de la paix à construire [65].

62. Le « Kennedy Round », qui débute en 1964 à Genève, se propose, dans le cadre du G.A.T.T., de diminuer les tarifs douaniers de façon substantielle : en 1967, une baisse de près de 35 % est décidée. De nouvelles discussions commencent à Tokyo en septembre 1973 ; ce « Tokyo round » dure jusqu'en avril 1979, date à laquelle plusieurs nouveaux accords commerciaux sont conclus ; les discussions ont été marquées par la fermeté des Européens et de la France face aux positions américaines. A ce jour, 23 pays ont signé les accords du « Tokyo round ».

63. L'Organisation de l'Unité Africaine (l'O.U.A.) a été créée en 1963. Elle groupe 49 Etats africains.

64. La conférence sur la sécurité et la coopération en Europe s'est ouverte à Helsinki le 3 juillet 1973. Elle s'est poursuivie à Genève, pour se terminer, le 1er août 1975, par l'adoption de l' « Acte final » signé par les chefs d'Etat et de Gouvernement de 35 pays (tous les Européens sauf l'Albanie, plus les Etats-Unis et le Canada).

La réunion de Belgrade (4 octobre 1977-9 mars 1978) a dressé un premier bilan de la mise en œuvre de l'Acte final. Elle s'est en fait soldée par un échec dû notamment à l'opposition radicale entre les Etats-Unis et l'U.R.S.S. sur la question du respect des droits de l'homme.

65. Sur les liens à établir entre les questions de sécurité, de désarmement et de développement, l'auteur évoque le président Senghor. Pour le président de la République, si les pays industrialisés consacraient à l'aide au développement une partie des sommes affectées aux dépenses d'armement et de « sur-armement », les problèmes de la misère dans le monde pourraient trouver des solutions rapides. Ainsi le 5 juin 1978 à la 10e session de l'Assemblée générale de l'O.N.U. consacrée au désarmement, le président Senghor a proposé notamment d'instituer « une taxe sur l'armement, à laquelle seraient soumis tous les Etats sans exception,

Lundi 3 juillet.

Par les soins de M. Giscard d'Estaing, de son gouvernement et de sa propagande, les Français ont vécu quelques semaines de mai et de juin sur l'idée qu'en Afrique, et particulièrement au Zaïre, l'Est et l'Ouest s'affrontaient en un combat décisif pour la maîtrise du continent, qu'il s'agissait peut-être du début de la Troisième Guerre mondiale, et qu'en larguant ses légionnaires sur Kolwezi la France, ou mieux son président, plus clairvoyant, plus audacieux que d'autres, Jimmy Carter par exemple, avait pour l'immédiat conjuré le péril, en attendant que l'Occident s'ébranlât à sa suite. Dans la presse officielle, c'est-à-dire toute la presse moins cinq ou six originaux, il n'était bruit que de la nécessité de faire pièce aux Russes et donc au communisme international, d'empêcher, selon les termes à la mode, la « déstabilisation de l'Afrique », d'enrayer les « pénétrations » au Shaba, point névralgique de l'offensive qu'on ne se gênait pas pour qualifier d'offensive ennemie. Chacun de nous, en lisant son journal, pouvait s'initier au *Kriegspiel* et se sentir la tête épique. A nous l'Afrique ! Tout à sa jeune gloire, M. Giscard d'Estaing s'apprêtait à lever des armées, l'américaine et l'allemande, l'anglaise, la belge, la gabonaise, convoquait les états-majors, devenait enfin capitaine. Carter, Hua Kuo-Feng, Helmut Schmidt, Hassan II et des gens de moindre importance, mais tout de même très importants, félicitaient. Moscou s'irritait, demandait des explications. La gloire !

Mais deux mois ont passé. D'armée eurafricaine personne ne parle plus, sinon pour déclarer le projet détestable. Sa doublure africaine est restée dans les limbes. L'aide financière commune au Zaïre bute sur le décompte des dollars. Helmut Schmidt visite le Nigeria et la Zambie, contourne l'Afrique francophone et pousse les pions de l'Allemagne. Il était instructif de l'entendre répondre à Antenne 2, l'autre soir, « pas un homme, pas une arme en Afrique », afin de mesurer l'inanité de nos cocoricos. Callaghan[66], à New York, condamne sèchement « les interventions militaires occidentales ». Bruxelles se replie dans le sarcasme. Quant aux Américains, j'en avais, le 8 juin, prévenu l'Assemblée nationale — et si j'étais informé, assurément Giscard aussi —, ils négocient. Avec l'Angola, avec Cuba, avant de négocier avec l'U.R.S.S.

Avec l'Angola. Ignorait-on à l'Elysée les intérêts en cause ? Cyrus Vance savait, lui, que l'Angola vendait du pétrole, beaucoup de pétrole aux Etats-Unis d'Amérique, et bien d'autres produits tirés de son sous-sol, fer, uranium, manganèse, diamant ; que, pour livrer ces biens, il fallait outiller

plus exactement une taxe sur le budget de guerre, équipement et fonctionnement quel que soit le nom qu'on donne à ce budget. Cette taxe serait de 5 % du budget et elle serait versée aux Nations unies pour servir uniquement à l'aide aux pays en développement.
66. James Callaghan préside le gouvernement britannique.

ports de mer et aéroports, que trois des « Sept Sœurs », Mobil, Texaco et Gulf Oil, achetaient le pétrole, pendant que Boeing s'occupait des radars. Son émissaire à Luanda, Donald McHenry, n'aura pas besoin d'insister pour convaincre Agostinho Neto que les Russes ne fourniront ni les équipements ni les marchés capables d'assurer à l'Angola les moyens de son développement. D'autant plus que les Américains ont mieux à proposer : la fin de leur soutien direct ou indirect aux entreprises menées de l'extérieur contre le régime angolais, leurs bons offices pour l'établissement de relations pacifiques avec le Zaïre et leur appui dans l'affaire du Cabinda, cette enclave angolaise en territoire zaïrois, riche en ressources pétrolières et lorgnée par Mobutu. De quoi meubler la conversation. Le ministre français qui rangeait, voilà peu, l'Angola dans la mouvance communiste, complétera son instruction en apprenant qu'à peine rentré de Guinée-Bissau, où il a rencontré le général Eanes, président de la République portugaise, Agostinho Neto faisait connaître à Mario Soarès que son parti, le M.P.L.A., siégerait en qualité d'observateur au congrès de l'Internationale socialiste qui se tiendra à Vancouver en novembre prochain.

Avec Cuba. Le premier mouvement de Carter n'a pas été le bon. Berné par les dépêches de l'Agence zaïroise, à moins que ce ne fût par celles de la C.I.A., il crut à l'intervention cubaine au Shaba, accusa Fidel Castro d'avoir inspiré la rébellion et, comme je le notais plus haut, applaudit à la démarche de Giscard. Erreur que ne commirent ni le Sénat, ni la presse, ni les milieux d'affaires américains. L'opération katangaise allait, en effet, très exactement à l'encontre de la politique africaine de Cuba. De passage à Paris, Leonel Soto, responsable des relations internationales du Parti communiste cubain, me le confirmait jeudi : non seulement Castro estime qu'en s'attaquant d'abord aux villes, les Katangais ont fait une lourde faute tactique, la guérilla, le harcèlement pouvant seuls venir à bout d'une armée régulière dotée d'armes modernes, mais il condamne — à l'instar de l'O.U.A. et de l'O.N.U. — toute tentative de sécession qui mettrait en question les frontières héritées du système colonial, hors desquelles l'Afrique d'aujourd'hui risquerait d'éclater sous la double pression des rivalités tribales et des visées impérialistes. Soto ajoutait qu'à La Havane on n'éprouvait qu'une sympathie mitigée pour le Front de libération nationale congolais, jugé peu progressiste. Au demeurant, nul n'avait aperçu de Cubains au Shaba. En l'écoutant, je pensais à l'embarras de M. de Guiringaud devant la commission des affaires étrangères chaque fois qu'un député lui demandait ce qu'il en était de la présence cubaine. « Je ne puis l'assurer », répondait-il... avant de retrouver en séance publique des accents héroïques sur la défense de l'Occident. Je le dis à Soto, qui regretta que l'opinion européenne eût ignoré la fracassante interview accordée par Castro aux trois principales chaînes de télévision des Etats-Unis, interview dont le chef de l'Etat cubain se servit pour détruire la thèse de Carter revue par Brzezinski. Passons. Les Américains négocient.

Avec l'U.R.S.S. ? Pas encore, mais le moment approche. Contre l'idée reçue, le paradoxe de la situation veut que, dans cette partie du monde, la Russie, depuis dix ans, loin d'avancer, recule. Elle a quitté l'Egypte, la Somalie, la Guinée. Samora Machel, du Mozambique, rentre de Pékin, qui n'est pas le chemin le plus court pour Moscou. Julius Nyerere s'interroge. La Libye protège ses arrières. L'Angola s'éloigne, on l'a vu. Seule l'Ethiopie fait le parcours inverse. On peut imaginer que Brejnev tirera sans tarder la leçon de l'échec et que la diplomatie soviétique, cessant de peser sur la politique intérieure des Etats africains et de les entraîner dans des aventures extérieures, s'effacera désormais derrière leurs revendications nationales et, face au néo-colonialisme, se posera en champion de leur indépendance.

Il serait dommage que la France, ce jour-là, fut la dernière grande puissance étrangère à tenir garnison quelque part en Afrique.

Le 16 janvier 1979, le chah d'Iran quitte son pays. Ce départ est considéré par le peuple en liesse comme une abdication de fait. Le 1er février, l'ayatollah Khomeiny, après un exil de quinze ans, arrive à Téhéran.

Quel homme n'a pas en lui cette formidable charge révolutionnaire qu'est le besoin de changer la vie, de changer sa vie ? Quand il s'agit de tout un peuple, habité, emporté par la passion d'être, de vivre et de croire, cela s'appelle un événement majeur de l'histoire. L'Iran, avec son pétrole et sa géographie — songez au voisinage du golfe Persique et des républiques musulmanes soviétiques d'Asie centrale —, avec la double aspiration des élites bourgeoises vers la démocratie, modèle soviétique, et de son peuple vers les accomplissements de l'Islam, se trouve à l'un de ces points de rencontre où s'organise le cours des choses.

Rapidement, la situation se dégrade. Des affrontements sanglants se produisent. La répression est impitoyable. Sur le plan diplomatique, l'Iran est isolé.
Le 4 novembre 1979, les étudiants islamiques occupent l'ambassade des Etats-Unis à Téhéran et prennent en otage le personnel diplomatique et consulaire.
Le 27 décembre 1979, les chars soviétiques ont pénétré dans Kaboul.
Le 17 janvier 1980, pour protester contre l'intervention soviétique en Afghanistan, le président Carter — qui a déjà ordonné le gel de Salt II —[67]*, invite les Etats-Unis à boycotter les jeux Olympiques prévus à Moscou pour l'été.*

7 février 1980.

Et puis, assez d'hypocrisie — l'hypocrisie des Etats. On ne fera pas de jeux Olympiques à Moscou [68], mais on a fait une Coupe mondiale de football en Argentine [68], mais on a disputé des épreuves d'envergure comparable aux

67. Cf. *supra* p. 52 et *infra*, p. 94 sur S.A.L.T. II.
68. La IIe Coupe du Monde, le Mundial 78, a été remportée par l'Argentine, à Buenos Aires, en juin 1978. L'Argentine était le pays organisateur.

Etats-Unis d'Amérique pendant la guerre du Vietnam. De plus, si les pays qui se sentent libres estiment qu'il faut éviter de donner aux pays dictatoriaux, aux régimes répressifs l'avantage d'avoir sur leur territoire des compétitions à prestige, alors il faut renoncer à la Coupe Davis, à l'escrime, au football et au reste. Et pourquoi s'arrêter au sport ? On renoncera aux expositions, aux concerts, aux jumelages. On renoncera — et là, la vertu sera mieux encore récompensée — aux contrats commerciaux. Quoi ? Il serait interdit de sauter à la perche et l'on pourrait empocher des milliards ? J'indique à cet égard que les bateaux américains continuent de livrer leur blé dans les ports soviétiques, nonobstant ce que l'on avait cru comprendre de M. Carter.

Qu'il y ait, sur le plan des Jeux, des excès, des vices à corriger, assurément, quand on voit la débauche d'argent, de publicité, des préparations médicales abusives, l'excitation nationaliste autour des hymnes et des drapeaux. Le Parti socialiste a fait connaître son sentiment là-dessus et proposé diverses mesures pour le retour à l'affrontement loyal et fraternel des athlètes, notamment par la création d'une enclave sportive choisie par le C.I.O. [69] qui nous fera échapper aux situations du type de celle que nous vivons. Aller en Grèce, à Olympie, est une heureuse idée. Mais cela ne nous fera pas échapper au dilemme des Jeux 1980.

Le Parti socialiste condamne sans nuance l'invasion militaire de l'Afghanistan par l'Union soviétique ainsi que la répression nouvelle qui s'abat sur Sakharov [70]. Mais là aussi, du côté des Etats, que de faux-semblants ! L'U.R.S.S. a été admise à participer aux jeux Olympiques, Staline régnant. La décision d'aller à Moscou cette année a été prise, avec l'accord des Etats-Unis et de quelques autres, alors que les droits de l'homme étaient bafoués tout autant sinon plus qu'aujourd'hui : camps, hôpitaux psychiatriques, juifs empêchés de se rendre dans le pays de leur choix. Ce n'est pas avec l'affaire Sakharov que le problème des droits de l'homme s'est posé en U.R.S.S. Bien entendu, si je dénonce l'hypocrisie des Etats, mon jugement est différent à l'égard des gens sincères qui refusent Moscou comme ils ont refusé Buenos Aires. Je comprends leur logique et leur idéal.

Moi aussi je voudrais que le monde fût autrement. Moi aussi je m'indigne de la violence et du cynisme. Mais je crois nécessaire de sauvegarder les rares îlots où les peuples peuvent encore se rencontrer en paix, les rares occasions de faire passer l'idée que l'effort sportif n'a de patrie qu'universelle, que la jeunesse reste l'espoir du monde. Et si l'on tourne en rond, ne sachant que faire, demandons aux sportifs eux-mêmes ce qu'ils en pensent.

69. Le Comité International Olympique, créé en 1894, à Paris.
70. Cf. *supra*, p. 54.

8 avril 1980.

L'Iran paie aujourd'hui des années et des années de dictature. La dictature de son monarque, du Chah, et son système. Beaucoup de velléités d'espérance étouffées ; un peuple maltraité et pauvre ; une bourgeoisie qui s'éveille avec les retombées du pétrole. Pensez à 1789 : la capacité de la bourgeoisie française de l'époque d'exprimer les aspirations populaires tout en ayant des intérêts différents. On le verra un peu plus tard avec le développement de la société industrielle. Et c'est l'explosion.

Bien entendu, là s'arrête ma comparaison, qui n'aurait pas de sens. Simplement, il fallait que le régime dictatorial du Chah disparaisse. J'ai souvent eu l'occasion de m'en entretenir avec M. Sandjabi, ministre des Affaires étrangères du Gouvernement de M. Bazargan[71], qui était le secrétaire général du Front de Libération, qui était en exil et qui passait de temps en temps en France où je le rencontrais.

Que le jugement que je vais exprimer maintenant ne puisse en rien laisser croire que je ne considère pas la révolution iranienne comme nécessaire par rapport au système antérieur.

Et voilà que par une de ces circonstances étonnantes un vieil homme incarnant le mouvement séculaire de l'Islam chiite[72], qu'il porte en lui-même par sa nature, héritier de la fraction de l'Islam qui est restée fidèle à Ali, le gendre du prophète, selon une conception très hiérarchisée, voilà que soudain une impulsion religieuse, non dénuée d'une sorte de fondement politique, surgit. Khomeiny[73] était en France. Il était accueilli comme doit l'être un exilé. Khomeiny rentre et la révolution détruit toutes les digues. C'est ce qui arrive aux révolutions. On ne peut raisonner comme on raisonnerait par rapport à un état habituel.

Et voilà ces exécutions[74] en même temps que nous avons à réfléchir sur

71. Le 5 février 1979, Mehdi Bazargan est chargé par l'ayatollah Khomeiny de former un gouvernement provisoire. Le 14 février, il publie la liste de son gouvernement de « Front national ».

72. Les musulmans chiites, qui représentent 90 % de la population iranienne, forment l'une des trois branches primitives de l'Islam et se réclament de Ali qui, cousin et gendre du prophète Mohammed, a été écarté à tort, selon eux, de sa succession immédiate. Ils ont eu des affrontements militaires variés avec les Etats sunnites. La Perse (Iran) a adopté le chiisme comme religion de l'Etat au XVIᵉ siècle. Aujourd'hui, l'Islam chiite imâmite est localisé surtout en Iran et en Irak (dans la moitié sud), avec des groupes en Syrie, au Liban, dans les Etats du Golfe, en Inde. Sa doctrine veut que, depuis la disparition (occultation) du douzième amâm (chef religieux et politique) en 874, aucun gouvernement musulman ne soit plus légitime. L'ayatollah Khomeiny est considéré officiellement en Iran, depuis 1979, comme « l'imâm du temps », guide doctrinal et judiciaire dont les décisions sont indiscutables.

73. En avril 1963, un attentat contre le Chah provoque l'arrestation de l'ayatollah Khomeiny qui est exilé en Turquie puis en Irak. Le 10 octobre 1978, l'ayatollah expulsé d'Irak s'installe à Neauphle-le-Château, dans les Yvelines.

74. En mai 1979, plus de 250 exécutions ont été officiellement recensées depuis le début de la révolution.

cette prodigieuse rencontre d'une révolution religieuse inspirée par des thèmes d'une religion fixée sur des dogmes, en même temps que sous le sol du pays où cela se passe se déroule la plus grande compétition pour les biens matériels de ce monde.

A proximité du golfe Persique, à proximité des Républiques soviétiques d'Asie centrale, avec la capacité de contagion que cela représente, oui, c'est vraiment beaucoup de poudre accumulée.

Pendant ce temps, où le peuple est inspiré par ses nouveaux guides, est emporté dans sa grande majorité par le mouvement religieux, même si en fait cela incarne davantage des poussées nationalistes et de libération du peuple, par ce mouvement où, bien entendu, des comités et des groupes finalement se rendent maîtres des pôles et des points chauds, voilà que des exécutions se font sans que l'on ait eu recours au droit.

Difficile de juger une révolution au regard du droit puisque, a priori, une révolution change le droit! Mais il y a tout de même des principes imprescriptibles.

Mais voilà que l'ancien Premier ministre [75], si longtemps premier ministre, jugé par le Chah lui-même comme compromis dans bien des affaires — je ne veux pas juger la personnalité de celui qui vient de mourir, d'abord je ne le connaissais pas et ce serait de ma part bien imprudent — enfin, très associé au régime précédent, voilà que l'ancien Premier ministre est exécuté. — le terme doit être employé — en fait sans jugement ou par un jugement si expéditif qu'il ne mérite pas ce nom. Eh bien, je désapprouve et je proteste autant que je le puis sur le plan de la conscience parce que je crois que le droit, c'est la civilisation. Dès lors qu'on y manque — mais comment n'y pas manquer? — dès lors que cela se passe ainsi, comme je comprends la résistance qui se révèle impuissante du Premier ministre d'Iran voyant soudain s'échapper de ses mains la construction rêvée d'une société civile où l'on eût, dans un grand pays comme l'Iran, proclamé les droits de l'homme avec leurs garanties.

Je suis triste de penser que l'Iran, au lieu de suivre cette voie, s'engage dans une répression sanglante qui dénie les principes du droit, qui sont des valeurs universelles au-dehors des frontières et au-delà du temps.

Pour ce qui concerne Ali Bhutto [76], c'est encore plus net dans la mesure où il s'agit d'un assassinat judiciaire. Là, c'est l'hypocrisie — il n'y a pas d'hypocrisie dans le cas d'Hoveyda, il y a simplement la brutalité sombre —,

75. Arrêté le 7 novembre 1978 sur ordre du général Azhari, administrateur de la loi martiale, et accusé de détournement de fonds publics, Amir Abbas Hoveyda, qui fut Premier ministre du Chah pendant treize ans, de 1965 à 1877, est exécuté le 9 avril 1979 à Téhéran, après un « procès » sur sa gestion passée devant un tribunal islamique. Les appels à la clémence lancés par la communauté internationale ne sont pas entendus.

76. Le 6 février 1979, l'ancien Premier ministre du Pakistan, Ali Bhutto, est pendu, après que le chef de l'Etat, le général Zia Ul-Haq, eut rejeté toutes les demandes en grâce. Cette exécution constitue, selon Maître Badinter, un « assassinat politique par la voie judiciaire ».

on camoufle, on invente un jugement régulier pour procéder à un assassinat judiciaire. Cela, c'est la régression, le temps des barbares.

Quant au jeune homme noir pendu en Afrique du Sud[77], c'est le drame tout simple et le pire, puisque là c'est simplement l'affrontement raciste d'un Etat qui veut imposer sa loi, laquelle repose sur la discrimination et la ségrégation, et qui va jusqu'à exécuter tous ceux qui s'opposent à ses vues. Il a été pendu non pas parce qu'il était noir, mais c'est parce qu'il était noir qu'il était révolté, c'est parce qu'il y avait ségrégation qu'il y avait révolte. Et parce qu'on refuse la ségrégation, on meurt pendu.

Toute ma nature se révolte. Je suis, comme vous j'imagine, tellement imprégné d'une civilisation, elle-même incroyablement traversée de révolutions, de dictatures et de contradictions. Mais si l'on ne garde pas ce que j'appelais justement [...] cette pointe de diamant qui n'est pas réductible et qui s'appelle la liberté, la capacité de préserver le droit de se défendre, le droit de s'expliquer, il n'y a plus de civilisation.

20 avril 1980.

Une mauvaise habitude a été prise par les Etats-Unis d'Amérique — cela peut se concevoir mais c'est comme ça — celle d'agir, exerçant le leadership du camp occidental, de telle sorte qu'ils avaient perdu l'habitude de consulter en temps utile leurs alliés sur des affaires d'importance. Rappelez-vous l'affaire d'Indochine, celle du Cambodge. Même, je crois savoir qu'au moment où les relations ont été améliorées entre les Etats-Unis d'Amérique et la Chine[78], le Japon n'a pas été tellement tenu au courant. Bref, une diplomatie maîtresse, se jugeant souveraine et laissant un peu à la traîne les alliés dont on réclame aujourd'hui l'assistance.

Alors, naturellement, ces alliés, qui regardent du côté du pétrole, qui craignent d'être asséchés quant à leurs sources d'énergie, qui, d'ailleurs, ne voient pas les Américains prêts à leur fournir ce qui leur manquerait, qui ne sont pas certains que les Etats-Unis d'Amérique, sur le plan de la sécurité mondiale et en tout cas de l'Alliance atlantique, feraient jouer un automatisme qui n'a jamais été reconnu comme la ligne politique... Rappelez-vous la façon dont le général de Gaulle avait décidé qu'il y aurait une force de frappe autonome française parce que cet automatisme n'était pas garanti[79] ;

---

77. Le 6 avril 1979, Salomon Mahlangu, 23 ans, est pendu dans la prison de Prétoria, malgré les nombreuses interventions en sa faveur, de la communauté internationale. Il avait été arrêté après la fusillade qui fit en juin 1977 deux morts et cent blessés dans le centre de Johannesburg et condamné à mort bien qu'il ait été établi qu'il ne s'était même pas servi de son arme.

78. Dès 1970, les premiers signes de la détente entre la Chine et les Etats-Unis apparaissent. En avril 1971, une équipe américaine de joueurs de ping-pong séjourne en Chine. Le 9 juillet, Kissinger effectue un voyage secret à Pékin. Le 21 février 1972, le président Nixon se rend en voyage officiel en Chine.

79. Le 3 novembre 1959, le général de Gaulle annonce devant les officiers des trois écoles de guerre et du Centre des hautes études de la défense nationale réunis à l'Ecole militaire que la France aura sa « force de frappe ».

d'ailleurs, il n'est pas davantage garanti aujourd'hui. Cette insécurité occupe actuellement les esprits des Européens. Et ces Européens, qui ne sont pas tous très courageux, qui ne constituent pas non plus un bloc d'énergie et de résolution, avancent à la petite semaine et refusent en somme au président Carter, refusent et acceptent : c'est un mélange de bonnes manières et de mauvaises. Bref, les dirigeants européens marchent à la godille. Ils regardent, je l'ai dit, du côté du pétrole, ils ne veulent pas se brouiller avec les antagonistes actuels, les Etats-Unis d'Amérique, et puis ils ne veulent quand même pas se brouiller avec le président Carter. Alors, il reste quelques lignes de force, notamment celle qui consiste à dire que l'Alliance atlantique n'est valable que sur un certain territoire du monde. Lorsqu'on parle de l'Iran, de l'Afghanistan, quid de l'Alliance atlantique ? Elle n'a pas à s'appliquer, ce n'est pas parce que l'Alliance atlantique n'a pas prévu qu'elle traiterait les problèmes du Moyen-Orient ou de l'Extrême-Orient que, pour autant, les alliés ne sont pas des alliés, ne doivent pas se concerter.

Bref, je pense que de cette crise actuelle devrait sortir une prise de conscience.

Le 25 avril 1980, le président Carter annonce l'échec d'une tentative militaire de libération des otages : huit morts et quatre blessés. Cette opération de commando a été décidée par les Etats-Unis à la suite de très nombreux refus iraniens de libérer les otages.

L'échec américain provoque chez les alliés des Etats-Unis réprobation et consternation.

26 avril 1980.

Faut-il critiquer l'intervention militaire américaine en Iran pour la délivrance des otages, si tel est bien le sujet, bien entendu, car je ne puis m'empêcher d'avoir quelques doutes au récit premier des circonstances dans lesquelles s'est déroulé ce drame, et même quant à ses objectifs, mais enfin je juge ce que je connais.

Mon jugement sera aussitôt changé si nos informations se complètent ou même s'inversent. Je laisse au déroulement des heures et des jours le soin de compléter cette information et donc mon jugement.

Enfin, je raisonne comme s'il s'était agi essentiellement de délivrer les otages retenus déjà depuis plusieurs mois à Téhéran. J'ai dit ce que je pensais de ce mouvement révolutionnaire, qui, par définition, signifie mouvement ; j'ai dit ce que je pensais des intentions que je suppose, bien entendu, et qui sont quelque peu anciennes, du côté de quelques responsables iraniens capables d'infléchir le destin, et je ne veux rien faire qui puisse en quoi que ce soit alourdir leur tâche.

Je voudrais même faire que le Parti socialiste français puisse être un élément qui permette à ceux auxquels je pense de dire à leur peuple qu'il y a en Europe, il y a dans le monde, des formations politiques, des pays qui, tout en condamnant la prise d'otages et leur maintien en captivité, n'en sont pas moins disposés à comprendre que l'Iran ne se trouve pas dans la situation d'un Etat fixé à jamais dans des formes institutionnelles et politiques.

A partir de là, faut-il critiquer une intervention américaine ?

Je n'ai entendu que des critiques, ce qui facilitera ma tâche parce que, moi, j'en émettrai moins. Je n'ai entendu que des critiques, d'abord sur la tentative elle-même. Moi, je pense que lorsque, pour quelque raison que ce soit, un pays étranger s'empare des concitoyens, compatriotes, il s'agirait de Français, je réagirais comme cela, mon devoir est, par quelque moyen que j'ai à ma disposition, de les délivrer. [...]

A partir de là, le droit du pays bafoué, des frères, des familles et, d'une façon plus générale, de la famille américaine, est touché, comme le serait la famille française, le droit de délivrer est pour le moins égal, sans paradoxe, au droit d'emprisonner, c'est-à-dire que nous sommes dans une situation qui ressemble à la guerre. A partir de là, instinctivement, je ne critique pas celui qui veut sauver son frère. Que dis-je ? je l'approuverais — au conditionnel, avec un « s » — si un certain nombre d'autres conditions étaient réunies ; c'est ce dont nous allons parler tout à l'heure, lorsque j'aborderai la phase qui me paraît la plus critiquable de l'opération en question. La tentative, j'ai dit ce que j'en pensais. [...]

L'échec est critiquable, je me permets simplement de conduire à réfléchir sur ce point, j'y parviendrai dans un moment. L'échec est infiniment plus grave pour le reste du monde, c'est-à-dire pour le jeu de la paix et de la guerre que ne l'eût été la réussite, et je dirai pourquoi dans un moment. [...]

Je suis sûr que, dans les jours qui viennent, on en parlera beaucoup plus. Imaginez que l'armée américaine repose tout entière, et la réputation des Etats-Unis d'Amérique, sur le fait que trois hélicoptères tombent en panne dans une circonstance de ce genre ; tomber en panne n'est pas une circonstance suffisante et il est vraisemblable, si l'on peut supposer une certaine impréparation ou une certaine faiblesse morale de quelques politiques américains, que la machine militaire américaine n'en est quand même pas là. Donc, je suis personnellement convaincu que l'explication qui nous est fournie ou bien est très incomplète, ou bien n'est pas la bonne. Ce qui est alors, à mon sens, tout à fait critiquable. D'abord pour remonter un peu plus loin, ce sont les extraordinaires méandres de la politique de Carter, l'incertitude dans laquelle il a laissé durablement tout son monde qui correspondait sans doute à ses propres incertitudes, et le fait que l'on puisse sans avoir l'esprit mal tourné constater à tout moment dommageable, inquiétant, tragique, confusion entre les intérêts généraux que le président des Etats-Unis a chargé d'interpréter, et les intérêts du candidat Carter pour l'élection présidentielle, qui semblent le conduire vers un catastrophisme, vers un « jusqu'au-boutisme » dont on a cru apercevoir le point de départ qui avait servi à un sondage, et même dans les élections réelles dans les Etats et que, dans la mesure où fléchirait cette popularité fragile, il en remettrait. Cela serait sans doute lui attribuer un caractère bien défaillant, mais on ne peut pas exclure absolument qu'une manœuvre de politique intérieure ait pesé lourd dans l'aggravation de la politique extérieure.

Plus sévère sera ma critique dans le comportement des Etats-Unis d'Amérique à l'égard des pays de l'Europe du Marché commun. Ce n'est pas tant le fait que les Etats-Unis d'Amérique, je l'ai dit tout à l'heure, aient omis de prévenir nos chefs d'Etats, ou nos Premiers ministres de l'aventure limitée à elle-même qui a consisté à l'envoi de cette expédition, de ce commando sur l'Iran, c'est beaucoup plus de les avoir engagés dans une très contestable politique de sanctions économiques que les pays européens ont, au demeurant, traité avec une certaine prudence, on me dira un plan tout à fait évolutif, mais enfin, quand même, d'avoir exposé des alliés à s'engager sur une politique déterminée de sanctions économiques qui, a priori, excluait des sanctions militaires, de les avoir, en somme, compromis pour tout aussitôt changer de plan, et agissant à son corps défendant, sans tenir compte de l'engagement qu'il venait de faire prendre et du soutien qu'il venait d'obtenir, oui, compromettre les pays étrangers, jouer d'eux, de leur réputation et de leur politique, faire peser tout le poids de l'alliance de l'insécurité auprès de certains d'entre eux...

Il y a quelque chose d'immoral sans doute, mais qui, à cause de l'échec, était en même temps fort impolitique. On s'y reprendra à deux fois avant de croire à la parole d'un Président américain.

De la même façon, je pense que le fait d'avoir annoncé, laissé à tout moment planer l'hypothèse d'une action militaire globale contre l'Iran, a gangrené l'acte qui, en lui-même, me paraît être tout simplement la réplique inévitable, fut-elle maladroite, mais en soi peu condamnable : récupérer ce que d'autres ont pris. Et la confusion entre une guerre, une manœuvre militaire globale d'occupation du territoire iranien, ou du blocus de ses ports, ou du bombardement de ses puits de pétrole, ayant été lancée à la face du monde pendant des semaines, d'un seul coup limitée, telle qu'elle nous est décrite, et dont l'objectif était la délivrance des otages, perd une large partie de sa force, car on ne sait plus s'il s'agissait d'une opération limitée à l'objet — et alors j'ai dit ce que j'en pensais — ou si c'était tout simplement le premier chaînon d'un déclenchement généralisé d'une guerre, les Etats-Unis d'Amérique voulant punir l'Iran d'avoir fait sa révolution, sera bien entendu des chemins qui n'étaient pas convenus.

Les principes, c'est quoi ?

Des banalités... de merveilleuses banalités lorsqu'ils n'existent plus.

Eh oui, la liberté !... Moi, je m'en souviens aussi, parce que j'avais 20 ans en 1938, lors de Munich, et que j'étais l'un de ceux, donc, qui partaient le premier jour ! Alors, de façon générale, cela m'intéressait... et cela m'intéressait encore plus parce qu'on était là, on fournissait les premières lignes d'une Deuxième Guerre mondiale ! On sentait cela, jusque dans notre chair.

La liberté... On venait de vivre une période, après le Front populaire, et sa fin, de désillusion, de reflux, de tristesse. Le raisonnement autour du gouvernement Daladier, du comportement de la IIIᵉ République, ne laissait plus passer aucune exaltation. Alors, le mot de liberté était l'objet de la même incrédulité, je dirai de la même absence d'intérêt que celles que l'on peut observer bien souvent aujourd'hui : pas intéressant... c'est banal... c'est usé.

Oui ! Mais quand on ne l'a plus, on sait ce que cela vaut !

Il faut rappeler quelques grands principes comme le droit des peuples à disposer d'eux-mêmes — indépendance nationale — et comme le droit des gens, le droit des individus, quelle que soit leur nationalité, sur la surface de la terre... Cela, ce sont des principes immuables, et des principes universels.

C'est ce qui aurait pu conduire le Gouvernement de la France à avoir des réflexes plus affûtés lors de l'entrée des Soviétiques en Afghanistan et lors des prises d'otages de Téhéran, tandis que le Gouvernement et le président de la République ont semblé, par leur allure timorée, par leur lenteur, par leur prudence, n'agir pour la défense des droits que comme élément d'une tactique, et non pas comme le cri d'une conscience. Vous ne bouleverserez pas l'humanité — qui peut l'être — celle qui se sait à l'avance victime de la guerre, celle qui fournira les 100 000, 200 000, 300 000, 400 000, le demi-million d'êtres humains sacrifiés... Cette conscience-là est éveillée.

C'est là que la parole de la France peut trouver un immense écho.

Le 19 mai 1980, le président Giscard d'Estaing s'entretient, à Varsovie, avec Leonide Brejnev et Edouard Gierek, premier secrétaire du Parti communiste polonais. Au cours des entretiens préparés dans le plus grand secret et sans que nos alliés en aient été informés, la situation en Afghanistan est évoquée.

19 mai 1980.

Je conçois que M. Brejnev ait choisi de parler à la France. Les relations traditionnelles de nos deux pays, les attentions répétées du gouvernement français à l'égard du Kremlin depuis le début de la crise afghane — présence de notre ambassadeur sur la place Rouge au défilé du 1ᵉʳ mai, décision du Comité olympique français de participer aux Jeux, réception à chaud de M. Gromyko[80] à Paris — et, en feston, ces fâcheries enrubannées, ces

---

80. Le 23 avril 1980, Andreï Gromyko, le ministre soviétique des Affaires étrangères, est à Paris, première capitale européenne à le recevoir depuis les événements d'Afghanistan.

réprimandes fleurant le madrigal, ces caressantes inflexions de nos voix officielles pour prononcer condamnation, tout désignait à l'avance le correspondant idéal pour le jour où Moscou aurait besoin d'un partenaire à l'Ouest : Valéry Giscard d'Estaing.

Je ne m'en plaindrai pas. Car s'il y a message de paix, l'Afghanistan rendu à son droit de disposer de soi, j'applaudirai. Mais s'il n'y a rien ? On n'apercevra plus que l'arrogance russe et l'imprudence française.

21 mai 1980.

Aller à Varsovie, ou à côté, pour rencontrer M. Brejnev est en soi parfaitement normal. Le président de la République n'a à demander la permission de personne. L'essentiel est de savoir ce qu'il va y faire et pourquoi il s'y trouve. Nous sommes dans un moment difficile, chacun le sait. La crise atteint son point culminant, sans guerre, du moins hors de l'Afghanistan, avec cependant une menace de conflit pour peu que les puissants ne sachent pas dominer leurs différends présents. La France, même si on le regrette, est dans un camp. Elle appartient à l'Alliance atlantique, elle appartient à ceux qui tiennent le droit international pour une base sérieuse. De ce fait, la France ne peut pas consentir à l'occupation militaire de l'Afghanistan par une armée étrangère, en l'occurrence par l'armée soviétique. Toute démarche, dans une situation de ce genre, qui risque d'atteindre la solidarité d'une alliance doit être, vous l'admettrez, extrêmement mesurée. Alors, essayons de raisonner d'une façon méthodique. Premièrement : le président de la République a-t-il le droit, s'il le désire, de se rendre à Varsovie pour discuter avec une personnalité politique de l'envergure et de l'importance de Leonid Brejnev ? Je dis oui. Deuxièmement : pourquoi ce droit serait-il refusé au président de la République française quand il est reconnu au président des Etats-Unis d'Amérique, au Secrétaire d'Etat des Etats-Unis d'Amérique ou au chancelier allemand ? Troisièmement : à quelles conditions une négociation de cette importance, si on ne veut pas qu'elle échoue, bref qu'elle ne serve à rien, et si elle ne sert à rien, alors elle est nuisible, doit-elle se préparer ? Sur quelle base M. Giscard d'Estaing s'est-il rendu à Varsovie ? Quelles garanties a-t-il obtenues pour que, d'une façon ou d'une autre, son partenaire, en l'occurrence M. Brejnev, puisse marquer par rapport aux décisions précédentes de l'Union soviétique un progrès vers la paix ? Et c'est là que je deviens tout à fait critique parce que si le président de la République française se déplace à Varsovie après avoir, j'imagine, pris contact préalablement avec les autorités soviétiques, directement ou par l'intermédiaire des autorités polonaises, et qu'il ne rapporte rien, cela montre d'abord une certaine impertinence du pouvoir soviétique à notre endroit, ensuite une certaine faiblesse de la France face à ses interlocuteurs.

La paix a-t-elle avancé ? Evidemment non. Le trouble s'est-il accru ? Evidemment oui. Et ce ne sont pas les dernières déclarations de M. Tchervenenko, ambassadeur d'Union soviétique à Paris, qui ont pu, en quoi que ce soit, apaiser les inquiétudes puisqu'il marque avec rudesse que l'éventuelle évacuation par les troupes soviétiques de l'Afghanistan supposerait la reconnaissance préalable du régime qui à l'heure actuelle s'y trouve installé dans les conditions que vous savez, ainsi qu'un certain nombre de garanties diplomatiques et militaires qui ont déjà été au demeurant repoussées par la plupart des alliés occidentaux.

Cela fait longtemps, et il m'est arrivé souvent de le dire et de l'écrire, que je pense que de bonnes relations avec la Russie, sous quelques formes qu'elles se présentent, représentent une constante de la diplomatie française et vraisemblablement une constante de notre sécurité. Extrapolant, je dirai qu'une des constantes de notre sécurité, à travers les siècles, a toujours été de rechercher l'alliance orientale qui servait de contrepoids à nos adversaires continentaux les plus proches. Ç'a été l'Autriche-Hongrie ; ç'a été l'Espagne ; ç'a été la Prusse ; et sur le plan maritime ç'a été la Grande-Bretagne.

Je n'ai donc jamais été scandalisé. Au contraire, je trouve tout à fait excellent, par exemple, que la IIIᵉ République, vous imaginez dans quelles circonstances, c'était la fin du siècle dernier, ait traité avec l'Empereur de toutes les Russies. Et pourtant, quelles différences idéologiques, quel fossé, il pouvait y avoir à l'époque ! Rappellerai-je, dans le même ordre d'idée, bien entendu, et par comparaison, l'accord entre le cardinal de Richelieu et les princes protestants à l'époque où il continuait de pourchasser les protestants en France au nom de la prétendue religion réformée. Je pourrais continuer comme cela...

François 1ᵉʳ a traité avec le sultan victorieux qui menaçait la chrétienté.

Je pense que la politique de la France, c'est une constante, doit tenir le plus grand compte des intérêts de la Russie, en l'occurrence de l'Union des Républiques socialistes soviétiques dans lesquelles s'incarne la Russie.

Deuxièmement, ce désir d'un équilibre européen, garanti par ce bon accord avec l'allié oriental, ne peut pas aller jusqu'à renoncer aux intérêts éminents de la France. Lorsque de ce côté-là il y a menace, il est bien normal de rechercher ailleurs des garanties de notre sécurité. C'est ce qui s'est produit dans les années 1947 à 1950 lorsque, et l'expression n'est pas de moi, vous le savez, on disait que les armées de Staline pouvaient se trouver à une distance de la France égale, disait-on, à celle d'une étape du Tour de France [81]. Et que la marche en avant des armées soviétiques sur l'Europe centrale et orientale risquait finalement de porter ses effets jusqu'à la

---

81. Le 27 juillet 1947, à Rennes, le général de Gaulle, alors président du R.P.F. (Rassemblement du Peuple Français) dénonce « le péril communiste » et le danger que représente la Russie soviétique. « Sa frontière n'est séparée de la nôtre que par 500 kilomètres, soit à peine la longueur de deux étapes du Tour de France cycliste. » Charles de Gaulle. *Discours et Messages* II, *Dans l'attente* 1946-1958, p. 102, Plon éd., Paris 1970.

France, c'est-à-dire jusqu'à menacer l'indépendance de notre pays. A ce moment-là, nous avons contracté une autre alliance, l'Alliance atlantique, alliance qui présente bien des inconvénients, mais c'est une alliance et nous y sommes encore. Tous les partis de France, y compris le Parti communiste, répètent, et vous l'avez répété encore cette semaine, que non seulement l'Alliance atlantique devait être respectée, mais qu'il n'était pas question, au pire des polémiques internes qui nous séparent, de demander à la France de la quitter. Alors soyez logiques. Si vous faites une alliance, il faut la respecter.

Oh, je reconnais que les autres ne la respectent pas non plus. Seulement je dis : alors il faut la rediscuter ; il faut la renégocier ; il faut savoir de quoi l'on parle et en reconnaître les limites.

L'indépendance absolue de la France, elle s'applique dans le cadre des engagements souverains que contracte la France. C'est cela l'indépendance. L'indépendance, cela consiste à être seul, mais cela consiste aussi à décider qu'on ne sera pas seul et donc qu'on sera avec d'autres. Je le disais tout à l'heure, comprendre l'indépendance comme le neutralisme, c'est-à-dire de n'être nulle part, c'est une confusion suspecte qui n'est pas la mienne. [...]

Le 24 juin 1980, les forces soviétiques occupent toujours l'Afghanistan.

1. Seul l'avenir — sans doute prochain — apportera les réponses qui manquent aujourd'hui aux questions posées par le retrait partiel des troupes soviétiques. On se souviendra cependant qu'à Moscou on qualifiait récemment la situation afghane d' « irréversible ».
2. Quelques données ont sans doute prévalu dans l'esprit des responsables soviétiques. Enumérons-les :
   — La réunion des occidentaux à Venise [82],
   — la résistance afghane,

82. Sur Venise 1 (12-13 juin 1980) et Venise 2 (22-23 juin 1980) l'auteur précise :

Venise 1

1. Le Conseil européen a été dominé par les problèmes du Proche-Orient, c'est-à-dire le pétrole.
2. Peut-on progresser politiquement quand on régresse économiquement ?
3. Rien n'a été précisé sur le compromis de Bruxelles. On ne s'est pas entendu sur la succession de M. Jenkins, (à la présidence de la C.E.E.)
4. Heureux de ne rien décider on s'est contenté de la non-existence de la Communauté.

Venise 2

1. L'Afghanistan et le pétrole ont dominé cette rencontre.
2. Enterrement des problèmes monétaires.
3. Enterrement du trilogue.
4. Quand les Américains ne veulent pas qu'on parle d'un sujet on n'en parle pas.
5. Les Occidentaux ont choisi d'accroître les inégalités sociales et l'austérité pour les

— le front islamique,
— l'isolement économique,
— la course aux armements,
— les jeux olympiques.

3. Examinons les deux premières. Le communiqué de Venise exigeant un retrait total rend caduque cette diversion. La résistance afghane inciterait plutôt un grand pays comme l'U.R.S.S. à accroître son effort militaire, quitte à changer ses méthodes de guerre.

4. Le souhait d'une détente provisoire pour faciliter la décision de plusieurs pays de participer aux jeux Olympiques ne peut expliquer à lui seul une décision d'une telle portée.

5. Le front islamique, solidaire de la résistance afghane, n'inquiète pas Moscou sur le plan militaire mais peu justifier de sa part une offensive diplomatique afin de rétablir des relations aujourd'hui compromises.

6. De nombreux rapports d'origine soviétique montrent la dégradation de la situation économique en U.R.S.S.

7. L'hypothèse la plus probable est donc que Moscou redoute une nouvelle courses aux armements, coûteuse et périlleuse, et cherche, au travers des événements d'Afghanistan, à empêcher l'implantation des Pershing et des Cruise en Europe.

A l'appui de ce raisonnement on évoquera
a) l'annonce faite par Leonid Brejnev à Berlin-Est, le 6 octobre dernier, du retrait, à l'ouest, de 20 000 soldats et 1 000 chars ;
b) la proposition, dite afghane, du 14 mai, proposant une négociation avec l'Iran et le Pakistan et ce juste avant la rencontre Gromyko-Muskie à Vienne.

8. Si tel est bien l'objectif majeur de Leonid Brejnev, c'est là-dessus qu'il faut négocier. Etant admis que seule est concevable une négociation englobant aussi bien les S.S. 20 et Backfire soviétiques que les Pershing et les Cruise de l'O.T.A.N.

9. Aucune explication indirecte n'exclut les visées stratégiques soviétiques en direction des pays producteurs de pétrole et la volonté de consolider

travailleurs. Ils font de moins en moins référence au chômage comme si le sous-emploi était pour eux une stratégie.
6. Il ne savent plus où ils en sont de leur alliance alors que le moment est venu de connaître ce qu'il en reste. La confrontation au sommet des membres de l'Alliance devrait permettre d'en redéfinir,
— la portée, le champ et les limites,
— les obligations mutuelles,
— les mécanismes,
— et d'évaluer l'état comparatif des forces.

quoi qu'il en coûte la nouvelle avancée territoriale que constitue l'occupation de l'Afghanistan. Le retrait partiel n'est pas assez démonstratif pour contredire cette évidence et tout commentaire assuré — comme celui de M. Valéry Giscard d'Estaing, soucieux avant toute chose de justifier la conversation de Varsovie — risque d'égarer l'opinion publique.

10. Maintient-on à Moscou l'exigence de la reconnaissance préalable du gouvernement Babrak ? Est-on prêt à fournir un calendrier d'évacuation de l'Afghanistan ? Des réponses sont nécessaires.

11. Le rôle de la France dans cette affaire méritera d'être éclairci. Entretenir des relations ouvertes avec l'U.R.S.S. est en soi utile et conforme à notre intérêt. A condition de choisir le moment et de disposer des moyens de sa diplomatie. La question n'est pas tranchée mais le sera bientôt : considère-t-on à Moscou M. Giscard d'Estaing comme le plus souple ou comme le plus faible des partenaires possibles ?

12. Le maintien d'une situation de guerre en Afghanistan conduira à la reconnaissance, sur le plan international, de la résistance afghane, si celle-ci parvient à s'unir.

— *Un récent sondage a montré que les Français rejetaient la dissuasion. Qu'en pensez-vous ?*

— Je crois que les Français ont besoin d'un grand dessein : ils ont besoin en effet non pas d'être conduits sur les voies de l'indifférence, de l'abandon, de l'ignorance de leur propre patrie, mais d'être constamment associés à une démarche qui à la fois leur rappelle les fondements de leur existence, de leur communauté, mais aussi leurs perspectives historiques. Et si un sondage répond de cette façon, c'est parce que la façon dont les Français sont gouvernés les incite à s'évader constamment à la fois des réalités contraignantes qui les entourent, des réalités parfois cruelles qui les menacent, et aussi de ce que peut représenter la force d'un peuple en mouvement qui croit en lui-même. De sorte que l'un des reproches les plus sévères que je ferai au président de la République, c'est de ne pas avoir apporté aux Français, et l'injustice y est pour beaucoup, la capacité morale de solidarité nationale bien enracinée et accrochée au sol, la volonté de survivre, la volonté de s'épanouir. Les choses sont liées : quand on a l'air de faire des comptes d'apothicaires, sur le nombre de chômeurs, sur le taux d'inflation, sur le nombre de milliards de déficit du commerce extérieur, on risque en effet de s'égarer. Mais tout cela marque bien une sorte de défiance du pouvoir à l'égard des millions de Françaises et de Français qui sont les travailleurs et donc les producteurs, les créateurs. Ensuite, comment leur demander de se faire les défenseurs d'une société injuste, inéquitable [83] ?

Au-delà de tout cela, il reste le patriotisme. Eh bien, j'estime que le patriotisme n'est pas servi par les démarches de notre politique extérieure.

31 juillet 1980.

Naguère, Staline interrogeait, parlant du pape avec dédain : combien de divisions ? Je pense que Staline disait ce jour-là une sottise. Bien entendu, on sait ce que vaut la puissance des armes, mais il est aussi des forces invisibles qui pèsent lourd. Je crois à l'existence de la conscience universelle. Quiconque s'efforce de la réveiller est un jour entendu. C'en serait fini de toute civilisation si la conscience des hommes devait sans recours se soumettre aux pulsions primitives du pouvoir et du sang. Sans doute, le droit perd-il de multiples batailles. Mais il gagnera en fin de compte s'il reste intransigeant. D'où l'importance de la lutte pour les droits de l'homme.

Le 14 août 1980, en Pologne, les 17 000 travailleurs des chantiers navals de Gdansk se mettent en grève. Le mouvement s'étend. Le 27 août, l'agence Tass dénonce « l'activité subversive d'éléments antisocialistes » en Pologne. Le 30 août intervient un accord sur la création de syndicats autogérés. C'est la naissance de Solidarité, dirigé par Lech Walesa. Le 5 septembre, Edouard Gierek est démis de ses fonctions « pour raisons de santé ». Stanislas Kania lui succède comme premier secrétaire du Parti communiste polonais. Les syndicats libres jaillissent dans toute la Pologne.

8 septembre 1980.

Ma première réaction a été de constater que ce régime dit « ouvrier » en Pologne venait de signer son échec, un échec dramatique, un échec historique en voyant se dresser contre lui la classe ouvrière. Cela a mérité bien des réflexions que vous avez faites comme moi, quelle que soit votre opinion.

Ensuite on a vu le gouvernement céder aux revendications ouvrières ; revendications ouvrières spécifiques, catégorielles, salaires, pouvoir d'achat ? Oui, sans doute. Mais chacun a pu voir ou distinguer en filigrane que la revendication des travailleurs de Gdansk ainsi que des travailleurs des

83. En octobre 1979, à la question : « Si une puissance étrangère menaçait le territoire national, seriez-vous prêt à mourir pour la patrie ? », 57 p. 100 des personnes interrogées ont répondu par la négative (*Paris-Match*, 6 octobre 1979).

mines posait une autre question infiniment plus vaste, celle de l'indépendance nationale et de la destinée proprement polonaise, bref le problème des libertés, au travers d'une question naturellement appréhendée par les grévistes, la liberté syndicale. Bien entendu, je me suis réjoui de voir le gouvernement céder, négocier, bref accepter. Je me doutais bien que ce consentement provoquerait sur le plan politique — cette fois-ci au niveau international, à l'intérieur du monde communiste, dans la relation Pologne-Moscou — de nouvelles difficultés. Je pense qu'il ne faut pas se hâter de conclure ; en tout cas, enregistrons.

La classe ouvrière polonaise a montré une lucidité, un courage et même un optimisme, tout en sachant garder raison, c'est-à-dire en évitant de provoquer, tout au moins de façon directe, une réaction soviétique du type de celles que nous avons connues à Prague ou à Budapest. Qu'en sera-t-il pour demain ?

Je modère mon commentaire volontairement. Je considère comme absolument impossible la cohabitation du système marxiste-léniniste et des libertés dont nous venons de parler, je veux dire les libertés institutionnelles. Il y aura donc, à un moment ou à un autre, confrontation.

L'Union soviétique est un grand pays, ses responsables savent ce qu'ils font, ils connaissent la Pologne, les Polonais, et ne multiplieront pas les risques d'une explosion générale du peuple de ce pays. Mais voilà ! De la patience, du temps, sachant qu'il y a incompatibilité entre ces deux systèmes ! Alors, je forme des vœux pour que la sagesse et le calme l'emportent, des vœux pour les Polonais, des vœux pour la classe ouvrière polonaise, des vœux pour les libertés, et j'espère qu'ils sauront mieux que d'autres passer au travers des risques qui les attendent. [...]

[...] Je me souviens de ces Américains de 1956 qui encourageaient Nagy, Malter, des responsables hongrois, à pousser plus loin leur révolte, à se séparer du pacte de Varsovie, à proclamer la neutralité[84]. Lorsque des troupes soviétiques sont entrées en Hongrie, précisément sans doute pour mettre un terme à ces divagations, les Américains n'étaient pas là pour empêcher que l'on pendît et Malter et Nagy et les autres[85]. Il faut donc se

---

84. Au mois d'octobre 1956, la révolte gronde en Hongrie. Elle éclate à Budapest le 25 octobre. Le général Eisenhower, président des Etats-Unis, se déclare « de cœur avec le peuple hongrois » et le secrétaire d'Etat John Foster Dulles salue « le défi lancé par le peuple héroïque de Hongrie au feu meurtrier des tanks de l'Armée rouge ».
Radio Free-Europe, poste financé par les Américains et qui émet en direction des pays de l'Est, exhorte « ceux qui combattent pour la liberté ». « Si un compromis avait été possible, il va de soi que cette campagne n'était pas, c'est le moins qu'on puisse dire, de nature à le faciliter. Elle ne pouvait qu'attiser les inquiétudes naturelles des Soviétiques quant aux conséquences d'une émancipation de la Hongrie » (André Fontaine, *Histoire de la Guerre Froide*, tome II, *De la guerre de Corée à la crise des alliances*, Fayard éd., 1967, p. 248).
85. Imre Nagy, président du Conseil en 1953, partisan d'une libéralisation du régime, relevé de ses fonctions en janvier 1956, rappelé au pouvoir en octobre de la même année, sous la pression des insurgés. Le colonel Malter, chef de l'insurrection de Budapest, en octobre 1956.

garder de paroles imprudentes, d'encouragements comme cela, de loin, alors que ce sont les travailleurs de ces pays qui payent la note finalement, les patriotes. De ce point de vue, il faut être très prudent.

Mais enfin il faut marquer son opinion. Un gouvernement français doit souhaiter, en toutes circonstances, face à un régime de caractère autoritaire, systématique, dans quelque partie du monde que ce soit, marquer qu'il existe des principes permanents, des principes qui s'appliquent à toutes les sociétés humaines et qui s'appellent : justice, liberté, droits des peuples à disposer d'eux-mêmes, droits des gens, droits de l'homme tout simplement. Je pense que n'importe quel président de la République française face aux évolutions hypothétiques dans les relations soviéto-polonaises aurait à s'exprimer sur ce plan.

Le devoir et le réalisme, qui se rejoignent étroitement, ce qui n'est pas toujours le cas, nous invitent aujourd'hui tout simplement à souhaiter que l'effort de libéralisation dont j'ai dit qu'il était presque antinomique avec la nature du régime — j'ai même dit qu'il était antinomique, je n'ai pas dit presque — puisse se dérouler malgré l'environnement extérieur et les difficultés que rencontre l'Union soviétique sur d'autres points du globe. Enfin les événements on n'en est jamais maître. Il faut que [les Polonais] puissent pousser leur libération le plus loin possible. Et tous les efforts des dirigeants étrangers, des responsables étrangers, doivent consister, non pas à réfléchir ni à supputer ce qu'il conviendrait de faire si la catastrophe se produisait, mais à tout faire pour que la catastrophe ne se produise pas.

19 janvier 1981.

L'exemple polonais fournit la preuve par neuf de l'erreur originelle du marxisme-léninisme. Le socialisme conquiert la liberté. S'il l'étouffe, ne l'appelons pas socialisme. Telle est la leçon de la révolte ouvrière de Pologne.

28 mars 1981.

J'ai toujours pensé que l'Union soviétique se garderait d'intervenir tant que le Parti communiste polonais ne serait pas lui-même disloqué comme ce fut le cas en Tchécoslovaquie en 1968 [86]. La Pologne n'est pas dans la même

Le 4 novembre 1956, répression brutale par les troupes soviétiques. Le gouvernement est dissous, Imre Nagy arrêté. Janos Kadar lui succède. Le 16 juillet 1958, Imre Nagy et le colonel Malter sont pendus après un procès secret.

86. 1968, « le printemps de Prague » : « Du printemps tout court, il a les couleurs tendres et joyeuses, la montée de sève, le soudain réveil d'une nature trop longtemps prisonnière de l'hiver. Les prisonniers politiques sont réhabilités, des enquêtes annoncées sur les véritables responsabilités de la répression. Des clubs se forment, marquant un début de retour au

situation. J'imagine mal l'armée soviétique chargée de mettre les ouvriers polonais au travail [...]. S'il devait y avoir une intervention soviétique directe, cela poserait un problème au monde entier et je pense que l'Union soviétique s'interdirait pour longtemps ses démarches pour un désarmement contrôlé et la sécurité collective [...]. Dans l'immédiat, cela signifierait une juste réplique dans les domaines industriels et technologiques. Ce que je demande pour la France, c'est que l'Union soviétique ne doive pas compter à tout moment sur sa complaisance mais sur sa sagesse et sa coopération.

pluralisme organisé. » (André Fontaine, *Un seul lit pour deux rêves,* p. 126, Fayard éd., 1981). Juillet 1968, les dirigeants du pacte de Varsovie dénoncent « la contre-révolution ». Le 20 août 1968, les troupes du Pacte de Varsovie pénètrent en Tchécoslovaquie. Selon *La Pravda* du 22 août, les forces soviétiques sont venues « tendre une main secourable au peuple tchécoslovaque ». Le premier secrétaire du Parti communiste tchécoslovaque, Dubcek, est arrêté. C'est la fin du printemps de Prague et le début de la normalisation.

Moins de quarante ans après la fin de la Seconde Guerre mondiale, la crise économique, les tensions internationales accréditent l'idée d'un conflit planétaire.

Il existe des données objectives d'une guerre mondiale, qui peut éclater par hasard dans la mesure où l'accumulation des armements et particulièrement des armements nucléaires fait qu'aujourd'hui une douzaine au moins de pays seraient en mesure de déclencher une guerre nucléaire. En 1990, il y en aura 50 et en l'an 2000 bien davantage encore. Qui peut prétendre qu'au Proche-Orient par exemple, dans certains pays d'Afrique ou d'Amérique latine, celui qui doit choisir entre la survie de son peuple et le danger pour l'humanité choisira la solution d'être anéanti tout seul dans son coin, soumis à quelque dictature ou à quelque agression étrangère. Et puis, il y a les fous, il y a ceux qui obéissent à toutes les puissances et à toutes les fureurs de la race, du sang, qui croient incarner l'Etat, qui se laissent emporter par leurs idéologies meurtrières. Le premier soin des puissants de ce monde, c'est de veiller en priorité absolue à ce qu'il n'y ait pas dissémination nucléaire. C'est ça le problème numéro un [...].

Si aucun frein n'est mis par accord international à l'accumulation des stocks d'armes atomiques, je pense que la guerre est fatale.

Nous sommes en valeur absolue le troisième pays vendeur d'armes, nous sommes en valeur relative le premier pays au monde vendeur d'armes. Ce n'est pas la bonne direction.

La prolifération ruine la dissuasion. En 1990, cinquante Etats détiendront la bombe atomique. Il suffira au plus petit, au plus fort, au plus fou d'allumer la mèche quelque part et la terre sautera. Personne alors ne dissuadera personne. L'indifférence mène le monde.

Je ne suis pas devin. Mais il faut que l'on comprenne que la guerre atomique est possible. Que si aucune grande pensée, aucune grande action n'est lancée pour l'organisation pacifique du monde, elle est fatale. En particulier par la prolifération de l'armement atomique. Bien sûr ni Deng Xiaoping, ni Brejnev, ni Carter ne veulent d'une guerre mondiale, mais l'accumulation des armes, les antagonismes irraisonnés et la planète devenant trop petite font que la guerre atomique avance, sauf si... Or, on n'aperçoit pas que les grands de ce monde aient conscience de ce « sauf si ». Pourtant un homme comme Brejnev est un homme de paix, je le crois. La Chine n'est pas une puissance offensive. Carter est certainement un brave homme, qui ne songe pas à en découdre. Mais aucun, semble-t-il, n'a le sentiment qu'il faut faire quelque chose de plus si on ne veut pas que la guerre éclate.

Je ne suis pas un expert. Je sais, en effet, qu'il y a une très grande accumulation d'armements et de soldats de l'Union soviétique sur le sol de l'Europe, en direction de l'Occident. Je sais qu'il y a des intentions d'accumuler des fusées, du côté américain, dans le cadre de l'organisation militaire de l'Atlantique Nord. Je sais que la France dispose du moyen nucléaire qui lui permet d'assurer, si cela n'est pas altéré, sa propre défense, et en tout cas de jouer assez de la dissuasion pour que son territoire soit protégé dans le cas où les grandes puissances se livreraient la guerre sur le sol de l'Europe. Bien entendu, je sais aussi, parce que je crois connaître un peu l'histoire, à quel point on croit mettre des barrages devant les contagions et de quelle façon la peste franchissait le mur que l'on avait dressé en Provence. Eh oui ! les murs résistent mal à ce type de contagion.

Mais est-ce que le déséquilibre s'accroît entre l'Union soviétique et les Etats-Unis d'Amérique au désavantage du monde occidental ? C'est ce que pense le général Haig [87]. Personnellement, j'en doute un peu dans la mesure où j'ai vu les responsables américains et les responsables soviétiques se mettre d'accord sur S.A.L.T. II et prévoir un S.A.L.T. III, c'est-à-dire, pour être compris de tous, des accords de désarmement importants, en matière nucléaire, entre les grandes puissances et aujourd'hui — c'est la perspective de S.A.L.T. III — par rapport à la sécurité collective en Europe. Or ils ont signé. Je n'arrive pas à imaginer que les responsables occidentaux — américains, car la France n'y a pas été mêlée — aient trahi à ce point les intérêts de leurs pays. Je crois à une sorte d'alliance objective entre l'Union soviétique et les Etats-Unis d'Amérique. Je crois que l'un des faits capitaux

---

87. Après l'élection de Ronald Reagan à la présidence des Etats-Unis, le 4 novembre 1980, le général Alexander Haig, ancien commandant en chef de l'O.T.A.N., est nommé Secrétaire d'Etat dans le nouveau gouvernement.

de l'après-guerre de 1944, c'est l'alliance objective américano-russe, bien entendu troublée par bien des choses : la tentative américaine d'aller du côté de l'Asie pour avoir un accord privilégié avec la Chine qui ne pouvait que mécontenter la Russie, après l'accord entre la Chine et le Japon, l'accord entre les Etats-Unis et le Japon, et puis la Chine intervenant au Vietnam et le Vietnam intervenant au Cambodge. Je sais bien que tout cela risque d'être troublé à tout moment par un événement inattendu et explosif. Mais, en fait, c'est du sang-froid des dirigeants américains et russes qu'a dépendu la paix jusqu'à présent : je ne pense pas qu'ils soient près d'y manquer.

Le 20 décembre 1979, à l'occasion de la motion de censure déposée par le Parti communiste français pour protester contre l'installation des fusées Pershing en Europe, débat à l'Assemblée nationale.

La France fait partie de l'Alliance atlantique. Elle ne participe pas au commandement intégré de l'O.T.A.N. Elle dispose d'un pouvoir de décision et d'une force atomique autonomes. Elle entretient des relations d'amitié avec l'U.R.S.S., elle refuse le réarmement nucléaire allemand.

Si un consentement général a pu s'établir entre les représentants du peuple français, c'est bien sur l'ensemble de ces points. Je ne connais pas de parti qui s'en écarte aujourd'hui, du moins dans les déclarations publiques, sinon dans les arrière-pensées.

Personne ne demande le retrait de la France de l'Alliance atlantique. C'est bien clair.

Personne ne demande la réintégration de la France dans l'O.T.A.N. Est-ce clair ?

Personne ne demande la renonciation à la force de frappe. C'est sûr.

Personne ne souhaite la détérioration des relations avec l'U.R.S.S. Est-ce certain ?

Personne ne demande ni n'accepte la possession par l'Allemagne de la bombe atomique.

L'Histoire aurait pu s'écrire autrement depuis la dernière guerre mondiale, et le Parti socialiste n'a pas manqué, sur certains de ces points, d'émettre des opinions contraires à celles de l'actuelle majorité. Mais il reste pour tous les Français une réalité : la France telle qu'elle est dans le monde tel qu'il est. Nous avons le droit de regretter ou d'imaginer ; nous n'avons pas le droit d'ignorer.

Or, l'un des aspects de cette réalité est que la France, qui n'appartient pas à l'O.T.A.N., n'a pas eu à accepter ou à refuser l'implantation des fusées Pershing II et des missiles américains, ni sur son sol ni sur le sol d'un pays membre de cette organisation militaire. Elle ne peut donc être rendue directement responsable de la crise actuelle.

Mais la France est européenne, et tout ce qui concerne l'Europe la concerne. Elle est une puissance d'envergure, de capacité mondiale, et l'équilibre du monde l'intéresse. Il est donc normal qu'elle ait son mot à dire et qu'elle le dise. La motion de censure déposée par le groupe communiste ne constituait sans doute pas le meilleur moyen d'aborder ce problème. Profitons-en cependant pour le traiter à fond.

De quoi s'agit-il ? Si les députés connaissent le sujet dont je vais parler, ils me permettront cependant de l'exposer en termes simples, afin d'être entendu au-delà de cette assemblée.

Les Américains ont obtenu de l'O.T.A.N. l'implantation en Europe de fusées Pershing II et de missiles Cruise. Qu'est-ce qu'une fusée Pershing II ? C'est une fusée à deux étages, à charge nucléaire, à têtes multiples, d'une portée d'environ 1 800 kilomètres, capable d'atteindre le territoire soviétique en profondeur et Moscou en dix-sept minutes. L'installation de ces fusées sera achevée dans trois ans. Il y en aura 120 ou 130. Elles dépendent de la décision américaine. Qu'est-ce qu'un missile Cruise ? C'est une fusée, nucléaire ou non nucléaire, dotée d'un système électronique, qui permet de raser le sol à vitesse subsonique et qui épouse les formes du relief, en passant même sous les réseaux radar. Sa portée est de 2 400 kilomètres environ. Ce missile est transporté par bombardier classique, de type B 111. L'objectif des américains est, disent-ils, d'équilibrer les forces militaires en Europe, face aux fusées S.S. 20 et aux Backfires soviétiques.

Mais alors, qu'est-ce que ces fusées S.S. 20 ? Ce sont des fusées à deux étages sur tracteurs, porteuses également d'une charge nucléaire à plusieurs têtes, d'une portée de 4 500 kilomètres et d'une précision, dit-on, de 100 à 200 mètres, pointées sur des objectifs militaires et, le cas échéant, civils. La France est située dans le rayon d'action des fusées en question. Elles sont, en effet, stationnées sur le territoire soviétique, mais la distance qui nous en sépare ne nous met pas hors de portée.

Ces fusées sont placées sous le commandement soviétique, comme les fusées concurrentes sont placées sous commandement américain. On peut estimer qu'environ 120 sont déjà installées et que quelque 1 200 sont envisagées dans un avenir proche.

Et qu'est-ce qu'un Backfire ? Il s'agit d'un Tupolev équipé de deux missiles guidés par radar. Son rayon d'action est de 2 700 à 5 500 kilomètres et il peut être ravitaillé en vol. Ces missiles sont d'une très grande précision et là encore, la France se trouve dans leur rayon d'action normal.

Dans ces conditions, tout Français ne doit-il pas se poser dans des termes comparables les problèmes posés par la capacité de dévastation de ces engins ? Je n'en suis pas encore à examiner les intentions des uns ou des autres, mais dès lors qu'on adopte une attitude qui consiste à condamner la mort nucléaire, le raisonnement qui vaut pour les uns, ne vaut-il pas pour les autres ? C'est en tout cas ce qui commande la réflexion du Parti Socialiste. Il serait intéressant d'organiser une grande discussion sur la réalité ou l'irréalité de l'équilibre des forces militaires dans le monde. Les spécialistes s'exprimeront. Nous ne sommes pas des spécialistes, mais dans la mesure où l'on prend la peine de s'informer — et c'est le rôle d'un député français — on peut estimer que l'équilibre mondial est à peu près réalisé. Et s'il y a amorce de déséquilibre, il serait bien difficile de dire à l'avantage de qui.

Il me semble que les Etats-Unis d'Amérique ont conservé une supériorité sur le plan général. En revanche, pour ce qui concerne l'équilibre en Europe, je serai plutôt porté à penser que la supériorité soviétique est établie.

Quel est donc le problème de la France et du Parlement français ? Quelle discussion admirable et savante sur l'arme tactique et l'arme stratégique ! Je la comprends, bien entendu, autant que quiconque dès lors qu'il s'agit de comparer les fusées qui, parties du sanctuaire américain, auraient à traverser les océans pour atteindre le sanctuaire soviétique et vice versa. Je comprends fort bien qu'il y ait une portée stratégique lorsqu'une fusée doit franchir 5 000, 6 000 ou 7 000 kilomètres pour atteindre son objectif. Il lui faut plus de temps, bien qu'elle soit fort rapide.

Je comprends déjà moins ce que signifie le mot « stratégique » lorsqu'il s'agit de sous-marins qui peuvent s'approcher très près des côtes de l'adversaire.

Mais, si la distinction entre armes stratégiques et armes tactiques est utile pour les super-puissances, dès lors que l'on peut étager, différencier la menace et la suspendre dans le temps, j'en saisis moins le sens quand il s'agit de la France, puisque notre force de dissuasion ne peut être réellement dissuasive que si elle s'exerce massivement et immédiatement, dès le moment où nous serions menacés par d'éventuelles fusées qui, tactiques ou stratégiques, couvrent en tout état de cause et de la même façon la totalité de notre territoire.

M'intéressant de fort près, comme je vais le faire, aux capacités, dangereuses pour l'équilibre mondial, des fusées Pershing II, je ne peux oublier, pour autant, que se pose dans l'immédiat une question qu'aucun citoyen français, qu'aucun être humain vivant en France et en mesure de raisonner ne peut éluder : pourquoi l'Union soviétique, si elle est un pays ami (et j'espère qu'elle l'est), un pays pacifique (et je crois qu'elle l'est), pointe-t-elle des fusées en direction de nos villes, de nos arsenaux et de nos installations militaires ?

Et je n'accepte pas que l'on fasse l'impasse, que qui que ce soit fasse l'impasse, dès lors qu'il s'agit d'examiner les menaces qui pèsent sur le monde, celles qui pèsent sur la France.

La discussion qui porte sur l'équilibre des forces ne nous est pas indifférente. Il est vrai qu'elle est utile, et un responsable ne peut ignorer que, de l'équilibre international de ces forces, peut dépendre la paix ou la guerre.

Mais, pour nous, socialistes, ce n'est pas là le problème principal. Celui-ci se pose en d'autres termes, en termes de dissuasion et de désarmement. La sécurité française ne dépend pas seulement de l'équilibre des forces dans le monde. Elle dépend d'une autre logique, que j'appellerai la logique du désarmement face à la logique du surarmement, quelle qu'en soit l'origine.

Bref, deux superpuissances réarment. Nous leur disons de désarmer, et, pour cela, nous voulons que s'engagent les négociations nécessaires.

On est allé à Vienne. Enfin, d'autres que nous ! Je veux dire les superpuissances. Les mêmes ont parlé, lors de la discussion de S.A.L.T. II, des S.A.L.T. III. On est allé à Helsinki. On est allé à Belgrade. On ira à Madrid. Mais il semble bien que ces voyages et ces rencontres n'aient pas encore été suffisants, puisque les Pershing II et les S.S. 20 ont jusqu'à présent échappé, semble-t-il, à l'attention de ceux qui passent tant de jours, depuis tant d'années, à parler de désarmement. Ils ne sont parvenus qu'à limiter, en certaines circonstances, le surarmement, sans avoir encore jamais accepté de s'engager dans la voie du désarmement.

Eh bien, cela n'est pas suffisant, et il faut que la France et, à défaut de la France, que tous les hommes de bonne volonté en France, présentent des propositions, et c'est ce que fait le groupe socialiste.

Nous estimons qu'il convient d'abord d'éviter tout ce qui alourdirait ou aggraverait le climat, dont on sait bien, aujourd'hui, qu'il peut être générateur de guerres. Ces mesures préalables, s'agissant de l'armement américain et de l'O.T.A.N. sur le sol de l'Europe, passent par une évidence : il ne faut pas que les Etats-Unis d'Amérique poussent leurs efforts, après une campagne qui a duré déjà quelques mois et qui a parfois pris l'aspect — je pense notamment aux déclarations du général Haig — d'une campagne d'affolement. En effet, il ne peut être question, en 1979 ou 1980, de reproduire en l'inversant la situation de Cuba.

Et qui ne serait extrêmement vigilant, afin qu'en aucune circonstance l'Allemagne ne soit dotée d'armements nucléaires ?

Enfin, il convient, et je suis sûr que vous serez nombreux à m'entendre, d'éviter que l'Union soviétique puisse avoir le sentiment d'être une place assiégée. Elle peut s'interroger. Certes, l'Union soviétique n'a pas été avare de mesures pour assurer ses capacités d'expansion dans le monde. Mais, je le répète, évitons de donner aux citoyens de ce pays le sentiment qu'ils sont dans une place assiégée. C'est là une des constantes de la position socialiste.

Nous devons constater objectivement — sans que cela implique de notre part la moindre critique sur tel ou tel aspect des choses — qu'on a assisté en quelques mois à la réalisation d'un accord entre la Chine et le Japon qui marque leur réconciliation après tant de désastres, et à l'alliance de fait entre les Etats-Unis d'Amérique et la Chine. On entend parler, y compris en France — mais le gouvernement nous a donné des assurances et j'espère qu'il s'y tient — de livraisons d'armes sophistiquées à la Chine. Lorsque la Chine a envahi le Vietnam, la France n'a pas bougé, tandis que la presse réactionnaire du monde occidental tentait d'exciter l'Union soviétique qu'on offensait en lui disant : « Allez-y donc ! votre allié est menacé. Qu'attendez-vous pour faire, vous aussi, la guerre du côté de la Chine ? »

Tout cela alourdit le climat, et les socialistes ne se rendront pas complices de tels agissements.

Et voici qu'aujourd'hui se pose le problème de l'installation de fusées Pershing II. Certes, l'U.R.S.S. n'est pas en reste. Sans doute, les fusées S.S. 20 ont-elles succédé aux S.S. 5 ou S.S. 6, dès 1975. Mais l'habitude n'est pas une raison pour ne pas se préoccuper de ce déséquilibre.

Il est vrai que le monde s'engage dans des affrontements qui paraissent de plus en plus irréductibles. Il est vrai qu'on ne peut pas manquer de s'inquiéter de certaines avancées du côté de l'océan Indien et de la Méditerranée, de la percée par l'Afghanistan, de la guerre du Cambodge. Bref, il est vrai que c'est désormais l'affrontement qui fait la loi.

Eh bien ! Nous, nous refusons et nous disons qu'il convient d'arrêter les mesures préalables qui permettront à chacun des pays en cause, et d'abord à l'Union soviétique, de ne pas se sentir assiégé, comme ce fut le cas dans certaines circonstances : en 1918, en 1919, en 1920, et peut-être aussi — mais l'histoire élaborera son analyse sur ce point — en 1938. Jamais les socialistes ne seront complices d'une quelconque action qui donnerait à ce grand pays l'impression qu'il est assiégé par le monde occidental et ses alliés.

Alors, passons aux mesures positives. La France se doit de proposer.

Les socialistes ne sont pas au gouvernement ; ils sont responsables ; ils disent ce qu'ils ont à dire ; ils ne peuvent décider.

Nous avons engagé, il y a déjà bien longtemps, une campagne sur la dissolution progressive des blocs et sur la neutralisation nucléaire du centre de l'Europe. Mais dans le Programme commun de gouvernement de la Gauche, à propos de la dissolution des blocs, figurait un adjectif oublié dans un discours précédent. Cette dissolution devait être progressive et simultanée. Ce dernier terme a disparu du discours. Nous l'y replaçons pour donner un éclairage exact sur les accords de la Gauche, gauche patriote qui n'entend céder ni aux uns ni aux autres.

Nous ne sommes pas de ceux qui disent : « Il y a des S.S. 20, donc il faut des Pershing ». Nous ne sommes pas non plus de ceux qui disent : « Il y a des Pershing, donc il faut de l'autre côté surarmer. » Nous sommes de ceux qui disent : « Il y a des fusées S.S. 20 et il y a des Pershing II, nous n'y sommes pour rien, donc il faut négocier. »

Il faut accepter de pousser plus loin, en les élargissant, les propositions de M. Brejnev, déterminer la position de la France au regard d'éventuelles négociations S.A.L.T. III, parfaire et, le cas échéant, renégocier en accroissant les accords de sécurité collective, le traité d'amitié qui nous lie à l'Union soviétique. Il faut utiliser le délai de trois ans que nous laisse l'installation définitive des fusées Pershing. Il importe enfin, si vous voulez bien nous entendre, de mettre en œuvre la conférence européenne que j'ai appelée en son temps la « conférence européenne sur les menaces et les tensions ».

J'avais indiqué, au nom du Parti socialiste, plusieurs mois avant les

propositions non pas similaires, mais qui sur certains points s'en rappro-
chaient, de M. le président de la République, d'une part, et du Parti
communiste français, d'autre part, que cette conférence pourrait porter sur
cinq domaines : le nucléaire civil, les ventes d'armes classiques, le militaire
nucléaire, les mesures de confiance — c'est-à-dire l'information mutuelle —
et enfin le droit des personnes.

Nous entendions rassembler à cette occasion — et nous le demandons
expressément au Gouvernement de la France — les moyens de débat
qu'offrent séparément les négociations S.A.L.T., les conférences d'Helsinki
et de Vienne et la conférence du désarmement de l'O.N.U.

Dans notre esprit, outre les pays de l'Europe, les Etats-Unis d'Amérique
et le Canada, devraient y participer non seulement les Etats qui possèdent
l'arme nucléaire en Europe, mais aussi les Etats qui fournissent du nucléaire
à l'Europe et enfin ceux qui ont du nucléaire sur leur territoire.

Les socialistes et les radicaux de gauche ne voteront pas la motion de
censure, et d'abord pour des raisons qui tiennent au texte même qui nous est
proposé : il entretient une certaine confusion entre les Pershing et les
missiles. Il émet cette affirmation toute simple que la République fédérale
d'Allemagne disposerait sinon de la maîtrise de l'arme atomique, du moins
de la possibilité d'y accéder.

Mais, bien entendu, nos raisons tiennent d'abord au fond. Nous
considérons que cette motion de censure s'attaque uniquement à l'armement
américain, et même si l'on doit admettre — ce que j'ai fait — que les
Américains n'ont pas saisi toutes les capacités de négociations, qu'il faudra
reprendre, il n'empêche qu'on ne peut regarder d'un côté et fermer les yeux
de l'autre. Cela, il faut le répéter.

Nous ne voterons pas la motion de censure parce que son dispositif
s'appuie sur le slogan répandu hors de ces murs : « Non à la mort
nucléaire », alors que la mort nucléaire n'a pas de nationalité et que les
signataires de cette motion préconisent par ailleurs, et systématiquement, le
tout nucléaire civil et militaire.

Nous ne voterons pas la motion de censure, parce qu'elle fait de la
surenchère sur les positions soviétiques. Eh oui. J'ai retrouvé les déclarations de M. Brejnev, accueillant le groupe de travail de l'Internationale
socialiste sur le désarmement, présidé par le finlandais Kalévi Sorsa et
auquel appartenait le Français Lionel Jospin.

Je revois le titre du journal Le Monde : « M. Brejnev recherche l'appui de
l'Internationale socialiste pour contrer le renforcement de la défense de
l'Europe » et je me suis reporté aux propos que M. Brejnev lui-même a tenus
lors de l'entretien en question, le 1ᵉʳ octobre 1979 :

*« Le Comité central de notre parti se prononce en faveur d'un développement
des contacts avec l'Internationale socialiste. Il est sans doute particulièrement
important aujourd'hui que nos points de vue se rapprochent sur les problèmes
internationaux les plus brûlants.*

L'Internationale socialiste porte une attention accrue au problème du désarmement. Quant à nous, nous avons toujours considéré que c'était une tâche-clé, d'une importance vitale pour les travailleurs de tous les pays...

Il y aura des négociations S.A.L.T. II qui doivent permettre de débattre de la réduction de différents types d'armements, notamment à moyen rayon d'action. Nous sommes prêts à examiner toutes les propositions raisonnables qui pourraient être faites à ce sujet. La seule condition est que soit effectivement respecté le principe de la sécurité égale des parties, que soit pris en compte l'ensemble des facteurs qui s'y rattachent...

En ce qui concerne le Parti communiste de l'Union soviétique, il continuera à se prononcer pour des contacts constructifs avec les socialistes et les sociaux-démocrates, pour un dialogue toujours plus constructif avec toutes les autres forces démocratiques et de paix. Nous apprécions ce qui a déjà été atteint en ce sens et nous sommes prêts à développer encore ce type de relations.

Nous apprécions à sa juste valeur l'activité du groupe de l'Internationale socialiste que vous conduisez, camarade Sorsa. Nous espérons que son activité contribuera à faire participer plus activement l'Internationale socialiste et les partis qui y adhèrent à la lutte pour le désarmement, la détente et une paix durable. »

J'ai dit que le texte de la motion de censure, et ce qui l'entoure dans la pratique quotidienne, allait au-delà des propositions et des dispositions soviétiques. Au lieu de rechercher un accord équitable et constructif sur les moyens futurs de la négociation, le Parti communiste a, tout aussitôt, cherché à distinguer l'action des masses en accusant le Parti socialiste et en le « convoquant » — s'il croit qu'il peut convoquer, il se trompe ! — à se soumettre au rendez-vous, à l'ordre du jour, au lieu et à l'heure, bref à la politique qu'il avait unilatéralement décidée. Il n'en est pas et il n'en sera jamais question.

J'ai d'autre part lu, dans la presse française, l'appel du responsable bulgare Malev en faveur de l'entente avec les partis socialistes et sociaux-démocrates, sans sectarisme et sans imposer ses vues. Et j'ai lu aussi l'appel récent du Hongrois Gyenes qui tient les mêmes propos. Qui imaginera que ces propos ont été tenus sans que l'Union soviétique en ait été informée ? Et qui comprendra l'agression constante du Parti communiste français qui tend à prétendre qu'on s'aligne sur Washington dès lors que l'on veut faire reculer les fusées et l'arme nucléaire de mort d'un côté et de l'autre ?

Mais nous avons une raison supplémentaire de refuser la motion de censure : elle se livre à une médiocre opération de politique intérieure, quand il s'agit du sort de la paix, et de l'union pour la démocratie française. Au point qu'on peut se demander si, en réalité, la motion de censure vise tellement un gouvernement qui n'a pas de part à la négociation sur les fusées Pershing plutôt qu'un groupe parlementaire de cette assemblée que l'on prétendait mettre — bien à tort vous le constatez — dans l'embarras.

Bref, on n'empêchera personne de dire en France : « Il y a des fusées des deux côtés, qu'elles reculent des deux côtés » ; on n'empêchera personne, en tout cas à gauche, de penser que s'il est urgent de discuter des missiles pour trois ans, il est également urgent pour tout de suite de discuter ensemble des intérêts des travailleurs.

Enfin, nous refusons de voter la motion de censure parce qu'elle n'attaque pas la politique du Gouvernement français là où elle doit être condamnée. Elle ne se prononce pas contre les ventes d'armes excessives et désordonnées, contre les ingérences en Afrique, contre l'aide aux dictateurs, contre la politique qui rase les murs au Vietnam attaqué par la Chine, au Cambodge attaqué par le Vietnam, au Sahara occidental, encore en Afrique, lorsqu'on a vu apparaître, à travers les discours officiels, comme une sorte de volonté de la France de faire à elle seule ses Pershing en approchant du sol soviétique au travers de l'Allemagne — c'est bien l'interprétation qu'on peut donner des discours du général Méry[88] et même du Président de la République. Elle ne dit rien, non plus, sur la politique du Président Carter et sur la volonté américaine de détruire la politique agricole commune.

[...] Si j'étais russe, ne n'accepterais pas que des fusées menacent mon pays et le cas échéant, je négocierai — bien entendu — pour qu'elles ne soient pas installées en Europe. Si j'étais américain, je n'accepterais pas que la Russie Soviétique puisse détruire commodément les installations militaires de l'O.T.A.N. et de mes alliés.

Mais je ne suis pas russe, je ne suis pas américain. Je suis comme chacun d'entre vous, français, et je n'accepte pas que des fusées puissent menacer l'existence de la France.

Le conflit entre l'Union Soviétique et les Etats-Unis d'Amérique à propos des S.S. 20 et des Pershing 2 peut se résoudre, et se résoudra, vraisemblablement par un accord entre les deux superpuissances. Etes-vous sûr qu'il ne se résoudra pas au détriment des pays de l'Europe et au détriment de la France ?

[...] Voilà pourquoi je répéterai pour conclure : ni glacis atlantique, ni glacis soviétique, ni fusées de mort russes, ni fusées de mort américaines. Solidarité avec nos alliés, oui ! Soumission à leur décision, non ! Amitié avec l'U.R.S.S., oui ! Soumission à ses intérêts, non ! Désarmement, oui ! Surarmer, non ! Et surtout, exerçons la pression de la conscience des peuples ! Lorsqu'on voit tant d'efforts, tant de travaux, tant de misère sur la surface de la terre et tant d'argent dissipé pour la mort de l'humanité, on ne peut penser autrement : la paix, c'est l'arbitrage, c'est la sécurité collective, mais surtout, la paix, c'est le désarmement, la seule voie possible pour échapper aux menaces qui pèsent sur le monde.

88. Le général Guy Méry, général d'armée, est chef d'état-major des armées de 1975 à 1980.

21 février 1980.

La guerre entre les superpuissances capables de se détruire l'une l'autre, je n'y crois pas. Enfin, pas encore. Mais la tension actuelle peut prendre, si elle dure, la forme de guerres localisées, qui, bien entendu, ne le seront pas pour ceux qui en souffriront. Cela, c'est à tout moment possible. Mais la guerre généralisée, la guerre nucléaire, à laquelle la France se trouverait mêlée, cela ne me paraît pas vraisemblable pour l'instant. Je pense que la marge qui existe entre la guerre et la crise présente est encore assez grande pour permettre une série d'états intermédiaires, qui ne sont plus la paix, qui ne sont pas la guerre. Ces états sont dangereux car, si l'on n'y prend garde, ils peuvent échapper au contrôle et provoquer la catastrophe. Rappelez-vous Sarajevo. C'est pourquoi notre rôle est de rechercher partout les chemins de la paix sans jamais pour autant accepter les compromis honteux qui ne font qu'avancer, dignité perdue, l'heure de la guerre. Pas commode !

Dans ce monde dangereux, la défense des Droits de l'Homme partout menacés doit constituer pour la France une préoccupation constante.

7 juin 1978, à l'Assemblée nationale.

Ces Chiliens en appellent à ma conscience.

En effet, depuis le 11 septembre 1973[89], plusieurs centaines de leurs compatriotes ont disparu. Pourtant, depuis cinq ans, leurs parents et leurs amis multiplient les démarches auprès des autorités de Santiago, des Nations unies ou auprès des responsables politiques de toutes les nations démocratiques.

Cette pression avait fini, l'année dernière, par provoquer une réaction du gouvernement du général Pinochet qui avait promis alors de rendre publics, le 16 mai 1978, les résultats d'une enquête sur les disparus. Mais, à ce jour, la promesse n'a pas été tenue.

Hier, je me suis rendu à l'église Saint-Hippolyte où se déroule une grève de la faim, ainsi qu'à l'Unesco où quelques dizaines de Chiliens ont également entrepris cette grève qui semble peu émouvoir certains de nos collègues. J'y ai rencontré — mais je n'ai pas été le seul — plusieurs femmes qui sont sans nouvelles de leur mari ou de leurs enfants, l'une depuis quatre ans, d'autres depuis dix-huit mois ou deux ans.

Aussi serait-il souhaitable que, conformément à ses traditions, la France

89. Le 11 septembre 1973, une junte militaire, sous les ordres du commandant en chef de l'armée de terre, le général Pinochet, s'empare des moyens d'information. Comme le président Allende, élu démocratiquement, refuse de se démettre, les troupes terrestres et aériennes attaquent le palais de la Moneda. Le président Allende est tué au cours de l'affrontement. La « junte » suspend les Assemblées élues, multiplie les arrestations et les exécutions.

rappelle fermement au Gouvernement du Chili l'engagement qu'il a pris au sujet des disparus.

16 mai 1980.

Cinq représentants de la résistance guatemaltèque qui, au terme d'un bref séjour en Europe, passaient quarante-huit heures à Paris avant de rentrer dans leur pays pour y poursuivre la lutte, sont venus, la semaine dernière, au siège du Parti socialiste. Lionel Jospin les a reçus. C'était un mercredi, jour du Bureau exécutif, et je n'ai pu tenir avec eux qu'un bout de conversation. Assez pour entendre — assez pour comprendre. Ils nous ont parlé en vrac. De la guérilla menée par quatre groupes qui, d'abord séparés, parfois opposés, coordonnent maintenant leur action. Leurs noms : Forces armées rebelles, Armée de guérilla des pauvres, Bras armé du Parti communiste, Organisation révolutionnaire du peuple en armes. La dictature qu'ils combattent dure depuis vingt-six années consécutives. Seule parenthèse démocratique dans l'histoire du Guatemala, les gouvernements des présidents Arevalo et Arbenz avaient, de 1944 à 1954, tenté l'aventure de la démocratie. Mais le jour de juin 1952 où le congrès approuva un décret, le décret 900, instituant la réforme agraire qui autorisait l'Etat à exproprier contre indemnisation les terres non cultivées des grands domaines, l'expérience fut condamnée. L'oligarchie foncière et la célèbre multinationale bananière, l'United Fruit Company, aidées, encouragées par les Américains qui craignaient la contagion de cette « révolution » en Amérique centrale, organisèrent le coup d'Etat. Arbenz renversé au nom de la « Libération nationale », la remise en ordre commença.

Nicole Bourdillat [90], de qui je tiens ma documentation, situe de 20 à 30 000 le nombre des morts, victimes de la répression, entre 1966 et 1976. Dans son rapport de 1976, Amnesty International évalue ce nombre à 20 000, tandis que le Centre d'études démocratiques de l'Amérique latine (Cedal) en compte 30 000, chiffre repris par le premier séminaire centro-américain « sobre los derechos humanos en Guatemala ». Depuis lors, le rythme sanglant s'accélère. L' *Excelsior* de Mexico du 21 mars 1980 faisait l'estimation suivante : 3 252 crimes politiques en 1979, et pour les trois premiers mois de 1980 : 1 404. En avril on a découvert à Camalapa un nouveau cimetière clandestin contenant 38 cadavres. Mi-avril, le secrétaire général du syndicat de la construction, Rodolfo Ramirez, a été abattu. Précédemment, de mai 78 à mai 79, 360 syndicalistes avaient été arrêtés, 11 assassinés, 12 enlevés et disparus. En décembre 1978, le secrétaire général du syndicat de la firme Coca-Cola, Pedro Quevedo, a été liquidé.

90. Nicole Bourdillat est une des responsables des problèmes d'Amérique latine au Parti socialiste.

Son successeur Israël Marquez s'est exilé au Costa-Rica après avoir échappé à deux attentats. Un mois plus tard on a retrouvé Manuel Lopez Balan, qui avait remplacé Marquez, la gorge tranchée.

Il y a une dizaine d'années, dans l'intention de diminuer la densité démographique de certaines zones rurales, le gouvernement a décidé de transformer une région de 9 000 kilomètres carrés, au nord du pays, en zone de colonisation agraire. Entre-temps, la découverte du nickel et du pétrole a relégué ce projet dans les tiroirs de l'administration. L'oligarchie financière et la hiérarchie militaire en ont profité pour s'attribuer les terres d'où l'on extrait bitume et minerai. On appelle aujourd'hui ce vaste territoire « la zone des généraux ». Pour faire place nette on a massacré les paysans récalcitrants. C'est à la suite de l'enlèvement, vraisemblablement suivi de la mort, de quarante-deux paysans du Quiché[91] que les habitants de ces villages sont descendus à Guatemala, la capitale, pour dénoncer le régime d'état de siège auquel ils sont soumis et ont occupé l'ambassade d'Espagne, ce qui a attiré sur eux l'attention d'une opinion internationale encore indifférente.

On ne compte plus les professeurs, les étudiants tués. La violence gouvernementale paralyse l'université. La chasse aux sorcières, sous l'alibi de l'anticommunisme, atteint et frappe « quiconque ne pense pas comme les groupes dominants ». Litanie sanglante qu'il me faut entonner de semaine en semaine.

Je serais incomplet si je ne précisais pas que le Guatemala garantit les Droits de l'homme avec une particulière solennité aussi bien dans sa Constitution (l'un de ses chapitres porte le titre « Habeas corpus y amparo ») que dans le cadre des conventions internationales ; qu'il a signé la Convention américaine des Droits de l'Homme du 22 novembre 1969 ; qu'il est membre de l'Organisation internationale du travail dont l'un des fondements est la liberté d'association.

Qui, de la tribune des Nations unies, osera s'écrier à la face du monde : assez de singeries !

17 avril 1980, à l'Assemblée nationale.

Notre assemblée ne peut se désintéresser de la situation en Amérique latine. Nous ne pouvons limiter notre examen à quelques problèmes à la mode en nous contentant de suivre le train, de colmater les brèches ouvertes par d'autres, de réparer les dommages qu'ils commettent.

Il se passe beaucoup de choses au Moyen-Orient, en Extrême-Orient, en Afrique. Mais, en Amérique latine, les peuples aspirent à leur libération, veulent conquérir le droit à l'existence. Et la France n'a rien à dire ?

---

91. Le département de Quiché au Guatemala s'étend au nord sur les montagnes des Altos Cuchumanates.

Vous connaissez la situation dans cette partie du monde dont vous avez certainement remarqué l'étonnante évolution — on est bien obligé de la qualifier ainsi puisque partout ailleurs il en va autrement — vers la démocratie. Quelle surprise dans ce royaume des dictateurs !

Au Costa-Rica, au Venezuela, au Mexique, depuis déjà longtemps, gouvernements et chefs d'Etat, parfois même majorités, se succèdent sans provoquer de violences ni de coups d'Etat militaires. D'autres pays les ont rejoints comme la Jamaïque — n'oublions pas les Caraïbes —, la République dominicaine, l'Equateur et Panama.

Hier, c'était la dictature, l'oppression, le sang, la domination absolue d'un clan, le capitalisme multinational qui faisait exécuter ses ordres par les politiques en place, les oligarchies toutes-puissantes. Aujourd'hui, ici et là, on commence à respirer. En Bolivie, au Pérou, au travers des traumatismes, d'incertitudes, de retours en arrière, la volonté populaire parvient à se faire entendre.

Le Brésil, qui reste voué à un système d'essence totalitaire, permet à des opposants communistes, socialistes ou sociaux démocrates de revenir dans leur patrie pour conduire une action politique, tenir des réunions, publier des journaux, bref, trouver un cheminement vers la conquête du pouvoir par le moyen démocratique.

Au Nicaragua, c'est chose faite. Je me trouvais récemment à Saint-Domingue. Dans le cadre d'une réunion de l'Internationale socialiste, qui a été le prétexte à quelques commentaires fondés sur l'ignorance ou le mensonge, ont pris place parmi nous un grand nombre de partis et de mouvements révolutionnaires. Un des neuf membres de la junte du Nicaragua se trouvait là. Si je dois rassurer quelqu'un ici, je remarquerai que les membres de la junte du Nicaragua ne sont, pas plus que moi, des agents américains.

Qu'a fait la France au Nicaragua et au Salvador ?

Le domaine de la dictature devient plus resserré et plus précaire, qu'il s'agisse du Chili, de l'Argentine, du Paraguay, de l'Uruguay ou du Guatemala. Quant à Cuba, d'une tout autre nature, elle apportera la seule réponse concevable aux aspirations populaires pour la libération des peuples et l'indépendance des Etats si les démocraties n'ont pas le courage et la clairvoyance d'ouvrir une voie dégagée des oligarchies et de l'impérialisme.

Si nous n'apportons pas aux peuples encore opprimés d'Amérique latine d'autre réponse que celle de l'impérialisme américain, ils choisiront la formule cubaine et communiste. C'est parce que je crois en une autre réponse, la seule acceptable, que le Gouvernement français doit dire quelque chose, d'autant que le rôle de la France peut être déjà esquissé.

L'influence des Etats-Unis d'Amérique dans la plupart des pays qui conquièrent leur liberté est remise naturellement en question.

Faut-il pour autant considérer que notre forme de civilisation, notre système politique soient exclus de l'évolution de ces pays ? Je ne le crois pas.

Malgré les efforts du président Carter qui, par une vue plus libérale des choses, a permis l'établissement d'un régime démocratique en République dominicaine et la victoire de la junte au Nicaragua, les Etats-Unis sont hors d'état de perpétuer leur influence dans les nouvelles démocraties.

Quant à la Grande-Bretagne, elle est presque toujours absente. L'Espagne a su garder, par la finesse et la persévérance de sa diplomatie, un grand prestige, mais, trop occupée par ses problèmes intérieurs, elle ne peut apporter de réponse pour l'instant. L'Allemagne par contre est toujours là, si l'on en juge par le nombre de ses représentants.

Et la France ? Tout lui est encore possible. Mais pas en recevant un amiral argentin et en lui vendant des Frégate et des Mirage ; pas en prodiguant des déclarations émues, comme l'a fait le président de la République lors de l'assassinat de l'évêque Romero, au Salvador, tout en continuant de livrer au pouvoir sanglant des armes anti-émeutes, telles que les chars A.M.X. 13 pour mieux tirer sur la foule ; pas en encourageant Pinochet au Chili. Pour la première fois cet été depuis l'assassinat de Salvador Allende, un navire français, la *Jeanne-d'Arc,* a mouillé à Valparaiso.

Monsieur le Ministre, vous avez auprès de vous M. Stirn [92]. Celui-ci n'est pas allé au Nicaragua, alors qu'il a rendu des visites, je l'espère utiles, dans des pays voisins. Pourquoi ? C'est là pourtant qu'il se passe quelque chose. Où en est la coopération agricole de la France avec ce pays ? Contribuons-nous à la campagne d'alphabétisation d'une étonnante ampleur qui y est engagée ? Qu'en est-il de la langue française ?

Quelles conséquences avez-vous tirées du vote de l'Assemblée européenne invitant les gouvernements de l'Europe à condamner la répression au Guatemala ? Après la visite du président de la République de Panama à Paris, la France a-t-elle ratifié le traité de neutralité de la zone du canal ?

Puisque nous évoquons les Caraïbes, auxquelles s'attachent les traditions latine, française, britannique et hollandaise, s'agissant des Antilles, qui dit vrai, de M. Dijoud [93] qui déclare que la menace de déstabilisation de la situation politique en Martinique tient à l'action castriste, ou de M. Castro qui dément, affirmant n'avoir fait aucune déclaration dans ce sens ?

Et que pense le Gouvernement français d'une déclaration du ministre des Affaires étrangères du Venezuela, le mois dernier, en faveur de l'indépendance des Antilles françaises ? Je noterai à cet égard que telle n'est pas la position du Parti socialiste français, dont les vues originales ont été consignées dans une proposition de loi déposée sur le bureau de cette assemblée. Si la France fait le compte de ses chances, face aux compétitions, aux conflits et aux rapports de force, tout député français doit être rempli d'espoir. On nous écoutera si nous parlons, et si nous parlons juste.

92. Olivier Stirn est allé au Nicaragua en novembre 1980.
93. Paul Dijoud est secrétaire d'Etat auprès du ministre de l'Intérieur, chargé des départements et territoires d'Outre-Mer.

La France en crise

Je dis que la démocratie est en péril ; je crois et je répète que si la droite l'emporte, peu d'années se passeront avant que des hommes et des femmes, moins scrupuleux encore, [que l'équipe d'aujourd'hui au pouvoir et], qui ne se réclameront même pas de la démocratie, ne trouvent tant de décombres qu'ils pourront avancer librement.

12 juillet 1977. Promesses et vérité.

M. Valéry Giscard d'Estaing devrait se rendre compte que cela fait trois ans qu'il n'est plus candidat, mais président.

La France attend de lui autre chose que des promesses sans cesse renouvelées.

« A la fin de l'année, la France sortira à la fois de la crise et de l'inflation, sans drame, sans affrontement... Si la hausse des prix reste encore trop forte, elle se ralentit, et ce ralentissement se poursuivra au second semestre. C'est tout cela confusément que les Français perçoivent. »

Ces propos, tenus à Carpentras[1], doivent être rapprochés, pour en mesurer la crédibilité, d'autres pronostics optimistes tels que ceux-ci :

Le 27 mars 1975 : « dans la lutte contre l'inflation nous sommes en train de gagner [...]. La croissance économique résultera de la reprise qui doit normalement s'effectuer dans le deuxième semestre de l'année » ; et le 22 avril 1976 : « il s'est passé un grand événement en France, c'est la reprise de l'activité économique [...] Je pense que c'est à partir de la fin du premier semestre que l'on va apercevoir les conséquences de la reprise sur le niveau de l'emploi ».

---

1. Sur le discours de Carpentras, cf. *infra*, p. 175.

Or, la France est en fait un des pays occidentaux où la crise est la plus gravement ressentie :

— Le gouvernement est parti d'une hypothèse de croissance de 4,8 % (en septembre 1976). Il est difficile aujourd'hui de penser qu'on fera plus de 3 %. Le VIIe Plan (1976-1980) prévoyait 5,7 % par an.

— L'inflation souhaitée à 6,5 % sera de l'ordre de 10 % selon les indices officiels.

— L'endettement extérieur dépasse 100 milliards de francs. Depuis le 1er janvier 1977, nous avons accumulé plus de 12 milliards de dettes nouvelles. Le cours du franc est soutenu grâce à cet endettement massif.

— Le déficit du commerce extérieur serait de 10 à 15 milliards de francs à la fin de l'année selon l'O.C.D.E.

— La production industrielle stagne, l'investissement reste faible et les stocks s'alourdissent.

— Le chômage atteint plus d'un million cent mille travailleurs.

— Comme l'écrit un conjoncturiste américain (*Intestate Perpectives,* 24 juin 1977) : « Nulle part les pronostics officiels antérieurs sur la croissance ne sont plus substantiellement dégonflés qu'en France »...

C'est l'échec d'une politique économique qui appauvrit le pays, obère son indépendance, et rend chaque jour plus difficile un retour au plein emploi dans des conditions équilibrées. [...]

Depuis toujours, le Parti socialiste dénonce l'injustice fiscale : déséquilibre entre les impôts directs et les impôts indirects, déséquilibre entre les impôts sur les revenus du travail et la fiscalité du capital, déséquilibre entre la fiscalité nationale et la fiscalité locale.

Il dénonce aussi la fraude fiscale. Le Conseil des Impôts, organisme officiel présidé par le Premier président de la Cour des Comptes, vient de publier un rapport sur la fiscalité des entreprises industrielles et commerciales qui confirme avec éclat ces critiques.

Au cours des quinze ans (1960-1975) pendant lesquels M. Giscard d'Estaing a été presque sans interruption responsable de la politique fiscale française, l'impôt sur les sociétés a progressé à peu près deux fois moins vite que l'impôt sur le revenu. M. Giscard d'Estaing a multiplié les réformes limitant la fiscalité des sociétés (amortissement dégressif, provisions...) et les exemptions (sociétés immobilières d'investissement, S.I.C.O.M.I.) et toléré que les entreprises exploitent au maximum une législation qui les favorise (un peu moins d'une société sur deux ne déclare aucun bénéfice et ne paie pas d'impôt), ou la fraudent.

La liste des moyens courants d'évasion dressée par le Conseil des Impôts constitue un réquisitoire : fixation de la rémunération des dirigeants d'entreprise de façon à épuiser le bénéfice fiscal ; provisions commodes ; frais généraux majorés ; évasion internationale (paradis fiscaux, sociétés fictives, manipulation des prix de cession entre filiales et sociétés mères...).

Implicitement, le rapport du Conseil des Impôts légitime les propositions fiscales du Parti socialiste en matière d'impôt sur les sociétés : réforme du régime des amortissements et des provisions, meilleur contrôle des frais généraux, suppression des avantages indus, lutte contre la fraude fiscale, notamment internationale.

La politique de MM. Giscard d'Estaing et Barre se lit à travers sa fiscalité : l'argent va à l'argent par la faveur, l'exonération, et la fraude.

8 novembre 1977. Le lourd bilan de la droite.

Après la moitié d'un septennat, et un an d'un plan Barre succédant à d'autres plans tout aussi inefficaces, M. Giscard d'Estaing ne peut présenter aux Français qu'une situation dégradée dans les domaines essentiels de leur vie quotidienne : l'inflation s'est accélérée et a entraîné une baisse de leur pouvoir d'achat, tandis que le chômage s'est accru de façon dramatique.

Certes, l'environnement international n'est guère favorable et notre propre économie subit les répercussions de la hausse du prix du pétrole. Mais, dans ce contexte difficile, les gouvernements successifs de M. Giscard d'Estaing n'ont pas mis en œuvre les réformes qui auraient permis à notre économie de se libérer peu à peu des contraintes extérieures.

Tout en usant en termes généraux d'un langage de sacrifices et d'efforts, le Gouvernement a purement et simplement répercuté sur les travailleurs et leurs familles les conséquences de ces difficultés, sans remodeler l'appareil productif afin de revenir vers le plein emploi, sans toucher un système de répartition des revenus et des fortunes particulièrement inégalitaire, sans préserver l'amélioration du niveau de vie des plus démunis.

Nul ne saurait se réjouir d'une telle situation et le Parti socialiste moins que quiconque : il sait ce qu'elle signifie pour la vie quotidienne des Français. Il connaît aussi le poids de l'héritage qu'il devra supporter en accédant au pouvoir pour mettre en œuvre les changements fondamentaux inscrits dans le Programme commun.

A. L'échec du plan Barre [2] : une situation économique d'une exceptionnelle gravité.

2. Le plan Barre a été rendu public le 26 septembre 1976. Ses principales mesures sont un blocage des prix jusqu'en 1977 (et pour les tarifs publics jusqu'en avril 1977), la limitation ultérieure étant limitée à 6,5 % ; la réduction de 20 % à 17,6 % du taux de T.V.A. à dater du 1er janvier 1977 ; la majoration de 4 à 8 % des impôts payés par les contribuables ayant acquitté plus de 20 000 F au titre de l'I.R.P.P. ; une augmentation de 4 % de l'impôt sur les sociétés ; une majoration de 43 % à 127 % de la taxe différentielle sur les véhicules (vignettes) ; une augmentation de 15 % du prix de l'essence ; une majoration des cotisations d'assurances-maladies ; une indemnisation des paysans victimes de la sécheresse à concurrence de 6,2 milliards de francs. Il s'agit d'un plan d'austérité financière destiné à réduire le taux d'inflation et à relancer l'investissement productif.

Rien n'autorise le Premier ministre à faire ses périodiques déclarations d'autosatisfaction : tous les indicateurs prouvent au contraire la faillite de sa politique et la poursuite de la dégradation de l'économie française au cours de ces derniers mois.

a) L'activité stagne depuis le début de l'année.

L'indice de la production industrielle oscille depuis l'automne 1976 autour d'un niveau qui reste inférieur à celui atteint durant l'été 1974. Les perspectives de production des industriels sont de plus en plus pessimistes, par suite du rapide gonflement de leurs stocks et de la faiblesse croissante de leur carnet de commandes.

Globalement, pour l'ensemble de l'année, le Produit Intérieur Brut progressera de moins de 3 % contre 4,8 % prévus par le gouvernement Barre à l'automne 1976. Le seul résultat indiscutable de la politique menée depuis un an aura donc été d'arrêter la timide reprise de l'activité qui était enfin apparue à la fin de 1975. Les raisons en sont claires :

● La diminution du pouvoir d'achat des ménages a limité leur consommation, en dépit d'un prélèvement important sur leur épargne. Ainsi, le revenu mensuel net d'un ménage d'ouvrier avec deux enfants a augmenté de 9,5 % en province et de 10,2 % à Paris entre juillet 76 et juillet 77, alors que les prix progressaient de 10,1 % sur la même période (statistiques du ministère du Travail). De plus, l'envol des prix alimentaires a réduit la part du budget familial consacré aux autres consommations, en particulier en produits industriels.

● La faiblesse de la demande explique la stagnation des investissements des entreprises privées, les capacités de production restant très largement excédentaires dans la plupart des secteurs ; ainsi les aides importantes accordées par le Gouvernement aux entreprises (12,5 milliards de F) et le net rétablissement de leur situation financière (leur taux d'autofinancement est passé de 53,7 % en 1976 à 59,1 % en 1977 selon les chiffres officiels) n'auront eu aucune conséquence favorable au plan de l'investissement et de l'emploi.

● La croissance très modérée enregistrée par l'ensemble de nos pays clients, et la vigueur de la concurrence étrangère, rendent illusoires les espoirs excessifs mis par le gouvernement dans les exportations pour assurer l'activité intérieure.

b) Le chômage s'est considérablement accru.

Le faible niveau de l'activité explique la forte progression du chômage qui a touché pour la première fois plus de 1 200 000 personnes en août 1977 (chiffres officiels corrigés des variations saisonnières), soit plus de 5 % de la population active. En un an, le gouvernement Barre aura donc réussi à accroître de 25 % le nombre des demandeurs d'emploi, ce qui signifie environ mille chômeurs nouveaux par jour. En contrepartie, le niveau des offres d'emploi reste très inférieur à celui de l'été 1976, malgré une légère progression au cours des derniers mois. Par ailleurs, la durée moyenne du chômage est passée de 180 jours à l'automne 1976 à plus de 220 jours actuellement.

Si le gouvernement se plaît à mettre l'accent sur les « faux » chômeurs qui représenteraient environ 20 % des demandes d'emploi, des enquêtes officielles récentes ont montré qu'à peu près autant de « vrais » chômeurs n'étaient pas recensés. Au demeurant, si l'on retient la définition utilisée par le Bureau international du Travail[3], ce sont 1,5 million de Français qui sont en réalité touchés. Jamais depuis 1945 la France n'a connu une situation aussi mauvaise.

Le Premier ministre a vu dans « l'amélioration constante de la protection sociale des personnes à la recherche d'un emploi... » un des facteurs contribuant à maintenir un niveau élevé de chômage, renouant ainsi avec la vieille tradition de l'économie classique. Sans doute a-t-il oublié qu'un chômeur sur 10 perçoit (et pour un an au maximum) la fameuse allocation des 90 %, tandis qu'un chômeur sur deux, et notamment les jeunes, ne reçoit aucune aide.

c) La hausse des prix s'est accélérée.

La hausse enregistrée depuis le début de l'année atteint déjà, au 1er octobre, 7,4 % et devrait atteindre 9,5 % pour l'ensemble de 1977, alors que le plan Barre prévoyait une hausse maximum de 6,5 %. Encore faut-il se souvenir que la baisse du taux « normal » de la T.V.A. a artificiellement minoré la hausse de janvier. En fait, le taux d'inflation réel est de l'ordre de 8 % pour les 9 premiers mois de l'année, contre 7,6 % pour la période correspondante de l'année précédente. L'échec de la lutte contre l'inflation, objectif majeur affiché par M. Barre et justifiant à nos yeux la montée du chômage, est un échec total. Sur la même période de neuf mois, les prix ont progressé de 2,9 % en Allemagne, de 5,6 % aux Etats-Unis, de 7,7 % au Royaume-Uni et de 11 % en Italie. Pour tous ces pays, ces taux traduisent une nette amélioration de la situation. Ce n'est hélas pas le cas en France.

Depuis un an, les prix des produits alimentaires se sont élevés de 14 %, ce qui rend l'inflation encore plus douloureuse pour les ménages les plus démunis. Pour le Premier ministre, il faut voir là l'effet des « fortes hausses des produits alimentaires importés et des produits alimentaires frais ».

---

3. Pour le B.I.T., les chômeurs se regroupent en quatre catégories :

« *a)* travailleurs à même de prendre un emploi et dont le contrat d'emploi a pris fin ou a été temporairement interrompu, et qui se trouvent sans emploi et en quête de travail rémunéré ;

b) personnes à même de travailler (sauf maladies bénignes) durant la période spécifiée et, en cas de travail rémunéré, qui n'ont jamais eu d'emploi auparavant ou dont la dernière position dans la profession n'était pas celle de salarié (les anciens employeurs, etc.) ou qui avaient cessé de travailler ;

c) personnes sans emploi qui sont normalement à même de travailler immédiatement et ont pris leur position en vue de commencer à travailler dans un nouvel emploi à une date postérieure à la période spécifiée ;

d) personnes mises à pied temporairement ou pour une durée indéfinie sans rémunération. »

Comme il l'avoue lui-même, cette forte hausse est la plus élevée que l'on ait constatée depuis vingt ans. En réalité, les structures actuelles de la distribution font que les hausses sont toujours très largement répercutées alors que les baisses sont systématiquement ignorées, comme l'ont montré de récents rapports officiels. Aussi, lorsque M. Barre affirme dans une récente interview que « personne n'a encore découvert jusqu'ici le moyen d'éviter l'incidence sur les prix alimentaires en France d'une hausse massive du prix international du café et du cacao », on peut supposer qu'il n'a pas été prévenu que les cours mondiaux du café ont été divisés par 2 entre mars et septembre 1977 et que le cours actuel est inférieur à celui de septembre 76 ; de même, le cours du cacao est retombé à son niveau de février 77.

Les prix des produits manufacturés ont déjà augmenté de 5,3 % depuis le début de l'année, malgré la baisse des cours mondiaux de matières premières (− 16 % pour les métaux entre février et septembre 1977) et surtout en dépit de la compression des rémunérations des salariés qui, de l'aveu même du Premier ministre, n'auront pas progressé de plus de 10 % cette année. Si l'on tient compte des importants gains de productivité résultant de la stagnation des effectifs, on comprend que les marges des entreprises aient pu regagner des niveaux confortables...

d) Le déficit extérieur n'a pas diminué.

Si, comme l'affirme le Premier ministre, « la priorité que s'était donnée le gouvernement en septembre 1976, c'était le rétablissement progressif de l'équilibre de notre commerce extérieur », on peut rester sceptique devant les résultats obtenus : le déficit (fob-fob) qui avait dépassé 20 milliards de F en 1976 atteint déjà 12 milliards pour les 9 premiers mois de l'année, et devrait s'établir à près de 15 milliards pour l'ensemble de 1977. Encore cela a-t-il été obtenu par la stagnation économique et le développement du chômage qui ont entraîné une baisse du volume des importations, alors que les exportations n'ont que très faiblement progressé en volume depuis janvier.

e) Le franc s'effrite et la dette de la France s'alourdit.

Après sa brutale chute au printemps 1976, le franc s'est lentement effrité depuis septembre 1976 par rapport aux principales monnaies, perdant 8 % par rapport au D-Mark. Sa relative stabilité n'a pu être préservée que grâce à des taux d'intérêts élevés et à la croissance de notre dette extérieure.

Malgré une baisse sensible depuis le début de l'année, les taux d'intérêt français restent largement supérieurs à ceux des autres pays. La politique actuelle du gouvernement Barre repose en effet sur la volonté de défendre le franc par le maintien des taux d'intérêt. En fait, on sait qu'une telle politique est inefficace dès que le franc est un peu trop vivement attaqué. Mais

4. *J'informe* du 23 septembre 1979.

surtout, elle entraîne des taux d'intérêt intérieurs tels qu'ils contribuent à entraver les investissements.

En second lieu, la politique systématique d'endettement commencée en 1974 a été poursuivie en 1977 : près de 15 milliards de F ont ainsi été empruntés en devises depuis le début de l'année, et la cession de ces devises sur le marché des changes explique largement la relative stabilité de notre monnaie. Au total, l'actuelle dette extérieure de la France s'élève à environ 60 milliards de F pour la seule dette à moyen et long terme. Il est donc clair que pour masquer l'échec de sa politique, le gouvernement a gravement hypothéqué l'avenir, et que la charge de cette dette pèsera lourdement sur les prochaines années. Face à cette dette, les réserves de change *utilisables* ne s'élèvent en effet qu'à un peu plus de 20 milliards de F.

B. Une politique dans l'impasse.

Quoique insuffisants, les objectifs officiels du Plan Barre ne sont pas critiquables en eux-mêmes : réduire la hausse des prix, rétablir l'équilibre du commerce extérieur, défendre la stabilité du franc. Qui n'approuverait ces louables intentions ?

Mais il ne suffit pas de proclamer des objectifs pour les atteindre. Ce que reprochent fondamentalement les socialistes au Plan Barre, c'est :
— de reposer sur un diagnostic erroné des maux dont souffre l'économie française,
— de négliger le problème de l'emploi,
— de ne pas s'attaquer aux racines profondes de l'inflation.

*a)*Le Plan Barre repose sur un diagnostic erroné des maux de l'économie française.

Selon le Gouvernement, la cause essentielle de la crise actuelle provient du rythme excessif de la progression des revenus, notamment des salaires, au cours des années récentes. Il faut donc, selon lui, que la hausse des salaires soit freinée et que le pouvoir d'achat stagne. Cette stagnation doit permettre aux entreprises de reconstituer des profits importants et par conséquent d'investir.

L'erreur fondamentale de la politique du Gouvernement est de croire que l'investissement et la croissance pourraient repartir du seul fait de l'augmentation des profits. Malgré des plans de relance successifs, malgré les milliards de francs distribués aux entreprises (12,5 milliards de francs de crédit à des conditions très avantageuses en 1977), il est probable que l'investissement des sociétés privées sera en 1977 en baisse par rapport au niveau de 1976.

Le véritable résultat de cette politique est d'étendre la domination des grandes entreprises sur l'économie française. En effet, seul les plus grands groupes peuvent résister à une situation de crise où les débouchés manquent. Aussi assiste-t-on à une véritable nécrose du tissu industriel français, des milliers de P.M.E. disparaissant sous l'effet de la politique récessionniste de M. Barre. Ce que des entrepreneurs, des ingénieurs, des cadres, des travailleurs de toutes les catégories avaient mis tant de peine et de dizaines d'années à construire, la politique du gouvernement le détruit en quelques mois. Ainsi, M. Barre se trompe-t-il d'analyse. Il ne s'attaque à aucune des causes réelles de la crise, qu'elles soient internationales (tendance à la baisse des profits, montée de nouvelles concurrences, effet déstabilisateur de la politique des firmes multinationales, désordre monétaire), ou nationales (inégalités économiques et sociales, spéculation inflationniste, entraves à la concurrence, stagnation de pouvoir d'achat).

Dans ces conditions, le chef du Gouvernement ne peut que faire fausse route quant aux deux manifestations majeures de la crise en France, le chômage et l'inflation.

b) Le Plan Barre néglige le problème de l'emploi.

Il y a en France, à l'heure actuelle, plus d'un million 200 000 chômeurs et le nombre de secteurs en difficulté ne cesse de s'accroître. Pourtant, la défense de l'emploi, la réduction du chômage ne constituent pas un objectif essentiel pour le Plan Barre. Au contraire, le maintien d'un niveau élevé de chômage est implicitement considéré comme nécessaire à l'assainissement de l'économie.

Pour M. Barre, la lutte contre l'inflation précède la lutte contre le chômage. Pour les socialistes, au contraire, le ralentissement de la hausse des prix et l'amélioration de la situation de l'emploi doivent être recherchés simultanément.

c) Le Plan Barre ne s'attaque pas aux racines de l'inflation.

Le Plan Barre, comme d'ailleurs ses nombreux prédécesseurs, ne comportait que des mesures superficielles, limitées, incapables de remédier aux causes profondes de l'inflation. On en voit le résultat aujourd'hui.

Et pourtant, M. Barre semble de plus en plus satisfait de lui-même. Où puise-t-il ce contentement alors que l'observation quotidienne des événements économiques dément régulièrement ses prévisions ?

En fait, la poursuite de la politique économique du gouvernement tend à accentuer les déséquilibres actuels de l'économie :

— l'augmentation du taux de profit des entreprises engendre actuellement le chômage car la productivité accrue des travailleurs est utilisée, non pas pour augmenter le pouvoir d'achat des salariés, non pas à faire baisser les prix, mais à réduire le nombre de personnes employées ;

— l'accentuation des inégalités sociales est ressentie comme profondément choquante par la majorité de la population, dans un pays qui détient déjà un record pour l'inégalité en Europe. Les Français admettent de plus en plus difficilement de voir l'écart des revenus non pas diminuer mais augmenter. Dès lors, il est normal que les travailleurs demandent et obtiennent, par leur détermination, les augmentations de salaires auxquelles ils ont droit.

Or, si le changement politique, nécessaire, devait ne pas se produire, il faut savoir que M. Barre compte poursuivre en 1978 la même politique qu'en 1977. Il l'a clairement affirmé lors de la présentation devant l'Assemblée nationale du budget pour 1978 :

« Pour 1978, le gouvernement recommande d'adapter la hausse des rémunérations à celle des prix à la consommation. »

« Le Gouvernement poursuivra, dans le domaine des prix, l'action entreprise en 1977 » (rappelons que, en tenant compte de l'incidence de la T.V.A., la hausse des prix pour 1977 est supérieure à celle de 1976).

« Pour l'année 1978, le Gouvernement retiendra une norme de hausse des prix de détail de 6 %. Nous entendons ainsi affirmer la volonté de faire de nouveaux progrès dans la lutte contre l'inflation. » (Pour 1977, le Gouvernement avait affiché en matière de prix une norme de 6,5 %. On sait le résultat obtenu avec cette norme.)

Le Premier ministre a même eu l'impudence de déclarer que :

« En 1978, le gouvernement continuera à faire progresser les réformes structurelles. » Quand on sait que l'action gouvernementale a été pratiquement inexistante à ce jour, on imagine la portée de tels engagements !

Non, tout cela n'est que discours et fausses analyses. Les résultats sont les meilleurs des juges. Leur verdict est aujourd'hui sans appel. Tant d'efforts demandés aux travailleurs pour tant d'échecs, cela suffit. Il est urgent de changer de politique.

En janvier 1979, le Parti socialiste et le Parti communiste demandent chacun la convocation d'une session extraordinaire du Parlement pour débattre du problème de l'emploi. A son tour, le 28 février 1979, dans une lettre adressée aux présidents des groupes politiques de l'Assemblée nationale, Jacques Chirac propose que l'Assemblée soit convoquée d'urgence. Le 7 mars, le président de l'Assemblée a reçu 315 lettres de députés réclamant cette convocation. Le même jour, le président de la République accepte la réunion de cette session, bien qu'elle ait été sollicitée dans une forme qui ne correspond pas « à l'esprit des institutions de la Ve République », puisque l'annonce en a été faite par un parti politique.

14 mars 1979

La réponse du président de la République invoque « l'esprit de la Constitution ». Débat difficile : la lettre, on peut encore la cerner. L'esprit est moins saisissable. Je voyais M. Giscard d'Estaing dans la situation d'une voyante extralucide faisant tourner sa table et interrogeant : « Esprit où es-tu ? » Est-ce l'esprit de la Constitution qui veut l'effacement du Gouvernement derrière l'autorité du véritable Exécutif — qui se trouve à l'Elysée ? Est-ce l'esprit de la Constitution qui réduit le Parlement au rôle d'un témoin impuissant, même lorsqu'il s'agit de « sujets d'une certaine importance » ?

Est-ce l'esprit de la Constitution qui pousse le président de la République à contester l'existence des partis dans la République ? La Constitution si souvent invoquée — « Esprit où es-tu ? » — accorde pourtant une place éminente aux organisations démocratiques qui, tant qu'elles respectent la loi, ont précisément pour mission d'élever la conscience publique, et de représenter le peuple dans les institutions. A vrai dire, je ne suis pas sûr que telle était la pensée des fondateurs de la Ve République. Il me semble que, sur ce point, M. Giscard d'Estaing a poussé plus loin que ses prédécesseurs le double effacement du Gouvernement et du Parlement et la négation des partis, le déni des textes.

Bref, on pourrait en discuter longtemps — mais ce n'est pas l'objet exact du débat — et s'interroger : quel est précisément le rôle du président de la République ? A notre sens, ce n'est pas celui que remplit M. Giscard d'Estaing, qui tend à instaurer un régime de présidentialisme, une forme floue dans les textes, mais claire dans les situations. Sans me poser en professeur de droit public, il me semble que ce n'est pas ce que l'esprit — « Esprit es-tu là ? » — nous soufflerait si nous étions encore en 1959 — je n'ai pas dit 1958, car entre 1958 et 1959 l'Esprit avait déjà soufflé !

L'étonnante situation ! Nous avons devant nous, deux chevaliers qui ferraillent : le chevalier de la démocratie parlementaire, M. Jacques Chirac, et le chevalier du gaullisme, le président de la République !

20 novembre 1979, discussion budgétaire à l'Assemblée nationale.

Il est tôt ce matin, le jour n'est pas très clair, mais je vois devant moi, comme à midi, en plein soleil, se profiler dans cette salle une ombre, l'ombre de quelque chose qui s'appelait naguère une majorité.

Sans doute cette majorité devenue si légère obéira-t-elle tout de même, sans cesser d'être une ombre, au vieux réflexe qui commande encore aux canards aux cous coupés de courir se mettre à l'abri.

Mais tant de plaies et tant de bosses, tant de disputes et de dénigrements, tant de contradictions et finalement, [...] la grande explication entre les deux partis qui se sont confisqués l'un à l'autre le pouvoir, acquis pourtant de compagnie, créent une situation difficilement réversible, dont je sais bien qu'elle restera longtemps soumise aux intérêts communs, mais qui n'en expose pas moins la France à connaître une incertitude ajoutée à celles qui l'assaillent de partout.

Cette situation, à elle seule, justifie qu'il en soit pris acte et que chacun se détermine, sur le plan qui est le nôtre, selon la règle parlementaire : d'un côté, ceux qui ont confiance dans le Gouvernement et qui refusent la censure, de l'autre, ceux qui n'ont plus confiance et qui la votent. Toute autre position ne servirait personne, et surtout pas notre pays.

Vous avez assurément en mémoire les premiers vers du *Bateau Ivre* :

« Comme je descendais des Fleuves impassibles,
Je ne me sentis plus guidé par les haleurs :
Des Peaux-Rouges criards les avaient pris pour cibles.
Les ayant cloués nus aux poteaux de couleurs. »

L'allégorie, j'en conviens, n'était pas destinée au débat politique. Mais enfin, ces haleurs qui ne guident plus rien, fussent-ils rhabillés, ces peaux-rouges criards, un peu égosillés, qui rentrent à la réserve, cela me rappelle quand même quelque chose qui n'a rien à voir avec la poésie. Mais le bateau est toujours ivre !

Etonnant spectacle qui montre les protagonistes de la majorité déchirée s'accorder au moins sur un point : M. Chirac a bien dû s'apercevoir qu'en critiquant la politique de M. Barre, il critiquait surtout M. Giscard d'Estaing. Mais M. Barre s'est-il aperçu qu'en critiquant M. Chirac, il critiquait aussi le président de la République [5].

Je ne me plaindrai pas de cette convergence. Pour une fois, j'ai plutôt envie de leur donner raison. Mais, cela constaté, le paradoxe continue : minoritaire dans le pays et au Parlement, voilà un chef de gouvernement qui ne peut s'appuyer que sur cette bizarre arithmétique constitutionnelle qui transforme le mécontentement en approbation.

Votre salut, Monsieur le Premier ministre, c'est la procédure. Qui dira que c'est aussi le salut du Pays ?

Comme l'occasion qui nous est donnée, grâce à l'initiative socialiste, d'exprimer ce que nous pensons de la politique gouvernementale nous est en même temps fournie par le budget, nous parlerons donc d'abord de la loi de finances. Nous le ferons autour de questions simples, elles-mêmes centrées sur deux idées indissociables. Le budget de 1980 fait-il avancer les affaires de la France ? Sert-il les intérêts légitimes des Français ? Nous irons ainsi à l'essentiel.

Ces questions simples, je les pose.

Le budget fait-il avancer les intérêts de la France dans les domaines de la Recherche, de l'Energie, de la Famille, de la Défense ? Sert-il les intérêts légitimes des Français par une priorité réelle consentie à l'éducation et à la formation, par la relance de l'économie, et donc de l'emploi, par la réduction des inégalités ?

Certains voudront le moins, d'autres voudront le plus. Mais nous serons nombreux, j'imagine, à considérer que si, sur ces questions, la réponse reste négative, la confiance doit être refusée.

---

5. Le 17 novembre 1979, lors du débat sur la loi de finances pour 1980, le Premier ministre Raymond Barre a déclaré : « Je dirai simplement à l'Assemblée que, même si j'avais eu le désir de critiquer mes prédécesseurs, je n'en aurais pas eu le temps, tellement on m'a laissé de choses à faire, à défaire et à refaire [...]. En 1974 et 1975, l'investissement productif des entreprises a baissé en volume de 13 % [...] Jamais une réduction d'une telle ampleur n'avait été constatée depuis la dernière guerre mondiale ».

La Recherche ? La part de la dépense « recherche » dans la production nationale ne cesse de diminuer. Les programmes d'équipement baisseront en valeur réelle par rapport aux années précédentes. Et pourtant, médecine, biologie, océanographie, informatique, télématique, espace, vous savez bien que là se joue, pour une large part, la place de la France dans le monde d'ici la fin du siècle.

L'Energie ? les énergies nouvelles : avec la politique gouvernementale, 3 p. 100 de notre consommation en l'an 2000 selon les prévisions, contre 15 à 20 p. 100 aux Etats-Unis d'Amérique.

Nous avons déposé un amendement proposant d'ouvrir un crédit d'impôt aux contribuables s'équipant en matériel consommant une énergie nouvelle. Vous vous y êtes refusé. Nous avons proposé de doubler les moyens du commissariat à l'énergie solaire. Vous vous y êtes refusé.

Après le « tout-pétrole », le pétrole-alibi, demain, sans doute, le « tout-nucléaire ». Il s'agit non pas de contester que le prix du pétrole pèse sur notre économie, mais de prouver qu'il n'a pas déterminé à lui seul, loin de là, les résultats et l'échec de votre politique.

Et pourtant, chercher, économiser, diversifier l'énergie, placer la France en mesure de disposer, à force de ténacité, du moyen de son indépendance, n'est-ce pas un objectif majeur pour les parlementaires d'aujourd'hui ?

La Famille ? Le pouvoir d'achat des prestations familiales a reculé d'environ 50 % depuis 20 ans.

Les programmes d'action prioritaires sur le maintien à domicile des personnes âgées et sur la politique familiale ne sont réalisés respectivement qu'à 80 et 70 %.

Vous refusez d'instituer un service d'allocations familiales unique dès le premier enfant, quelles que soient les ressources ou l'activité professionnelle des parents.

Vous refusez les équipements et services collectifs nécessaires.

Vous refusez la pleine prise en compte du fait familial dans le travail.

Et pourtant, l'équilibre de la famille ! Et pourtant, la réalité de la femme qui aspire a connaître sa libération ! Et pourtant, les enfants, leurs chances, l'harmonie de leur vie à l'heure des premiers jours ! Et pourtant, le rôle de la démographie comparée dans le monde ! Et pourtant, l'avenir des peuples nombreux, indispensable à leur présence dans l'histoire du futur !

La Défense ? En ce domaine, ce sont non pas surtout les chiffres qui sont en cause, mais les orientations. Nous aurons bientôt l'occasion d'en débattre au sujet de l'Europe, de l'Afrique, des interventions militaires de toutes sortes, de la comparaison des armements, de la réalité du pouvoir de notre force nucléaire.

L'Education ? La formation ? Le budget global de l'Etat progresse de 14,5 % en moyenne, celui de l'Education seulement de 10 %, à la seule exception, bien entendu, des crédits de l'enseignement privé. Le groupe socialiste est intervenu avec vigueur pour défendre le service public de l'Education[6]. Vous vous êtes dérobés. Et pourtant, comment voulez-vous, autrement que par la diffusion du savoir dans le respect de la tolérance garantie par une longue tradition de laïcité, dans le respect des consciences pour chaque enfant, toute forme d'enseignement restant libre, mais l'Etat préservant sa charge essentielle, comment voulez-vous permettre aux Français, comme à la France, de jouer le rôle qui les attend pour le siècle prochain ?

Votre déficit prévisionnel de 31 milliards de francs, que l'on peut estimer en réalité à 50 milliards de francs, puisqu'au cours des cinq dernières années vous annonciez un déficit de 24 milliards de francs alors que vous avez dépassé les 150 milliards de francs, ne servira qu'à enregistrer les coûts sociaux de votre politique. Le paradoxe est que ce déficit important n'aura guère d'effets de soutien car il est surtout le résultat de la contraction économique.

Vous aviez fondé votre politique sur le cycle : profits-investissements-emploi. Les profits des grandes entreprises ont été rétablis, mais l'investissement n'a pas redémarré ; il avait fléchi en 1978 ; il progressera moins en 1980 qu'en 1979. L'emploi, lui, a reculé. Le chômage augmente massivement — nouveau recul sur la ligne de l'échec : des 500 000 chômeurs de 1974, passera-t-on aux 2 500 000 que l'on peut craindre si l'on en croit les statistiques officielles pour 1985 ?

Les inégalités ? Inégalités entre salariés et non-salariés, entre capital et salaires, entre ceux qui peuvent emprunter et ceux qui ne le peuvent pas, entre l'épargne populaire et l'épargne spéculative. Inégalités dans la scolarisation, dans la détention du patrimoine. Inégalités dans le logement, inégalités pour les handicapés, inégalités pour les personnes âgées.

Nous n'attendions pas, nous socialistes, de vous les indispensables réformes structurelles que nous demandons par ailleurs. Mais nous pouvions au moins espérer quelques progrès conjoncturels. Or, légèrement modifié, le barème de l'impôt sur le revenu reste injuste, la pression fiscale directe s'aggrave, même pour les contribuables les plus modestes, si l'on considère que le taux d'inflation officiellement prévu pour 1979 — je dis bien : officiellement — est de 10,3 % alors que les plus basses tranches ne sont revalorisées que de 10 %. Vous augmentez aussi les impôts indirects, la vignette auto, la vignette moto, les taxes de tous ordres, mais vous refusez obstinément l'impôt sur les grandes fortunes, l'impôt sur le capital des sociétés et l'indexation de l'épargne populaire.

Sur tous ces sujets qui sont de grands sujets, ce rapide examen nous confirme dans la résolution, qui est nôtre, d'opposer la censure à votre politique.

En dépit d'aménagements de dernière heure et sans grande portée, nous

6. Cf. *infra*, p. 132.

voici donc revenus au vote bloqué[7] ou plutôt à ce double verrou du vote bloqué et de la question de confiance, à ce tout ou rien, cher à l'Exécutif, grâce auquel celui-ci passe la camisole de force aux récalcitrants de sa majorité et renvoie le Parlement tout entier, majorité-opposition, au sort que les institutions ne lui destinaient pas mais que l'usage achève d'établir : un Parlement pour rien !

Comment désigner autrement une assemblée, la nôtre, qui se voit imposer l'examen des dépenses avant le vote des recettes et qui, après avoir repoussé par des votes clairs un budget particulier comme celui des anciens combattants et de nombreuses dispositions aussi importantes que celles qui visaient le barème de l'impôt sur le revenu, la T.V.A. sur les terrains à bâtir, la réforme du crédit mutuel, les droits de mutation, se voit contrainte de les adopter par ce non-vote que signifie l'application de l'article 49 alinéa 3 de la Constitution[8] ?

Ainsi, l'acte majeur de la fonction parlementaire est-il réduit à l'acte militaire du petit doigt sur la couture du pantalon !

Libres à ceux qui l'admettent de se laisser aller à leurs automatismes. Mais le groupe socialiste, lui, se fait une autre idée de la représentation nationale.

Groupe d'opposition, il ne reconnaît ni le bien-fondé théorique ni le bien-fondé pratique de votre politique. C'est pourquoi, logique avec lui-même, il a opposé la censure. A cet égard, la façon dont les choses se passent me conduit à poser cette question de fond : l'évolution de l'Exécutif, tout entier concentré dans la fonction présidentielle, répond-elle à l'intention du législateur en l'occurrence le peuple ?

En d'autres termes, les électeurs de 1958, et même ceux de 1962 ont-ils voulu le régime de fait qui prévaut aujourd'hui ?

Grand débat ! Certes, les Français discernaient clairement ce que la personnalité du général de Gaulle signifiait en tant que telle et par elle-même, institution à elle seule, ce qu'elle apportait d'original ou même d'exceptionnel, quels qu'en fussent les chances et les risques. Mais est-il sûr qu'ils aient désiré instituer un système uniquement fondé sur le bon vouloir et les décisions du Chef de l'Etat, pouvoir démuni des contrepoids que ce

7. L'article 44 de la Constitution prévoit les modalités du « vote bloqué » :
« Les membres du Parlement et le gouvernement ont le droit d'amendement.
Après l'ouverture du débat, le gouvernement peut s'opposer à l'examen de tout amendement qui n'a pas été antérieurement soumis à la commission.
Si le gouvernement le demande, l'assemblée saisie se prononce par un seul vote sur tout ou partie du texte en discussion en ne retenant que les amendements proposés ou acceptés par le gouvernement. »
8. L'article 49 de la Constitution, en son alinéa 3, prévoit la procédure du vote de confiance :
« Le Premier ministre peut, après délibération du Conseil des ministres, engager la responsabilité du gouvernement devant l'Assemblée nationale sur le vote d'un texte. Dans ce cas, ce texte est considéré comme adopté, sauf si une motion de censure, déposée dans les vingt-quatre heures qui suivent, est votée dans les conditions prévues à l'alinéa précédent » (autrement dit, que la motion de censure soit signée par un dixième au moins et adoptée par la majorité des membres de l'Assemblée).

type de régime comporte aux Etats-Unis d'Amérique, par exemple pouvoir qui se charge de tout et du reste, qui régente et qui tranche, qui bouscule ou ignore, qui se substitue au judiciaire ou au législatif, jouant habilement de l'un pour neutraliser l'autre, comme on l'a vu ces derniers temps, maître, pour une large part, du quatrième pouvoir qu'est celui de l'information, bref le régime présidentiel, cette monarchie qui se distinguerait de l'ancienne par son origine élective, à moins qu'elle ne ressemble davantage à la monarchie plus moderne qui ne trouve son sacre dans le suffrage populaire que pour mieux étouffer la volonté du peuple ?

En quoi, je vous le demande, un Président conforme à la Constitution est-il en droit de contrôler, que dis-je, de diriger l'information audio-visuelle ?

En quoi un Président conforme à la Constitution peut-il espérer se dispenser durablement d'une majorité parlementaire capable par exemple de voter le budget ?

En quoi un Président conforme à la Constitution peut-il considérer que tout domaine est réservé à sa toute-puissance ?

En quoi un Président conforme à la Constitution peut-il flatter l'imaginaire « pays réel » débaptisé depuis peu et appelé, sans doute pour l'éloigner de son parrainage maurrassien, la « France profonde », et développer contre le pays légal, appelé depuis peu et pour les mêmes raisons la « classe politique », une campagne dont il ne mesure pas, je veux le croire, les conséquences ?

D'ailleurs, si l'on veut, un moment, retenir l'expression « la France profonde », quelle est-elle, sinon celle qui travaille, qui produit, qui enseigne, qui apprend et qui se désespère d'être rejetée par une société qu'à son tour elle rejette ?

Or, la France des quinze cent mille chômeurs, des millions de salariés à moins de 3 000 francs par mois, des exploitations familiales agricoles en péril, oui celle des fins de mois difficiles, est pourtant la France volontaire, riche d'ambitions, de science et de talents et qui se désespère aussi de ne point disposer d'une perspective historique autre que la chaise basse que lui réserve dans le concert des peuples le mondialisme modelé par le grand capital.

Mais j'entends qu'à l'encontre des observations qui précèdent on nous propose le « dialogue »[9].

9. Depuis 1974 et le début de son septennat, Valéry Giscard d'Estaing préconise une « décrispation » de la vie politique, attribuant aux gaullistes la responsabilité du manque de dialogue entre majorité et opposition.
Les 28 et 31 mars 1978, le président de la République reçoit successivement les responsables des grands partis politiques : Jacques Chirac, François Mitterrand, Jean Lecanuet, Georges Marchais.
L'auteur commente alors ces entretiens :
« Je crois [...] de l'intérêt supérieur du pays qu'au-delà de nos divergences de vues sur les institutions et leur fonctionnement s'établissent de nouvelles règles et de nouveaux usages dans ce que l'on pourrait appeler la pratique quotidienne de la démocratie. Bien entendu, il ne s'agit pas de renverser les rôles. A la majorité de gouverner. A l'opposition d'exercer son droit de

Qu'il soit tout à fait clair que nous n'avons pas attendu l'invitation pour l'accepter. Nous dialoguons au sein des conseils municipaux, généraux, régionaux, au sein de l'Assemblée nationale, du Sénat, de l'Assemblée européenne. Nous participons à l'élaboration des lois. Nous ne recherchons pas les suffrages de nos concitoyens pour boycotter les assemblées. En fait, nous recherchons en toute circonstance la capacité pour nous-mêmes de participer à la vie du pays. Alors, ce dialogue qu'on nous demande, quel est-il ? S'agit-il de l'écho qui revient à l'oreille de celui qui parle tout seul ? Veut-on entendre de notre bouche ce que l'on souhaite entendre et couvrir le reste du bruit des cuivres et des tambours de la propagande officielle ?

Car, en fait de dialogue, nous assistons plutôt au one man show — pardonnez-moi ! — d'un Président omniprésent à la radio-télévision, dans le pays qui délivre ses messages là ou ailleurs, mais pas ici, et qui confond allégrement l'exercice de sa charge avec le lancement de sa campagne électorale.

Où est le dialogue ? Dans l'administration où les nominations politiques sont plus fréquentes que jamais, où se développe la pratique des dépouilles — le fameux *spoil system* [10] ?

Au Parlement, où vous rejetez tous nos amendements, où vous renvoyez au placard toutes nos propositions de lois ?

Dans la préparation du Plan où vous vous attachez à mettre les commissions à vos ordres ? Dans la recherche où les crédits sont répartis selon des critères souvent politiques ?

En fait de décrispation, vous nous avez plutôt offert le vote falsifié des Français de l'étranger, la manipulation des nouvelles, les procès politiques, nos portes défoncées, et vous nous accusez d'attenter à la réputation de la France quand nous vous reprochons de l'avoir compromise comme récemment au Centre-Afrique.

Sur le plan social, vous multipliez les actions répressives contre les travailleurs qui défendent leurs emplois, leurs salaires, qui souhaitent des conditions nouvelles de vie. Mais, quand une situation de scandale est créée qui pourrait vous atteindre, vous vous enfermez dans le silence et le secret.

Monsieur le Premier ministre, vous pouvez attendre de nous que nous

---

critique et de proposition. Mais à l'une et à l'autre de respecter ce qu'ensemble elles représentent, je veux dire la communauté nationale. [...] Quant aux divisions politiques [...], elles expriment la réalité des divisions sociales, qui résultent elles-mêmes des structures de l'économie. Ce serait perdre son temps que d'ignorer cette évidence. Il convient donc de corriger d'abord les structures. »

De nouveaux entretiens entre le président de la République et l'auteur ont lieu, le 3 juillet 1978 (ils concernent les sommets des pays industrialisés à Brême et à Bonn), le 3 mai 1979 (à propos du récent voyage du chef de l'Etat en Union soviétique) ; cf. *infra*, p. 270, l'analyse que l'auteur trace en 1981 de ces « dialogues ».

10. Mot à mot : « système des dépouilles ». En fait, le *Spoil System* désigne l'usage en faveur aux Etats-Unis, selon lequel à tout changement d'administration après une élection présidentielle ou même une élection municipale, tous les postes importants se voient affecter de nouveaux fonctionnaires.

respections les lois de la démocratie. Nous sommes partisans de la vraie paix civile et si nous sommes vos adversaires, nous ne sommes pas vos ennemis. Mais vous ne pouvez attendre de nous la caution d'une politique dont nous combattons l'inspiration, la conduite et les effets parce que nous les jugeons néfastes au pays.

Bref, le vrai dialogue c'est la pratique de la démocratie, simplement, et non une manière détournée de placer chacun sur case pour qu'il n'en sorte plus, façon comme une autre d'interdire l'alternance.

Mes chers collègues, mesurons maintenant à l'échelle du monde la situation où nous placent les échecs, les projets et les difficultés du Gouvernement, les embarras de sa majorité et le désarroi indéniable qui s'empare, faute d'alternance et d'espérance, de l'arc-en-ciel des fractions et des secteurs de la société française.

Inutile de dessiner un panorama présent à votre esprit ; tout juste ferai-je une énumération. L'Asie est redevenue le poids fondamental du monde après l'accord entre la Chine et le Japon ; l'alliance de fait sino-américaine ; la guerre livrée par la Chine au Vietnam ; la guerre livrée par le Vietnam au Cambodge, réplique des rapports de forces qui se livrent ailleurs.

Que de réponses à apporter !

Réponse à l'implacable avancée de cette féodalité moderne que sont les firmes multinationales porteuses d'impérialisme.

Réponse à la prolifération de l'arme nucléaire : plus de 50 pays en 1990 et, sans doute, la guerre au bout [11].

Le déséquilibre Nord-Sud que nul n'a corrigé.

Et l'autre formidable déséquilibre — j'en ai déjà parlé —, celui de la démographie : que seront les Français, que seront les habitants de notre Europe au regard du développement de l'espèce humaine dans simplement cinquante années ?

Tous les rapports de puissance, toutes les relations culturelles, les dominations, tous les pouvoirs et, le cas échéant, les tyrannies, les poussées instinctives qui basculent, depuis l'origine des temps, la vie des sociétés, tout cela est inversé. Nous avons appris dans nos livres ce que représentaient la France et son environnement dans le développement des civilisations. Et, en contrepoint, partout, la montée des fanatismes.

Eh bien, nous pensons que rien n'arrêtera l'évolution des temps sans une volonté nationale. Et nous vous censurons, Monsieur le Premier ministre, parce que, quels que soient vos mérites personnels, vous n'êtes pas en état de rassembler les énergies ; comment les rassembler, d'ailleurs, dans une société d'inégalités et d'injustices ? Parce que vous n'êtes pas en état de parler haut pour la France au nom d'un peuple uni.

Que de principes dont on aimerait entendre le rappel !

On parlait, au temps du Chah, avec l'Iran ; on traitait avec lui.

11. Cf. *supra*, p. 87.

Aujourd'hui, on se tait et seul résonne le cri des otages[11]. Otages ici, otages là, c'est l'envers même de toute marche vers le progrès de l'esprit humain si l'on accorde, fût-ce un instant, quelque complaisance que ce soit au fait qu'un innocent se trouve puni ou sanctionné pour l'acte qui n'est pas le sien.

Et quoi qu'on pense des erreurs dramatiques de la politique américaine, notamment dans ce pays, je n'ai pas entendu le cri de la France pour dire que nous n'étions pas prêts à échanger, pour ce qui nous concerne du moins, quelques barils de pétrole contre la dignité d'un seul homme[11].

Pas davantage je n'ai entendu le cri de la France ou tout simplement je n'ai aperçu l'aide d'un grand pays, qui reste un grand pays, le nôtre, pour contribuer aux luttes, aux espérances et guérir les souffrances d'un petit peuple comme celui du Nicaragua, qui représente aujourd'hui le symbole de la libération des peuples opprimés dans cette partie du monde[11].

Et quelle timidité à l'égard du Cambodge[11] !

Au Moyen-Orient, la rencontre dans la même zone stratégique d'une guerre économique et d'une guerre de religion ; l'Iran est dans le voisinage, les portes du Nord de l'Océan Indien fermées au monde occidental[11].

Au Proche-Orient, Sadate qui va prier tout seul au Sinaï, la guerre directe, chaude ou froide, larvée ou violente, du Proche-Orient entre Israël et les peuples arabes[11] ; le Liban déchiré[11].

En Afrique où l'on entend ou bien l'on croit entendre le fracas d'une bombe atomique du côté de l'Afrique du Sud[12], tandis que se poursuivent au nord les combats du Sahara[13].

Et les grandes masses d'Amérique qui bougent ; le Brésil, le Mexique, dont chacun sait qu'à la naissance de chaque enfant, c'est l'espérance et la puissance qui grandissent ; les aspirations des petits peuples courageux d'Amérique centrale comme le Nicaragua[14].

Partout, ce monde qui bouge, ces hommes qui veulent vivre, ces peuples qui aspirent à l'indépendance, ces classes sociales qui veulent se libérer de toute forme d'exploitation.

Et chez nous, en Europe, la Communauté économique européenne qui tourne sur elle-même en se cognant à tous les bords, et qui défait ce qu'elle a fait, faute sans doute d'une volonté politique, et qui déborde les institutions.

---

11. Cf. *supra*. p. 45.
12. Le 26 octobre 1979, le ministre sud-africain des Affaires étrangères a rejeté les assertions formulées par le Département d'Etat américain, selon lesquelles la République sud-africaine aurait procédé à une explosion nucléaire le 22 septembre.
13. A l'automne 1979, au Sahara occidental, la guérilla fait place à la guerre. Les Sahraouis du Polisario (Front populaire de libération, constitué en 1973) attaquent les garnisons marocaines ; ils disposent de blindés lourds, de missiles S.A.M. L'armée marocaine de son côté engage dans le combat des *Mirages F1*.
14. Après une guerre civile sanglante, les guérilleros sandinistes se rendent maîtres du Nicaragua et font leur entrée le 19 juillet 1979 dans Managua. Des manifestations de liesse populaire saluent la victoire des sandinistes et la chute du dictateur Somoza, qui se réfugie aux Etats-Unis, à Miami. La Croix-Rouge nicaraguyenne annonce que les combats ont fait plus de 20 000 morts parmi la population civile, des dizaines de milliers de blessés et de sans abri.

Ces incertitudes du système monétaire où l'on voit poindre à l'horizon tout proche des crises renouvelées [15].

Et la Russie soviétique à la charnière de deux générations, je ne dirai pas de deux systèmes, et qui, cependant, après avoir maintenu si longtemps l'équilibre pacifique de l'Europe — on nous le dit tout au moins et c'est un problème dont il faudrait débattre — représente un facteur de puissance incomparable sur le sol de l'Europe.

Comment tenir un langage de cette sorte, tandis que, dans le même moment, on vend des armes à Pinochet, on vend des armes à Videla [16] ?

Voilà quelques raisons parmi celles qui nous conduiront à voter la censure.

Oui, nous censurons, au nom des Français, inquiets, désorientés, et parfois angoissés.

Nous censurons au nom des quinze cent mille chômeurs, au nom de 75 000 travailleurs d'Alsthom, porte-parole de tous ceux qui, aujourd'hui, dans des centaines d'entreprises craignent pour l'emploi et souffrent de l'indignité que l'on prétend leur imposer [17].

Nous censurerons pour tous ceux qui quittent leur sol, qui sont chassés ou opprimés, au nom des exploités, des pauvres écrasés par l'insolence des privilèges.

Nous censurerons un Gouvernement qui agit comme il peut dans le cadre d'un système qui nous trompe et se trompe.

La motion de censure du Parti socialiste n'est pas un acte de circonstance pour tenter de jouer un rôle dans une partie truquée et nous savons que l'opposition n'est pas encore en mesure de l'emporter.

---

15. Malgré la création — en 1969 — d'une Union économique et monétaire, malgré la décision — en 1972 — de limiter l'écart de fluctuation des monnaies de la Communauté et de pratiquer un flottement concerté (c'est le « serpent »), l'Europe n'a jamais connu de véritable coopération monétaire. En avril 1978, le chancelier Schmidt et le président Giscard d'Estaing proposent la création d'un système monétaire européen destiné à établir une zone de stabilité en Europe occidentale. Mais six pays seulement acceptent d'y adhérer, la Grande-Bretagne, l'Italie, l'Irlande refusent.

En septembre 1979, le franc français est mis en difficulté par l'ascension irrésistible du deutsche mark, contrecoup de la baisse du dollar.

16. Le général Pinochet au Chili et le général Videla, en Argentine, ne se montrent guère préoccupés des « droits de l'homme ». En Argentine, les « disparitions » des adversaires politiques sont nombreuses ; la liberté d'expression n'existe pas.

Or 7 % des ventes d'armes de la France concernent l'Amérique latine (Michel Jobert, le 8 octobre 1981, devant la commission des Affaires étrangères de l'Assemblée nationale, cité par le Monde du 11/12 octobre 1981). Parmi les pays d'Amérique latine, le Chili et l'Argentine sont les principaux clients de la France.

17. Depuis le 27 septembre 1979, l'usine Alsthom à Belfort, qui emploie plus de sept mille personnes et fabrique notamment des turbo-alternateurs pour les centrales nucléaires, est occupée par les ouvriers, qui réclament des augmentations de salaire et une réduction des horaires de travail. Le 13 octobre, en signe de solidarité avec les grévistes, quelque dix mille personnes ont manifesté à Belfort, devenue « ville morte ».

Elle a pour objet de montrer que nous, nous respectons les lois du Parlement, même quand nous en connaissons les limites.

La parole à cette tribune, c'est aussi une façon de parler pour la France.

6 décembre 1979, débat à l'Assemblée nationale sur le financement de la Sécurité sociale. Le R.P.R. demande le renvoi en commission du projet gouvernemental. Ce que le Premier ministre refuse. Les groupes socialistes et communistes déposent chacun une motion de censure.

Voyons donc comment les choses se passent. Premier temps : un groupe de la majorité refuse de souscrire au projet tel qu'il est présenté. Deuxième temps : le Gouvernement refuse les amendements et sollicite la confiance en vertu de l'article 49, alinéa 3. Troisième temps : l'opposition n'a qu'un moyen de marquer son refus du projet : la censure. Nous n'avons jamais eu l'intention d'employer la censure à répétition : nous connaissons la loi du nombre et nous ne voulons pas occuper l'Assemblée à des rites vidés de sens ; mais nous ne pouvons pas approuver des dispositions législatives que nous combattons. Voilà le piège, voilà le paradoxe, voilà la logique constitutionnelle d'une situation parlementaire illogique, voire absurde, et d'une situation politique inquiétante. Le gouvernement gouverne sans majorité. Le Parlement légifère sans voter la loi. Voilà le point où nous en sommes. Quelle est cette démocratie qui se passe de Parlement, qui se passe de la loi telle que le système parlementaire la conçoit ? Allons-nous admettre à la faveur d'une disposition constitutionnelle qui, à mon avis, devrait rester une disposition d'exception, que ce soit le Gouvernement qui fasse la loi ? Chacun sachant que, contrairement à l'esprit des lois, l'Exécutif se trouve plutôt à l'Elysée qu'à Matignon, faut-il en déduire que le chef de l'Etat gouverne à la place du Gouvernement et légifère à la place du Parlement ? Ce serait là bien des pouvoirs dans les mains d'un seul homme : tout nous y mène, si ce n'est déjà fait. C'est, en tout cas, la signification qui ressort de l'application répétée de l'article 49, alinéa 3 de notre Constitution [18].

J'ai dit tout à l'heure qu'il s'agissait d'une disposition d'exception. En effet, m'étant reporté aux travaux du Comité consultatif constitutionnel de 1958, j'ai constaté que certains de ses membres — parmi lesquels son président, M. Paul Reynaud — avaient regretté qu'on ait restreint le domaine de la loi, écourté les sessions, facilité les voies de la dissolution, imposé le vote personnel, donné la priorité aux projets du gouvernement dans l'ordre du jour, adopté l'article 16, permis les ordonnances, soumis certains projets à référendum, supprimé le vote d'investiture, décidé de recenser uniquement les votes favorables à la censure. Que de pouvoirs ainsi enlevés à l'Assemblée nationale ! Va-t-on généraliser le système et admettre

18. Cf. *supra,* le texte de cet alinéa.

systématiquement que les lois soient adoptées sans vote direct du Parlement ?

Lors de la 16ᵉ séance du Comité, le 13 août 1958, le président Paul Reynaud déclarait à propos de l'article 31 de l'avant-projet, devenu l'article 34 : « L'article 31 dispose expressément que la loi est votée par le Parlement ; mais ce n'est vrai que pour les lois d'importance secondaire. Chaque fois qu'il voudra faire adopter un texte important, le Gouvernement posera la question de confiance et l'Assemblée ne disposera plus que d'un droit de veto. Cas unique au monde : l'Assemblée ne votera pas la loi. C'est le gouvernement qui la fera de sa propre autorité. Je dis qu'accepter de telles dispositions serait une erreur capitale. »

Au contraire, lors de la même séance, M. Debré [19] a, lui, défendu l'alinéa 3 de l'article 49. Lorsque j'aurai rappelé son point de vue, j'aurai ouvert devant vous l'éventail des opinions : opinion hostile de ceux qui jugeaient que l'alinéa 3 de l'article 49 était exorbitant du droit commun des démocraties parlementaires ; opinion favorable du Garde des Sceaux de l'époque qui, comme on le sait, a joué un rôle éminent dans la rédaction de la Constitution. M. Debré déclarait : « Quant à la disposition du troisième alinéa, si vivement critiqué par M. Paul Reynaud, ce doit être une ultime sauvegarde jalousement gardée en réserve, car elle serait dangereuse pour le régime si elle était employée à tout instant. » Du président Paul Reynaud hostile à M. Debré auteur du projet, les interprétations restent réservées dès lors qu'il s'agirait d'user de l'article 49 de façon répétée et systématique. Si le Gouvernement ne cesse de recourir à cette disposition, c'est le régime tout entier qui s'en trouvera changé.

Cherchant le point moyen en cette affaire, j'ai utilisé deux autres références bien entendu contestables — je me suis mis moi-même à l'abri de ce type de discussion, puisque je n'ai pas plus voté la Constitution de 1958 que celle de 1946 — : l'une au général de Gaulle, l'autre à M. Giscard d'Estaing.

Lors de la séance que le Comité consultatif constitutionnel tint le 11 août 1958 — sa onzième séance — le général de Gaulle déclarait : « Nous avons bâti notre avant-projet sur le principe contenu dans la loi qui nous avait mandatés pour l'établir, celui de la séparation des pouvoirs : le gouvernement pour l'exécutif, le Parlement pour le législatif ». Il disait cela avec ce style peu imitable qui lui permettait de proférer d'énormes évidences avec un accent d'originalité.

M. Giscard d'Estaing, un peu plus tard — qui était M. Giscard d'Estaing en 1958 ? Comme beaucoup d'autres, un des espoirs de la IVᵉ République —, le 19 janvier 1967, à Clermond-Ferrand — mais la dépêche de l'A.F.P. n'a peut-être pas tenu compte de la frontière qui sépare la capitale de

---

19. Michel Debré est alors Garde des Sceaux dans le dernier gouvernement de la IVᵉ République, présidé par le général de Gaulle.

l'Auvergne de la localité plus modeste de Chamalières : rappelez-vous, c'était la période du « oui-mais » — M. Giscard d'Estaing donc, affirmait : « Il devient possible de rendre au Parlement des compétences plus précises et plus libres. » En 1967, M. Giscard d'Estaing n'était plus au Gouvernement ; c'était l'époque où, en qualité de parlementaire, il a voté contre sept lois de finances sur huit. Et il continuait : « Il faut réexaminer les procédures de la question de confiance et du vote bloqué qui ont été imaginées à une période d'hostilité au régime d'assemblée. » Qui jurerait, Monsieur le Premier ministre, que cette période est tombée dans les oubliettes de l'histoire ? Mais M. Giscard d'Estaing avait déjà dit le 3 juillet 1966, lors d'une conférence de presse, avec ces phrases rapides et incisives qui servent à tout : « Nous ne pouvons admettre l'existence ni d'un Parlement-croupion, ni de... députés-croupions. » Fort heureusement je m'adresse à des bancs vides. « Députés croupions. » Voilà ce que pense de vous, collègues absents, l'actuel chef de l'Etat ! Je devrais du reste élargir la définition aux autres que nous sommes : eh oui, nous nous débattons comme nous pouvons dans les rets des obligations constitutionnelles !

Reste une question. Qui est responsable de cet état de choses ? L'ensemble des groupes parlementaires qui constituent l'U.D.F. ? Le R.P.R. qui a pris l'initiative des hostilités, qui affiche le courage et se sert de la faiblesse ? Qui a raison et qui a tort du point de vue de la majorité ? Ce n'est pas à moi d'en juger ; mais les deux groupes portent une égale responsabilité dans l'incapacité de rendre au Parlement son droit et de mener une politique conforme à l'intérêt de la France. L'un et l'autre font bon marché du Parlement ; or qu'est-ce que le Parlement, sinon la représentation nationale ? User ainsi du fameux alinéa 3, c'est nier le droit fondamental de cette représentation à voter la loi ; c'est nier dans leur entité les élus de la nation et, par voie de conséquence, le suffrage universel et populaire qui les choisit.

Alors, c'est vers le peuple que nous nous tournons. Après l'avoir privé de droits économiques, sociaux et politiques, après l'avoir livré aux puissants et aux forces de l'argent, voilà qu'on lui vole sa démocratie : il votera comme nous la censure !

Le 19 décembre 1979, le Conseil Constitutionnel déclare « non conforme à la Constitution » la loi de finances pour 1980. Le 27 décembre, l'Assemblée nationale se réunit en session extraordinaire.

Eh bien, je trouve assez surprenant un président de la République qui fait quoi ? Qui philosophe sur la Constitution, qui médite — j'allais dire qui gémit — on dira : qui murmure.

Le 31 octobre, au Conseil des ministres, ce pauvre homme, si peu entendu de son propre gouvernement, « murmure » qu'il voudrait bien que le Gouvernement se décidât à respecter... quoi donc ? Bof ! la Constitution.

Mais le remords hante ses nuits. Alors, il récidive. Il lui faudra quinze jours pour cela, et, le 14 novembre, voici que, de nouveau, il saisit... — qui donc ?— le Conseil des ministres. Et pour dire : je m'inquiète.

Comment le sais-je ? Mesdames, messieurs, ce n'est pas par indiscrétion. Mais parce que, chaque fois que le président de la République pousse un soupir, cela est rapporté par les ondes de façon que chaque Français puisse l'entendre et s'assurer qu'il n'y a pas pour le chef de l'Etat de plus cher objet que la Constitution.

Il s'y est repris à quatre fois : 31 octobre ; 14 novembre ; puis dans une allocution télévisée ; enfin, hier, j'étais en province et, comme vous, j'ai aperçu sur le petit écran le porte-parole du président de la République qui venait expliquer, assez lourdement, même si c'était allusif, que si quelqu'un était coupable — mais il n'est pas là... — ce n'était pas le président de la République, ce n'était peut-être pas le Parlement, ce n'était sûrement pas le président de l'Assemblée nationale, ce n'était pas moi non plus, c'était le Premier ministre ! Le chef de l'Etat, le Premier ministre, vous voyez le couple qu'ils forment : on le croyait harmonieux ; on les croyait complémentaires ! Or le président de la République proteste qu'on va violer la Constitution — et qui, sinon le Gouvernement —, le règlement, la loi organique ; quel souffle, en un seul jour ! Puis il se tait. Il pourrait agir. Je suis de ceux qui, depuis des années, à la tribune, ont assuré que le président de la République pesait d'un poids certain sur les institutions. Serait-ce une fable que nous récitons, chacun à sa façon ? Le président de la République peut tout ; le président de la République fait tout ; le président de la République se substitue au Gouvernement, le Gouvernement au Parlement, donc le président de la République se substitue au Parlement ; le président de la République s'occupe de tout, même des jardins le long de la Seine !

Et pourtant, au moment où la Constitution et la loi sont en cause, M. Giscard d'Estaing ne se préoccupe pas le moins du monde ni de recourir au Conseil constitutionnel, ni, pour éviter cette formalité douloureuse, de demander au Gouvernement, à son gouvernement, à ses collaborateurs, de changer de méthode. Le Gouvernement pouvait agir de diverses façons. Je lui ferai à cet égard une double suggestion : il pouvait soit, comme le demandaient les socialistes, retirer le projet et en déposer un autre — opération banale cent fois faite et refaite — soit, comme le veut le Conseil constitutionnel, demander deux votes distincts en première lecture, l'un sur la première partie, l'autre sur la seconde.

Tout cela est à la merci d'un président de la République. Je veux dire que s'il peut faire tant et tant et pas cela, alors il y a quelque chose qui grippe dans nos institutions. Le président de la République avait-il autre chose en tête ?

S'il est évident — c'est ce que j'ai voulu dire au début de mon propos — que le désordre de la majorité est à l'origine du désordre juridique dans lequel l'Assemblée tente d'y voir plus clair aujourd'hui, que dire du désordre de l'Exécutif ? [...]

Il n'empêche que la position du président de la République a été répétée sans cesse. Comme si, soudain, nous avions besoin, nous, Parlement, de maître à penser en ce domaine ! Comme si, en raison de nos dissentiments ou de nos incapacités, nous avions besoin d'un arbitre ! Dès lors qu'il faut reporter sur d'autres la responsabilité des difficultés que connaissent les Français, on montre du doigt le Parlement, la « classe politique », [...] tous ces gens dont on ne sait exactement ce qu'ils font.

Que pensez-vous de cette nouveauté ? Le président de la République, non content d'avoir désigné le Parlement, et pendant tant d'années, à la vindicte publique, désigne aujourd'hui son propre Gouvernement.

Si M. Barre avait été présent aujourd'hui, je lui aurais dit comment j'ai compris, comment nous avons été si nombreux à comprendre les quatre mises au point du président de la République tendant à se dégager de l'événement présent contrairement aux affirmations de la presse, et que je ne voyais pas un désaveu dans l'attitude de M. Giscard d'Estaing à l'égard de son Premier ministre, tant exposé en première ligne, mais bien une dérobade !

Je me lasse de répéter que la majorité devrait être solidaire au Parlement ; si elle ne le peut pas, même si sur le fond elle est d'accord, qu'y puis-je ? Mais je reste choqué par le manque évident de solidarité au sein de l'Exécutif. La vérité est que l'interprétation erronée de la Constitution par le Gouvernement l'a été avec le consentement du chef de l'Etat qui attendait de voir ce qui se passerait : le Conseil constitutionnel infirmerait la décision prise, on rappellerait les réserves émises à ce sujet ; confirmerait-il, on passerait à la suite.

Cette manière, pour le chef de l'Etat, de s'abriter derrière son Gouvernement, pourtant si souvent dirigé de façon vétilleuse, ne me paraît pas correspondre — qu'on me permette cette interprétation tout à fait personnelle — à l'esprit de la Constitution.

Sur le fond, c'est-à-dire sur l'autorisation qui est demandée au Parlement de percevoir les impôts et taxes en 1980 par reconduction de ceux de 1979, que cela soit bien clair, nous ne la voterons pas, je veux dire que nous voterons contre.

Nous essaierons de modifier le texte. Mais nous ne recourrons pas à d'autres procédures que celles que notre loi commune nous permet. Nous déposerons des amendements, notamment pour obtenir la création d'un impôt sur les grandes fortunes, d'un impôt sur le capital des sociétés, ainsi que la modification du barème de l'impôt sur le revenu.

Nous nous battrons par les moyens que nous donne la démocratie. Nous ne nous faisons pas beaucoup d'illusions sur nos chances de succès, mais nous vous laisserons prendre vos responsabilités et nous verrons bien de quelle façon vous les assumerez.

Nous aurions désiré nous saisir de ce débat — mais nous aurons une autre occasion au mois de janvier — pour développer nos points de vue sur la situation économique et sociale. J'espère ne pas avoir alors à conseiller au Premier ministre de se consoler de ses déboires en matière économique en se réfugiant dans les études juridiques. Je crains que la façon dont on a traité les prix, l'emploi et la fiscalité ne ressemble de trop près à celle dont on vient de traiter et de « tordre » les lois organiques et la Constitution.

Enfin, mes chers collègues, débat permanent dans toute démocratie : Gouvernement et Parlement, Exécutif et législatif. Pendant douze ans, au lendemain de la dernière guerre mondiale, la France a trop souffert de l'envahissement du Parlement qui non seulement faisait la loi et la votait, mais encore dirigeait l'Exécutif.

Puis le régime qui a suivi, renversant la tendance, a donné à l'Exécutif les moyens du pouvoir, tous les moyens et plus encore. Certes, on peut distinguer entre la lettre et l'usage, mais, ce qui est sûr, c'est que, parmi ceux qui ont pris part à ces débats, nul ici n'a voulu l'abaissement du Parlement au point que la loi puisse se faire sans lui, au point que, pour l'abattre, on aille jusqu'à organiser une campagne d'opinion dont je puis vous annoncer qu'elle se développera au cours des mois prochains jusqu'à ce que chacun d'entre nous, député, sénateur, Parlement, soit jugé responsable des décisions relevant d'un Exécutif qui, par carence ou par abus, se moque de la Constitution.

21 février 1980.

Quant au Parlement, il est très compétent. S'il est désordonné, tout est fait pour accroître son désordre. Je vais vous conter une anecdote. Dans la Nièvre, il est question de la suppression d'une ligne de chemin de fer, celle qui va de Clamecy à Corbigny[20]. La décision est quasiment prise par la S.N.C.F. (mais nous organisons la lutte !) qui dit : il n'y a, quotidiennement, qu'une dizaine de personnes à user de cette ligne dans sa liaison terminale qui n'a donc plus de raison d'être. Mais nous lui répondons que les trains arrivent à Corbigny à des heures impossibles. Qu'ils sont de construction antédiluvienne. Qu'ils sont mal ou pas chauffés. Vraiment ce n'est pas agréable de voyager comme cela. Avec des wagons corail, une bonne température, des trains roulant à vive allure, dans des conditions confortables et à des heures pratiques, il en irait tout autrement. Et la ligne

---

20. Devant le Conseil général de la Nièvre qu'il préside, l'auteur s'est élevé contre ce projet le 16 janvier 1980 : « Il faut bien que la population qui reste dans les endroits reculés communique avec l'extérieur... » ; le 29 avril 1980 : « Il est clair que se pose une question de principe, la S.N.C.F. service public... » ; le 3 juin 1980 : « On appelle diktat ce qui impose la volonté du plus fort qui abuse de sa force et écrase le faible. Nous élevons une protestation afin de défendre ce que nous pensons être notre droit. »

serait rentable, le service public assuré, les usagers correctement traités, l'économie de la région desservie. C'est là l'histoire du Parlement, des conditions dans lesquelles il travaille. Il y fait moralement froid, on a l'impression de ne servir à rien, on n'a pas envie d'y aller, c'est mal organisé, les séances se poursuivent à des heures impossibles, le Gouvernement se moque de lui. Etonnez-vous après cela que l'institution se dissolve. Il est grand temps de réagir. [...]

La croissance douce [21] type Giscard, c'est fait pour les gens riches, et pour les classes riches, et pour les pays riches qui ont accès au superflu après le nécessaire. Que voulez-vous, Giscard, il n'y peut rien, mais c'est un gosse de riche. C'est sa chance et sa malchance.

24 juin 1980.

Six ans après l'élection de Valéry Giscard d'Estaing comme président de la République, le chômage en France n'a jamais été aussi étendu. La hausse des prix continue. Le pouvoir d'achat de nombreuses catégories sociales recule. Les inégalités prospèrent. Les libertés sont grignotées. Le Parlement est abaissé. Le service public est attaqué. L'environnement est saccagé. Le commerce extérieur est déséquilibré. La diplomatie française est fluctuante. La voix de la France est assourdie. C'est le bilan du mauvais choix.

Contrairement aux discours officiels, cette situation n'est pas fatale. Si le contexte international, en particulier l'évolution des prix du pétrole, joue un rôle, il n'explique — et de loin — pas tout. Les difficultés des Français viennent surtout de la politique choisie : dure pour les faibles ; complaisante pour les forts ; appuyée sur les privilèges ; orientée vers les profits ; refusant toute réforme de fond et toute planification ; compensant la médiocrité des résultats par la confiscation des médias. [...]

Une inflation qui bat tous les records, notre commerce extérieur en large déficit, une augmentation régulière du nombre des chômeurs, la protestation profonde des salariés, le malaise des cadres, le désarroi des travailleurs indépendants, des étudiants que l'on provoque, des agriculteurs que l'on trompe [22], j'en passe. En d'autres temps une seule question serait dans les esprits : *la France est-elle gouvernée ?*

21. Opposée par les économistes à la croissance sauvage, généralement jugée dangereuse en période de crise, car génératrice d'inflation, de déséquilibre, la croissance douce (de l'ordre de 1 à 2,90 par an) représente, pour beaucoup, le modèle vers lequel les pays industriels devraient s'orienter, dans la mesure où elle est facteur de stabilité. Croissance sauvage et croissance douce diffèrent aussi par leur style ; la première se détermine en fonction des biens de production, la seconde favorise le développement des services permettant d'améliorer la qualité de la vie.
22. Le 4 juin 1980, l'auteur a proposé « la création de comités départementaux d'aides aux agriculteurs en difficulté. »
« Pourquoi cette proposition ?
1) Parce que l'on compte actuellement 100 à 400 exploitations agricoles, selon les

Aujourd'hui, tout se passe comme si l'esprit d'abandon, fait de résignation et de laisser-aller, submergeait toute capacité de Gouvernement à long terme.

Lorsque le scandale atteint les antichambres du Pouvoir, lorsque l'électoralisme domine les initiatives du chef de l'Etat, lorsque la quête aux bulletins de vote s'établit au-delà de nos frontières, il est difficile de voir grand et de mobiliser un peuple qui aime la liberté et la justice.

Des ministres aux attitudes contradictoires, une majorité divisée, un Président dont j'ai dit qu'il regardait la France au fond des urnes, telle est l'image que donne de lui-même le Gouvernement de notre pays. Mais ce serait se tromper que de s'en tenir à cette apparence. D'une part, le contrôle des moyens d'information est l'instrument majeur du pouvoir, d'autre part, là où s'exerce la puissance de l'argent, jamais les tenants de l'ordre social n'ont été aussi sûrs d'eux, aussi arrogants. Le C.N.P.F. dicte sa loi, il est obéi. Les spéculateurs tirent parti de l'inflation, ils sont libres de leurs profits.

Pendant ce temps l'insécurité générale accroît l'inquiétude des Français. L'insécurité partout (celle de l'emploi et du salaire, du revenu, de l'épargne et du pouvoir d'achat, cherté du logement et de ses charges, menaces sur l'école, démantèlement de la Sécurité sociale) et l'inquiétude dans la rue vont de pair. Alain Peyrefitte et quelques autres exploitent cette inquiétude. Sous prétexte de garantir l'ordre, ils justifient la force contre le droit. Se rendent-ils compte qu'ils préparent d'autres désordres ? L'injustice est le pire d'entre eux.

Au demeurant un Etat qui concentre tous les pouvoirs dans les mains d'un seul homme porte en lui la ruine de la démocratie.

A quoi bon la stabilité des institutions et la permanence de l'Exécutif si c'est pour faire ce que l'on voit ? Il n'est pas sain de vider de tout contenu la

---

départements, en quasi-faillite. Juridiquement, la faillite n'existe pas en agriculture. L'agriculteur ne peut donc pas déposer son bilan. Il doit aller jusqu'au bout de ses responsabilités.

La situation est très préoccupante et si elle éclate aujourd'hui, c'est parce qu'elle résulte directement de la politique du gouvernement :

a) accroissement des charges des agriculteurs. De 1973 à 1979 l'indice des prix industriels nécessaires à la production agricole passe de 120 à plus de 230 (base 100-1970), tandis que celui des prix agricoles passe de 130 à 185 ;

b) encadrement du crédit ;

c) surendettement de l'agriculture dû au modèle de développement qu'on lui impose.

2) Parce que les exploitations agricoles modernisées sont les plus touchées par la crise. Les jeunes agriculteurs qui s'installent sont frappés en premier, ce qui pose le problème de l'avenir de l'agriculture française.

3) Parce que l'exode rural va s'accroître avec les conséquences que cela suppose sur l'aménagement du milieu rural et sur la situation économique de nombreux artisans et commerçants qui vivent grâce à l'agriculture.

4) Parce qu'on pousse au désespoir un certain nombre d'agriculteurs (les suicides, dont on parle peu aujourd'hui, se multiplient).

5) Parce que le Gouvernement, qui s'inquiète de cette situation, prévoit de donner des aides financières (entre autres aux jeunes agriculteurs) et de répartir des subventions à des fins électorales sans que les élus locaux aient un droit de regard sur cette répartition. »

négociation sociale et de s'en prendre aux syndicats. Il est dangereux de domestiquer le Parlement au point de n'en faire qu'une chambre d'enregistrement. L'évolution des institutions, dénaturées par l'exercice qui en est fait, recèle des risques de crise et de violence. Un nouvel équilibre est à rechercher qui concilie la responsabilité de l'Exécutif et le contrôle des élus du peuple. [...]

Toujours le 24 juin 1980.

Vous avez vu la façon dont M. Giscard d'Estaing a multiplié le nombre des « Monsieur »... « Monsieur Moto », Monsieur moto, oui!... « Monsieur Prostitution »... Monsieur... Monsieur... Y compris le meilleur : « Monsieur le meilleur économiste de France »[23], je ne sais d'ailleurs lequel des deux... Mais M. Giscard d'Estaing lui, vraiment, mériterait de nombreux titres. Et pour faire une comparaison de type plus relevé que ce qui m'avait retenu à l'instant, dont je reconnais le ras du sol, je le verrai assez bien, comment dirais-je, Baron du Chômage, Marquis des Inégalités, Comte de la Hausse des prix, Duc de la Technocratie, Prince de l'Electoralisme... et Roi de l'Anesthésie.

Cela vous expliquera pourquoi, lorsque j'aborde le problème des Institutions, j'ai le droit de m'inquiéter d'un président de la République qui tient lieu de tout, ce qui n'est pas dans les Institutions — dont je ne suis pas le meilleur défenseur...

— Un Président qui tient lieu d'Exécutif : M. Barre a beaucoup de personnalité, beaucoup de présence dans la vie politique française, et beaucoup de mérite sans aucun doute, dans le rôle ingrat qu'il tient, mais on ne peut pas dire que son gouvernement échappe à l'autorité du président de la République et, si vous me demandiez de vous énumérer la liste de la moitié des ministres français, moi qui suis quand même assez spécialiste de ces choses, j'y arriverais infiniment moins bien que si vous me questionniez sur la composition des équipes pour le prochain Tour de France. C'est dire l'abaissement de l'Exécutif au travers de cette comparaison tout à fait subalterne.

23. En 1977, Yves Mourousi, journaliste à TF1, est nommé conseiller technique pour la pratique motocycliste auprès du secrétaire d'Etat à la jeunesse et aux sports. En 1978, un an et deux mois après sa nomination, « M. Moto », en désaccord avec les intentions « motocyclistes » du gouvernement, démissionne.

En 1975, à la suite de différentes manifestations de prostituées à Grenoble, Lyon, Paris — avec occupation d'églises —, Guy Pinot, Premier président à la Cour d'Appel d'Orléans, est chargé d'une mission d'information sur le problème de la prostitution. Il remet son rapport en décembre 1975. Contrairement à ce qui avait été annoncé, ce rapport n'est pas débattu en Conseil des ministres. Officiellement, il n'est pas suivi d'effet.

Le 25 août 1976, quelques heures après la démission de Jacques Chirac des fonctions de Premier ministre, le président Giscard d'Estaing, dans une interview à TF1, annonce la nomination de Raymond Barre, « le meilleur économiste de France ».

— Un Président qui tient lieu du Législatif : vous avez vu de quelle façon on a traité le Parlement, de quelle façon on nous a traités, nous les députés, au moment de la loi Peyrefitte ? Sur le droit pénal, la première loi pénale... à l'arraché, l'opposition réduite au silence ! La digestion rapide de centaines d'amendements : vote bloqué ! Comme vous le savez, l'ordre du jour est à la disposition du Gouvernement !

— Un Président qui tient lieu du judiciaire : la façon dont M. Peyrefitte a voulu faire passer au magistrat du parquet, le cas échéant à la police, les responsabilités du magistrat du Siège (la différence est bien connue entre la magistrature debout et la magistrature assise ; la magistrature inamovible et celle qui ne l'est pas) marque bien l'intention, puisque la magistrature du parquet est serve sur le plan des décisions et des propositions, expression de la volonté gouvernementale, de l'autorité de l'Exécutif au travers du Garde des Sceaux.

Maître du judiciaire aussi, puisqu'il préside le Conseil supérieur de la magistrature, Maître de l'avancement des magistrats, et de leur discipline.

— Un Président qui, dans beaucoup de domaines mais pas dans tous, cela je le reconnais, tient lieu d'informateur. Bref, s'il y a quatre pouvoirs traditionnels, celui qu'on ajoute après Montesquieu, le pouvoir... le vôtre : celui de la presse, pouvoir de l'écrit, il faut dire que M. Giscard d'Estaing dispose de pouvoirs qui n'ont pas eu de point comparable depuis, oui, c'est vrai, depuis le Second Empire. Sans aucun doute. Il y a donc la Constitution, mais il y a surtout l'usage qu'on en fait. Eh bien, je le dis gravement cette fois-ci, il faudra réformer cet usage par la politique. C'est la seule façon, puisque la majorité se soumet à la déviation des Institutions. Et je ne cacherai pas que la Constitution elle-même, en certaines de ses dispositions, mériterait d'être réformée, c'est dans le Programme socialiste. Je pense en particulier au mandat présidentiel de cinq ans, car le septennat ne correspond pas à la fonction présidentielle, dès lors que cette fonction n'est plus celle d'un arbitre, mais du capitaine d'un camp. Enfin, je pense que les Institutions devront être réformées sur le plan de la Constitution par une ambitieuse décentralisation des pouvoirs. Alors, je vous ai dit ces choses parce qu'elles sont directement liées à l'opinion que j'ai de la conduite des affaires publiques.

13 novembre 1978. La crise dans l'enseignement.

Si la situation était égale pour tous, si l'enseignement avait entièrement recouvert la nécessité scolaire de ces vingt dernières années, si l'objectif de la scolarisation jusqu'à seize ans avait été atteint également pour toutes les couches sociales et pour toutes les catégories d'enfants, si l'accueil des petits était partout prévu dès l'âge de deux ou trois ans, on pourrait, certes, reconnaître que l'argument démographique [24] nous contraindra désormais à des modulations.

Mais cet argument démographique répond-il aux nécessités présentes ? Je vous pose la question, Monsieur le Ministre, ou plutôt j'insiste sur des points que vous connaissez bien mais que vous n'avez pas développés. Je vous rappelle que la scolarisation obligatoire jusqu'à seize ans n'est réalisée qu'à 71 p. 100, selon les chiffres dont les rapporteurs et moi-même disposons. Dès lors, faut-il prévoir des réductions d'effectifs de personnels en raison de l'évolution démographique alors que l'actuelle population d'âge scolaire légal est loin d'être entièrement accueillie dans les établissements ?

Deuxième argument : les déséquilibres de population scolaire restent très importants selon les couches ou les classes sociales. C'est ainsi que des dizaines de milliers d'enfants des zones rurales [25], pour ne prendre que cet

24. Au cours de ce débat du 13 novembre 1978, Christian Beullac, ministre de l'Education, invoque pour justifier ce que Lucien Neuwirth, député R.P.R. de Haute-Loire, appelle « l'effondrement des crédits » (une réduction de 24 % par rapport au budget précédent, lequel avait déjà noté une diminution de 32 %), la baisse démographique : « On prévoit que dans les cinq prochaines années — le chiffre est trop important pour que mes services puissent se tromper — les effectifs diminueront dans le premier degré de plusieurs centaines de milliers d'élèves, cette diminution n'étant que très partiellement compensée par une progression relativement faible des effectifs dans les lycées, les lycées d'enseignement spécial, cependant que ceux des collèges devraient rester stables. »

25. Le 19 mars 1980, l'auteur évoque à nouveau ce problème : « Les villages perdent leur signification avec la perte de l'école [...] Je ne dis pas qu'il faille garder une classe dans un

exemple, ne seront pas accueillis à l'école avant l'âge de cinq ou six ans.

Quel est en effet l'équipement de nos écoles maternelles ? Je me souviens d'une enquête faite dans la Nièvre à l'initiative du Conseil général que je préside : nous avions voulu savoir quel était, dans un canton rural du sud de mon département, la population scolaire réelle répondant à l'obligation jusqu'à seize ans. Nous nous sommes rendu compte, et les députés de circonscriptions ayant le même type de population ont vécu le même phénomène et le connaissent comme moi, que 50 p. 100 des enfants de paysans, d'artisans ou de petits commerçants locaux — population disséminée autour de bourgs qui ne dépassent pas 1 300 habitants, et c'est une importante fraction de la France — avaient « disparu », perdus au passage, dispersés. On ne les retrouvait pas au terme des seize ans, et ils allaient sans doute grossir le nombre de ceux que le même plan prévoyait pour beaucoup plus tard comme devant correspondre aux 230 000 travailleurs de l'époque sans emploi défini, hommes et femmes à tout faire, destinés en naissant à ne rien apprendre, à ne pas avoir de métier, à être rejetés pour le service commun des classes sociales dirigeantes.

Un troisième argument va à l'encontre de celui de la démographie : vous observerez, Monsieur le Ministre, que plus de 51 p. 100 des enfants sont actuellement instruits dans des classes de plus de vingt-cinq élèves, surtout dans le second degré, de sorte qu'il faudrait, là aussi, réformer la structure sans tenir compte d'une évolution de la natalité qui n'a pas encore fait sentir ses effets.

Quatrième argument : si l'on considère que l'objectif essentiel de ce grand service public est de veiller à l'amélioration qualitative, selon les termes que vous avez vous-même employés — développement du soutien pédagogique des élèves en difficulté, qui va de pair avec une formation permanente à un haut niveau des maîtres, satisfaction des obligations actuellement en état de vacuité, que je viens de rappeler — on ne peut comprendre que la France se dépêche, sous votre autorité, de se mettre en ordre avec des indications futuristes qui ne correspondent aucunement à l'état de développement et au niveau de l'enseignement dans notre pays.

On peut résumer simplement cette politique. Je me souviens d'avoir entendu ici même, à cette tribune, il y a quinze ou vingt ans, des représentants du Gouvernement d'alors s'écrier : « Mais il y a trop d'enfants ! Comment passer brusquement de l'éducation de masse du primaire à celle du secondaire ? Comment un pays comme la France pourrait-il supporter, si peu de temps après une Deuxième Guerre mondiale, un effort semblable ? Comprenez-nous, soyez patients ! »

---

village lorsqu'il n'y a plus que trois élèves, je pense qu'il y a toute une série de procédés, notamment celui de regroupements pédagogiques, qui permet de préserver dans beaucoup de communes) des arrangements entre communes voisines, c'est ce que nous pratiquons beaucoup dans la Nièvre qui permet de garder une classe maternelle ici, un cours moyen là... et bref, de maintenir l'école au niveau du village. »

Au cours des dix années suivantes, les gouvernements qui se sont succédé sont passés à un deuxième type d'argument : « En raison même des phénomènes de la crise, on ne peut pas faire plus. Comprenez-le ! Il y avait trop d'enfants et maintenant, même si nous voulions satisfaire ce besoin — et nous le désirons — nous ne le pouvons pas, au regard des ressources nationales. »

Maintenant, on nous déclare avec scepticisme : « Pourquoi faire plus puisque, demain, la France aura moins d'enfants ? »

En conclusion de cette brève intervention, qui précède celles de mes collègues et amis socialistes, j'insisterai sur quelques points particuliers.

D'abord, il me semble que la politique que vous inaugurez, Monsieur le Ministre de l'Education, correspond à un véritable retournement d'une tendance séculaire qui était orientée vers un degré toujours plus poussé de connaissances considéré par les familles françaises comme un instrument de promotion individuelle.

Rappelez-vous les débuts de la IIIᵉ République et sa volonté de diffusion de l'enseignement de la langue française et d'unification du langage, de façon à disposer d'une langue véhiculaire qui serait non seulement une langue du savoir, mais aussi une langue du pouvoir, permettant à tous ceux qui sauraient le français et pénétreraient les arcanes du langage d'accéder aux postes de responsabilité.

Rappelez-vous — faut-il le dire ici — Jules Ferry et sa formidable révolution scolaire tendant à développer l'enseignement primaire jusqu'à un âge toutefois réduit : onze, douze ou treize ans. C'est cette même école unique qui inspire aujourd'hui — il y a simple identité de formule, cela ne va pas plus loin — la notion du collège unique dont vous vous réclamez.

Rappelez-vous la IVᵉ République et la Vᵉ République dans ses dix premières années : prolongation de l'obligation scolaire : tronc commun ; enseignement technique long ; enseignement général théoriquement jusqu'à seize ans. Après les classes moyennes, les classes populaires, trop lentement sans doute, pouvaient prétendre à l'Université pour leurs enfants.

Voilà ce qu'était la ligne générale, j'ai dit tout à l'heure « séculaire », qui oblige un grand pays comme le nôtre à poursuivre sans relâche la formation de ses enfants, perpétuée au travers de la formation permanente, pour que chaque individu puisse se réorienter, se cultiver, s'adapter aux obligations de chaque âge, aux différences et aux évolutions des techniques.

En vérité, ce que vous nous proposez, Monsieur le Ministre, ce n'est pas simplement un redéploiement éducatif — le terme étant tout à fait impropre — c'est le décalque sur l'éducation d'un redéploiement industriel qui impose à notre appareil productif des créneaux limités dans une situation générale de sous-traitance. C'est l'éducation nationale parent pauvre — M. Louis Mexandeau [26] avait raison de dire qu'elle était devenue pour votre gouverne-

---

26. Louis Mexandeau est député socialiste du Calvados.

ment une contre-priorité — mais reflet exact d'un développement industriel sur lequel nous aurons l'occasion de revenir en d'autres circonstances.

Voilà pourquoi je suis monté à cette tribune dénoncer le dévoiement, ou la répression, de la demande sociale en matière d'éducation, dévoiement par tous les moyens de pression :

moyens de pression financiers par la raréfaction et l'orientation autoritaire des bourses ;

moyens de pression structurels par le démantèlement du secteur public et par le développement des secteurs privés ;

Moyens de pression psychologiques, et ce sont toutes les variations sur l'inégalité des dons ou des dispositions à l'abstraction, comme si cette inégalité reposait essentiellement sur une vocation particulière correspondant aux classes sociales, à la nature même des enfants selon la richesse ou la pauvreté de leurs parents.

4 mars 1978. Le droit de l'enfant.

Il y a une question qui m'a beaucoup troublé, qui m'a beaucoup peiné : cela choquera sans doute quelques personnes. C'est l'affaire de cette petite Martine Willoquet. Martine Willoquet [27] est la femme d'un gangster. Elle a elle-même participé à une opération de gangstérisme avec, je crois, un revolver en bois, mais enfin, malgré tout, elle s'y est mêlée. Je crois que c'était par amour, mais l'amour n'excuse pas tout. Elle a donc enlevé avec son mari — en le faisant évader — un magistrat. Elle est passée en jugement — elle a été arrêtée, elle est passée en jugement, elle a été condamnée, et en particulier pour diverses affaires dans lesquelles elle a été mêlée avec son mari, à deux peines de cinq ans de prison. Les jurés — quatre d'entre eux — ont osé rompre le secret de la délibération — et donc affronter le Code pénal — pour dire : on nous a dit que lorsque nous avons, la deuxième fois, adopté les 5 ans de prison, cette peine — c'est un aspect de notre Droit pénal, je ne vais pas m'attarder là-dessus — serait confondue avec la peine précédente décidée par d'autres jurés.

Donc, Martine Willoquet n'est pas condamnée, dans leur esprit, à dix ans de prison (deux fois 5) mais à cinq ans de prison.

Là-dessus, Martine Willoquet — dont je répète qu'elle s'est rengagée dans des actions de caractère criminel, mais il n'y a pas eu mort d'homme ; d'autre

27. Le 25 mars 1977, Martine Willoquet est condamnée à cinq ans de réclusion criminelle pour l'aide apportée à son mari, Jean-Charles Willoquet, lors d'une série de hold-ups.

Le 31 mars de la même année, elle est de nouveau condamnée à la même peine, cette fois pour avoir organisé l'évasion de son mari du Palais de Justice de Paris, le 8 juillet 1975. Le 20 décembre 1977, la chambre d'accusation de la Cour d'Appel de Paris refuse la confusion des peines qui aurait dû permettre à Martine Willoquet de bénéficier d'une libération conditionnelle. Or, son fils Williams, né en prison, atteint 18 mois le 25 décembre 1977. A cette date il doit être retiré à sa mère.

part, elle était la femme de son mari qu'elle aimait éperdument — elle a eu un enfant en prison. Elle a gardé cet enfant qui a maintenant 18 mois. Elle devait être libérée, s'étant fort bien tenue en prison, au bout de deux ans et demi, c'est-à-dire maintenant, dans quelques semaines, je crois. Cet enfant est resté près d'elle et on va arracher — en appliquant, sur décision d'abord de la Chambre intéressée, mais ensuite du Garde des Sceaux qui a osé signer ce texte — on va arracher cet enfant en interprétant abusivement la loi, en ne tenant pas compte de la protestation des jurés intéressés ; on arrache cet enfant, on va le passer à l'Assistance publique, on va le confier à une œuvre — il a cependant des grands-parents mais ses grands-parents sont pauvres. Alors cela crée des problèmes, bien entendu. Et cette jeune femme va être précipitée théoriquement pour sept ans et demi de prison en plus. Peut-être sera-t-elle graciée, ou peut-être obtiendra-t-elle une mesure de faveur au bout de quelque temps, enfin au moins deux ans et demi, trois ans. Elle retrouvera cet enfant, comment ? quel traumatisme, quel drame pour cet enfant ! Et tout cela parce que l'interprétation de l'Administration judiciaire et du Garde des Sceaux s'est substituée, en fait, à la réalité de la justice. Je trouve cela odieux. Et quels que soient ceux qui ne seront pas de mon avis, parce qu'ils estiment que tout crime doit recevoir châtiment au maximum, je dis que la conscience publique doit se soulever contre des actes qui, bien entendu, touchent une petite bonne femme par là — c'est un individu, ça n'intéresse personne, on parle d'autre chose, eh bien non, la conscience publique doit toujours défendre le droit de l'enfant avant toute autre chose.

5 février 1979. Un système pénitentiaire qui doit être réformé.

On exhibe le crime mais on dissimule la prison et l'on ne doit pas savoir ce qui s'y passe. Observez ce silence, qui m'inquiète, sur les quartiers de haute surveillance. Cela procède du même état d'esprit qui conduit la société telle que nous la vivons à ouater tous les sentiments, à atténuer toutes les passions, à taire les réalités lorsqu'elles échappent à l'ordre ambiant. La réalité de la mort, par exemple. La mort n'est plus un moment de la vie, mais quelque chose d'à part, d'inassimilable, qu'on gomme, qui doit sortir de notre vie et si possible de notre esprit. Un enfant ne verra pas ses grands-parents morts, peut-être pas ses parents. Il y a certes beaucoup de raisons à cela dans la mesure où le logement moderne ne permet plus aux membres d'une famille de vivre ensemble à plusieurs générations. Voyez ce qui se passe dans les cliniques, les hôpitaux. Le médecin, je devrais dire la médecine, est notre dernier maître. On vous vole votre mort. Pour votre bien, et celui des vôtres et de la société bien entendu. Les grands actes de la vie, donc la mort, deviennent des actes abstraits. Je crois qu'il y a à cela des raisons de psychologie sociale dont je ne suis pas sûr qu'elles soient évidentes. Peut-être aussi est-ce une forme d'ordre : défense de déranger les habitudes de la vie. Donc il n'y a plus de drame, tout est convenable... La prison n'est pas convenable. On l'élimine de notre vue, de notre quotidien. C'est aussi la marque d'un conflit et l'on ne doit pas savoir qu'il y a des conflits.

Le 11 juin 1980, le projet de loi déposé par le Garde des Sceaux Alain Peyrefitte, « renforçant la sécurité et protégeant la liberté des personnes » vient en discussion à l'Assemblée nationale. « Rarement sans doute, sous la Vᵉ République, un projet gouvernemental aura suscité tant d'inquiétudes, de méfiances et d'hostilité... (de la part) des partis politiques de l'opposition, (et aussi de) certaines formations de la majorité, (des) principaux syndicats et (des) organisations de juristes[28]. *»*

Trois considérations principales inspireront les socialistes au cours de ce débat.

La première est que le projet de loi qui nous est soumis prépare une loi de circonstance ou d'exception. La deuxième est qu'il s'agit d'un texte hypocrite ou à double visage. La troisième est qu'apparaît ou reparaît, sous le prétexte d'atteindre d'autres crimes, une législation de répression sociale...

Qu'il s'agisse d'un texte de circonstance, l'exposé des motifs l'admet — que dis-je, le proclame, puisqu'on peut lire à la page 3 du projet : « Une commission de réforme du code pénal est à l'œuvre depuis plusieurs années. L'essentiel de son travail préparatoire n'est pas abandonné. Mais quelques-unes de ses options ne peuvent avoir tout leur sens que dans une société apaisée, débarrassée de craintes excessives. Ce n'est pas aujourd'hui le cas.

« Le présent projet de loi entend répondre à un problème immédiat. »

Mais que disait à ce sujet M. Raymond Barre, le Premier ministre ? Je cite là un texte paru l'année dernière dans un journal du soir :

« Le comité national de prévention de la violence et de la criminalité — créé en application d'une des propositions du rapport du comité d'études sur la violence, que présidait M. Alain Peyrefitte — a remis, vendredi 12 octobre, au Premier ministre, M. Barre, cent cinquante-quatre propositions constituant des solutions de nature à maîtriser et contenir l'évolution de la violence.

« En recevant ce comité, le Premier ministre a déclaré : « Il faut tordre le cou à certaines idées reçues, comme celle qui voit dans la violence un mal nouveau dans nos sociétés, alors que la violence a toujours été présente dans les rapports entre les individus... Il faut que les Français soient informés honnêtement et sans complaisance des réalités de la violence dans le pays. Il serait illusoire de vouloir tenter de les rassurer par quelques déclarations

28. *Année politique 1980*, p. 68.

lénifiantes qui perdraient vite leur crédibilité devant certaines réalités de la délinquance et de la criminalité. Mais il serait encore plus dangereux de chercher à les alarmer en exploitant artificiellement, au nom d'inavouables desseins, le sentiment d'insécurité qu'ils peuvent éprouver. Sur la violence comme sur les autres sujets, il faut savoir dire la vérité aux Français. »

Et plus loin, on peut lire que la prévention est toujours préférable à la répression, « expression d'un échec au moins relatif ».

M. Raymond Barre a dit excellemment ce jour-là ce que je n'ai cessé de penser, ce que je pense plus fortement encore aujourd'hui. Il s'agit donc d'un projet de loi de circonstance, et de la pire espèce, puisqu'il s'agit d'une loi de circonstance — si j'ai bien compris M. Barre — sans circonstance particulière… à moins qu'il ne s'agisse de circonstances électorales !

On peut se poser la question devant la campagne publicitaire qui a accompagné le projet de loi. Une agence privée de publicité a assuré la promotion du texte ; des milliers de lettres personnelles ont été adressées à tous les avocats, magistrats, greffiers, parlementaires, conseillers généraux, à la plupart des maires, aux juristes de toute sorte.

On me dit : « C'est l'information. » Je croyais avoir entendu, il y a un moment, M. Peyrefitte déclarer que c'était nous qui faisions la loi. Certes, ce ne sont pas les magistrats, mais ce n'est pas non plus le Garde des Sceaux, de telle sorte qu'avant que l'Assemblée se soit exprimée, je proteste contre une propagande qui tente de forcer notre opinion.

Je me méfie des gouvernements qui se croient obligés de triturer le droit…
— d'inventer des qualifications, des incriminations nouvelles, de réviser l'échelle des peines, de fabriquer des juridictions d'occasion.

C'est vrai — la formule est d'un parlementaire éminent qui appartient à cette assemblée, et même à sa majorité — l'arsenal des lois répressives fournit à qui veut s'en servir les armes que chaque situation requiert.

J'ai dit aussi : loi hypocrite ou à double visage.

Double visage, les conditions dans lesquelles ce projet a été déposé. D'un côté, on annonce la création d'une commission de réforme du code pénal et d'une commission d'études sur la violence, qui se mettent aussitôt à l'ouvrage. De l'autre, on dépose un projet de loi, celui dont nous discutons, où l'on ne trouve pas trace des idées et propositions de ces deux commissions, pis encore, qui s'y oppose.

Hypocrisie, double visage, la façon dont on a voulu faire croire que l'unanimité des chefs de cour s'était réalisée sur ce projet, alors que c'était inexact et qu'il a fallu démentir la façon, aussi, dont on a voulu faire croire que l'on s'était inspiré du rapport Arpaillange[29], dont M. Pompidou s'était

29. Le 13 septembre 1972, *Le Monde* publie une note d'orientation « pour une réforme d'ensemble de la justice pénale ». (Elle a été préparée par la direction des Affaires criminelles et des grâces, que dirige Pierre Arpaillange.) Au-delà des ressources budgétaires, les structures pénales et leur fonctionnement sont mises en cause. Le « rapport Arpaillange » affirme : « Tout, décidément, concourt à la désagrégation de notre société. »

réclamé en 1972. La semaine dernière, M. Arpaillange lui-même s'est chargé de démentir cette filiation :

« Il est pour moi évidemment impossible, même si je reste persuadé de la nécessité de profondes réformes, d'accepter que soient mises en parallèle les « recommandations » qui furent les miennes et les orientations du projet gouvernemental dit « sécurité et liberté », qui est un texte de régression, tant sur le plan de la sécurité juridique que dans le domaine de la défense et des libertés. »

Voilà une double mise au point qui, je l'espère, sera retenue.

Double visage, encore : ce projet de loi prétend respecter les principes traditionnels du droit — et cela vient d'être répété à l'instant ici même — alors qu'il réduit à l'excès la compétence et la marge d'appréciation des magistrats du siège en même temps que les moyens de la défense. J'y reviendrai.

Double visage, toujours : ce projet parle des lenteurs de la justice et prétend y parer. Que d'exemples dans la bouche de M. le Garde des Sceaux ! Après tout, pourquoi pas ? Mais le projet n'évoque même pas cette cause évidente : l'absence de moyens financiers, matériels, de moyens en person-nel de la magistrature, carences relevées en termes très sévères par M. le président de la commission des lois dans un rapport déposé le 7 mai 1980 — on pourrait quand même s'en souvenir ! — et qui rappelle que le nombre d'affaires entre 1969 et 1978 a augmenté de 239 p. 100, tandis que le nombre des magistrats n'a augmenté, dans la même période, que de 29 p. 100. Vingt-cinq des trente-quatre chefs de cour ont signalé que le nombre insuffisant de magistrats constituait la principale difficulté qu'ils rencon-traient. Bref, concluait-on, il fallait créer plus de 1 000 postes.

Je dirai, à cet égard, que négliger cet argument quand on est le Garde des Sceaux responsable de la bonne marche de la justice et que l'on critique des lenteurs qui tiennent strictement à la décision du Gouvernement, c'est utiliser des procédures judiciaires pour régler un problème budgétaire.

Hypocrisie, la façon dont l'*habeas corpus* est introduit par le biais de la situation des étrangers détenus en voie d'expulsion et des malades mentaux internés — ce qui est un progrès — alors que cet *habeas corpus* est, en réalité, le droit confié à toute personne qui s'estime arbitrairement détenue de saisir elle-même le juge afin que celui-ci vérifie si la détention est régulière.

Hypocrisie, l'affirmation selon laquelle la notion de flagrant délit disparaî-trait du droit pénal, alors que ce qui disparaît n'est que l'exigence du caractère flagrant et que tous les délits, voire certains crimes, pourront désormais être jugés selon une procédure expéditive à peine moins attentatoire aux libertés que la procédure du flagrant délit.

Hypocrisie, ce qui peut apparaître sur un point comme une amélioration et a pour contrepartie la généralisation illimitée d'un système pernicieux par nature.

Hypocrisie, double visage enfin, quand sous prétexte de lutte contre quoi ? contre 5 p. 100 de criminalité dure, grave, et contre la masse des délits de moyenne importance qui créent un sentiment d'insécurité, on s'en prend par la bande aux mouvements sociaux.

J'aborde là la troisième considération que j'évoquais tout à l'heure ; notre groupe parlementaire estime que le projet de loi est un projet de répression sociale, qu'il accroît le caractère d'une justice de classe. Par ses articles 13 et 17, il expose tout manifestant, par exemple lors d'une occupation d'usine, en cas de tension sociale et politique, à des peines pouvant atteindre dix à vingt ans d'emprisonnement. On remarquera, en regard, qu'il ignore la délinquance économique, celle dite des « cols blancs », la répression patronale, les accidents du travail, la fraude à la Sécurité sociale, la fraude au contrôle des changes, la fraude fiscale.

Si la commission a corrigé dans les articles que j'incrimine ce qui avait trait à la procédure, elle a maintenu tel quel le dispositif des infractions.

Oh, je sais bien que cette justice discriminatoire, qui sera encore plus discriminante par le projet de loi qui nous est soumis, rencontre l'assentiment de certaines couches sociales. Elle me rappelle cette déclaration du député Riché, membre du corps législatif, au lendemain de l'attentat d'Orsini en 1858, et qui disait : « Même si les mesures proposées ne sont pas de nature à sauvegarder l'avenir, elles ne peuvent, du moins, en aucun cas, menacer ni atteindre les honnêtes gens : les salons conserveront la liberté de la conversation, et la presse la liberté des allusions. »

Bref, pour ne pas abuser de ces citations qui, cependant, sont d'une répétition significative à travers les temps, je reconnais l'appel du duc Decazes qui, en 1820, s'écriait : « Vous pourrez reconnaître l'ennemi de l'Etat dans tout homme qui se réjouit des embarras du Gouvernement et de l'administration. »

J'argumenterai maintenant sur deux plans : d'abord, sur le rôle de la magistrature dans notre société, ensuite sur le respect des droits de la défense.

L'indépendance des magistrats : vous savez que l'autorité judiciaire est, selon l'article 66 de la Constitution, « gardienne de la liberté individuelle ». Vous savez que cette mission de garder la liberté et de protéger l'individu incombe à la magistrature, aussi bien au parquet, magistrature debout, dépendante de l'Exécutif, qu'à la magistrature assise, les magistrats du siège, qui, eux, échappent — du moins en principe — à tout autre pouvoir que celui de leur conscience dans le cadre, évidemment, de la loi votée par la représentation nationale.

Mais, ne l'oublions pas — ou plutôt, comment l'oublier ? —, participe également au pouvoir judiciaire le président de la République, garant, selon l'article 64 de la Constitution, de l'indépendance de l'autorité judiciaire et qu'assistent, à cet effet, le conseil supérieur de la magistrature, ainsi que le Gouvernement, par le canal du Garde des Sceaux, chef hiérarchique du parquet. Le président de la République nomme les membres du conseil supérieur de la magistrature, qui proposent à leur tour à son approbation le choix des magistrats du siège, règlent leur avancement et veillent à leur discipline.

Quant à la loi organique portant statut des magistrats, elle confie au procureur de la République, placé sous l'autorité du Garde des Sceaux, le soin de noter les magistrats du siège, et donc les juges d'instruction, d'apprécier leur manière de servir, de peser sur leur avancement. Est-ce là une situation conforme à la séparation des pouvoirs, fondement de notre droit public depuis la Déclaration des droits de l'homme et du citoyen ? Non, sans doute. Mais, puisque les choses sont ainsi, on attendra du moins du Gouvernement de la République un extrême scrupule et du législateur une extrême prudence chaque fois qu'il s'agira de modifier l'équilibre si difficilement obtenu entre les nécessités de l'ordre et l'exigence de liberté. Car il y a plusieurs façons de s'en prendre à l'indépendance des juges et le pouvoir exécutif n'a guère manqué d'imagination sur ce point.

La règle de l'inamovibilité des magistrats du siège, par exemple, expressément rappelée par l'article 64 de l'actuelle Constitution, a connu bien des avatars au gré des événements de l'histoire et selon la nature du régime politique.

Je me permets de vous rappeler que, établie par Philippe le Bel, confirmée par Philippe VI de Valois et considérée alors comme une marque de confiance purement personnelle, l'inamovibilité ne durait que le temps d'un règne et devait recevoir l'agrément du nouveau monarque. C'est Louis XI qui la fit entrer dans le domaine de la loi par l'édit du 21 octobre 1467, mais il n'en tint lui-même aucun compte.

Elle réapparut par la suite avec les ordonnances de 1535 et de 1670, mais toujours liée à la vénalité des charges. C'est donc, en fait, le décret du 18 septembre 1791 qui rendit les juges inamovibles comme on le conçoit aujourd'hui. A partir de là, l'inamovibilité épousa les avances et les reculs de la démocratie. Maintenue dans la Constitution de l'An VIII, Napoléon Ier l'écarta en 1807 et 1810, afin d'éliminer les magistrats jugés insuffisamment dociles. Après les Cent Jours et pour révoquer 1 700 magistrats, Louis XVIII suspendit l'article 58 de la Charte additionnelle. Louis-Philippe fit de même avec l'article 49 de la Charte de Charles X.

Rétablie par la Constitution de 1848, l'inamovibilité fut à nouveau récusée par Napoléon III, qui imposa le serment de fidélité à l'Empire. Dans le même esprit, plus récemment, c'est une loi du 17 juillet 1940 qui permit à Philippe Pétain de relever les magistrats de leurs fonctions, avant qu'une loi du 14 août 1941 n'exigeât d'eux le serment. [...]

J'ajouterai pour être complet que la IIIᵉ République, le 30 août 1883, révoqua 600 magistrats réputés non républicains, de même que le Comité français de libération nationale, par les ordonnances du 10 septembre 1943 et du 27 juin 1944, en rejeta 300 au titre de l'épuration.

Comme vous le voyez, d'un côté Napoléon Ier, Louis XVIII, Louis-Philippe, Napoléon III, Philippe Pétain. De l'autre la République.

Pour que celle-ci contrevînt à la garantie de l'indépendance des juges, dont elle a fait l'un de ses principaux fondements, il n'a pas fallu moins de deux tentatives de coup d'Etat, en 1877 et 1961, et une guerre assortie d'une occupation ennemie.

Quelque opinion qu'on ait du régime actuel, de la façon dont il est conduit et de l'état de l'opinion publique, nul ne prétendra que nous connaissions aujourd'hui une situation comparable. [...]

J'allais dire que, différent en cela d'un récent projet de loi sur le statut de la magistrature qui est encore en navette entre l'Assemblée et le Sénat — projet de loi que le Gouvernement veut à tout prix, je crois, imposer en dernière lecture et qui l'autorise à nommer, selon les besoins, des « magistrats volants », c'est l'expression retenue, sans affectation précise, des magistrats du siège sans siège, donc amovibles — le projet de loi qui nous est soumis, monsieur le Garde des Sceaux, je vous rends les armes respecte l'inamovibilité des juges.

Ce n'est pas la manière de M. Peyrefitte ! Pas davantage il n'institue, comme ce fut le cas naguère avec le haut tribunal militaire, la cour militaire de justice, la cour de sûreté de l'Etat, de tribunaux d'exception à la tête, si j'ose dire, du client. Sa démarche est plus subtile. Il ne heurte pas de front l'indépendance des juges. Il la contourne. De deux façons.

La première consiste à substituer au magistrat du siège, en l'occurrence le juge d'instruction, le couple parquet-police. Par exemple, le procureur procédera d'office à une enquête sur la personnalité du détenu et cette enquête sera diligentée sous son seul contrôle par la police judiciaire.

Mieux encore, le procureur pourra saisir directement la juridiction de jugement, sans intervention du juge d'instruction, s'il estime cette saisine justifiée par les charges qu'aura rassemblées l'enquête de police. Bref, dans la classique triade poursuite-instruction-jugement, le projet saute l'instruction. La double juridiction de jugement disparaît.

En outre, le procureur de la République pourra faire procéder à la détention immédiate et provisoire du prévenu sur simple demande adressée à la juridiction de jugement.

On aura ainsi réussi cette inquiétante performance de confondre deux fois deux démarches dont le caractère distinct demeure une exigence essentielle du droit, la mise en accusation et l'instruction d'abord, l'instruction et le jugement ensuite.

En outre, le prévenu pourra être emprisonné pendant un délai qui ira jusqu'à deux mois sans savoir pourquoi, sans avoir pu consulter son dossier, sans avoir eu la possibilité d'organiser sa défense. [...]

Tout cela prend l'allure de la détention arbitraire et remet directement en cause le principe selon lequel tout prévenu est réputé innocent tant qu'il n'a pas été déclaré coupable.

On peut se demander ce que sera l'attitude de la juridiction de jugement lorsqu'elle examinera une affaire après avoir procédé à une détention provisoire. Ne sera-t-elle pas tentée de condamner pour éviter de reconnaître que l'internement a été abusif ?

Que l'Assemblée suive ou non sa commission des lois, qui a, sur ce point, contredit le projet initial, il est clair que M. Peyrefitte a renoncé au principe jusqu'ici absolu de l'instruction conduite par un magistrat du siège.

Mais ce débat n'est pas nouveau. On se souvient que Merlin et Treilhard, deux grands jurisconsultes, ayant plaidé auprès de Napoléon Ier lors de la discussion préparatoire du code d'instruction criminelle pour la confusion de la poursuite et de l'instruction, comme aujourd'hui, et pour que le procureur mène le train, comme aujourd'hui, l'Empereur s'était rangé à l'avis de Cambacérès qui s'était exprimé en ces termes : « Par son institution, le ministère public est partie ; à ce titre, il lui appartient de poursuivre, mais par cela même il serait contre la justice de le laisser faire des actes d'instruction. Le procureur impérial — continue Cambacérès — serait un petit tyran qui ferait trembler la cité, tous les citoyens trembleraient s'ils voyaient dans les mêmes hommes le pouvoir de les accuser et celui de recueillir ce qui peut justifier leur accusation. »

Voyez-vous cela, Napoléon moins répressif que Peyrefitte !

Deuxième façon de contourner l'indépendance des magistrats du siège, le Garde des Sceaux nous demande de réduire leur marge d'appréciation. On automatise leur jugement.

C'est le cas de l'article 5 du projet qui, d'une part, limite ou refuse les circonstances atténuantes et, d'autre part, décide de faire automatiquement jouer les circonstances aggravantes.

C'est le cas de l'article 9, en vertu duquel les peines sont automatiquement décidées.

On observe le même processus avec le resserrement de l'éventail des peines. Par la combinaison d'un maximum légèrement abaissé et d'un minimum fortement relevé, les magistrats sont tenus en lisière. Et, quand le maximum est relevé, autre cas de figure — par exemple le projet de loi porte à perpétuité la réclusion criminelle de dix à vingt ans prévue par l'article 384 du code pénal pour vol avec port d'arme — quelle latitude reste-t-il à l'appréciation des juges ?

Deuxième point sur lequel porte mon argumentation : la réduction des droits de la défense. Car c'est bien un objectif du projet de loi que de porter atteinte à ces droits, ce qui explique l'unanimité de la position des organisations professionnelles d'avocats, qui en condamnent les dispositions.

On remarquera là encore le va-et-vient des moyens de défense, selon la nature du régime en place.

Le texte de 1791 avait institué le droit à la défense, et c'est la loi des suspects du 17 septembre 1793 qui y porta une première atteinte pour

« débarrasser le tribunal des formes qui étouffent la conscience et empêchent la conviction », à savoir témoignages et plaidoyers.

Les lois du 9 octobre 1889 et du 8 décembre 1897 ont prévu avec minutie l'assistance d'un conseil à tous les stades de la procédure.

Mais la loi du 14 août 1941 a suspendu les garanties de la défense dans le cas des attentats terroristes tandis que celle du 14 mai 1944 a fait juger les terroristes par les cours criminelles hors la présence d'un défenseur. Terroriste, bien entendu, fut le terme choisi, à l'époque, on comprend pourquoi.

Inutile d'insister sur les lois de la Restauration et du Second Empire ; inutile d'insister sur les lois qui prévalurent au lendemain de la Commune de Paris.

Si l'on déplore à l'heure actuelle la méconnaissance des droits de la défense avec la procédure de garde à vue, le projet Peyrefitte va plus loin puisqu'il permet au procureur de la République d'agir sans informer le prévenu qu'il a droit à un défenseur et d'instruire hors la présence d'un avocat.

Bref, si le projet était adopté, nous disposerions d'une procédure dans laquelle le temps minimum prévu par la loi pour préparer la défense serait de cinq jours dans la version Peyrefitte et, je crois, de trois jours dans la version Piot. C'est court, s'agissant de délits correctionnels qui font encourir des peines allant de sept à quinze ans de prison. C'est en tout cas peu conforme, Monsieur le Garde des Sceaux, à la notion de « temps nécessaire » retenue par la Convention européenne des droits de l'homme.

J'examine maintenant les trois principaux motifs d'irrecevabilité dont le groupe des socialistes et des radicaux de gauche a saisi l'Assemblée nationale, avant, bien entendu, si cela se révèle nécessaire, de poursuivre cette action devant le Conseil constitutionnel.

Le premier motif d'irrecevabilité vise la notion « de peine strictement nécessaire », en vertu de l'article 8 de la Déclaration des droits de l'homme, confirmée par le préambule de l'actuelle Constitution.

Est-ce une peine strictement nécessaire, Monsieur le Garde des Sceaux, que celle, inscrite à l'article 5 du projet de loi, qui prévoit le doublement de peine en cas de réclusion perpétuelle ou de mort ?

Est-ce une peine strictement nécessaire que celle, prévue par l'article 7 de votre projet de loi, qui vise la menace ou la tentative de menace d'une atteinte aux droits d'une personne ? Ainsi, alors que, selon le Code pénal, une gifle peut valoir huit jours de prison, la menace d'une gifle vaudra, si votre texte est adopté, de un à cinq ans. Oh ! je sais que la commission des lois a éliminé la notion — écoutez-moi bien — de « tentative de menace d'une atteinte ». Mais elle a maintenu la « menace d'une atteinte ». Je remarquerai à cet égard qu'on peut se demander — mais ce sera l'objet du débat qui suivra — de quelle façon seront démêlées les intentions du Garde des Sceaux de celles de la commission des lois, bien qu'il y ait de sérieuses différences entre elles.

Est-ce une peine strictement nécessaire que le doublement cumulatif de peines ? Je sais que sur ce point la commission a apporté des correctifs. Sans doute faut-il également tenir compte des impropriétés de termes, disons d'une mauvaise rédaction, ce qui m'étonne beaucoup de la part de M. Peyrefitte [...].

En dépit des amendements adoptés par la commission, je pense, avec mes collègues du groupe socialiste, que ces corrections ne changent pas le fond du projet de loi. C'est l'avis de nombreux juristes. On peut opposer compétence à compétence. M. Peyrefitte n'y manquera pas. M. Barre sera sans doute sensible à l'avis du professeur Rivero [30] qui condamne le projet de loi et qui fut naguère l'un des rédacteurs du programme de Blois [31], aussi indépendant à son égard qu'il l'est aujourd'hui au mien.

Quand des règles fondamentales sont, comme l'affirme Mme Mireille Delmas-Marty [32], doublées de la règle inverse, comment voulez-vous conduire la justice ?

M. Piot [33] nous a dit que la commission avait profondément modifié, sur plusieurs points, le texte initial. Eh bien, nous verrons ! Si la commission a jugé bon de modifier profondément, c'est donc que l'on avait raison de protester, mais alors pourquoi le rapporteur de la commission des lois s'en est-il étonné ?

L'exposé de M. Piot était très intéressant, mais il manquait pour le moins de logique.

Je lui poserai la même question qu'à M. le Garde des Sceaux : vous êtes-vous, messieurs, interrogés sur les causes réelles de la multiplication des crimes et délits ? Vous parlez de l'insécurité. Vous êtes-vous interrogés sur les raisons pour lesquelles celle-ci s'étend ?

M. le Garde des Sceaux a cité des chiffres impressionnants — crimes, délits, nombre de détenus, abus de la détention préventive — mais s'est-il demandé pourquoi, au cours de ces dix dernières années, le mal a fait tant de progrès [...]

Comment n'a-t-il pas établi le lien entre la façon dont sont conduites les affaires de la France, entre la façon dont vit notre société, et le développement des infractions de toutes sortes ?

Vous pensez que les deux choses sont indépendantes parce que cela vous arrange ! [...] Vous préférez ne point vous poser cette question : qu'est-ce que la violence et d'où vient-elle ?

30. Jean Rivero, professeur à l'Université de droit de Paris, depuis 1969.

31. Le 7 janvier 1978, à Blois, le Premier ministre Raymond Barre a rendu public le programme du Gouvernement pour la prochaine législature, les 30 « objectifs d'action pour les libertés et la justice » et les 100 propositions visant à les concrétiser.

32. Mme Mireille Delmas-Marty, professeur de droit privé du centre juridique de Sceaux, à l'Université de Paris-Sud.

33. Jacques Piot, député R.P.R. de l'Yonne, vice-président de la commission des lois de l'Assemblée nationale depuis 1973.

Aucune violence n'est excusable, mais il faut, pour tenir un discours cohérent, ne pas traiter d'un pareil sujet, Monsieur le Garde des Sceaux, sans parler du désordre d'un système où le chômage frappe 1 500 000 travailleurs.

L'insécurité, Monsieur Peyrefitte, pour qui ?

Oui, je le répète, quand on voit tant d'inégalités qui marquent notre société, quand on constate l'insolence des privilèges, l'insécurité pour qui ?

Et les conditions de vie, de travail, la ville telle qu'on la construit, les conditions de logement, quand il y a logement, l'absence de communication, les difficultés que rencontre quiconque veut parler à un autre, comprendre et se comprendre : l'insécurité pour qui ? La solitude, l'abandon, l'injustice, l'indifférence, la misère ne sont-ils pas facteurs d'angoisse et de colère, parfois de délinquance... ?

... Lorsque l'on n'a pas reçu les chances de l'éducation, d'un milieu qui vous mette à l'avance en garde contre les entraînements de la révolte...

En conclusion, je citerai deux fois Adolphe Thiers. Il eut, le 8 avril 1871, cette formule qui résume à elle seule l'essentiel du discours de M. Peyrefitte [...] : « Oui ou non, voulez-vous l'ordre ? Toute la question est là. »

Et le 27 avril 1871, celle-ci : « Ce n'est pas seulement au pays, c'est à la civilisation tout entière que nous rendons service quand nous faisons triompher les principes de l'ordre qui sont en même temps ceux de la liberté la plus pure. » Faut-il rappeler que l'ordre vu par Thiers était celui des Versaillais fondé sur 30 000 exécutions de communards ?

Dans une société d'injustice il n'y a de sécurité pour personne, mais les premières, les constantes victimes sont toujours les plus pauvres et les plus démunies.

24 juin 1980.

J'ai dit tout à l'heure : loi Peyrefitte... Nous avons dit ce que nous avions à dire à la tribune de l'Assemblée nationale... Mais enfin, la presse ici rassemblée doit savoir... Je crois que M. Ivan Levaï[34] a levé le lièvre récemment — il n'est pas le seul mais c'est lui que j'ai entendu : lorsqu'on pense qu'un amendement de dernière heure prévoit la légalisation des contrôles d'identité : nous devons désormais avoir tous nos papiers sur nous, sinon au poste, pour vérification ! Et je me permettrai, Monsieur Ivan Levaï, lorsque vous avez dit au Garde des Sceaux : « Mais alors, que m'arrivera-t-il à moi... Je n'ai pas toujours mes papiers sur moi... » — d'ailleurs moi non plus — que vous a dit M. Peyrefitte, grosso modo ? Je paraphrase au mot près : « Mais non, Monsieur Ivan Levaï, vous ne serez pas inquiété, vous

---

34. Ivan Levaï est journaliste à Europe 1. Tous les matins, à 8 h 30, au cours de l'émission « Expliquez-vous avec Ivan Levaï », il s'entretient avec une personnalité.

avec une bonne figure. » Pour la figure je n'ai rien à dire. Mais pour la méthode qui consiste à décerner le titre de bon citoyen — sans papiers — à un journaliste d'Europe 1... Quelle chance vous avez, Ivan Levaï, de ne pas avoir... le nez de travers ! Je veux dire par là que, pour un Garde des Sceaux, décider du droit et des libertés selon la figure du client, c'est la meilleure image qui pouvait survenir pour qualifier la loi Peyrefitte.

5 décembre 1979. Tour d'horizon sur les libertés. Le P.S. lance une radio-libre, Radio-Riposte.

« *Jugez-vous inconvenant que l'on s'interroge sur les libertés dans un pays démocratique comme la France ?*

— La conquête des libertés sera toujours une bataille inachevée. Dans cette lutte, tout repos est une défaite. Regardons un instant derrière nous. Les libertés qui définissent la démocratie politique sont entrées dans notre droit public il y a maintenant près de deux cents ans. Mais très vite la bourgeoisie, qui venait d'accéder au pouvoir politique en portant haut les aspirations populaires, a pris en main le pouvoir économique de la société industrielle naissante, moyens de production et banque. Elle avait abattu les derniers pans de l'ancienne féodalité. Elle a créé la sienne. C'est contre elle qu'il a fallu bâtir les premiers fondements de la démocratie sociale, conquérir les droits collectifs. Nous sommes encore loin du compte. D'autant que pour organiser sa défense contre la démocratie sociale, la démocratie politique soumise à la classe dirigeante a vidé de substance les principes dont elle se réclamait. Non, il n'est pas inconvenant de s'interroger sur les libertés aujourd'hui. La dialectique liberté-répression ne cesse pas, ne cessera pas d'être actuelle. Le retour aux grands principes, simples et forts, reste le combat de l'avenir.

— « *Liberté, égalité, fraternité* », *cette devise-projet serait donc périmée ?*

— Périmée, non. Mais qui pourrait prétendre que les libertés, la Liberté traduite au pluriel, existent véritablement pour des millions de gens, soumis à des conditions écrasantes de vie et de travail, pour un peuple inspiré par une information dirigée ?

— *Quelle est pour vous la plus précieuse des libertés ?*

— Difficile classement !

— *La liberté d'aller et venir ?*

— Vous avez répondu pour moi. Mais puisque vous m'avez placé sur ce sillon, continuons ! Ce n'est pas un sujet sur lequel j'ai oublié de réfléchir. Il me touche de près. Je garde le souvenir de la joie extraordinaire que j'ai éprouvée, un jour de décembre 1941, sur la route de Chambley à Mont-sous-Vaudrey, dans le Jura, quand, évadé d'Allemagne, j'ai fait à pied les premiers kilomètres de ma liberté. Seul, sans gardiens, maître d'aller où je voulais, du moins le pensais-je.

Aller et venir, c'est tous les problèmes à la fois. Celui de la libre circulation des personnes et des idées à travers les frontières, le problème du passeport, le problème des contrôles de police à l'intérieur d'un même pays, le problème des immigrés qui peuvent être renvoyés de France après dix ans, vingt ans, en quelques heures, c'est aussi le problème des camps de concentration, des résidences surveillées, des fiches, des prisons préventives, sans omettre le problème des conditions de travail, des cadences, des transports… La liberté, en fin de compte, n'est-ce pas la faculté de rester, de partir sans demander de permission ? D'aller vers le pays, vers les êtres qu'on aime, hors du regard froid de l'Etat ? [...]

— *Où en sommes-nous aujourd'hui en France de l'opposition entre liberté et sécurité ?*

— Cette opposition n'est pas fatale, heureusement ! La sécurité, au contraire, est facteur de liberté. Et la meilleure sécurité est celle qui découle d'une politique pour une plus grande justice, une plus grande égalité. Cependant, que de systèmes politiques jouent de la peur comme ressort de gouvernement ! Avec chez nous ce complément savoureux de la distribution des rôles. Le gouvernement dramatise. Le président dédramatise. Rôles différents pour une même pièce. Dans un pays tel que le nôtre, la police s'exerce sous deux formes. L'une, classique : celle qu'on connaît, visible, avec ses agents, ses moyens, les services qu'elle rend, la répression qu'elle mène. L'autre, insidieuse, détournée, que portent en eux les moyens de propagande, l'audio-visuel surtout, qui conduisent les Français à penser que leur sécurité est menacée, non seulement par le fait de la criminalité devenue, si j'ose dire, l'un des fondements de notre société, mais aussi parce qu'elle apparaît comme le reflet de mauvaises idées politiques, de mauvais principes moraux. La façon dont le pouvoir exploite le besoin qu'éprouvent les Français de vivre en sécurité, ce qui est bien normal, montre qu'il a choisi l'ordre moral contre la liberté. C'est bien la marque d'un pouvoir conservateur.

— *Dans ce cas la police est-elle une menace pour nos libertés ou une garantie pour notre sécurité ?*

— Un juste emploi de la police est nécessaire. Mais à compter du moment où l'on donne la primauté à l'ordre moral, pris dans son sens historique, sur le respect des principes de liberté, la police, souvent malgré elle, ne sert plus qu'à défendre non plus la sécurité mais les choix, les exigences, les préférences, les comportements de ceux qui gouvernent. On entre dans le système répressif.

— *Ce n'est donc plus une police d'Etat, c'est une police de gouvernement ?*

— Trop souvent oui, si l'on observe la tendance présente. La répression est de plus en plus considérée, par l'effet exemplaire qu'on lui suppose, comme étant une garantie de la sécurité, l'amalgame étant fait entre la sécurité que l'on est en droit d'attendre du service public et la sécurité du pouvoir établi.

— *Quel est pour vous le pire des crimes, public ou privé ?*

— Le viol des consciences. [...]

— *... Qu'est-ce que la légalité ?*

— L'expression de la volonté générale, comme vous le savez. Il y a danger mortel à laisser l'Etat trafiquer avec elle.

— *Prenons une question très concrète par rapport à la légalité : les radios libres. Le Parti socialiste a voté pour le monopole ?*

— Nous sommes, en effet, pour le service public. Mais le monopole n'est pas respecté. Le Gouvernement l'a confisqué à son profit. Pas même au profit de sa majorité, mais du parti du Président.

— *Alors, avec Radio-Riposte, vous entrez dans une forme de rébellion ?*

— C'est une forme de rébellion contre ceux qui bafouent le droit et qui escroquent la nation. Et comme c'est un moyen d'expression confisqué, comment voulez-vous réagir si vous ne disposez pas d'un moyen parallèle pour vous exprimer, fût-ce de façon symbolique ? Les symboles ne sont pas négligeables.

— *Autrement dit, la rébellion serait une vertu civique ?*

— La Constitution dit quelque chose là-dessus, il me semble, comme, avant elle, la Déclaration des droits de l'homme et du citoyen. Mais restons mesurés ; contre un pouvoir qui moque la loi, je garde la liberté de ne pas l'accepter.

— *Dans cette optique, l'information est aussi un peu une forme de rébellion par rapport à ces pouvoirs ?*

— Là où le droit reconnaît l'existence de l'opposition, ce n'est pas une rébellion, mais le droit de parler, de s'exprimer à sa guise, le droit à la contradiction.

— *C'est-à-dire ?*

— Dans une démocratie, l'opposition n'a pas besoin d'être rebelle pour s'exprimer ! Elle use de la loi. D'une façon générale, en France, pendant de longues périodes, cette règle a été respectée malgré des défaillances. Depuis quelque temps, c'est devenu plus difficile, parce que les moyens de la technique sont venus faciliter la tâche de ceux qui n'aiment pas la liberté d'expression. Avec, en prime, l'hypocrisie. Camille Desmoulins, je l'ai souvent rappelé, diffusait une feuille recto verso sur les boulevards. C'était la Révolution. Si aujourd'hui vous vous baladez sur les mêmes boulevards en distribuant un journal de ce volume et de ce format, ce n'est pas très dangereux pour le pouvoir, il vous laissera faire, vraisemblablement, et encore ! Mais, en même temps, il régnera en maître sur sa radio-télévision, qui touche des millions de gens à longueur de journée. C'est ça l'hypocrisie.

— *Autrement dit, ce n'est pas l'argent qui est la cause que l'information n'est pas ce qu'elle devrait être.*

— L'argent n'est jamais loin d'un pouvoir de cette sorte.

— *N'est-ce pas assigner un rôle subsidiaire à la presse écrite ?*

— Non, mais elle atteint moins de gens et moins continûment.

— *Elle les touche différemment.*

— Oui. Son rôle reste très important. La radio-télévision occupe cependant le gros du terrain.

— *Il y a une notion qui me vient à l'esprit, qui n'est absolument pas originale, c'est la société de haute surveillance, l'image de l'homme assiégé.*

— Un gouvernement démocratique doit être extraordinairement scrupuleux quant à l'usage qu'il fait de ses pouvoirs. Ou alors il s'expose à commettre un acte d'une gravité telle qu'il justifierait ultérieurement les révoltes, toutes les révoltes. La perversion d'un gouvernement consiste, quand on a besoin de liberté, à créer un faux besoin prioritaire de sécurité, bref, d'opposer l'une à l'autre, de les présenter comme incompatibles. J'estime que ce risque existe en Europe occidentale, et particulièrement en France.

— *Le développement de l'informatique est-il de nature à aggraver cet état de choses ?*

— Naturellement. Mais on ne se dispensera quand même pas de l'informatique. Pas plus que du nucléaire, ou de la maîtrise de la génétique. Plus le progrès technique s'accroît, plus le scrupule démocratique doit être grand, je le répète, chez ceux qui nous gouvernent. Et comme malheureusement ceux qui nous gouvernent économisent ce scrupule, le progrès sert à renforcer leur pouvoir. C'est pourquoi, comme une société ne peut pas compter sur la simple vertu des citoyens, il faut des institutions. Les institutions, on les a inventées pour que l'harmonie d'un groupe humain ne soit pas à la merci des humeurs, des impulsions, des intérêts de ceux qui le composent. On devine autrement ce qui se passerait. Assez d'exemples nous le montrent sur la surface de la Terre, livrée aux dictateurs et aux partis uniques, ce retour à la barbarie. Mais, puisque nous vivons dans l'une des rares régions du monde où la démocratie reste un idéal de vie, il faut des institutions qui la protègent, le cas échéant contre elle-même. Il faut des institutions pour que soit respectée l'équité des moyens audio-visuels ; il faut des institutions pour empêcher ou pour contrôler les écoutes ; il faut des institutions pour contrôler l'usage de l'informatique ; il faut des institutions pour limiter toujours et partout l'emprise de l'Etat et des pouvoirs publics.

— *Est-ce que ça ne signifierait pas la nécessité d'un nouveau mode de contrôle de l'Exécutif ?*

— Un nouveau mode ? Il y a le Parlement. Pour l'instant, il joue les seconds rôles et ne dispose pas en fait de pouvoirs réels. J'imagine de multiples institutions, pluralistes par nature, rigoureusement spécialisées dans la défense des libertés, et qui seraient en prise directe avec le Parlement. La décentralisation sera demain, au surplus, un puissant moyen de liberté.

— *Mais encore ?*

— Pour la radio-télévision, il existe des expériences près de chez nous, en Belgique, en Grande-Bretagne, en République fédérale d'Allemagne, où fonctionnent des systèmes plus justes que le nôtre, véritablement pluralistes et décentralisés, où l'on reconnaît le droit des partis, des syndicats, des organisations professionnelles, des Eglises, des écoles de pensée, où l'on aurait honte de ces nuques courbées, de ces paroles domestiquées que notre système suscite et entretient, de cette simagrée qui consiste à donner des créneaux à des multitudes d'associations à des heures où personne n'écoute.

Il nous faut un statut pour la radio-télévision, service public géré par des hommes et des femmes représentatifs des différents secteurs de l'opinion et des différentes formes d'esprit, ouvert à toutes les formes de la création. J'aime mieux l'hétéroclite de la diversité que la consigne venue de l'Elysée qui règle jusqu'à l'infime détail — par personnes interposées mises en place pour cela — ce qu'il convient de dire et de penser, trahison grave de la démocratie.

— *Les radios locales ?*

— Le Parti socialiste a pris position en faveur des radios locales pluralistes permettant l'expression de l'ensemble de ceux qui concourent à la vie associative et concédées par le service public. L'exemple italien montre l'abus auquel peuvent conduire les radios dites libres.

— *Alors vous rejoignez ce qu'a dit M. Barre.*

— M. Barre, lui, maintient un système où le monopole de la diffusion étouffe la liberté de programmation et la capacité de créer. Il le livre, au surplus, à la faction qui nous gouverne. Non, nous ne parlons pas des mêmes choses.

— *M. Barre dit : « Les radios libres, c'est l'anarchie. »*

— Anarchie qui sera très vite contrôlée par les moyens d'argent. Après quoi il n'y aura plus d'anarchie du tout, mais toujours de l'argent, beaucoup d'argent — et le vrai pouvoir à l'argent. [...]

— *Il sort en ce moment sur les écrans un très grand film qui est « Don Giovanni ». Don Juan est-il un idéal de liberté ?*

— Je n'aurais pas pensé à lui, bien qu'il se soit dressé contre tant de tabous.

— *Est-ce que c'est un symbole ? Est-ce que sa vie est une incarnation de la liberté ?*

— La liberté dont il use est sa liberté, une vraie liberté, mais il en use aussi contre la liberté d'autrui. Les femmes sont mues par d'autres mobiles que le seul appétit de l'homme, appétit du corps ou de l'esprit. Où est leur liberté à elles ? Don Juan dispose à son gré de la vie des autres. Il n'est donc pas pour moi symbole de liberté.

— *Il n'y a pas que cela, car Don Juan défie le commandeur et il défie sa vie.*

— Sans doute. Mais gare à la confusion entre appétit et liberté. Quoi qu'il en soit, je ne vois aucune règle humaine qui pourrait lui interdire d'être Don Juan, d'aller jusqu'au bout de son défi. Je ne lèverai donc pas le petit doigt contre Don Juan. Si vous m'aviez dit : « quel est à votre avis, parmi les héros de la littérature, celui qui incarne le mieux votre idée de la liberté », j'avoue que j'aurais épuisé mon sujet avant de penser à Don Juan.

— *Et vous auriez pensé à qui ?*

— Vous me posez à brûle-pourpoint une question qui nécessite des heures de réflexion.

— *Pour moi, je citerai Zénon, héros de* l'Œuvre au noir.

— Eh oui, le choix est bon. Zénon est l'un des personnages les plus passionnants de la littérature moderne. Il cherche et il meurt, apparemment vaincu mais l'esprit libre, vainqueur. A cet égard j'ai été très intéressé tout autour de Zénon par la vie et l'activité des sectes qui, comme maintenant, n'avaient pour objet que de s'autodétruire, la seule préoccupation de chacun étant d'avoir d'abord raison contre son frère. L'esprit de secte ou l'anti-liberté. Tout dogme qui veut prouver par la contrainte tue l'homme avec la liberté.

Le 28 juin 1979, pour protester contre « les atteintes aux libertés », la fédération de Paris du Parti socialiste organise, dans ses locaux, une émission « pirate » de radiodiffusion. Peu après que « Radio Riposte » a commencé à émettre, la police intervient, enfonce les portes du siège du Parti socialiste, en expulse manu militari *militants et élus socialistes.*

Le 24 août 1979, l'auteur est inculpé « d'infraction à la loi du 7 août 1974 sur le monopole de diffusion ».

Dans l'histoire de France il y a toujours eu des moments où des hommes ont dû prendre des risques pour la liberté.

Or, il existe aujourd'hui un détournement de la loi sur le monopole audio-visuel. Une atteinte grave à la liberté de la presse. Une fraude permanente sur le service public de la radio-télévision.

Eh bien, je le dis avec force, les auteurs de ces manquements sont le président de la République et son Gouvernement.

C'est pourquoi le Parti socialiste a décidé de lancer une vaste campagne, afin que l'opinion se rende compte à quel point est menacée, dans notre pays, la liberté d'information.

Le procès qui commence n'est pas celui qu'on veut instruire contre le Parti socialiste et son Premier secrétaire.

Il est celui que les socialistes engagent contre l'arbitraire et l'illégalité des agissements du pouvoir politique actuel.

On a voulu un procès politique, on l'aura.

Le Parti socialiste, cible des attaques parce qu'il est le parti de la relève et de l'espoir, continuera son action tant que ne sera pas respectée la liberté de la presse dans notre pays.

Bien entendu, ce combat n'est pas dissociable de ceux que nous menons pour transformer les conditions de vie économiques et sociales si difficiles que connaît actuellement l'immense majorité des Français.

27 mars 1980.

— *Comment qualifieriez-vous les six années de présence de Valéry Giscard d'Estaing à l'Elysée ?*
— Le gouvernement des médias, ou, plus exactement, par les médias. Les mots qui tiennent lieu des choses. Et six ans de surplace. Danse du ventre devant le Veau d'Or.

Conséquence de « l'espèce d'anarchie intellectuelle, de l'espèce d'anarchie morale dans laquelle nous vivons » : les scandales.

Le 14 mai 1979, Amnesty International[35] révèle que le 18 avril 1979, au Centre-Afrique, les soldats de la garde de Bokassa 1er ont massacré une centaine d'écoliers et d'étudiants qui protestent contre le port obligatoire d'un uniforme. Malgré les efforts du Gouvernement français pour limiter les responsabilités de Bokassa, on apprend qu'il aurait participé en personne à ces massacres.

Le 21 septembre 1979, David Dacko s'étant emparé du pouvoir en Centre-Afrique[36], l'ex-empereur Bokassa 1er, à bord de sa Caravelle personnelle, se pose sur la base militaire d'Evreux. Il demande en tant qu'ancien soldat français le droit de résider dans sa « seconde patrie ». Durant quarante-huit heures, son avion isolé par un cordon de troupes, Bokassa attend, les journalistes ne peuvent l'approcher. Finalement, les autorités françaises jugent sa présence « indésirable ». Et il part le 24 septembre pour la Côte-d'Ivoire qui « accepte par humanité », et à la demande pressante du président Giscard d'Estaing, de le recevoir.

4 octobre 1979.

Nul ne se plaindra de l'éviction du tyran. Mais qui ne se plaindra d'avoir vu la France et son président prêter la main, des années durant, à ce régime dérisoire et sanglant ? C'est une compromission dont les mobiles les plus

35. En 1961, à Luxembourg, Sean Mac Bride, Peter Benenson et une poignée de juristes ont décidé d'unir leurs efforts pour lutter contre la dégradation des droits et libertés politiques dans le monde. Ils étaient notamment bouleversés par l'usage de plus en plus répandue de la torture comme moyen de gouvernement. Fin 1980, Amnesty compte près de 250 000 membres dans 134 pays, dont 40 ont une section nationale.

36. Cf. *supra*, p. 47.

sordides — ou les plus vains — d'argent et d'agrément ont joué un rôle qu'il reste à dévoiler. La France y a beaucoup perdu. Et le problème du Centre-Afrique demeure posé.

Le 5 octobre 1979, débat à l'Assemblée nationale.

C'est dans la nuit de la Saint-Sylvestre 1965 que le colonel Bokassa, à la suite d'un coup d'Etat, a pris le pouvoir en République centrafricaine. Ce coup d'Etat s'est accompagné de pillages, de viols, d'assassinats, de vols, de tortures, de disparitions tragiques puis du supplice de plusieurs ministres du gouvernement précédent.

D'année en année, le style de gouvernement du nouveau maître de Centre-Afrique s'est affirmé, entrecoupé de temps à autre de moments de détente, ou de bonne humeur. Ainsi, lors de la fête des mères de 1969, le colonel Bokassa, devenu général, a ordonné la libération de toutes les femmes, de toutes les mères de famille détenues dans les prisons centrafricaines. De temps à autre, il expulsait des ressortissants français — les quarante Français de novembre 1969 — à la suite des protestations de M. Bourges [37] et de celles du quai d'Orsay. Des expulsions de journalistes intervenaient régulièrement. Puis ce furent, en 1972, cette nuit et cette journée sanglantes, qualifiées de « bal sanglant de Bangui », annoncé la veille par le chef d'Etat de la République centrafricaine, par une déclaration publique et officielle : « Nous nous attendons à voir, demain, des cas de décès. »

En effet, le lendemain, M. Bokassa préside au supplice de 46 hommes après avoir lancé ce vigoureux cri de guerre : « Un soldat par homme : que tout le monde y passe : vous devez taper jusqu'à vos dernières forces et même taper jusqu'à la mort. »

Des dispositions pénales sont prises à l'égard des voleurs. C'est la fameuse sentence qui tient lieu de tout jugement, et qui a été répétée dans la presse de l'époque : « Premier vol : une oreille coupée ; deuxième vol : la deuxième oreille ; troisième vol : le poignet droit ; quatrième vol : la tête. »

Jusqu'alors les relations entre le Gouvernement français et la République centrafricaine avaient été préservées, l'ordre étant le plus souvent assuré, ou la sécurité, par des soldats français, parachutistes envoyés à cette fin depuis 1967.

Après une série d'événements : la disparition, dans des conditions épouvantables, de personnels politiques et de dirigeants des ethnies concurrentes, dans la nuit du 19 février et les jours suivants, on a dénombré, après l'intervention des troupes zaïroises, 400 blessés et 150 morts, jusqu'au 18 avril 1979 où se produisit le massacre des enfants de Garadba.

---

37. Yvon Bourges est ministre de la Défense.

Monsieur le secrétaire d'Etat auprès du ministre des Affaires étrangères [38], tous ces événements, vous les connaissiez — je veux dire le gouvernement, car je ne veux pas vous rendre directement responsable d'une connaissance de faits qui n'étaient pas de votre ressort. Mais si le Gouvernement avait été attentif, les parlementaires, eux, le rappelaient constamment à la conscience de ses devoirs.

Compte non tenu des interventions venues des divers bancs de cette Assemblée, je rappellerai que j'étais moi-même intervenu, en 1972, en m'adressant longuement à M. Maurice Schumann, alors ministre des Affaires étrangères, pour appeler son attention sur la situation insupportable qui, en République centrafricaine, altérait non seulement la réputation de ce pays — ça n'était d'ailleurs pas directement notre affaire — mais aussi la réputation de la France, pour les raisons que j'exposerai dans un instant.

Si l'on veut bien se reporter à cette intervention de 1972 — il y a déjà sept années — on observera que le Parti socialiste n'a pas attendu les tragiques événements du mois de mars, le massacre des enfants du mois d'avril et le déroulement tragi-comique de ces dernières semaines. Il ne s'est pas saisi de l'événement, il n'a pas inventé la circonstance pour créer une situation de politique intérieure en France. La préoccupation des députés socialistes a été permanente.

Ainsi, je relève, en date du 25 juin de cette année, une proposition de résolution demandant la création d'une commission d'enquête sur les problèmes économiques et financiers en Centre-Afrique, sous la signature de MM. Alain Vivien, Chandernagor, Guidoni [39] ; déjà une autre proposition de résolution, déposée le 19 juin, serrait le problème de plus près et demandait la création d'une commission d'enquête sur la politique de coopération entre la France et l'Etat centrafricain ; sans oublier des questions écrites de toute sorte, parmi lesquelles j'ai relevé celle de Mme Marie Jacq [40], du 17 février de cette année, celles de M. Mexandeau, du 23 mai et du 25 août derniers, après que l'un de ses anciens étudiants de l'université de Caen eut été torturé dans d'épouvantables conditions à Bangui, celle de M. Alain Vivien du 17 mars, celle de M. Lemoine [41], etc.

Après chacun des actes de terreur, de répression sauvage qui ont marqué la vie en Centre-Afrique, sous l'impulsion et l'autorité de son chef, le groupe socialiste a alerté le Gouvernement. On ne peut donc pas dire que celui-ci ignorait cette dictature, cette tyrannie, ce régime de peur et de sang, pour ne pas ajouter — mais j'y reviendrai dans un moment — ce régime d'affaires et d'affaires douteuses, de compromissions et de scandales.

Pendant tout ce temps, le Gouvernement de la France et le président de la

38. Il s'agit d'Olivier Stirn.
39. Alain Vivien, André Chandernagor et Pierre Guidoni sont députés socialistes de Seine-et-Marne, de la Creuse et de l'Aude.
40. Marie Jacq est député socialiste du Finistère.
41. Georges Lemoine est député socialiste d'Eure-et-Loir.

République ne tenaient aucun compte des avertissements que nous avions lancés et que la presse reprenait à plusieurs reprises. Il est vrai que, pour la presse, c'était assez difficile, car les journalistes, dès qu'ils disaient un mot, étaient victimes de sévices, et que le Gouvernement français, dans un échange de lettres fameux, indiquait que des articles irresponsables ne pouvaient gêner en quoi que ce soit la nature des relations affectueuses entre la France et l'Empire centrafricain.

Et cependant, malgré toutes ces observations que je rappelle maintenant, c'étaient les parties de chasse, les embrassades, les mots touchants, les scènes familiales : « mon parent », « mon frère », le président de la République se reposant de ses lourdes charges de préférence auprès des fauves de Centre-Afrique.

Et puis ce fut l'avènement de l'empire [42]. Et nous avons, nous, Français, préparé, célébré cet événement et nous avons applaudi ce nouveau Napoléon bercé par les subsides de la France ; nous avons encouragé ces scènes ridicules reproduites par nos radios et nos télévisions. Et ce furent ces ministres en déplacement, le président de la République française considérant sans doute qu'il était invité personnellement, même s'il ne s'y est pas rendu, au sacre célébré par David. Ce furent encore les réceptions dans les châteaux et les propriétés accumulés par le nouvel empereur, entre les ministres, le premier responsable de l'Etat français et le sinistre personnage dont on savait depuis le premier jour — c'est-à-dire depuis maintenant quatorze ans — ce qu'il était.

On cherche une explication. On dira : mais, après tout, les intérêts de la France, la raison d'Etat, les obligations, les intérêts économiques... j'y reviendrai dans un instant.

Etonnante situation ! Lorsque le massacre des enfants se produit, toute la presse le relève après Amnesty international. La France n'est pourtant pas absente de Bangui : elle a un ambassadeur, de multiples agents consulaires, des troupes, des agents de toute sorte, des hommes d'affaires, répandus dans toutes les avenues. Mais on ne sait pas ce qui s'y est passé ! Tout le monde le sait, sauf le président de la République et le ministre de la Coopération qui parle d'un « pseudo-événement ».

Le président de la République, au bout de quelques semaines, timidement, réduit légèrement les subsides distribués à l'empereur. Les réactions sont lentes et rares. Il faudra vraiment que le scandale devienne énorme, au point que je poserai cette question : s'agissait-il de raisons à ce point humanitaires lorsque, sous la poussée de l'indignation internationale, la

---

42. Le 4 décembre 1977, Bokassa s'est couronné Empereur. Une messe « du couronnement » est célébrée à la cathédrale de Bangui. Un faste incroyable entoure ces solennités dont le coût minimum est évalué à cent millions de francs. 40 000 salariés ont vu leur salaire amputé de 50 % depuis plusieurs mois comme participation aux frais du sacre. Le trône, le carrosse (tiré par huit chevaux gris venant d'élevages normands) ont été fabriqués en France. La France est représentée aux cérémonies par le ministre de la Coopération, Robert Galley.

France s'est enfin décidée à intervenir pour apprécier, différemment, ce qu'on appelle l'ingérence ? Ou s'agissait-il de préserver des intérêts et — je parlerai sans précaution — des intérêts d'argent ?

Vous connaissez la scène, ce que l'un des dirigeants du Parti socialiste a appelé, dans un article qui a fait quelque bruit : « le renvoi du garde-chasse » [43].

Voilà l'empereur déchu qui prend l'avion pour quelque part. Que dis-je ? Il n'est pas encore déchu : le mécanisme de la conjuration menée par la France — dont on peut admettre la légitimité de l'objet dès lors qu'il s'agirait de sauver des vies humaines, mais on a vu ce qu'il en était — n'est pas encore enclenché.

Voilà que Bokassa part pour la Libye. J'aimerais d'ailleurs savoir — vous ne pourrez pas me le dire, Monsieur le secrétaire d'Etat, mais un jour, cela se saura — dans quelles conditions a eu lieu ce voyage. Parallèlement, et dans l'autre sens, l'avion des troupes françaises amène le successeur. Cela sera démenti avec énergie par M. Galley et confirmé le lendemain par M. Dacko. L'avion de Bokassa atterrit en France et voici les nuits d'Evreux. Imaginons un moment ce qu'ont pu être ces nuits, cette Caravelle immobilisée, ces troupes qui cernaient l'aéroport, ces tireurs d'élite qui surveillaient je ne sais quoi. Peut-être fallait-il soumettre à la capacité de tir le journaliste imprudent qui aurait approché l'empereur, de peur d'une indiscrétion !

Dans le même moment, de l'Elysée, de demi-heure en demi-heure, ce sont des coups de téléphone fiévreux pour trouver la terre d'asile qui permettrait, également dans l'extrême discrétion, de faire passer l'ex-empereur par la trappe du silence. Et que dire de cette mobilisation des troupes, de la police et du président de la République pour se défaire de Bokassa, qui devait trouver retraite à Abidjan puis à Yamoussoukro, en Côte-d'Ivoire, tandis que déjà s'agitaient les successeurs, que l'on interdisait le territoire à M. Goumba, citoyen français et homme très remarquable qui mène la résistance pour la libération du peuple centrafricain depuis 1965, tandis qu'intervenaient M. Patasse [44] et le général Bangui, résistants de la dernière heure comme cela se passe bien souvent. Enfin le Gouvernement français décidait de vérifier les passeports avant de laisser partir — réflexion étonnante de M. François-Poncet et de M. Stirn — ces personnalités. Rappelons-le : il s'agissait de personnalités étrangères qui prétendaient aller dans un pays étranger et, cependant, c'est le Gouvernement français qui en décidait !

Depuis cette époque, vous savez que l'on s'interroge sur ce qui se passe à

43. Lionel Jospin, *Le Matin,* 28 septembre 1979 : « Ce qui, en d'autres circonstances, aurait été moment de liesse populaire, la chute de Bokassa, s'est mué, par la grâce de Valéry Giscard d'Estaing, en un véritable scandale international. Jamais encore ceux qui nous gouvernent n'avaient à ce point révélé le ressort de leur action : la politique du mépris. »

44. Les autorités françaises tentent d'empêcher l'ancien Premier ministre Ange Patasse de quitter Paris pour Bangui.

Bangui. Un article du journal *Le Monde,* sous la signature de M. Pierre Georges, relevait le 19 septembre qu'une atmosphère fiévreuse régnait à Berengo, au palais de Bokassa, que des soldats français faisaient les bagages, ramassaient les papiers, que des agents consulaires, représentant l'ambassade et devenus gardiens de musée, faisaient visiter les lieux où nul ne pouvait pénétrer librement. Avec M. Pierre Georges, quinze journalistes parmi les plus réputés témoignent ainsi et leur respect de la déontologie professionnelle doit nous conduire à prêter attention à ce qu'ils écrivent.

Mais M. Galley, toujours bien informé, d'une rigueur comparable à celle du Premier ministre, affirme : « Ce ne sont que des articles de journalistes. Rien ne démontre la véracité de ces faits. » Bref, le Gouvernement français, la France — que dis-je, la France ? qu'a-t-elle à voir dans cette affaire ? — le président de la République française ne veut pas que l'on sache ce qui se passe aujourd'hui. Il ne veut pas qu'il reste de trace de ces longues années obscures.

Nous, nous avons envie d'un peu de clarté. C'est bien le rôle du Parlement français de le demander dès lors qu'on a le sentiment que, dans cette affaire, la France a été compromise dans les deux sens : par son ingérence, et par sa non-ingérence. De quelque côté qu'on se tourne, tout a été mal fait, compromis, raté, tout a été dommageable à notre réputation.

Le président de la République a déclaré qu'il était stupide et injurieux de penser que la France avait pu rechercher des avantages économiques au Tchad — pourquoi le Tchad, en la circonstance ? — et au Centre-Afrique. Mais, mes chers collègues, Monsieur le secrétaire d'Etat, il est peut-être stupide et injurieux de prétendre que la France recherche des avantages économiques au Tchad et au Centre-Afrique, mais il n'est pas stupide et il n'est pas injurieux — ou du moins ce n'est injurieux que pour ceux qui s'y exposent — de prétendre que des intérêts privés d'origine française recherchent des avantages économiques là où l'on peut gagner de nouveaux profits.

A cet égard, on aimerait savoir quels avantages étaient attendus de la fabrication des uniformes destinés à vêtir les collégiens, lycéens et étudiants du Centre-Afrique, qui sont à l'origine du drame. Et qui pouvait bénéficier des avantages financiers de ces ventes forcées ? Quelles sociétés, quels capitaux, quelles personnes ? Si ce sont des Centrafricains, cela ne nous regarde pas, mais si ce sont des sociétés, des personnes et des capitaux français, cela nous regarde.

Nous vous posons la question. Si vous n'êtes pas en mesure de nous répondre ce matin, je suis convaincu qu'une commission d'enquête se fera un devoir de répondre à votre place.

Il n'est malheureusement pas stupide de prétendre que l'ex-empereur n'était pas chiche de prodigalités qui constituaient autant d'avantages dont ont bénéficié des particuliers, y compris des particuliers remplissant des fonctions publiques.

Bref, est-ce stupide et injurieux de dire que la France a la haute main sur les productions du café, du coton, du bois, de la bière, sur la commercialisation du diamant ? Est-ce stupide et injurieux de dire que la responsabilité des achats du café appartient à la société française Elmacel, que le coton est collecté par Cotomat et Cotonfram, regroupés au sein de l'U.C.C.A. [45], qui à son tour le fournit à l'I.C.C.A. — Industrie cotonnière centrafricaine —, qui appartenait aux frères Willot qui s'en sont défait, tandis que la M.O.C.A.F. [45] produit la bière de La Motte-Cordonnier de Lille ? Est-ce stupide et injurieux de dire que l'uranium nous intéresse ?

Est-ce stupide et injurieux de constater que, partout, ces affaires — y compris celles qui touchent de près au déclenchement des massacres — sont tenues par des intérêts français ? Il serait, en effet, stupide et injurieux — mais qui donc y a pensé ? — de mêler la France à ces choses. Il n'est pas stupide et injurieux de relever qu'un certain nombre de grands intérêts privés se sont servis de Bokassa et de ses crimes pour accroître leurs profits.

Voilà quelques considérations qui me conduisent à cette première conclusion : nous avons besoin de savoir, Monsieur le secrétaire d'Etat auprès du ministre des Affaires étrangères, quel est l'exact rôle de ces intérêts dans l'économie centrafricaine puisque le président de la République lui-même déclare que la France n'en a pas. Quel est le rôle de notre ambassade dans la conduite des opérations autour des palais de Bokassa aujourd'hui ? Quel est le rôle de notre armée ? Police, garde-frontière, soutien au nouveau régime de Dacko, comme elle était hier chargée du soutien du régime de Bokassa ? Quel est le rôle de nos ministres, qui disent tout le contraire au risque de déconsidérer leur fonction ? Quelle est la politique de la France au regard du droit des peuples à disposer d'eux-mêmes ? Quelle conclusion politique en tirez-vous : faut-il le départ des troupes françaises, faut-il la fin d'une certaine politique française, faut-il la démission de quelques ministres ?

Le 10 octobre 1979, sous un titre qui couvre toute la largeur de la une : « *Quand Giscard empochait les diamants de Bokassa* », Le Canard enchaîné *publie la photocopie d'un bon de commande adressé par l'ex-empereur du Centre-Afrique au Comptoir National du diamant en 1973, portant sur une plaquette de 30 carats environ destinée à* « *M. Giscard d'Estaing, ministre des Finances de la République française* ».

Le 17 octobre, Le Canard enchaîné *accuse le président de la République d'avoir reçu d'autres diamants que ceux de la plaquette. Le porte-parole de*

---

45. U.C.C.A. · Union Cotonnière du Centre-Afrique, dont le siège se trouve à Bangui. La M.O.C.A.F., sigle composé à partir des patronymes des deux familles propriétaires et du lieu d'activité de la société, les Motte, dynastie industrielle du Nord de la France, et les Cordonnier, autre famille. La M.O.C.A.F. possède une brasserie-malterie dans le nord de la France et en Afrique, à Bangui, fabrique des boissons gazeuses.

l'Elysée Pierre Hunt déclare : « *Le président de la République fera justice de ce sujet, le moment venu et dans des conditions qui répondent à la confiance des Français* » (le 24 novembre, à la télévision, le président de la République oppose « un démenti catégorique et méprisant »).

Dès le 11 octobre, la presse internationale s'empare de « *l'affaire des diamants* ».

Le 30 octobre 1979, le ministre du travail, le R.P.R. Robert Boulin, se donne la mort. L'annonce du suicide provoque un tollé contre la presse [46] *qui depuis deux semaines s'interrogeait sur un achat de terrain effectué par le ministre, grâce à l'intermédiaire d'un de ses amis. Mais le 31 octobre, dans une lettre postée peu avant son suicide, Robert Boulin accuse* « *la collusion évidente d'un escroc paranoïaque, d'un juge ambitieux et de certains milieux politiques où, hélas ! mes propres amis ne sont pas exclus, aboutit à la suspicion* ». *Monseigneur Paul Poupard, recteur de l'Institut Catholique de Paris, constate :* « *Il est des morts d'hommes qui sonnent le glas d'une société.* »

5 décembre 1979.

Que pensez-vous de la raison d'Etat dont on vient de vivre deux cas : un cas centrafricain...

— La raison d'Etat, dans cette histoire, ce n'est qu'un alibi.

— *Et l'affaire Boulin qui n'existe pas.*

— On gomme, on gomme ! Et l'affaire Piperno [47], ça n'existe pas non plus. C'est la raison d'Etat à bon marché...

— *Et l'affaire des diamants...*

— Ça n'existe pas non plus ! Je conteste la raison d'Etat qui, dans une démocratie, ne doit pas exister. On doit pouvoir tout dire, tout expliquer. Je connais ou j'imagine les devoirs d'un gouvernement. Mais quelle facilité pour les gagne-petit de la politique qui se servent de la raison d'Etat pour régler leurs comptes ou effacer leurs fautes... Pas question... la raison d'Etat est le plus souvent invoquée par les complices... ou les coupables...

17 avril 1980.

— Je n'ai jamais été, je ne suis pas amateur de scandales. Il n'est pas de notre fait que l'affaire en cours [48], n'ait plus d'autre issue que politique, faute

---

46. *Minute,* le 17 octobre, *Le Canard Enchaîné,* le 24 octobre, *Le Monde,* les 26 et 27 octobre.

47. Il s'agit d'un Italien extradé le 19 octobre 1979. La justice italienne le réclamait dans le cadre de l'enquête sur les Brigades Rouges. Le syndicat de la magistrature proteste contre cette extradition, qui lui paraît annoncer « l'Europe de la Répression ».

48. Il s'agit de « l'affaire de Broglie ». Le 29 décembre 1976, cinq jours après l'assassinat de Jean de Broglie, le ministre de l'Intérieur, Michel Poniatowski, entouré de Jean Ducret,

d'avoir trouvé ses conclusions policière et judiciaire normales, contrairement à ce qui fut annoncé à la France dès le 29 décembre 1976.

Un ministre de l'Intérieur, flanqué de deux acolytes, annonçant triomphalement la résolution d'une énigme criminelle, mettant en cause des personnes qui n'étaient même pas inculpées... Cette mise en avant par la police d'un personnage véreux, d'un de Varga aussitôt accablé de tous les crimes... Cette lâcheté, aux obsèques, tous ces personnages, autrefois si flattés d'être invités au château, et qui se défilent. Tout cela sentait tellement le montage, tout cela était tellement écœurant.

Souvent, je me suis demandé :

Et s'il était vraiment ignorant ? » Mais de telles ignorances ne sont possibles que dans la vie privée. Qu'à la rigueur des documents eussent été dissimulés au ministre jusqu'au 25 décembre 1976, soit. Mais qu'ils soient restés ignorés de lui, pendant les trois ans et demi qui ont suivi, c'est impossible. Dix fois, comme tout le monde — des journaux y ont à plusieurs reprises fait allusion — j'avais entendu dire qu'il existait un rapport de police, ou qu'il avait existé. Mais il a fallu attendre que *le Canard enchaîné* le publie, après la clôture d'une longue instruction, pour que son destinataire régulier en admette la réalité. « Maintenant il faut s'expliquer. C'est parce qu'il a refusé une explication normale, par des voies normales, qu'il doit maintenant en donner une devant une juridiction exceptionnelle, s'il n'est plus d'autre recours. Le Code de l'honneur maritime oblige tout commandant de navire qui perd son bateau à en rendre compte devant un jury de marins, qu'il y ait de sa faute ou non. Ce qui ne signifie pas qu'il soit coupable. Il peut parfaitement être acquitté avec les félicitations du tribunal. C'est une règle, et une semblable règle existait aussi autrefois pour les hommes politiques. Lorsque Alexandre de Yougoslavie fut assassiné à Marseille, le président du conseil Albert Sarraut, qui n'y était pour rien, donna aussitôt sa démission, et le préfet des Bouches-du-Rhône, qui n'était pas plus responsable, n'en fut pas moins mis à pied, pour enquête, en attendant d'être réintégré dans son administration comme préfet de Versailles. C'est bien à tort que l'on considère aujourd'hui le fait d'être inculpé comme une présomption de culpabilité, surtout si l'on est inculpé sur sa demande. On s'est étonné dans cette affaire que le Parti socialiste ne demande la mise en accusation de M. Poniatowski qu'après le Parti communiste. On y a vu je ne sais quelle réticence. Mais c'est seulement que nos règles structurelles sont plus lentes et plus formelles que celles de nos voisins. Démocratie oblige. Nous ne pouvions rien décider avant d'avoir

directeur de la police judiciaire et de Pierre Ottavioni, chef de la brigade criminelle, annonce qu'après cinq jours d'enquête les policiers de la brigade criminelle, aidés notamment par leurs collègues de la brigade antigang et de la brigade financière, ont arrêté toutes les personnes impliquées dans le meurtre de M. Jean de Broglie... Un coup de filet complet. Cette déclaration, alors que les suspects ne sont même pas inculpés, indigne les observateurs ; le Garde des Sceaux, Olivier Guichard, la juge déplacée.

réuni notre groupe parlementaire. Si la demande de mise en accusation a été faite par le groupe socialiste, c'est parce qu'une majorité de nos élus en a décidé ainsi.

De même on nous a soupçonnés — les journalistes sont prompts au soupçon — de n'aller de l'avant que parce que nous sommes sûrs, les rapports de force étant ce qu'ils sont, de ne pas aboutir. A cela je réponds simplement que nous ne pouvons utiliser d'autres cheminements que les procédures régulières mises à notre disposition, et ce n'est pas notre faute si l'opposition ne dispose pas de la majorité.

Le P.S. n'a jamais été absent du débat, il y a même été longtemps seul présent, lorsque le Parti communiste, qui vient de changer ses batteries, faisait preuve d'une singulière réserve, dans l'affaire Bokassa, dans l'affaire des diamants, dans l'affaire Boulin.

Cela dit, il ne faut pas confondre les rôles. Un parti responsable et les responsables d'un parti n'ont pas le droit de s'aventurer à la légère. La presse ne doit pas attendre de l'homme politique qu'il mène l'enquête à sa place. Dans l'affaire Marchais, dont Georges Marchais[49] s'obstine, je ne sais pourquoi, à croire que je serais l'instigateur, et qui, entre nous, est bien peu de chose, le Parti socialiste n'a rigoureusement aucun élément qui lui permette d'accuser. En revanche, et de quoi qu'il s'agisse, nous ne nous tairons jamais si l'on nous apporte des preuves. Je crois que Georges Fillioud[50], qui est votre confrère, et qui est notre porte-parole, témoigne en ce sens d'une assez grande liberté.

C'est une idée répandue, mais fausse, qu'il existe une classe politique décidément solidaire de tous ses membres, quels que soient leurs agissements. Il existe, c'est vrai, un milieu politique, dont font partie, d'ailleurs, les journalistes politiques qui traînent de petite phrase en petite phrase. Il existe un esprit de groupe, un esprit de corps, dans ce milieu comme dans tout autre, et qui se manifeste dans des circonstances dramatiques, lorsque ce corps se sent atteint, ou menacé de l'être — pas dans l'affaire Fontanet[51], mais dans l'affaire Boulin, lorsqu'une véritable réaction d'hystérie s'est déclenchée contre la presse, qui serait allée loin si la lettre posthume du malheureux Boulin n'était venue y mettre un terme.

49. Le 8 mars 1979, *l'Express* publie le photostat d'un document allemand qui prouverait la présence en Allemagne de Georges Marchais en 1944 alors qu'il assure avoir regagné la France en 1943.

Le Nouvel Observateur, le Matin de Paris, après *Paris-Match,* affirment à leur tour que Georges Marchais a effectué un stage de formation en 1954-1955 à l'Ecole supérieure des cadres de Moscou, ce que l'intéressé dément.

Les dirigeants communistes s'efforcent d'accréditer la thèse selon laquelle « l'affaire Marchais » ne serait qu'un « complot » du président de la République, de François Mitterrand et de Jacques Chirac « contre le parti communiste et son candidat présumé à l'élection présidentielle ».

50. Georges Fillioud est député socialiste de la Drôme.

51. Dans la nuit du 31 janvier au 1er février 1980, l'ancien ministre centriste Joseph Fontanet est blessé par balles devant son domicile parisien. Il meurt le 2 février. Son ou ses meurtriers n'ont jamais été identifiés.

Mais qu'il existe un équilibre de la crainte et de la menace, qu'il existe un donnant-donnant, c'est purement et simplement une légende.

Tenez, si vous me permettez un exemple personnel, après cette affaire de l'Observatoire[52], quand je me suis présenté en 1965 à l'élection présidentielle face à un personnage aussi vindicatif que le général de Gaulle, croyez-vous que j'aurais échappé à sa vindicte s'il y avait eu la moindre faille à exploiter contre moi ? Lorsque je me suis présenté en 1974 contre M. Giscard d'Estaing, j'ai été immédiatement l'objet d'un contrôle fiscal, j'ai même dû, entre deux réunions de ma campagne, retourner à Latché, retrouver la trace d'un chèque oublié de 1971. Si l'on avait trouvé quelque chose contre moi, on n'aurait pas manqué d'en faire état.

Au-delà de ma personne, ne croyez pas qu'il existe quelque dossier que ce soit, qui serait quelque part tenu en réserve, contre le Parti socialiste. Je n'irais pas jusqu'à dire qu'il n'y ait pas, qu'il n'y ait jamais eu, au niveau municipal, au niveau de tel ou tel élu, une tentation, des contacts trop étroits entre un maire, un conseiller général, et une société. Il m'est même arrivé d'y mettre le holà. Je ne prétends pas, dans un aussi grand parti que le nôtre, savoir tout sur tous et sur chacun.

Mais je dis qu'il n'existe rien, rien, sur et contre le parti en tant que tel et je mets au défi quiconque de prouver le contraire.

Nous sommes un parti transparent, et ceci face à une majorité opaque, forte de vingt-deux ans d'impunité électorale et de pouvoir. Que se passe-t-il, et singulièrement dans l'affaire de Broglie ? Mais tout simplement que nous ne savons pas tout, je ne dis pas que nous ne sachions rien. Mais nous sommes dans l'opposition depuis vingt-deux ans.

Les temps ont changé. La multiplicité des partis et des crises, l'alternance des groupes et des hommes au pouvoir ; une réelle solidarité — pour ne pas dire parfois une connivence — entre parlementaires faisaient que tous savaient tout de tous. Le régime actuel a peu à peu dressé une barrière entre les partis et les hommes.

---

52. Dans la nuit du 14 au 15 octobre 1959, l'Assemblée nationale approuve la quasi-totalité de la politique algérienne définie par le général de Gaulle le 10 septembre et proclamant les droits de l'Algérie à l'auto-détermination.

Dans la nuit du 15 au 16 octobre, la voiture de l'auteur est suivie. Il la quitte, enjambe les grilles du jardin de l'Observatoire. Une rafale de mitraillette est tirée sur son véhicule. L'émotion est à son comble.

Quelques jours plus tard, l'ancien député poujadiste, Robert Pesquet, « révèle » qu'il a organisé l'attentat d'accord avec la victime.En dépit des dénégations indignées de l'auteur, son immunité parlementaire est levée par le Sénat et, le 8 décembre 1959, il est inculpé d'outrage à magistrat.

Contrairement à toutes les règles de la justice, l'affaire ne sera jamais close, ni menée à bien. Il n'y aura ni non-lieu, ni procès. Le dossier reste pendant :

« [...] Quand on est passé par là, le sentiment de l'injustice s'imprime profondément mais aussi la volonté de dominer cette injustice » (Politique, p. 408).

SOURCES

Les textes qui figurent dans « Les Failles d'une société » proviennent essentiellement... de quatre origines :

1°) Le *Journal officiel de la République française,* débats parlementaires ;
2°) de comptes rendus sténotypiques de conférences de presse de l'auteur, de nombreux débats radiodiffusés ;
3°) d'un ouvrage de l'auteur : *L'Abeille et l'Architecte.*
4°) De très nombreux articles parus dans la presse.
On trouve en fin de l'ouvrage l'origine de chaque citation.

DEUXIÈME PARTIE

La longue marche

Je suis là pour essayer de restituer le socialisme à la France et la France au socialisme.

20 juin 1978.

INTRODUCTION

« *Une âme libre* »

Septembre 1977.

J'ai raconté l'apparition spontanée, surprenante et naturelle à la fois, de la justice sociale, à laquelle j'ai assisté, il y a trente-sept ans déjà, dans un camp de prisonniers de guerre, au flanc d'une colline d'Allemagne. A la loi de la jungle — défense, couteau au poing, de leurs privilèges par les plus forts — succéda, sans qu'on puisse fixer le jour ni l'heure de ce changement décisif, l'exercice exact et calme d'une distribution équitable et libre, par les mandataires du plus grand nombre.

Ce fut ainsi. Il n'y eut pas d'arbitrage émanant d'une autorité quelconque. Un jour, les abus prirent fin, c'est tout.

On peut se demander si l'Histoire, à la plus vaste échelle des grandes collectivités humaines, n'obéit pas, dans le profond secret de ses mécanismes silencieux, à une nécessité de cette sorte. Pour qu'un « dénouement » survienne, ne faut-il pas, d'abord, que l'enchevêtrement des nœuds ait éprouvé notre patience ? Napoléon disait : « *J'ai toujours vu le hasard décider des plus grands événements.* » Est-ce vrai ? Tout n'est-il pas plus simple et plus logique, même si cette vérité n'est pas visible au pauvre prisonnier de l'instant présent, de même que l'étendue de la forêt n'est pas perceptible à celui qui a le nez contre l'arbre ?

Est-ce un hasard si Michel Bataille, écrivain et socialiste, a éprouvé le besoin, au moment où nous sommes, d'écrire un livre intitulé *Demain Jaurès*[1] ? Je ne le crois pas. Je ne crois pas aux coïncidences de cette sorte.

1977-1978. Jaurès. Demain. Le rapprochement de ces dates, de ce nom, de ce mot, est à lui seul chargé de signification.

Jaurès, pour nous socialistes, ce n'est pas un ancêtre. Ce n'est pas un père de l'Eglise, sur les ossements duquel serait construite la cathédrale de notre

---

1. Michel Bataille, *Demain Jaurès*, Ed. Pygmalion, Paris 1977.

Parti. C'est un compagnon, toujours vivant, dont la parole précéda la nôtre, mais comme la phrase d'un discours précède la phrase qui la suit... Tout cela s'enchaîne, et le sens, et la force de persuasion naissent de la succession de ces mots qui sont des pensées, qui sont des maillons de la chaîne.

Les paroles de Jaurès, je les entends, toujours vivantes et toujours présentes : « *Si nous allons vers l'égalité et la justice, ce n'est pas aux dépens de la liberté ; nous ne voulons pas enfermer les hommes dans des compartiments étroits, numérotés par la force publique. Nous ne sommes pas séduits par un idéal de réglementation tracassière et étouffante. Nous aussi, nous avons une âme libre ; nous aussi, nous sentons en nous l'impatience de toute contrainte extérieure !... Et si, dans l'ordre social rêvé par nous, nous ne rencontrions pas d'emblée la liberté, la vraie, la pleine, la vivante liberté, si nous ne pouvions pas marcher, et chanter, et délirer même sous les cieux, respirer les larges souffles...* »

Et si... Mais, Jean Jaurès, il n'y a plus lieu maintenant, en France, de craindre pour la liberté. Le Parti socialiste est là, qui en est le garant.

Jaurès, ce n'est pas le marxisme, plus quelque chose — je ne sais quelle coloration française rendant la théorie plus avenante, plus souriante, bariolée... Jaurès, c'est la plus profonde tradition nationale, poussant ses racines occitanes jusqu'aux Cathares. C'est la Révolution française, son élan d'universalité, ses mots d'ordre : « *Liberté. Egalité. Fraternité.* » Vient ensuite — et elle n'est pas négligeable — l'assimilation du marxisme, « *algébrique* » dit Jaurès, moyen de maîtriser dans ses conséquences et de comprendre dans son mécanisme ce phénomène nouveau, l'essor industriel du XIXᵉ siècle. Rien de moins, et c'est énorme, mais rien de plus : un instrument. Précieux. Indispensable. Un outil au service de l'essentiel : la libération de l'homme. « *Depuis 1789, d'autres questions se sont posées, qu'il faut chercher à résoudre par la solidarité. C'est là tout le socialisme.* »

Jaurès, homme de culture, brillant sujet, comme on dit, jadis admis premier à l'Ecole normale supérieure, redécouvrit, réinventa, par son génie, son courage, sa modestie, la force de sa pensée politique, ce qu'il y a de fondamental dans l'élan populaire. Toute sa vie fut faite de cette entente, cette compréhension, ce jeu de miroirs avec la volonté des citoyens. Sa récompense fut, par exemple, à la fin de son œuvre et de sa vie, de pouvoir raconter : « *Cet après-midi, au lieu d'aller travailler à la bibliothèque de la Chambre, je suis allé chez un vieux cordonnier d'Auteuil qui ne me connaît pas, et qui veut me convertir au socialisme. Le croirez-vous ? Je tire grand profit de ce qu'il m'explique en tirant son alêne. Grâce à ce brave homme, je me suis aperçu que bien des choses clochent dans les syndicats...* »

Jaurès a été assassiné le 30 juillet 1914, quand la Première Guerre mondiale, que toute son action politique tendait à repousser, à empêcher, prenait son essor. Depuis lors, c'est un monde toujours « entre-deux-guerres » qu'il nous fallut vivre. Homme d'hier, il reste un homme de toujours.

« *Le courage,* disait-il, *c'est de comprendre sa propre vie, de la préciser, de l'approfondir et de la coordonner cependant à la vie générale. Le courage, c'est d'aller à l'idéal et de comprendre le réel. C'est d'agir et de se donner aux grandes causes, sans savoir quelle récompense réserve à notre effort l'univers. Le courage, c'est de chercher la vérité et de la lire. C'est de ne pas subir la loi du mensonge triomphant qui passe, et de ne pas faire écho... »*

Malgré *« le monde entier, autour de nous, avec ses barrières, ses lois d'oppression, d'étouffement, de spoliation ! Le monde entier, avec ses usines qui sont des prisons, ses lieux de plaisir où l'on pleure de tristesse... »* Le courage consiste à ne jamais désespérer et de savoir non seulement que ce monde aspire à être changé, et changé par nous, *« ici et maintenant »*, mais que de toute manière, et par son propre élan, il changera ! Qu'il change en bien, qu'il change en mieux, que change la vie, c'est notre affaire !

Jaurès, mais demain !

Hier, c'est la routine, l'intelligence insuffisante pour rendre compte de rigueurs du temps et leur offrir remède, la volonté trop faible pour s'imposer à l'injustice, le laisser-aller des politiques mauvaises, des absences de politique. Hier, c'est la poussière. Et la loi du « conservatisme », le bien nommé, les choses et les gens qui craignent le vent de la vie, qu'il faut préserver en les « conservant », ce sont les gens et les choses que, déjà, mine la mort...

Demain, ce n'est pas le réveil miraculeux dans un univers de bonheur, mais la mise en œuvre d'hommes nouveaux, la mise au travail d'idées jeunes et de programmes réfléchis. C'est l'action, la responsabilité, l'attitude virile de ceux et celles, au matin, qui partent en chantant à la conquête de leur vie.

Quand les femmes et les hommes de ce pays auront voté pour eux-mêmes, pour leur propre cause, pour leur avenir même, ils pourront entendre la voix de Jaurès : *« Citoyens ! Ils prendront racine, et ils deviendront des arbres immenses, les lauriers dont vous venez de joncher le chemin où s'avance la liberté ! »*

Octobre 1978.

— *Pensez-vous toujours qu'il n'y a pas d'opposition possible en France sans stratégie de rupture avec le capitalisme ?*

— Oui, c'est ce que pense le Parti socialiste et c'est ce que je pense. Evitons l'éternel dilemme : n'y a-t-il que des ruptures brutales, révolutionnaires, ou peut-on parvenir à ses fins par la patience, la ténacité et des transitions successives (c'était le cas du Programme commun de la gauche) ? L'état de la société en France nous invite à préférer la deuxième voie.

— *Etablir une plus grande justice sociale impose-t-il de changer de société ?*

— Pour qu'un gouvernement socialiste puisse conduire sa politique, il doit planifier et élargir le champ du secteur public, partout où le grand capital a concentré ses forces et éliminé la concurrence dans les secteurs clefs de l'économie. Nous n'entendons pas supprimer l'économie de marché, comme c'est le cas dans les pays collectivistes, mais la subordonner aux orientations et décisions du Plan démocratique. Cela dans le cadre d'une décentralisation hardie des pouvoirs. Le capitalisme s'autodévore par l'accumulation et la concentration du capital, au gré des lois de la jungle, et il s'autodévore dans l'anarchie et le mépris des hommes. Il n'est pas acceptable que le gouvernement des hommes et des choses appartienne à des puissances privées dont le pouvoir est fondé sur l'argent. Mais, je l'ai dit à l'instant, notre stratégie de rupture suppose des transitions.

— *C'est un discours réformiste.*

— Je me moque de ces mots « réformiste », « réformateur », « révolutionnaire ». Je vous réponds par une question : à partir de quel moment, selon vous, commence la rupture ?

— *A partir du moment où on discute de la proportion de l'économie qui doit être nationalisée et non du principe même de l'étatisation, on est dans un système social-démocrate.*

— Vous plaidez pour votre saint, et je récuse cette définition. Mais vous trouverez des textes, des discours dont je suis l'auteur où je défends, contre des attaques injustes, la social-démocratie. De la social-démocratie, tous les partis socialistes du monde sont les héritiers. La rupture léniniste ne gomme pas ce qui s'est passé auparavant dans l'histoire du mouvement ouvrier.

La social-démocratie s'est trop souvent alanguie. Mais il est irritant de la voir traiter avec tant de superbe et de mépris dans certains écrits socialistes. Je me souviens d'avoir déclaré dans l'un de nos congrès : « Moi, cela ne me gêne pas qu'on m'accuse d'être social-démocrate. Je ne crains pas les anathèmes. Et il est vrai que la réalité sociologique du Parti socialiste français est plutôt moins ouvrière que celle des partis sociaux-démocrates d'Europe. » Ce que je critique, ce sont les stratégies politiques des sociaux-démocrates en ce qu'elles ont trop souvent cessé de considérer le grand capitalisme comme l'ennemi. Je pense qu'elles ont eu tort de ne pas réaliser l'appropriation sociale des grands moyens de production.

— *L'un de vos objectifs politiques est de ramener le Parti communiste à des proportions plus raisonnables par rapport au Parti socialiste. Cette volonté ne vous amène-t-elle pas trop sur le terrain de votre concurrent de gauche ?*

— Il y a des constantes dans l'analyse socialiste. Le socialisme historique est antérieur au marxisme-léninisme. Nous n'avons besoin d'imiter personne. J'ajoute que c'est plutôt le Parti communiste qui semble donner raison, à un demi-siècle de distance, au Léon Blum du congrès de Tours.

« *Une idée qui fait son chemin* »

« *Au début de l'été 1977 [...], bien rares sont les experts de la politique française qui hasarderaient à jouer la majorité gagnante (lors des élections législatives prévues pour le printemps 1978). A travers les élections cantonales de 1976, les élections municipales de 1977, la gauche paraît s'avancer vers le pouvoir que son candidat a manqué de peu en 1974, d'un pas décidé, d'une démarche quasi irrésistible[1].* »

12 juillet 1977.

Nous disposons d'informations suffisamment sérieuses pour nous permettre de révéler que depuis le mois de mai dernier, un plan a été mis au point par le grand patronat en vue des élections législatives de 1978. Je puis vous dire que les fonds mis à la disposition de ce plan sont de l'ordre de 1 milliard de francs (nouveaux évidemment). Les patrons de combat espèrent-ils avec ce milliard acheter la conscience des Français ?

Grâce à cet argent seront engagées, sont déjà engagées des campagnes massives de propagande et de publicité contre la gauche et son programme commun. On paie des pages entières de publicité dans la presse écrite pour le compte de groupements fantômes créés pour la circonstance. On diffusera des films en temps utile. On finance les partis politiques. Des agents assurent la liaison entre le grand patronat du C.N.P.F. et les milieux gouvernementaux. Les dirigeants de l'Association pour la démocratie figurent parmi ces intermédiaires qui sont de véritables passeurs d'argent.

De gros moyens financiers seront déversés dans les 130 circonscriptions que (selon ses estimations) la droite peut perdre et les 20 qu'elle peut gagner. 40 unions locales du C.N.P.F. sont déjà dotées d'un responsable politique.

1. Pierre Viansson-Ponté, *le Journal de l'Année*, édition 1978, p. 36, Larousse éd.

Le C.N.P.F. se dissimule derrière une multitude d'associations prétendument indépendantes et qui ont pour mission réelle de lancer pour son compte les mots d'ordre politique. Il finance des agences de presse pour qu'elles diffusent des articles sur commande dans de grands quotidiens régionaux. L'office des banques privées est chargé de conduire une campagne dont l'un des objets est de présenter, sans rire, la banque privée comme « la banque à visage humain ». On a pu constater l'énorme place prise dans nos quotidiens par le compte rendu payant des assemblées générales des grandes sociétés, compte rendu dont l'objet réel est la lutte contre le Programme commun. Quant aux partis de la majorité sortante qui n'ont pas répondu à la question : « Qui a payé la formidable débauche d'affiches de la campagne municipale de Paris ? », ils ne répondront pas davantage à la question : « Quelle sera leur part sur le milliard du patronat ? ».

A cette offensive du grand patronat répond la prise en main gouvernementale sur la radiotélévision. Tout cela est concerté. Il existe maintenant une radio et une télévision domestiques dont on ne peut plus attendre que par à-coup ou par mégarde une information objective. Contre la loi et l'équité le gouvernement fait diffuser des films pour sa publicité aux bonnes heures d'écoute et sans signer. Radio-France prête son concours à des officines gouvernementales et dépense à cette fin l'argent des contribuables.

Les déclarations du président de la République et du Premier ministre sont reprises dans des conditions qui s'apparentent au matraquage publicitaire. Est-il juste d'entendre M. Barre attaquer le Programme commun au cours de son voyage en Poitou-Charente[2] sans que soient connus en contrepartie les arguments des jeunes et nouveaux maires socialistes d'Angoulême et de Poitiers qui exprimaient au Premier ministre les doléances de la population ? Nous attirons également l'attention sur le scandale que représentent les émissions vers l'étranger, émissions entièrement soumises au fait du prince.

Quant à une certaine presse écrite, on a vu ce qu'en pensent MM. Raymond Aron et Jean d'Ormesson[3] tandis qu'il n'est bruit que de nouvelles O.P.A. politiques et financières sur d'autres grands organes de presse au profit du même groupe étroit qui a juré de mettre la France en coupe réglée.

Je le dis nettement : l'information est truquée, l'information est tronquée. Et cela continuera pour le moins dans les mêmes conditions, cyniques et malhonnêtes, jusqu'aux législatives. La position de la gauche est si forte, les élections partielles et les sondages le montrent après les cantonales et les

2. Du 12 au 13 juin 77. Durant tout ce mois de juin le Premier ministre multiplie les voyages en province, désireux de s'affirmer comme « le chef de la majorité ».
3. Afin de protester contre la prise de contrôle du *Figaro* par le Groupe Hersant, Raymond Aron quitte ses fonctions d'éditorialiste et de membre du directoire, le 6 juin 1977 ; à la même date, Jean d'Ormesson cesse d'être directeur du *Figaro*, mais à partir du 5 septembre 1977, il y revient.

municipales victorieuses, qu'elle résiste à ces attaques déloyales. Mais puisqu'on parle tant de démocratie et de liberté, on jugera comme il convient un système dont l'arme dernière est l'argent, l'argent distribué par le grand patronat et l'argent détourné des contribuables. [...]

Je trouve assez surprenant que M. Giscard d'Estaing mobilise à grand renfort de fanfares l'attention publique et se réclame de sa dignité de président de la République pour ouvrir les hostilités contre plus de la moitié des Français[4]. J'ai déjà observé qu'il ne pouvait exercer à la fois la fonction de capitaine d'une équipe et celle d'arbitre sur le terrain.

M. Giscard d'Estaing s'est proclamé, en fait, à Carpentras, président de la droite, président des forces conservatrices et protecteur du grand capital. Il ne sera que cela et rien d'autre tant qu'il ne considérera pas la gauche comme l'une des composantes naturelles et nécessaires de la nation française.

La France a besoin d'un président pour les Français et non d'un partisan. [...]

L'actualisation du Programme commun doit prendre en compte les événements survenus au cours des cinq dernières années. Là s'arrête la mission des 15[5] qui n'ont pas reçu mandat d'établir un deuxième Programme commun mais de mettre à jour le premier.

Les objectifs de la gauche ont été fixés en 1972. Ces objectifs restent les nôtres et n'ont pas à être modifiés avant d'avoir été atteints. Ils supposent une majorité parlementaire cohérente et que les trois partis signataires du Programme commun soient associés au Gouvernement. Tout débat sur la composition de ce Gouvernement resterait prématuré. Le respect du suffrage universel exige que les Français se soient d'abord prononcés.

L'insistance que j'ai mise à demander que l'actualisation se fasse dans les meilleurs délais répond à l'intérêt de la gauche tout entière, à l'intérêt des travailleurs, à l'intérêt des Français qui souhaitent un changement de majorité. Tandis que les partis de droite s'organisent et que le chef de l'Etat part en campagne contre ce que les élections municipales m'autorisent à appeler la majorité des Français, tandis que le grand patronat prodigue son argent et tente d'acheter la conscience des Français, il serait dommageable que la gauche piétine dans des controverses d'arrière-saison. Je crois que chacun s'en rend compte, en tiendra compte.

---

4. Le 8 juillet 1977, à Carpentras, le président Giscard d'Estaing annonce : « ... J'indiquerai le bon choix pour la France. Je m'exprimerai dans le cadre de mes fonctions et sous une forme qu'il m'appartient seul de déterminer, mais j'entends placer les Françaises et les Français devant toutes les conséquences de leur choix [...] Je constate que l'application du Programme commun, en raison même de son objectif, qui est d'imposer à l'autre moitié de la France, qui n'en veut pas, un changement brutal de société, approfondirait la coupure de la France en deux... »

5. Depuis le début du mois de juin 1977, trois groupes de négociateurs, représentant les trois formations signataires du Programme commun (Parti socialiste, Parti communiste et radicaux de gauche), travaillent à une actualisation du texte de 1972.

Le 16 août, l'auteur demande « qu'on en finisse avec les divergences artificielles, avec l'étalage inutile et finalement nuisible d'un certain nombre de contradictions qui sont indéfiniment grossies pour alimenter une querelle qui, devenant factice, est mal ressentie par les Français. »

Le 2 septembre 1977, il affirme : « Oui au Programme commun, non au Programme communiste. »

21 septembre.

Si nous avions été en mesure de définir une philosophie commune de l'Histoire, nous n'aurions pas signé le Programme commun, nous aurions fusionné dans un seul parti. S'il y a eu rupture en 1920, c'est parce qu'on ne pouvait pas être dans le même parti, parce qu'on ne représentait pas la même philosophie politique. Mais comme nous continuions de représenter les mêmes intérêts, les mêmes couches sociales, les mêmes travailleurs, comme il fallait libérer ces travailleurs de toutes les formes d'exploitation dont ils souffrent, à partir de là il fallait avoir la sagesse politique de définir une série de contrats progressifs. Et le Programme commun, c'est un contrat pour cinq ans. Ça marche ? Allez, c'est pour dix ans ! Ça ne marche pas ? Ah, ça pose des problèmes ! Mais ça a marché jusqu'ici. Pourquoi ne pas continuer ? Ce qui ne veut pas dire pour autant que nous en sommes arrivés à identifier les socialistes et les communistes. Je m'acharne à répéter cette évidence, cette vérité de La Palice : ce n'est pas la même chose. Mais, à force de travailler ensemble, à force d'être inspirés par les mêmes travailleurs, par les mêmes couches sociales, par les mêmes exploités, par les mêmes opprimés, nous sommes leurs représentants. Je suis sûr que cette unité populaire finira par peser sur les partis qui la représente et nous en arriverons, peu à peu — en tout cas, c'est mon souhait et c'est ma volonté — nous arriverons peu à peu à nous rapprocher sur le plan des idées. [...]

Le 23 septembre 1977, les négociations sur l'actualisation du Programme commun sont suspendues. En fait, c'est la rupture de l'Union de la Gauche.

25 septembre.

Je crois que la direction du Parti communiste a considéré comme un péril le progrès et la primauté du Parti socialiste et de son programme. Il ne faut jamais oublier que pour un communiste et un socialiste, parallèlement au grand combat national entre gauche et droite, se déroule un autre grand combat : celui de l'idéologie, des voies, des méthodes à choisir pour parvenir au socialisme. Ce combat dont je vous parle passionne les socialistes et les communistes au point qu'il leur arrive d'oublier l'adversaire commun.

5 novembre 1977.

Je parle sévèrement, parce que je suis l'un des hommes en France qui croient le plus sincèrement à la capacité de l'Union de la gauche, mais j'ai toujours cru que l'union ne réussirait que si les socialistes étaient capables de dire ce qu'ils pensent et non point de subir en cultivant je ne sais quel remords qu'on veut leur instiller. [...]

Nous ne sommes pas communistes, nous sommes socialistes. Notre tradition, du moins depuis plus d'un demi-siècle, n'est pas la même, nous n'avons pas les mêmes explications. Nous avons en commun de représenter les mêmes couches sociales, les mêmes intérêts, nous sommes les interprètes des exploités, des opprimés, des travailleurs, nous avons pour devoir initial d'assurer l'union des forces populaires au travail, à la tâche, soumises à la puissance d'une société de privilèges. Cela, c'est le premier point et cela dicte notre devoir.

A partir de là, ce n'est pas en niant nos différences que nous favoriserons l'union. La synthèse suppose la thèse et l'antithèse et l'accord qu'il convient de faire, auquel il convient de souscrire le plus tôt possible, ne sera possible et durable qu'autant que nous aurons pris en compte nos différences pour proposer au pays un projet à court et moyen terme sur lequel nous nous engagerons totalement.

Quand on mesure encore cet échec du Gouvernement conservateur, d'un coup on prend la dimension de la crise de la gauche ; on aperçoit l'immense responsabilité de ceux qui ont pris l'initiative d'une rupture, l'immense responsabilité de ceux qui refuseraient de la guérir. [...]

J'accuse, oui, le Gouvernement, de ne pas dire la vérité sur la situation économique. J'accuse le Gouvernement de jongler avec les indices. C'est un personnage assez sympathique de notre littérature que j'évoquerai à ce propos, en disant que M. Barre, on cherche toujours des comparaisons, ce serait, à mon avis, comme une sorte de Tartarin des Indices... Il est riche d'expressions nouvelles ; l'autre jour, je crois l'avoir entendu dire qu'il allait au charbon. Est-ce que vous connaissez Lyon[6] ?... Vous connaissez la ville de Charbon ? Comment s'appelle le quartier ? La ville de Charbon, elle est en surface, hein ?... Je crois que M. Barre, en allant au charbon, a surtout trouvé un filon !

Mais il n'empêche que cela donne comme une sorte d'impression d'un courage. Le voilà qui part avec son pic sur l'épaule et son baluchon de l'autre, la lanterne tenue par un doigt. Il va explorer Lyon. C'est l'image du courage même qu'il incarne, il incarne la capacité d'audace de cet explorateur... mais c'est exactement la caricature du système. [...]

Je voudrais dire dès maintenant quelles sont, à mon avis, les règles

6. Depuis plusieurs mois déjà, Raymond Barre prépare sa candidature aux élections législatives à Lyon. Il y est élu député le 12 mars 1978.

d'action dont le Parti socialiste devrait s'inspirer pour marquer devant l'opinion publique sa capacité au sein de la Gauche à assurer au mois de mars prochain la succession afin de diriger, d'animer, d'inspirer la politique de la France. Ces règles d'action sont au nombre de cinq, je vais les énumérer :

- d'abord, servir l'Union,
- ensuite, refuser la volte-face communiste,
- troisième règle d'action, toujours être soi-même,
- quatrième : prendre une ligne et la suivre,
- cinquième : parler aux Français.

Première règle d'action : d'abord servir l'Union. Nous croyons l'avoir fait avec le congrès d'Epinay, les congrès qui ont suivi ; nous croyons l'avoir fait en signant le Programme commun de gouvernement de la Gauche ; nous croyons l'avoir fait lors des deux débats sur l'actualisation, en participant au Groupe des quinze et en aboutissant fin juillet à un projet qui devait normalement permettre l'accord final. Nous pensons l'avoir fait en respectant partout et toujours depuis 1971 la discipline de la Gauche. Nous n'avons pas relevé une seule indiscipline ; s'il en est quelque part, alors, la sanction a suivi. De quelle façon, par quel biais pourrait-on nous reprocher quelque attitude que ce soit qui aurait permis de douter de notre volonté ?...

Et qui donc a commencé d'engager ce problème par un procès général et par un procès historique, passant très vite d'un débat limité à quelques filiales de sociétés appartenant aux neuf groupes industriels prévus par le Programme commun pour déborder, en l'espace de huit jours, sur toutes les raisons possibles et inimaginables faisant partie d'un procès préfabriqué, qui laisse penser, en effet, que si la politique stalinienne a été délaissée... il en reste quelque chose dans l'esprit ? Le stalinisme serait-il comme cette maladie qu'on appelle le paludisme : on s'en croit guéri et cela revient de temps à autre ?

Quelles sont les causes de la crise ?...

J'hésite entre les explications, je n'ai pas arrêté mon jugement et si je dois vous dire quelle est mon inclination, je pense que la raison principale, qui conforte toutes les autres, est un phénomène de concurrence dont on trouve déjà l'explication dans l'ouvrage paru sous la signature de Fajon, *L'Union est un combat...* C'est-à-dire que l'on combat de préférence ceux avec lesquels on devrait se trouver unis ! De telle sorte qu'aujourd'hui se crée une alliance objective contre nous, à droite et chez les communistes. [...]

C'est là un extraordinaire contre-sens. Nous n'avons pas [*nous, socialistes*] à nous séparer de tout ce qu'ont fait nos prédécesseurs à travers un siècle et plus de luttes et de combats, mais c'est vrai que l'approche du Parti socialiste se distingue catégoriquement, puisqu'il est le seul à pratiquer cette méthode, l'union de la Gauche, de toutes les autres formes de la social-démocratie — je vous dis, Jean-Pierre Chevènement [7], qu'un parti vraiment social-démocrate

7. Sur Jean-Pierre Chevènement, cf. p. 245.

n'aurait pas connu la crise avec le Parti communiste et que l'accord eût été plus aisé ! En tout cas, telle est l'idée que je m'en fais.

Mais lorsqu'on pense pouvoir régler ce problème difficile, tout au moins apporter un début de solution, je ne ferai pas l'injure à mes contradicteurs de penser qu'ils croient que leur notion d'aujourd'hui a beaucoup de sens, car la réalité du débat, croyez-vous qu'elle porte sur 32 nationalisations dans le cadre de la stratégie industrielle ? Et je poserai cette grave question, la plus grave de toutes : pourquoi pas 35 ?

Non, sérieusement, vous n'avez pas l'impression que d'autres questions se sont posées, indépendamment des explications politiques que nous avons tout juste amorcées, esquissées ? Vous n'avez pas l'impression qu'il pourrait y avoir aussi des raisons qui tiendraient à quelque chose que j'appellerai tout simplement le partage du pouvoir d'Etat ? On en a à peine parlé, moi je continue de penser que c'était le débat principal.

Ça a discuté de la Défense ? C'est vrai, désaccord qui pouvait être dominé.

Les nationalisations et filiales ? Désaccord, qui pouvait être dominé.

Unitaires, mais nous le sommes. Qui ne l'est pas ? Pas un d'entre vous n'oserait le dire s'il le pensait. Moi je suis sûr que le Parti est profondément unitaire. Qui douterait que le premier secrétaire du Parti socialiste le soit ? Qui d'entre vous ? Je préfère qu'on aille au bout du discours, dites-le donc... Dites-le, et si vous ne le dites pas, alors il y a comme une réserve mentale dont on sait bien de quelle philosophie elle s'inspire... mais je ne pense pas aux communistes, je pense aux *Provinciales* !

Je supplie nos camarades de bien vouloir comprendre que quand on se dit unitaires, il ne faut pas confondre l'amour et le strip-tease ! [...]

Mais c'est là une meilleure façon de justifier la thèse communiste selon laquelle le débat en réalité n'a porté que sur les nationalisations et sur quelques aspects secondaires de la politique au niveau de la dialectique et de la négociation ! C'est faire l'impasse sur les raisons historiques et politiques qui prédominent dès lors que l'on veut aborder dans toute son ampleur le grand débat des socialistes et des communistes, dont j'ai toujours pensé qu'après avoir réalisé l'union dans l'harmonie, quand le Parti socialiste était faible, il devait aussi surmonter, pour l'union, la crise, dès lors que le Parti socialiste serait fort. Et l'union n'aura réussi que dès lors que nous aurons été capables nous-mêmes d'être unitaires et fermes sur nos positions dans une période comme la nôtre. [...]

Il n'y a pas de bons et de mauvais socialistes, mais il est normal que ceux qui ont fait Epinay [8] éprouvent entre eux, au-delà même de toutes les

8. Le 11 juin 1971, le Congrès pour l'unité des socialistes s'ouvre à Epinay. Il groupe 800 délégués socialistes, 97 « conventionnels » (appartenant à la Convention des Institutions républicaines, créée en juillet 1965, et regroupant essentiellement les amis de l'auteur) et 60 « inorganisés ».

L'auteur y présente une motion en faveur de l'Union de la Gauche. Elle est adoptée. Et le 16 juin 71, l'auteur devient premier secrétaire du Parti socialiste (Cf. *Politique*, p. 531 et suivantes).

difficultés qui parfois les opposent, le sentiment d'avoir construit ensemble une grande œuvre historique, et ceux qui l'ont fait restent des camarades et souvent des amis... J'aime en parler comme je le fais, car Epinay était déjà le résultat d'une autre histoire ; elle a exigé, de part et d'autre, la clarté du langage et le courage de l'esprit. [...]

Il n'est pas possible d'être engagés dans une bataille totalement mobilisée pour résister aux pressions adverses et d'être contraints dans le même moment de regarder à côté de soi si l'ami et le camarade ne suivent pas une autre démarche et si au moment où les décisions seront prises, il n'y aura pas harmonie des camarades, des amis et des frères qui obéiraient au souci principal de régler leurs affaires de famille avant de songer que non seulement ils sont comptables du présent et du devenir du socialisme en France, mais aussi de la réussite de l'Union de la gauche. [...]

Toutes les spéculations sur : cela s'arrangera en janvier, ça s'arrangera en février, ça s'arrangera le soir du premier tour, le lendemain du premier tour, laissez tout cela de côté, pas une seconde je ne me suis attardé sur ces choses... J'y peux quelque chose avec vous, je n'en sais rien mais je ne peux pas tout, je ne peux pas changer la stratégie du Parti communiste si cette stratégie du Parti communiste l'a définitivement éloigné de l'Union de la gauche. Mais nous pouvons créer des conditions telles que le Parti communiste lui-même soit mis en situation de ne pas faire ce qu'il veut, mais de ne faire que ce qu'il peut, et c'est là que l'argument sur la présence des masses, sur les besoins, la volonté des travailleurs devient l'argument principal.

Quoi ! Vous croyez régler la dispute en la limitant par des concessions quotidiennes ?

Quoi ! Déjà vous altéreriez le rendez-vous nécessaire en ayant abandonné une série de petits cailloux pour retrouver le chemin du Petit Poucet, incapables d'aborder la discussion en ayant dit ce que l'on voulait ? [...]

Parler aux Français, c'est leur expliquer le projet-socialiste, c'est leur expliquer ce que nous sommes : d'abord toujours être nous-mêmes, nous ne sommes pas comme les autres nous sommes ce que nous sommes... Oui, nous sommes comme cela, il faut l'expliquer, le dire. Un vieux projet tout neuf, le socialisme, il faut l'expliquer, avec un grand parti, le Parti socialiste. Les autres ne veulent pas, on n'y peut rien, on leur tend la main. Ils veulent ? C'est la victoire. Ensuite, c'est la dure réalité des choses, mais abordée dans l'enthousiasme et la volonté populaires. [...]

Vraiment, est-ce possible ? Pourquoi perdre son temps à fixer comme objectif au Parti socialiste de rassembler le plus grand nombre de Français dans l'épreuve qui est la nôtre selon nos lois, c'est-à-dire le premier tour du scrutin, là où le problème est posé si l'on veut que la dynamique populaire nous porte tous plus loin, mais là où de toute façon, et quelle qu'ait été l'hypothèse, nous aurions affronté la compétition avec nos camarades de la

Gauche. Ne l'oublions pas, de toute façon, au premier tour de scrutin, nous avons rendez-vous pour dénombrer nos forces...

Alors, notre premier devoir est de faire que le Parti socialiste soit, lors du premier tour des élections de 1978, en mesure de créer une situation nouvelle.

11 décembre 1977.

Le Parti socialiste appelle les Français à éliminer la majorité parlementaire actuelle — minoritaire dans le pays —, à rassembler autour des candidats de la gauche le maximum de suffrages, étant entendu — et c'est ma deuxième règle que je me permettrai de définir ici — qu'au 1er tour de scrutin le Parti socialiste appelle les Françaises et les Français à se rassembler autour de lui.

La victoire de la gauche dépend de la situation qui sera faite par le suffrage universel au Parti socialiste dès le 1er tour de scrutin. Chacun le sait. Le Parti socialiste détient les clés de la victoire de la gauche. Le Parti communiste, il faut le reconnaître, détient les clés de la défaite... Et de même que le Parti socialiste entend se servir de ces clés, non pas pour forcer, mais pour ouvrir la porte de la victoire, il espère et il pense que l'électorat communiste, que les communistes, que les responsables communistes ne se serviront pas des clés de la défaite pour fermer à double tour l'espérance des Français.

J'ai dit « double tour »; cela m'amène, sans jeu de mots, à l'examen du 2e tour de scrutin.

Eh bien! Le Parti socialiste ne peut que s'engager pour lui-même : au 2e tour de scrutin, le Parti socialiste mettra les suffrages obtenus au 1er tour au service de la gauche, ce qui, en langage clair, signifie qu'il se retirera au bénéfice du candidat de gauche le mieux placé pour battre le candidat de la droite. Si les autres partis de gauche n'agissaient pas de même, cela voudrait dire qu'ils veulent maintenir en place la droite. Cela n'aurait pas d'autre sens. Il est vrai que nous constatons avec peine, avec regrets le plus souvent, qu'il existe une sorte d'alliance objective de MM. Giscard d'Estaing, Barre, Chirac, et du Parti communiste, ce dernier parti voulant, au nom de je ne sais quel maximalisme, que j'appellerai démagogie, obtenir tant et tant... qu'en fait rien ne le sera, finalement !

Je pose la question aux Françaises et aux Français : vaut-il mieux un gouvernement de la gauche, y compris un Gouvernement de la gauche animé par les socialistes, quel que soit l'état des débats internes de la gauche, ou garder un gouvernement de droite ?

Ceux qui estimeront qu'il vaut mieux se défaire d'un gouvernement de droite comprendront que leur intérêt, sinon même leur devoir, est de voter socialiste pour la victoire de la gauche.

La quatrième règle que je me permets de définir est celle-ci : le Parti socialiste entend s'affirmer et se comporter en parti de Gouvernement. Il a engagé son action, depuis sa création en 1971, afin de gouverner, et, comme il a été dit, gouverner pour atteindre les objectifs fixés par le Programme commun, ce qui suppose l'Union de la gauche, l'union de la gauche à tous les niveaux, notamment parlementaire et gouvernemental.

Mais le Parti socialiste — faut-il le répéter ? — ne peut s'engager que pour lui-même. Il dit donc hautement qu'il aborde ces élections avec la volonté de l'emporter, avec la volonté d'exercer une dynamique pour la gauche tout entière, afin de gagner les élections et de répondre aux aspirations de la majorité des Français, qu'il engage cette action en tant que Parti de gouvernement, respectueux de ses engagements, refusant toute compromission avec toute organisation politique ayant des objectifs différents ou opposés aux siens sur l'essentiel — je veux dire les partis membres de l'actuelle majorité présidentielle —, un parti de gouvernement pour briser la logique du grand capital et des monopoles, briser la logique de la crise du monde capitaliste occidental, en refusant la démagogie communiste.

Le Parti socialiste fait appel à ses partenaires signataires du Programme commun. Il estime que tout est possible, que tout est encore possible pour l'union de la gauche, que les Français l'attendent, et le Parti socialiste n'éprouve aucune difficulté à répéter que, pour lui, le Programme commun, c'est la voie ouverte pour une société socialiste, et que cette société, si l'on respecte strictement les dispositions de ce Programme commun, ne peut pas être la société livrée au capitalisme des sociétés multinationales et des grands groupes monopolistiques français, et pas davantage le Programme commun ne peut ouvrir la voie à une société communiste ; le pays n'en veut pas, les socialistes non plus !

Le dessin tracé par le Programme commun de la gauche c'est, comme l'ont dit les uns et les autres : plus de démocratie, plus de démocratie politique, économique, sociale et culturelle. Ce supplément de démocratie n'est possible que par la transformation des structures, et la transformation des structures doit toujours rester compatible avec le développement des droits et des libertés, des droits des citoyens, le droit des gens, la liberté de l'homme.

Les modèles qui pourraient nous être proposés sont, de ce point de vue, contradictoires. Il s'agit donc d'une voie originale, tirant le meilleur des expériences multiples qui se sont déroulées ou qui se déroulent autour de nous, et notamment en Europe de l'Est et de l'Ouest. Aucune confusion n'est permise et la vigilance du Parti socialiste est précisément celle-ci. Nous n'accepterons pas de dévier, quelles que soient les déclarations de principe nous voulons vérifier, et lorsque nous observons que, sous la rubrique du développement des libertés, on nous propose une série de déformations et de malformations du Programme commun qui nous engageraient strictement sur le modèle soviétique, nous disons que cela n'est ni dans l'intention ni dans la volonté des signataires du Programme commun, ni dans le texte du contrat, ni conforme à la volonté du Parti socialiste.

On ne peut donc, par un chemin détourné, nous contraindre à aller vers un objectif que nous avons refusé par la ligne directe !

Voilà pourquoi nous disons et nous clamons partout : oui au Programme commun, non au programme communiste !

Oui à la société socialiste, non à la société communiste, du moins celle que nous connaissons, telle qu'elle existe dans des pays infiniment respectables, presque tous partis d'une situation de sous-développement économique et culturel, qui ont réalisé d'admirables travaux, mais qui ont, en même temps, dû assortir ce renouveau économique d'un système de droit qui ne peut pas être le nôtre.

16 janvier 1978.

J'ai toujours pensé qu'une crise surviendrait. Je ne pouvais pas prévoir quand elle aurait lieu, avant ou après les élections législatives. Ces derniers jours, j'ai souvent fait référence au rapport de Georges Marchais à son Comité central, le 29 juin 1972, pièce maîtresse de l'explication. Il a été adopté deux jours après la signature du Programme commun. Or, dans ce rapport, resté secret pendant trois ans, vous trouvez déjà toutes les accusations censées provenir de notre désaccord de septembre 1977, soit cinq ans plus tard ! Sa lecture, en 1975, m'avait convaincu d'une échéance prochaine et difficile.

Il faut savoir de quoi l'on parle. Mon objectif a été de restituer à la France le mouvement socialiste qui lui manquait. Tenter de restituer à la France un grand Parti socialiste ne dépendait pas de moi seul, assurément, mais, puisque j'étais soutenu par la quasi-unanimité de mon parti, cela dépendait quand même beaucoup de moi. Ai-je échoué ? Nous étions 10 % de l'électorat français en 1971, nous sommes 25, 26, 27 % aujourd'hui et la première force du pays. L'Union de la gauche n'est pas seulement un accord entre les partis, mais une réalité populaire profonde. C'est cela qui compte le plus et qui durera au-delà des circonstances. [...]

En raison du mode de scrutin, le Parti socialiste aurait de toute façon abordé le premier tour sous son propre drapeau. Mais le Parti communiste a commis une grave erreur en privant la rivalité politique et électorale des socialistes et des communistes du fonds commun que représentait leur programme de 1972. Pour le deuxième tour de scrutin, il sera moins aisé de rassembler une majorité, car un simple accord électoral n'aura pas la force d'attraction d'un programme pour cinq ans.

En prenant le risque de renvoyer à plus tard la victoire de la gauche et les changements qu'elle implique, le Parti communiste assume une lourde responsabilité. Quant à nous, nous sommes prêts à gouverner. Nous maintiendrons la ligne politique définie en 1972 et préciserons ce qui fait notre singularité : le refus du centralisme d'Etat ; de la concentration des pouvoirs ; la recherche de la démocratie dans l'entreprise, l'accession à une liberté supérieure par une meilleure répartition des responsabilités, par la capacité donnée à chacun de juger par soi-même, de connaître et d'agir ; la reconnaissance du droit à la différence.

Trois ans après la rupture de l'Union de la Gauche, dans son livre Ici et Maintenant, *l'auteur revient sur la question.*

— Je m'interroge encore là-dessus. Quatre raisons, dans mon esprit, prévalent. La première découle de la crainte qu'ont eue les dirigeants communistes d'affronter au pouvoir la crise économique et les difficultés qu'elle engendre. La deuxième, liée à la première, tient à leur déception d'avoir perdu le leadership de la gauche et de ne pouvoir imposer leurs vues.

— *C'est la situation italienne qui ne s'est pas produite.*

— La situation italienne, c'est-à-dire la coexistence d'un Parti communiste fort et d'un Parti socialiste faible, je l'ai connue en France avant le congrès d'Epinay. L'unité des socialistes, leur renouvellement, leur choix d'une stratégie d'union ont rendu au Parti socialiste son destin historique. Enfin, on pouvait changer la société sans tomber dans le stalinisme ! Une nouvelle espérance était née. Cette espérance, la direction du P.C. ne l'a pas supportée. La façon dont elle a réagi au résultat des élections partielles de fin septembre 1974, marquées par un grand succès socialiste et une certaine stagnation communiste, signe qu'un nouveau rapport de forces s'établissait à gauche, autorisera peut-être les historiens à situer la décision de la rupture à cette date et non pas en 1977, qui n'en fut que l'occasion.

La troisième raison ? Moscou me la fournit. Elle apparaît dans les textes théoriques publiés par les revues, les journaux soviétiques. J'en ai là d'éclairants, de janvier 1977, date intéressante pour la suite des choses. L'Histoire nous enseigne que lorsque le P.C. d'Union soviétique commence d'employer un langage unitaire et pousse à la naissance des Fronts populaires, ce langage annonce une période de détente internationale, à moins que ce ne soit la détente internationale qui annonce la venue des fronts populaires.

De même, quand le Parti communiste d'Union soviétique durcit le ton et ressort du placard un vocabulaire du genre « classe contre classe », celui qui a été imposé, par exemple, par Staline aux communistes allemands et qui a livré la république de Weimar à Hitler, ou du genre « crétinisme parlementaire » emprunté à Marx et repris par Thorez et Duclos en 1947 pour signifier qu'on ne collabore plus avec les systèmes démocratiques, qu'on n'entre plus dans le jeu de leurs institutions, les fronts populaires se dissolvent, à moins que ce ne soit la rupture de ces fronts populaires qui précède le retour à la guerre froide. Bref, les décisions prises à Paris par la direction du P.C. français correspondent le plus souvent aux données d'une stratégie mondiale dont le *la* est donné par Moscou.

— *Et la quatrième raison ?*

— L'Union soviétique ne souhaite pas qu'une expérience socialiste, cautionnée par la participation d'un Parti communiste au gouvernement, et différente par nature du modèle marxiste-léniniste, voie le jour en Europe. Imaginez le retentissement d'une telle expérience dans les pays d'Europe centrale et orientale aujourd'hui soumis à la domination russe et à l'idéologie léniniste, où l'on rêve de l'impossible trilogie (impossible pour eux) : socialisme, droits de l'homme, indépendance nationale. La vigueur avec laquelle l'U.R.S.S. a combattu le modèle scandinave, le travaillisme britannique, la social-démocratie allemande, l'autogestion yougoslave, souligne son souci d'éliminer toute concurrence sur le terrain qu'elle s'est approprié. Une expérience française n'arrangerait rien à ses yeux : quand la France rencontre une grande idée, elles font ensemble le tour du monde. D'où l'inclination de l'U.R.S.S. pour les gouvernements d'union nationale en Europe de l'Ouest quand elle juge utile la présence d'un Parti communiste aux affaires. Cela pose moins de problèmes que l'Union de la Gauche ou plutôt cela les pose à un niveau plus acceptable : la tactique substituée à l'idéologie.

— *L'Union soviétique n'aurait-elle pas voulu du même coup ménager les Etats-Unis, aussi désireux qu'elle du statu quo ?*

— Vous me devancez. Une expérience socialiste en France inquiétait à la fois les deux superpuissances. Aux avertissements de Kissinger a répondu le clin d'œil de Moscou.

— *Mais si personne ne veut de cette union, vous poursuivez une chimère...*

— Ce n'est ni à Moscou, ni à Washington, ni à Bonn, ni à Pékin que le peuple français décide de son histoire. Dans cette offensive générale des puissances du monde contre l'union des forces populaires en France, je vois l'éternelle alliance des orthodoxies. Cela me donne d'autant plus envie de faire de notre pays celui qui fera bouger l'ordre établi où des millions d'hommes étouffent.

En janvier 1978, trois mois après la rupture de l'Union de la Gauche, les sondages prévoient, pour la plupart, la défaite de la majorité aux élections législatives qui sont fixées les 12 et 19 mars 1978.

A la veille d'un choix décisif pour le sort des Français, je m'adresse à vous femmes et hommes de gauche souvent inquiets de nos difficultés actuelles et à vous, femmes et hommes qui faisiez confiance jusqu'à présent aux partis de la majorité gouvernementale et qui mesurez désormais leur incapacité.

Au-delà des divergences et des choix politiques vous constatez tous l'échec de la politique menée depuis tant d'années par la droite. Le chômage et l'inflation ne sont que les résultats les plus visibles, les plus attristants de la gestion des partis de droite.

Dans leur grande majorité les Français n'en veulent plus. Ils aspirent à un changement profond et les plus défavorisés ne peuvent plus l'attendre. Ils savent que la gauche est seule capable de leur apporter ce qui leur manque le plus : l'égalité des droits et des chances, la responsabilité de leurs propres affaires, la certitude que la France retrouvera l'élan des grands moments de son histoire.

Ce moment est venu, il dépend de vous que ces espérances se réalisent. Je voudrais que vous compreniez que la difficulté de la gauche est qu'elle veut aller honnêtement au fond des choses, pour changer la vie, et que la facilité de la droite est qu'elle se contente de slogans à seule fin de garder le pouvoir.

Le Parti socialiste, premier parti de France, vous offre la meilleure chance de sortir de la situation actuelle. Parce qu'il est fidèle à ses engagements, fidèle à l'Union de la gauche, au Programme commun, parce qu'il refuse la surenchère à laquelle l'invitent ses partenaires communistes. Parce qu'il veut et qu'il peut mettre l'imagination au pouvoir. Parce que plus que tout autre, il fait des propositions dans tous les domaines qui touchent à la vie quotidienne, tels que les logements, l'aménagement des villes, les transports, l'environnement, l'éducation...

Enfin parce qu'il est un Parti de gouvernement, un parti responsable qui ne promet que ce qu'il peut tenir.

La victoire de la gauche dépend de la situation qui sera faite par le suffrage universel au Parti socialiste, dès le premier tour de scrutin. Les militants du Parti socialiste ont désigné le candidat ou la candidate qui se présente à vos suffrages dans votre circonscription et qui s'engage sur cette politique. Les candidats sauront exprimer vos aspirations. En votant pour eux dès le premier tour vous manifesterez votre volonté de prendre en main votre propre destin et celui de vos proches. Vous refuserez la prolongation d'une situation déplorable pour le plus grand nombre, qui maintient et renforce les privilèges et vous sanctionnerez un gouvernement, qui, faute de grand dessein, fait une politique à la petite semaine. Vous refuserez aussi la démagogie qui ne procure que des avantages illusoires et trompe l'espérance des travailleurs.

Le Parti socialiste porte les espérances de millions de Français. En rejoignant son combat, en votant pour son candidat vous vous donnerez les moyens d'améliorer et de changer la vie de chacun, d'élever l'image de la France dans le monde.

Le socialisme est une idée qui fait son chemin. Je vous invite à le tracer avec nous.

4 janvier 1978.

Le choix du Parti socialiste est, depuis plusieurs années, le choix d'union de la gauche autour d'un programme commun, mais le Parti socialiste ne peut engager que lui-même. S'il exprime une fois de plus le désir que ses partenaires, et notamment le Parti communiste, obéissent aux lois de la raison, du bon sens et de l'intérêt public, notamment de l'intérêt des travailleurs, si chacun veut bien se rendre compte qu'il n'y a pas de différend sur telle ou telle réforme assez profond pour empêcher un accord sur l'ensemble, il n'en est cependant pas le maître.

Nous disons que nous, socialistes, parlant en notre nom, aujourd'hui premier Parti français, nous irons au 1er tour des élections sur la base des propositions du Parti socialiste [...].

Dans le cas d'une victoire de l'ensemble des partis de gauche au 2e tour de scrutin, victoire qui ne sera assurée que par ce que l'on appelait autrefois la discipline républicaine — et je reprendrai ce terme de discipline républicaine en le transformant aux nécessités du jour pour dire la discipline de la gauche — dans le cas d'une victoire de la gauche qui sera assurée par une discipline à laquelle nous disons à l'avance, et sans autre discussion, et sans négociation, que nous, socialistes, nous nous plierons, alors le Parti socialiste, dont nul ne doute, parce que c'est ainsi, parce que les Français l'ont déjà décidé, l'ont déjà démontré, alors le Parti socialiste, parce qu'il est et parce qu'il sera le premier parti de la gauche et le premier parti disposant d'une représentation parlementaire, fera les propositions que je viens de dire afin que soit constitué un gouvernement sur ces bases. La discussion sera ouverte, mais nous, nous aurons annoncé la couleur, et les Français sauront à partir d'aujourd'hui, si ce n'est déjà fait exactement, ce que le Parti socialiste propose, exactement comment il entend agir, rassemblant le maximum des votes de millions et millions de Français et de Françaises dès le premier tour de scrutin, appliquant strictement les engagements qu'il a pris et la discipline de la gauche au deuxième tour de scrutin, assumant ses responsabilités dans le cadre d'une gauche majoritaire, faisant des propositions à ses partenaires et se déclarant prêt en toute circonstance à transformer comme il l'a dit les données de la politique, de l'économie et de la vie sociale française afin que, vraiment, le changement commence.

Pour ce qui concerne le Programme commun de gouvernement vous y retrouverez des données très connues ; vous êtes de bons spécialistes et je ne vous servirai pas de guide, vous vous y reconnaîtrez tout seuls. Je me contenterai de vous rappeler que le Programme commun prévoit un certain nombre de dispositions sociales afin de satisfaire les justes revendications des masses. L'idée qui nous anime est une idée simple et une idée forte ; elle est qu'il faut absolument corriger l'immense injustice qui préside à la vie de la société française, qu'il faut redistribuer le profit national et servir d'abord ceux qui en sont les artisans.

Ces revendications sociales, je vais vous en dire quelques-unes, toujours pour aide-mémoire, et sans prétendre donner une liste exhaustive ; que personne ne me reproche de ne pas avoir cité tel ou tel point.

Elles figurent toutes dans notre programme et elles seront toutes reprises dans la campagne électorale. Je citerai seulement :

— le droit à la retraite pour les hommes de 60 ans et les femmes de 55 ans,

— la 5ᵉ semaine de congés payés,

— naturellement la loi des 40 h,

— l'augmentation des allocations familiales sur deux exercices financiers, c'est-à-dire sur moins d'un an, puisque les élections ont lieu au mois de mars et que le nouveau Gouvernement devrait exister au mois d'avril, 25 puis 25 %, soit 50 % d'augmentation des allocations familiales à la date du 1ᵉʳ janvier 1979,

— l'augmentation de l'allocation vieillesse ; vous savez que le Programme commun prévoit que l'allocation vieillesse doit rejoindre le S.M.I.C. et, en tout cas, dans une première phase, on doit tenter d'atteindre, année par année, les 80 % du S.M.I.C. Il n'est donc plus possible de s'en tenir à la définition déjà dépassée, à cause de la crise et de ses conséquences et de la mauvaise gestion gouvernementale, aux 1 200 F par mois qui ne représenteraient que 50 % par rapport au S.M.I.C... Je pense que les chiffres auxquels nous aboutirons tourneront autour de 1 300 F dans la phase initiale et par rapport au déroulement que je viens d'indiquer,

— quant au S.M.I.C., je tiens à vous informer que le Parti socialiste, après avoir rencontré les organisations syndicales, après avoir procédé à l'étude de l'évolution de la situation économique, le détail du pouvoir d'achat au cours de l'année 1977, puisque nous sommes maintenant en mesure de le faire et de prévoir le déroulement sur les mois de janvier, de février et même de mars, a tiré la conclusion qu'il serait recommandé au Gouvernement d'adopter le chiffre de base de 2 400 F par mois pour 40 h.

Nous rappelons dans ce texte un certain nombre de données qui touchent aux droits des travailleurs ; nous rappelons notre volonté, conforme au Programme commun, c'était écrit, d'accélérer la réduction de l'éventail des salaires ; nous ne jugeons pas raisonnable d'indiquer une réduction qui ne resterait que théorique, je veux dire celle de 1 à 5, puisqu'elle n'a été réalisée nulle part dans aucun pays du monde, y compris là où existent des systèmes communistes depuis très longtemps ; nous développons de la même façon les thèmes de la réforme de la Sécurité sociale, mais j'arrête là cette énumération.

Pour ce qui concerne les mesures économiques, je vous rappelle que notre projet tourne autour de la notion de planification, que la planification suppose parmi beaucoup d'autres conditions, notamment la consultation la plus large possible à la base de tous les Partis intéressés, l'extension du secteur public, afin d'assurer la maîtrise du projet gouvernemental de la gauche par la maîtrise d'abord du secteur du crédit, de la banque, aussi de l'assurance, mais aussi d'un certain nombre de secteurs industriels.

Nous restons ouverts à la discussion sur ce plan quant à la définition du groupe industriel, quant à son étendue, quant à ses filiales.

Pour ce qui concerne les institutions et les libertés, nous restons attachés aux propositions du Programme commun de Gouvernement qui prévoit, vous le savez, certaines modifications d'articles constitutionnels, certaines transformations qui tendent toutes à respecter la fonction parlementaire sans pour autant prétendre à diminuer de façon sensible la capacité du président de la République, chef de l'Etat, telle que cette capacité a été définie par la constitution actuelle.

Je ne veux pas parler pour l'instant de l'usage, nous pourrions en débattre longtemps !

La suppression de quelques autres articles... rappelez-vous l'article 16. Et nous sommes restés également attachés à l'idée que j'avais développée lors de la dernière campagne présidentielle sur la nécessité d'annexer au préambule de la Constitution une charte des libertés, idée qui avait été brocardée en son temps et que chaque Parti politique autre que le nôtre, après nous, a décidé à son tour de mettre en œuvre.

Eh bien, oui, cette charte des libertés est tout à fait nécessaire.

Pour ce qui concerne l'aspect institutionnel et l'aspect libertés, j'en dirai un mot pour conclure : nous pensons que ces libertés ne seront véritablement assurées que si la gauche est vraiment capable d'instaurer institutionnellement un système décentralisé, de mettre un terme à plus d'un siècle et demi de centralisation hérité plus encore de Bonaparte ou des Jacobins, et que si le centralisme a été nécessaire pour resserrer le tissu national et pour en assurer la pérennité, il en est arrivé, en raison des moyens de la technique, des moyens de l'information, de la communication, à un point de concentration tel qu'il se contredit lui-même et est devenu en lui-même un danger.

Nous pensons que le projet de la gauche ne pourra trouver dans tous les points, sur tous les points et dans tous les sens, sa justification qu'au travers d'un plan hardi de décentralisation. Je veux dire dans les relations de l'Etat, de la région, du département, de la commune, du syndicat de communes, du syndicat de départements et dans les relations des collectivités locales avec la vie associative.

Il est établi, vous en êtes vous-mêmes les interprètes, les auteurs, il est établi partout que le Parti socialiste représente aujourd'hui l'axe de la politique française, et à partir de là, d'abord la droite tout entière, les partis conservateurs au pouvoir ont concentré leur tir de jour en jour et inlassablement sur ce Parti socialiste, artillerie qui s'est trouvée encouragée et additionnée à l'artillerie développée depuis quelque temps par le Parti communistes, vraisemblablement pour les mêmes raisons.

La vie d'un pays, d'une nation, ce n'est pas seulement un ensemble de recettes, je ne dirai même pas, de propositions ajoutées l'une à l'autre, c'est une certaine idée de la société, celle qui nous anime, d'abord, et celle de la justice à rendre, aux travailleurs, aux producteurs, aux délaissés, aux abandonnés, aux exploités, aux opprimés.

Mais, partant de cette constatation qui anime nos luttes, nous savons bien qu'il n'y a pas n'importe quelle réponse à apporter à l'état d'injustice.

Les socialistes, depuis le premier jour, ont une explication, à savoir qu'il n'y a pas d'autre liberté que celle qui commence par être assurée dans le domaine économique.

Nous pensons que le développement, le débouché de réformes et de structures économiques et sociales, sur le plan structurel, et plus encore, car le mot « culturel » comporte encore ses limites, sur le plan de l'être et des relations des individus entre eux, sans oublier la relation de chacun à soi-même, supposent un développement de connaissances, du savoir, tout un type de relations également entre les Pouvoirs et le citoyen. Bref, cela pourrait s'appeler, d'un mot qui aura une valeur plus morale que politique, « la responsabilité de chacun », ou, plus politique que morale, « l'autogestion de la société par chacun ».

Un autre document, qu'il ne faut pas que vous teniez pour seulement polémique, tend à présenter, après étude très sérieuse, ce que nous avons appelé : « Les Comptes fantastiques de MM. Giscard d'Estaing, Barre et Chirac », ou bien : « Les promesses de la droite ».

« Les Comptes fantastiques » de MM. Giscard d'Estaing, Barre et Chirac, c'est tout simplement la somme des promesses et des engagements pris, avec références, dates à l'appui, textes cités, avec la plus extrême précision, la somme des décisions de Conseils des ministres, des promesses contenues dans des discours dominicaux, ou devant l'Assemblée nationale, ou devant le Sénat, par l'un ou l'autre des deux Premiers ministres qui se sont succédé depuis 1974, ou par le président de la République lui-même. Si ce n'est pas le programme de la droite, alors, qu'est-ce que c'est ?

Ce qui peut être chiffré, dans les propositions socialistes et le Programme commun de Gouvernement de la gauche, ce sont les répercussions budgétaires sur le budget de l'Etat, le cas échéant sur le budget social, sur l'année 1978 et l'année 1979.

1978, parce que ce seront les neuf derniers mois de l'année des élections ; 1979, parce que les réformes de structures ne produiront pas leur effet avant la fin de cette année-là.

Nous avons, nous, raisonné sur un mode de croissance qui est naturellement très loin des 6,7 % ou 8 % que l'on promet par ailleurs, et qui nous paraissent déraisonnables ; nous pensons que c'est autour de 5 %, en tout cas ne point dépasser 6 %, que l'on peut chiffrer les possibilités de recettes ou de compensation, en raison de la relance économique possible et souhaitable : C'est autour de cette donnée-là que nous vous fournirons, dans les jours qui viennent, le chiffrage des propositions socialistes ; sur les dix-huit mois qui suivront les élections générales.

Le reste, eh bien, ce serait du domaine de ce livre : promesses, promesses, la démagogie coulant à pleins bords, de la bouche de M. Giscard d'Estaing, de M. Barre, et de M. Chirac, avec ce fumet particulier de l'hypocrisie.

Mais, vous nous annoncez également que le président de la République aurait déjà décidé, peut-être même d'assister, en tout cas de couvrir, le projet gouvernemental.

Vous nous annoncez en même temps que le président de la République, dans quelques jours ou quelques semaines, prétendra décréter ce qu'il appelle « le bon choix » pour la France[9], et il m'arrive de regretter qu'un certain nombre d'entre vous ne mettent pas toujours les guillemets entre les mots « bon choix », ce qui, je le reconnais, est tout à fait difficile pour les journalistes de la presse audio-visuelle, qui peuvent difficilement placer ces guillemets... J'attendrais simplement de leur part un peu moins d'assurance et d'enthousiasme, car, après tout, le président de la République, rentré en campagne électorale, devient un citoyen comme un autre, et il n'a pas plus à décider du « bon choix » pour la France que le plus modeste citoyen de la plus petite commune française ! Nous ne sommes pas retournés — du moins, à ma connaissance — en monarchie, lorsqu'il existait un homme doté d'une onction sainte et chargé de dire, pour le pays tout entier et pour l'ensemble

9. Cf. *supra* p. 175 et *infra* p. 200.

des citoyens, pour la totalité des Français, ce qui était bien, ce qui était bon, ce qui était juste ! Dans la confrontation électorale, M. Giscard d'Estaing... eh bien ! Il est l'agriculteur, ou l'un des maçons ! C'est déjà beaucoup ! Je reconnais sa difficulté, car être le maçon qui donne des conseils à l'agriculteur, alors que c'est lui qui a mis la maison par terre, cela le recommande assez peu pour bénéficier du prochain marché, mais enfin je veux dire par là qu'en fait, le président de la République devient, ou risque de devenir, s'il persévère bien entendu — je ne désespère pas qu'il entende mes paroles — tout simplement un partisan, dans le bon sens du terme ; il a le droit d'avoir son opinion, il en a le droit autant que quiconque, il deviendra simplement le chef d'une majorité qu'il a prise et que, jusqu'à nouvel ordre, il a rendue minorité ! C'est beaucoup, mais c'est tout, et je dois dire qu'il lui sera extrêmement difficile d'apparaître comme un arbitre s'il s'emploie, pendant des mois, à être un partisan !

8 janvier.

Je suis le premier responsable du Parti socialiste. Le Parti socialiste est responsable de millions et de millions de suffrages, qui pourraient se situer à 7 millions de suffrages au début du mois de mars prochain. Le Parti socialiste est donc un grand parti, l'un des grands partis français, je crois vraiment, si j'en juge par les dernières compétitions électorales municipales et cantonales, le 1er. Dès lors, un devoir immense repose sur nous. Est-ce que les socialistes sauront se faire entendre, non seulement des socialistes, mais aussi des autres hommes et femmes de gauche, mais aussi de centaines de milliers de Français qui votent jusqu'ici à droite, bien que leur vie personnelle, que leur vie quotidienne, que leurs conditions de travail et d'existence doivent normalement les inciter à rejoindre la gauche ? Je m'adresse à eux tous et je pense que le Parti socialiste, comme tous les grands partis dans les grands pays, a capacité de déterminer le gouvernement de la France. Il ne prétend pas le faire à lui seul. Dans quelle démocratie y a-t-il la majorité absolue pour un parti politique ? Il connaît bien les limites de ses forces. De quel côté va-t-il se tourner ? Il se tourne du côté qu'il a choisi en 1971 et avant, mais déterminé, de façon claire, en 1971, à savoir, du côté des représentants des forces sociales aujourd'hui exploitées, celles qui sont victimes des injustices de notre société.

A partir de là, je m'arrête, la réponse appartient aux autres. Mais je pense que le Parti socialiste en tant que tel est parfaitement capable de créer une situation dès maintenant, aujourd'hui, demain, au premier tour de scrutin, pourquoi pas au deuxième tour de scrutin et dans le gouvernement de la France, dans l'Assemblée. Il est capable à lui seul de créer une situation qui rende irréversible la volonté d'union de la majorité du peuple français. Voilà en tout cas l'engagement du Parti socialiste et, d'une certaine façon, je comprends votre observation qui pourrait avoir valeur de critique. Je ne peux pas m'exprimer au nom de l'Union de la gauche parce que je n'ai pas le droit de m'exprimer au nom des autres partis de la gauche. Désormais, je ne peux m'exprimer qu'au nom du Parti socialiste. C'est vrai pour demain, c'était vrai hier...

Sept cent mille électeurs environ sont immatriculés, hors de France, par les organismes consulaires. Depuis juillet 1977[10], ils ont la faculté, sous certaines limites, de se faire inscrire dans toute commune de plus de trente mille habitants. Selon les résultats des élections législatives de 1973, leur vote peut être décisif : « Cinq députés avaient été élus avec moins de cent voix de majorité, sept avec moins de deux cents voix, quatre avec moins de quatre cents et trente-deux avec une avance de un pour cent des suffrages exprimés[11]. »

Dès décembre 1977, Gaston Defferre dénonce, avec le vote des Français à l'étranger, « la plus importante tentative de fraude électorale de tous les temps »[12]. Le 7 janvier 1978, l'auteur pose une question écrite : elle reste sans réponse. Le 15 février 1978, il demande [...] à M. le Premier ministre s'il n'estime pas [...] urgent de mettre au clair une affligeante affaire où risque de se trouver engagée la responsabilité morale, politique et pénale des personnes qui, dans le cadre de leurs fonctions, se seraient rendues coupables d'agissements frauduleux, sans omettre le grave dommage causé à la réputation de l'Etat et particulièrement d'une administration — celle du Quai d'Orsay — attachée à ses devoirs et dont on peut penser qu'elle juge elle-même sévèrement l'utilisation qu'on a voulu faire de son autorité.

Samedi 25 février.

Une lettre du président de la République, cela n'arrive pas tous les jours ! Quand les Français vivant à l'étranger la reçoivent, mi-septembre, ils éprouvent — enfin, on pense à eux — une vraie surprise et un certain contentement. Cette lettre, enjôleuse, enrôleuse et, qui plus est, ornée d'une signature autographe (seuls des yeux exercés remarqueront qu'il s'agit d'une reproduction) les informe qu'en vertu d'une loi votée deux mois plus tôt, ils pourront très commodément remplir, en mars prochain, leur devoir de citoyen. Les heureux destinataires du mandement présidentiel n'ont pas le temps de revenir de leur étonnement qu'une seconde lettre, signée cette fois par l'ambassadeur ou le consul du lieu de leur résidence, confirme en tout point le premier message. Ils pourront, s'ils le désirent, voter dans n'importe

10. Loi du 19 juillet 1977. A l'Assemblée nationale et au Sénat, l'opposition a voté contre.
11. Pierre Viansson-Ponté, *Le Monde*, 7 janvier 1978.
12. Assemblée nationale, 21 décembre 1977.

quelle commune métropolitaine de plus de 30 000 habitants, n'y seraient-ils jamais allés, n'y posséderaient-ils pas un seul cousin au douzième degré, auraient-ils oublié l'endroit où elle se trouve, ignoreraient-ils le nom des candidats. Tout à l'heure on pensait à eux, maintenant on pense pour eux. Il leur suffira d'apposer un paraphe. Le groom fera le reste.

Tant de sollicitude les émeut, ravit le plus grand nombre, intrigue quelques-uns. Mais personne ne se doute que vient de commencer le plus grand scandale du septennat puisqu'il implique l'Etat, son chef, son gouvernement, ses diplomates, ses agents d'autorité, bientôt ses juges, tous organisateurs, exécutants, complices directs ou indirects, conscients ou inconscients, d'une fraude électorale érigée en institution. La mécanique se met en marche. Une circulaire du Quai d'Orsay, bureau des élections, part le 25 novembre, en direction de « tous postes diplomatiques et consulaires » afin de préciser « le mode d'acheminement des demandes d'inscription sur une liste électorale en France ». Erreur. Ce n'est pas ça. Encore mal rodée, la machine a grippé. L'innocent fonctionnaire qui a rédigé ce texte n'a rien compris au rôle qu'on attendait de lui. Une deuxième circulaire, du 29 novembre, avec, pour le coup, la signature de M. Ulrich, directeur du cabinet de M. de Guiringaud, annule les instructions vieilles de quatre jours et recommande aux ambassadeurs et consuls d'user de la valise diplomatique « aussi systématiquement que possible », « de prévoir l'expédition de valises non accompagnées supplémentaires compte tenu des besoins, compte tenu notamment de la nécessité pour les demandes d'inscription de parvenir dans les mairies avant le 31 décembre », et, détail savoureux, « de communiquer à la direction des conventions administratives et des affaires consulaires, au plus tard pour le 5 décembre », un premier bilan « des réactions qu'ils auront pu enregistrer parmi nos ressortissants à la suite de la diffusion des lettres que M. le président de la République et vous-mêmes leur avez adressées ». Ah, le beau zèle, M. Ulrich ! On vous en pincerait l'oreille !

Il est vrai que le temps presse, ou bien la fraude ne sera plus qu'une tentative de fraude : après le 31 décembre, nul ne peut plus s'inscrire sur une liste électorale. Donc on se dépêche. Déjà, le 21 septembre, treize ambassadeurs triés sur le volet ont déjeuné au Quai d'Orsay sous la présidence du secrétaire d'Etat aux Affaires étrangères, M. Pierre-Christian Taittinger, et en présence du ministre de l'Intérieur. M. de Guiringaud est venu, à l'apéritif, exhorter les convives. Affecté au digestif, le ministre de l'Intérieur a souligné à son tour l'importance que le Gouvernement attachait aux dispositions de la loi sur les « Français de l'étranger ». Mais soudain l'affaire éclate. L'ambassadeur de France au Gabon, M. Delaunay, expédie deux télégrammes à son ministère annonçant la remise directe, par ses soins, à un porteur du « Rassemblement des Français de l'étranger », association créée pour la circonstance par les partis de la majorité, de plusieurs centaines de procurations en blanc... dont la répartition se fera à Paris. On retrouve ces procurations dûment remplies dans le XVIIIe arrondissement de Paris (circonscription de M. Chinaud) et à Périgueux (circonscription de M. Guéna). On a failli les retrouver à Bourges (circonscription de M. Deniau, qui les a refusées). *Le Canard enchaîné* publie les télégrammes de M. Delaunay [13]. M. de Guiringaud se tait. Je pose une question écrite sur le même sujet. M. de Guiringaud se contente de répondre que « les télégrammes de l'ambassadeur de France au Gabon sont authentiques » mais que « cette erreur » n'a qu'un « caractère formel ». On apprend alors que le trafic s'est étendu à Montpellier, Auxerre, Nice, Toulouse, dans plusieurs circonscriptions de Paris, là où la majorité est menacée. Cela vient de partout : Côte-d'Ivoire, Mexique, Belgique, Autriche, Pondichéry. Trente-cinq Français de Belo Horizonte (Brésil) ont poussé l'originalité jusqu'à préférer entre toutes la commune de Chatenay-Malabry, et le scrupule jusqu'à préciser qu'il s'agissait de la XIIᵉ circonscription des Hauts-de-Seine — ce que tout le monde sait, bien entendu ! L'affaire prend de telles proportions qu'une enquête administrative est ordonnée au Quai d'Orsay. Elle aboutit à un rapport, remis à M. de Guiringaud. *Top secret.* Nul autre que les fraudeurs n'en connaîtra les conclusions.

J'ai parlé de racket. Quand on saura que, compte tenu du mode de scrutin et du découpage des circonscriptions, le résultat des élections législatives peut dépendre d'un déplacement artificiel de cent mille voix sur un total de trente-six millions d'électeurs, on reconnaîtra que le mot reste faible.

19 janvier.

On procède par attaques personnelles et l'on ne parle plus du mois d'avril prochain que comme l'Apocalypse. Chaque fois que mes adversaires ouvrent la bouche, c'est pour me traîner plus bas que terre. Or, depuis quelque temps, ce concert s'est accru d'une voix sonore, celle de M. Marchais [14]. Il faut vraiment que nous soyons bien, nous socialistes, pour que l'on dise tant de mal.

3 mars.

Je ne me sens pas réduit à une ombre, à un linceul. J'ai bien l'impression que ce sont plutôt d'autres que moi qui, pour l'instant, doivent se préparer à revêtir ce genre d'ustensiles.

13. Le 8 février 1978, *Le Canard Enchaîné* publie le fac-similé d'un télégramme adressé au chef de cabinet du ministre des Affaires étrangères par l'Ambassadeur de France au Gabon, Maurice Delaunay, annonçant l'envoi de 350 demandes d'inscription de Français résidant au Gabon, accompagnées de 350 procurations en blanc.
14. Le 9 janvier 1978, à la conférence nationale du Parti communiste, Georges Marchais a stigmatisé « la complicité » du Parti socialiste avec la majorité.

Le 27 janvier 1978, à Verdun-sur-le-Doubs, le président Giscard d'Estaing prononce « le discours du bon choix » : « Mes chères Françaises et mes chers Français, le moment s'approche où vous allez faire un choix capital pour l'avenir de notre pays mais aussi un choix capital pour vous. Je suis venu vous demander de faire le bon choix pour la France. Ce choix, c'est celui des élections législatives [...] L'application en France d'un programme d'inspiration collectiviste plongerait la France dans le désordre économique... Vous pouvez choisir l'application du Programme commun. C'est votre droit. Mais si vous le choisissez, il sera appliqué. Ne croyez pas que le président de la République ait dans la Constitution les moyens de s'y opposer. Et j'aurais manqué à mon devoir si je ne vous avais pas mis en garde. »

Le soir même, l'auteur répond : on ne peut être à la fois arbitre sur le terrain et capitaine d'une équipe.

30 janvier.

Comme Valéry Giscard d'Estaing a dit « Si vous votez pour le Programme commun, il sera appliqué », je vous dis : « Si vous croyez qu'en 1978 vous éviterez une difficulté entre le président de la République et l'Assemblée nationale, et, pour cela, si vous êtes tentés de refuser votre vote aux candidats de la gauche, dites-vous bien que vos institutions vous condamnent, un jour ou l'autre, à vous trouver dans cette situation. Sans quoi, il n'y a plus de démocratie française, puisque c'est le refus de l'alternance. »

Le lendemain, à la télévision, le Premier ministre Raymond Barre attaque « les partis qui veulent mettre en cause les institutions. »

31 janvier.

[Je n'ai fait] que souligner une fois de plus la faille constitutionnelle.
Puisque le président de la République est de droite, il faut élire une Assemblée nationale de droite, sans quoi, attention à la crise. Puisque l'Assemblée nationale est de droite, il faut élire un président de la République de droite, sans quoi attention à la crise de régime. Comme cela, on peut durer deux mille ans.
De là à prêter au responsable politique que je suis l'intention ou la volonté de ne pas vouloir respecter les lois qui nous sont communes, il y a toute la différence entre la vérité et le coup monté, je l'espère innocemment, par ceux qui en ont été les instruments, mais bien volontairement et fort

malhonnêtement de la part du Premier ministre dans ses propos de ce jour.

Je n'ai pas l'intention d'entrer dans la provocation. Il y a une faille institutionnelle que chacun connaît, mais il n'y a pas de décret qui impose au peuple d'avoir un président de la République et une Assemblée nationale conservateurs. Aucune entrave ne peut être imposée à notre peuple. Cela dit, par rapport à la situation concrète de 1978 et par rapport à l'hypothèse sérieuse d'une victoire de la gauche, j'ai toujours dit dans mes interventions que cette difficulté constitutionnelle devra être surmontée en faisant confiance à la sagesse et au sens des responsables politiques. Il appartiendra au président de la République de se déterminer dans cette situation concrète. Si chacun respecte son devoir et a le sens de l'unité nationale, la victoire de la gauche doit assurer à la France une période dans laquelle nous verrons la communauté nationale se renforcer. [*Quant à Raymond Barre*] il entre en politique par la plus petite porte et de la façon la plus fâcheuse. Il tend à combattre et à écraser ses adversaires en inventant n'importe quoi. Quel mépris pour l'opinion publique et quelle ignorance de nos capacités de riposter. En tout état de cause, ces procédés sont classiques pour la droite : elle cherche à faire peur.

9 février 1978.

Le mouvement constant, depuis plusieurs années d'ailleurs, c'est de marquer les progrès de la gauche, dans son ensemble, et du Parti socialiste en particulier, d'une façon très nette. Songez que lorsque je me suis présenté, au nom de la gauche en 1965, j'ai eu 32 % de voix de gauche. Aux élections de 1973 (les dernières élections législatives) nous avons fait 46 %. A l'élection présidentielle de 1974, sur le territoire métropolitain : 49 1/2 %. Aux élections municipales et cantonales — c'était plus difficile de faire une évaluation — grosso modo, 54, 55 %. Les élections partielles qui se sont passées au niveau législatif ou qui se sont passées sur le plan d'une petite élection par-ci par-là, mais qui sont quand même significatives (élections au Conseil général, un petit canton de province, une élection municipale — c'est le cas maintenant d'Issy-les-Moulineaux ou de quelques autres) marquent que depuis le grand succès des élections municipales de 1977 — il n'y a même pas un an — la gauche a maintenu son potentiel. C'est ce qui me permet de penser qu'elle se trouve en bonne position pour l'emporter le 19 mars, voilà, c'est tout. Mais je tenais à préciser ces choses pour marquer la progression constante du Parti socialiste qui représentait 10 % en 1971. Lorsque nous avons constitué notre parti, qui est un nouveau Parti socialiste, mais héritier d'une longue tradition, nous représentions 10 %. Nous représentions 19 % en 1973. Nos voix se sont confondues dans la masse de la gauche en 1974 et les élections cantonales et les élections municipales nous ont montés au moins à 25 %. Tous les sondages disent aujourd'hui : 27, 28, 29, et il n'y a pas de raison de ne pas espérer arriver à 30. C'est dire qu'à quatre semaines des élections, oui, le Parti socialiste, doit normalement porter la dynamique de la gauche vers la victoire.

8 février.

Une sorte de coalition absurde, antihistorique, se forme entre la droite et l'un de nos partenaires de la gauche, celui qui doit revenir, celui que nous attendons. Personne ne pourra raisonner de la même façon si, le 12 mars, nous avons sept millions de voix. Personne n'osera nous refuser la victoire si vous le décidez. Les suffrages que vous nous donnerez le 12 mars serviront, le 19, à faire élire dans toutes les circonscriptions de France le candidat de gauche le mieux placé par vous.

Nous retirerons nos candidats et nous ne demanderons rien en échange [...]. Le Parti socialiste n'a pas l'intention de marchander les désistements.

15 février.

La majorité est épuisée. Pour donner le change elle fait semblant de prendre ici et là un peu de notre programme. [...] Elle n'aime les socialistes qu'après leur mort. La droite veut nous prendre Jaurès et Blum, mais nous ne lui avons réclamé ni Déroulède ni Maurras.

1er mars 1978.

La gauche doit aller à la victoire avec son programme tel qu'il est et non un programme qui serait devenu, par touches successives, une sorte de copie du programme communiste [...] Il importe que les Français se rassemblent, le 19 mars, sur ceux des candidats de gauche arrivés en tête lors du premier tour. C'est la seule façon d'assurer la victoire de la majorité des Françaises et des Français.

[*Le Parti socialiste est attaqué par la majorité et les communistes, car il représente*] la France tout entière, à l'exception de la petite classe de privilégiés [...].

8 mars.

Il a fallu lutter pendant combien d'années pour que les enfants de moins de dix ans cessent de travailler quatorze heures par jour ! Je pourrais continuer mes exemples qui sont dans toutes les mémoires. Vous connaissez tous le rapport Villermé [15], vous savez ce qu'il en est. Vous savez de quelle façon il a fallu lutter pour que les enfants du peuple aient droit à l'instruction. Vous savez les luttes qu'il a fallu mener pour qu'une femme qui attendait un enfant puisse s'absenter trois jours de son travail.

Oui, il y a une lutte des classes organisée par une classe qui exerçait sa dictature, c'était la bourgeoisie d'argent.

C'est une réalité que, sans être marxiste, on peut tout de même reconnaître, c'est une analyse juste.

J'ajoute que, dans ce débat un peu théorique que nous engageons tous les deux, la définition qu'a le Parti socialiste de ce qu'il appelle le Front de classes n'est pas très marxiste. Je suis sûr que nous aurions une sérieuse discussion sur ce point, non seulement avec les spécialistes, mais avec les politiques responsables chargés d'interpréter les structures de notre société.

Le Parti socialiste estime, lui, que, bien entendu, la classe ouvrière qui, pendant toute la durée du XIXe siècle et même au-delà, a été le premier groupe social à prendre connaissance, à prendre conscience de son nombre, ensuite de son malheur, enfin de sa force, a joué un rôle inestimable sur le plan historique. Mais nous pensons aujourd'hui qu'à conditions de revenus, de mode de vie, de travail, de mode de transport, de mode de loisirs, de mode culturel, il existe aujourd'hui un front de classes très large et qu'il est socialement majoritaire en France, s'il ne l'est pas — et cela reste à démontrer —, s'il ne l'était pas jusqu'ici encore sur le plan politique.

Bon ! Il n'existe pas des pauvres et il n'existe pas des riches. Vous voudriez que je ne m'en tienne pas à ce langage, parce qu'il peut se faire que des riches votent pour nous et que des pauvres votent contre nous : c'est aussi une réalité qu'une forme de sous-prolétariat, d'hommes et de femmes qui ont été écartés de tout, qui sont plus pauvres que les plus pauvres et qui sont précisément éliminés de toute possibilité de prendre conscience, par l'instruction votent contre nous.

Le Parti socialiste en appelle à ce front de classes, il en appelle à ceux qu'on appelle les travailleurs, d'un terme qui ne doit pas éliminer, bien sûr, tous ceux qui fournissent un travail, mais qui a pris un sens historique. Le vocabulaire, c'est le vocabulaire. Ne me chargez pas de tous les péchés, de toutes les évolutions du vocabulaire à travers la langue française.

10 mars.

Si nos partenaires ont besoin de savoir — bien qu'ils le sachent déjà — que la victoire de la gauche doit déboucher sur la constitution d'un gouverne-

---

15. Louis Villermé, chirurgien militaire, a publié en 1840 le « Tableau de l'état physique et moral des ouvriers dans les fabriques de coton, de laine et de soie ». Cette enquête sur la condition ouvrière essentiellement dans le Nord est à l'origine, entre autres, de la loi de 1841, première réglementation du travail des enfants.

ment commun où seront représentés notamment, et par priorité, les trois partis de gauche signataires de ce programme, alors je le dis. Nous pensons, nous, que l'Union de la gauche présuppose l'union des forces sociales que nous représentons et que, si l'on veut réussir, il convient de réaliser, au niveau du gouvernement, ce vaste rassemblement des Français écartés jusqu'alors de la responsabilité des affaires publiques. Si on veut savoir ça, oui, nous souhaitons aller vers une forme de gouvernement, et nous avons pris des engagements, en signant le Programme commun, qui vont exactement dans ce sens.

Le Parti socialiste et moi-même ne discuterons pas du partage des portefeuilles, donc de la composition interne d'un gouvernement, avant que la gauche l'ait emporté. On ne partage pas un pouvoir que l'on n'a pas [...]

Le 11 mars 1978, la campagne officielle étant close, le président de la République rappelle, dans une allocution télévisée, les données du « bon choix ».

Le 12 mars 1978, premier tour des élections législatives, on enregistre le record absolu de participation électorale. La poussée de la gauche, avec 49,5 % des suffrages exprimés, ne paraît pas suffisante pour garantir un changement de majorité au second tour. Le Parti socialiste obtient 22,58 % des suffrages exprimés.

Je remercie les Françaises et les Français qui ont apporté leurs suffrages aux candidats socialistes. Je pense que nous en savons assez pour tirer les conclusions suivantes de ce premier tour de scrutin. Premièrement, la gauche est nettement majoritaire en nombre de suffrages. Deuxièmement, le Parti socialiste s'affirme, en tous cas depuis trente-cinq ans, comme le premier parti de la gauche et comme le premier parti de France. Troisièmement, le Parti socialiste obtiendra les sept millions de suffrages que je lui avais fixés comme objectif.

Il reste maintenant à répondre à l'espérance de la majorité des Français. Cette espérance tient dans un seul mot : union. Il convient de rassembler tous les suffrages de la gauche sur celui de ses candidats le mieux placé pour l'emporter par le suffrage universel. J'adresse enfin à mes amis socialistes, en même temps qu'à tous ceux qui m'écoutent, un message de volonté et d'espoir. Unis, nous emporterons la victoire.

15 mars.

La bataille électorale reste difficile et l'issue du combat incertaine. Le P.S. était le seul parti qui avait gagné non seulement en suffrages mais en voix. La droite et le Parti communiste ont perdu les 4 % enregistrés par les socialistes. Nous avons atteint les 7 millions de voix qui étaient annoncés.

16 mars.

Je ne perds jamais mon temps, en tant qu'homme politique responsable — bien entendu le sujet m'intéresse — pour savoir si les communistes ont changé ou pas.

Pour moi, l'important est que la vie politique française permette de réintégrer dans les responsabilités et les actes du pays les cinq ou six millions de suffrages maintenant qui se reconnaissent dans le Parti communiste. Je ne veux pas que ces cinq à six millions de Françaises et de Français, qui sont généralement les forces du travail, qui sont souvent très représentatifs des milieux les plus exploités, je ne veux pas, dis-je, qu'ils soient exclus de la vie politique française... et je préfère débattre avec eux, je préfère lancer des ponts entre eux et nous plutôt que de rechercher l'accord des partis de l'argent qui est aujourd'hui le principal support et le principal ressort des partis de la droite. L'argent, toujours l'argent. L'argent-roi. L'argent qui coule de tous les côtés. L'argent qui paie vos affiches. L'argent qui paie vos brochures sur papier glacé. L'argent qui paie tout. L'argent qui a dominé cette campagne électorale. L'argent de la droite, le milliard du patronat, les deux milliards de francs nouveaux, c'est-à-dire deux cents milliards d'anciens francs. Les gens que l'on transporte gratis dans les trains, de Paris à Pantin, avec casse-croûte et en couchette.

L'argent, l'argent, partout l'argent.

Eh bien moi, je préfère tendre la main aux travailleurs plutôt qu'aux maîtres de l'argent. Voilà la vérité.

J'ai dit hier à la télévision à quel point je m'inquiétais, à l'occasion de cette campagne électorale, d'une certaine tendance de plus en plus affirmée d'hommes politiques responsables au plus haut niveau à dire n'importe quoi, à trahir, à traduire effrontément les propos de leurs adversaires politiques, qui devraient après tout n'être que leurs adversaires politiques et pas davantage. Ainsi, il n'y a plus d'analyse de textes possibles, on ne peut plus faire confiance à la moindre transmission par les moyens modernes qui nous sont donnés. Il n'y a plus de foi donnée, il n'y a plus de foi jurée, il n'y a plus de vocabulaire et plus d'intentions qui puissent être expliquées correctement.

Bien entendu, chacun a le droit de contester, de discuter, de n'être pas d'accord. Mais l'intention même, ce qui est dit et les faits sont transformés. On ne respecte plus les textes. Il y a des truquages partout. En ce qui concerne les Français de l'étranger, c'est un énorme scandale en vérité. Sur ces truquages la clarté un jour ou l'autre sera faite. Il y a les truquages sur les statistiques, sur le chômage ; le président de la République intervient après tout le monde contre la règle et l'usage établi dans une démocratie saine. Il existe toute une série de façons de faire, petites ou grandes. Ce que je viens de dire n'est qu'un incident comparé au drame que nous évoquions au point de départ. Mais à partir du moment où personne ne respecte personne, où personne ne respecte la loi commune, j'estime qu'il y a une sorte de déclin de la démocratie en France, si l'on n'y prend garde. J'appelle précisément les Françaises et les Français à y prendre garde et je souhaite que le Parti socialiste s'impose à lui-même les règles que je demande pour les autres.

Je suis prêt naturellement à discuter — on va le voir ce soir — fermement et même durement sur des faits politiques.

Je souhaiterais que l'on sortît un peu de cette façon de mettre en accusation une moitié de la France et ses principaux dirigeants dont je suis. Comme s'ils n'avaient pas leurs paroles, leurs écrits, leurs actes, leur vie pour témoigner de ce que tout ce que l'on dit et de ce que l'on tente de faire n'est qu'une énorme conspiration, non pas contre moi ou contre d'autres, mais qui nuit à la démocratie française.

Je veillerai, et j'espère que tous les responsables veilleront, à ce que l'état de nos mœurs allant vers cette décomposition politique soit fermement rétabli pour que la démocratie ait un sens. Mais ne me demandez pas de mettre des notes sur telle ou telle personne ou personnalité. Je m'arrête là, je ne me pose pas en moralisateur ou en donneur de conseils. Bien souvent, je me tourne vers moi-même afin de tenter de freiner ou de modérer l'ensemble des élancements qui parfois me parviennent, lorsqu'en particulier je vous lis, monsieur Roland Faure[16]. Je n'y parviens pas toujours, mais dites-vous bien que toujours j'y réfléchis et j'y veille. [...]

Le 18 mars 1978, la campagne officielle étant close, le Premier ministre Raymond Barre lance un appel aux électeurs : « Rien n'est perdu. Rien n'a été gagné. »

Le 19 mars 1978, second tour des élections législatives. Le P.S. obtient 28,31 % des suffrages exprimés. « C'est la première fois depuis la Libération que le P.S. l'emporte sur le P.C. ; avec ses alliés M.R.G. (Mouvement des Radicaux de Gauche), il réalise le meilleur score électoral de toute l'histoire du socialisme français », écrit Gérard Vincent[17]. Mais la majorité l'emporte avec 290 sièges contre 201 à l'opposition.

Dimanche 19 mars.

Avant que le coq chante.

La politique obéit si souvent aux lois de la physique que j'attends maintenant du principe d'Archimède une somme de doutes, d'abandons, d'insolences et d'injures exactement égale à la somme d'éloges, de soumissions et de serments que m'eût procurée le mouvement contraire.

16. Roland Faure est journaliste à *l'Aurore*.
17. Gérard Vincent, *Les Français 1976-1979*, Masson.

20 mars.

Notre pays avait choisi l'Union de la gauche lors des dernières élections cantonales et municipales. Il est clair, aujourd'hui, que l'espoir que celle-ci portait s'est brisé le 22 septembre 1977 sur sa désunion.

L'histoire jugera comme il convient ceux qui en ont pris la responsabilité, n'hésitant pas à joindre leurs attaques violentes, incessantes à celles de la droite contre le Parti socialiste. Le résultat est là. La France reste avec la même majorité parlementaire et garde les mêmes problèmes.

J'imagine la tristesse de quinze millions de Françaises et de Français qui avaient cru au changement. C'est à eux que je m'adresse pour leur dire que quelle que soit la dureté du coup qu'ils reçoivent, rien ne doit abattre leur résolution, comme je veux qu'ils sachent que rien n'entamera la mienne.

La réalité politique fixée par le premier tour de scrutin est celle-ci : une majorité parlementaire à droite, une majorité de notre peuple à gauche. Le Parti socialiste, devenu le premier parti de France par le nombre de ses suffrages, est l'une des réalités politiques du premier tour de scrutin et, ne l'oublions pas, le Parti socialiste est celui qui gagne le plus grand nombre de sièges.

Fidèle à l'union des forces populaires, fidèle à son combat contre les pouvoirs d'argent, contre le pouvoir du grand capital et contre les moyens totalitaires d'information, le Parti socialiste continuera à appeler à lui celles et ceux déterminés à poursuivre la lutte et à vaincre. D'autres échéances sont devant nous. Elles sont proches. Préparons-les dès aujourd'hui.

1er juin 1978.

Le P.S. apparaît comme le parti du présent et de l'avenir. Les Français ont très envie qu'il y ait un gouvernement d'inspiration socialiste, mais notre parti se trouve en face d'un formidable appareil d'argent, de pouvoir économique, qui met tout en œuvre pour préserver ses privilèges.

Samedi 17 juin.

L'ultime son de trompe radiotélévisé du président de la République et du Premier ministre pour rameuter les suffrages hésitants à la veille du premier tour des élections législatives, le samedi 11 mars midi et soir, au mépris des règles les plus élémentaires de l'équité et sans doute du droit, m'avait laissé penser que le Conseil constitutionnel, dans son juste courroux, invaliderait en bloc les candidats élus de la majorité, ou bien, baissant les bras, attitude plus conforme à son tempérament, n'invaliderait personne. Mais je m'étais trompé. Il paraît qu'a Fleurance (Gers) et à Gagny (Seine-Saint-Denis), quelques paquets de tracts ont été distribués après l'heure, c'est-à-dire peu avant que, de son bureau de l'Elysée, Valéry Giscard d'Estaing, chef de l'Etat, gardien des lois, ne diffusât le sien, à 53 millions d'exemplaires portés aux quatre coins de France, par onde hertzienne, à domicile. L'affaire à l'évidence méritait châtiment. C'est fait. Le couperet s'est abattu sur la tête des deux coupables. Marie-Thérèse Goutmann, député communiste de Seine-Saint-Denis, et André Cellard, député socialiste du Gers, retourneront avant l'automne devant les électeurs. L'opposition, que voulez-vous, a trop de députés.

Et l'argent ! Le milliard, les deux milliards du patronat, les affiches géantes aux belles couleurs d'arc-en-ciel, par dizaines de milliers sur nos murs, le « Barre-confiance » jaunasse à tous les carrefours, supermarché de l'arrogance, les films, les brochures de luxe, les millions de lettres personnalisées, les candidats dorés sur tranche, les journaux en raz-de-marée, j'avais imaginé qu'on le remarquerait. Eh bien, non ! Le Conseil constitutionnel n'a rien vu, rien entendu. Sauf à Fleurance (Gers) et à Gagny (Seine-Saint-Denis), quelques paquets de tracts répandus nuitamment, en bordure de trottoir, peu avant que Valéry Giscard d'Estaing, chef de l'Etat, gardien des lois, diffusât le sien à 53 millions d'exemplaires par le moyen qu'on sait.

Et les Français de l'étranger ? Une loi-bonneteau, une lettre du président, des lettres d'ambassadeurs, la valise diplomatique, un vade-mecum de la fraude sous timbre du Quai d'Orsay, un déjeuner chez le ministre des Affaires étrangères, avec des faux papiers, des agents doubles, des procurations en blanc, des ministres qui se partagent le butin, enfin, au bout du compte, trois députés d'outre-mer en surnombre, M. Guéna (Périgueux), député du Gabon, M. Delmas (Montpellier) député de Côte-d'Ivoire, M. de La Malène (Paris XIVe) député de Pondichéry, j'avais cru que quelqu'un s'y brûlerait les doigts, après l'honneur. Eh bien, non ! Le Conseil constitutionnel n'y a vu que du feu. Sauf à Fleurance (Gers) et à Gagny (Seine-Saint-Denis) quelques paquets de tracts distribués juste avant que M. Giscard d'Estaing, chef de l'Etat, gardien des lois, ne diffusât le sien aux quatre coins de la France.

L'honorable grand juge ! J'avais fini, le temps passant, par l'oublier, depuis l'époque où il faisait ses premières armes, dans le rôle de porte-coton. S'était-il, avec l'âge, acheté une conduite ? Avais-je été distrait, l'attention détournée par d'autres excroissances de notre République, la Cour de sûreté, par exemple, ou la télévision, usufruit régalien ?

Mais rangeons notre plume. Apaisons notre humeur. Compatissons plutôt. Où l'indépendance irait-elle se nicher dans ce cénacle recruté homme par homme (hé quoi, il n'y a pas de femme ?) par les archontes de la majorité ? Ne lisons pas dans les consciences. C'est l'institution que je mets en cause. Car le Conseil constitutionnel est une institution politique, une juridiction politique, l'instrument politique du pouvoir exécutif. Rien de moins. Rien de plus. On le croyait servile, il n'est qu'obéissant.

Le résultat des élections, la défaite de la gauche provoquent commentaires et discussions.

21 juin 1978.

Toute crise provoque de la fièvre. S'il n'y avait pas de compétition d'homme, dans un mouvement, ce serait dangereux. Cela voudrait dire qu'un seul homme dirige un parti. Le Parti compte des hommes capables de mener les combats après moi [...]. Mais j'ai envie d'entraîner un puissant mouvement de société.

8 juillet 1978, au Comité directeur du P.S.

Ensemble depuis le congrès d'Epinay nous avons bâti un nouveau et grand Parti socialiste. Ensemble nous en avons fait la première force de la gauche et, par le nombre de ses électeurs, la première formation politique du pays. Ensemble nous avons rendu l'espoir à des millions de Françaises et de Français et, d'abord, aux travailleurs.

Ces succès nous ont valu les coups incessants de la droite. Les puissances de l'argent, le chef de l'Etat, le gouvernement, les partis conservateurs, la quasi-totalité de la presse audio-visuelle, la majorité de la presse écrite nous ont combattus sans trêve, parce qu'ils savent que notre Parti et son action constituent pour les privilèges la principale menace. Les dirigeants communistes ont choisi d'ajouter leurs attaques à celles du pouvoir et pris la responsabilité d'assurer l'échec de la gauche. Ni les uns ni les autres n'ont pu faire reculer le Parti socialiste, seul des forces en présence à avoir accru réellement son audience. Plus que jamais, dans la crise qui frappe notre pays et contre la politique intolérable de chômage et de vie chère, contre un système d'injustice et d'oppression sociale, notre parti incarne les aspirations de ceux qui veulent changer la vie.

Je ne ferai pas le compte des initiatives et des déclarations de toutes sortes, souvent contradictoires et parfois polémiques, que des responsables du Parti ont cru devoir multiplier depuis trop longtemps et plus particulièrement dès qu'ont été connus les résultats du premier tour des élections législatives. La liberté d'expression est notre règle et nous ne pouvons que nous réjouir lorsque la presse extérieure à notre organisation porte hors de nos rangs le témoignage des multiples talents qu'ils contiennent. Encore faut-il que cette liberté s'inscrive dans le cadre des engagements qui nous lient et pour le bien de la communauté que nous formons. Je n'étonnerai personne en disant que tel n'est pas toujours le cas. Evitons cependant les jugements qui risque- raient d'être injustes et donc blessants. Ne nous contentons pas d'expliquer les manquements à notre règle par des oppositions de personnes et comprenons que s'il en existe, comme dans toute société humaine, elles n'ont de sens qu'en tant qu'expression de réalités, de situations, de projets politiques. Nous saurons alors que c'est sur ce plan, qui requiert de notre part attention, exigence et scrupule, qu'il convient maintenant de se placer.

Je poserai quelques questions simples. Par exemple : sommes-nous d'accord sur l'objectif que nous recherchons ? Il s'agit, à mon sens, de construire une société socialiste en France, ce qui suppose le passage d'un système économique et social à un autre, d'un type de civilisation à un autre, au prix de transitions que nos congrès ont pour charge de définir.

Sommes-nous toujours d'accord sur la stratégie décidée à Epinay ? Il n'est pas inutile de rappeler qu'il s'agit de l'Union de la gauche et, si cette expression a perdu de sa force en raison de l'attitude sectaire et destructrice des dirigeants communistes, de faire du Parti socialiste le moteur de l'union des forces populaires qui, dans la lutte des classes à laquelle les contraint l'exploitation qu'elles subissent, traduiront en actes politiques la réalité sociale du front de classe qui les rassemble.

Sommes-nous toujours d'accord sur les moyens de cette stratégie ? Il me paraît clair que le grand capital, maître des leviers de commande économi- ques et politiques, est et reste l'adversaire numéro 1, qu'il n'y a pas de compromis possible avec lui. A partir de là on comprend l'évidente nécessité de confier à la puissance publique la maîtrise du crédit et de réaliser l'appropriation sociale des grands moyens de production là où se dévelop- pent les tendances au monopole et où se créent les biens indispensables à la vie et à la sécurité de la nation. Si l'on veut mettre en œuvre le projet socialiste, on ne fera pas l'économie des nationalisations. Là où est la propriété, là est le pouvoir. Ainsi en sera-t-il pour les entreprises que le Programme commun de la gauche a prévu de nationaliser. N'oublions pas que l'extension du secteur public est l'outil indispensable d'une planification qui, encadrant le fonctionnement du marché, ne saurait lui être subordonnée. Quant aux exigences nouvelles que propose la réalité (droits de la femme, expériences sociales, décentralisation, droit à la différence, écologie), loin de se substituer à l'acquis historique du combat socialiste elles s'y ajoutent pour l'enrichir. Cet acquis et ces réalités trouveront leur prolongement dans la prise de responsabilité directe de chacun, finalité du socialisme autogestionnaire.

Sommes-nous toujours d'accord sur la dimension internationale du socialisme ? Dans l'immédiat cette question s'applique aux décisions à prendre sur l'Europe. Mais si le Parti a déjà fait choix de participer pleinement aux institutions de la Communauté, il convient d'en préciser les conditions : tout le Traité de Rome et rien que le traité. De même, pour ce qui concerne son élargissement, il est bon de rappeler que l'approbation donnée à l'adhésion politique des trois Etats demandeurs ne peut se passer de strictes garanties économiques et techniques, ni d'un échéancier précis afin de préserver les intérêts du pays et des populations les plus directement exposées à la libération des échanges. Je n'insisterai pas sur notre volonté de bâtir l'Europe des travailleurs aux lieu et place de l'Europe du capital et d'assurer son indépendance face à l'impérialisme.

C'est autour de ces lignes d'action que doit se raffermir l'unité du Parti. Je vous le dis non pour peser sur vos décisions, mais pour remplir le rôle qui est le mien, qui ne saurait s'accommoder de compromis sur les principes. Un accord doit être recherché, accord sans exclusive, accord dans la clarté.

Quant à la majorité du Parti je ne souhaite pas qu'elle se réduise, je ne souhaite pas qu'elle se maintienne, je souhaite qu'elle s'élargisse. D'une façon générale, et ceci vaut pour tous, il faut que cesse au plus tôt cette rivalité de courants avoués ou non, déterminés une fois pour toutes, et qui constituent en fait autant de partis dans un même parti, chacun tendant à dominer dans l'intention, que je crois sincère, de le servir, mais que tous affaiblissent. Cette situation n'est pas seulement contraire à nos statuts qui interdisent toute « tendance organisée » mais aussi à la volonté profonde des militants qui s'inquiètent, parfois se désespèrent de ce que leurs efforts, leur dévouement, leur foi dans le socialisme, instrument du changement et porteur d'espérance, soient ainsi méconnus, au moment même où les travailleurs, les exploités, la jeunesse, je veux dire les forces de la production, de la création et du renouveau ont tant besoin de nous, d'un grand Parti socialiste cohérent, puissant, imaginatif, présent sur le terrain des luttes, d'un parti libre, ouvert et fraternel.

L'idée d'avancer le congrès a été proposée. Si les éléments d'un large accord n'étaient pas réunis ou s'ils n'étaient pas, par la suite, respectés, en qualité de premier secrétaire du Parti, garant de son unité et de sa ligne politique, je demanderais alors au Comité directeur d'engager immédiatement les procédures de convocation du congrès ordinaire.

Quoi qu'il en soit, dès l'année prochaine, il nous faudra aller plus loin. L'ensemble des militants recevra dans les semaines qui viennent le questionnaire préparé par la commission du « projet socialiste » et soumis au Comité directeur. Après discussion dans les sections puis l'établissement d'une synthèse, les militants seront à nouveau consultés. Ils trancheront. Leur choix sera la loi du Parti.

Sur le plan de notre vie interne, la plupart d'entre nous désirent que des améliorations interviennent. A cet égard notre récente convention nationale a déjà fixé bon nombre de points à débattre. Sans anticiper sur les conclusions de nos instances qualifiées je pense que le choix des responsables du Parti doit procéder le plus directement possible du suffrage des militants et que toutes les régions doivent être, selon des modalités à préciser, représentées au Comité directeur national. De même j'insiste vivement pour que la place des femmmes dans nos institutions et dans notre représentation extérieure soit accrue. J'ai beaucoup regretté que les incitations que j'avais formulées lors de la désignation des candidats aux élections législatives n'aient pu être entendues. J'ai veillé à ce qu'à tous les niveaux qui dépendaient de moi fût assuré un quota d'au moins 20 %. Pour l'Assemblée européenne il faut aller plus loin.

De même je fais toute confiance à la Commission du règlement intérieur afin d'énoncer les dispositions qui assureront la présence des travailleurs de la production et la prise en compte des régions lors de l'établissement de la liste de nos candidats.

J'arrête là un examen qui sera poursuivi. Je me borne à noter au passage l'importance des progrès à réaliser dans le secteur entreprise et le domaine de la formation et de l'information (notamment par la création d'un quotidien du Parti).

Nous avons devant nous bien des combats à affronter. Ayons la volonté de les gagner. Soyons pour cela une force de proposition tournée vers l'avenir. Contrairement à l'opinion entretenue non seulement par la propagande du pouvoir mais aussi par une fraction de la presse qui se réclame de la gauche, les forces populaires peuvent et doivent emporter aussi bien l'élection présidentielle de 1981 que les élections législatives qui suivront. Cela dépend d'elles et d'elles seules.

Et pour commencer, cela dépend de nous.

22 août 1978.

Le P.S., lui, remplira la tâche pour laquelle il a été constitué. Il sera le grand rassembleur. Il faut créer une dynamique suffisante pour que les forces populaires ressentent la nécessité de l'union.

Je n'ai pas de jugement sur Georges Marchais : il a été l'expression de la volonté collective de la direction du P.C. et, peut-être, de la stratégie du communisme international. Je crois que c'est le peuple français qui aura le dernier mot. Il ne sera pas possible, durablement, au Parti communiste de mener une opération qui, après avoir détruit les chances de la gauche en 1978, finira par se détruire lui-même.

6 septembre 1978.

Il y a une formidable volonté populaire d'imposer l'union à ceux qui ont préféré des histoires de boutique à la victoire de la gauche. [...]

Si dix ou quinze responsables socialistes occupent dans les sondages une place au même niveau que celle que j'occupe depuis dix ans, vous voyez ma réussite : j'ai réussi à préparer des équipes nouvelles qui assumeront l'avenir.

Le 17 septembre, au « Club de la Presse » d'Europe 1, Michel Rocard commente un récent sondage de l'I.F.O.P. indiquant une très nette baisse de popularité de la plupart des responsables politiques... « Les 12 et 19 mars, confrontée aux problèmes de l'Etat et de la gestion économique, la gauche a rencontrée des Français qui ne lui ont pas donné leur confiance. »

« C'est par rapport à ce mouvement d'opinion que les sondages nous donnent une réponse. Et cette réponse, c'est probablement qu'un certain style politique ou qu'un certain archaïsme politique est condamné, qu'il faut probablement parler plus vrai, plus près des faits. »

Les 3 et 24 septembre, différentes élections législatives dans le Pas-de-Calais, en Meurthe-et-Moselle, à Paris, confirment la poussée socialiste.

23 septembre.

Ces résultats sont d'abord significatifs du succès d'une ligne politique. Au mois de mars, la gauche a offert, à l'initiative du P.C., le spectacle de ses querelles, le visage de la désunion. C'est cette situation qui a été condamnée par l'opinion, ce n'est pas l'union. Depuis, l'union sent que le P.S. a tenu tout seul, à bout de bras, les chances de l'union. Des milliers de gens savent qu'il existe un espoir et que c'est le P.S.

L'archaïsme ?

S'il s'agit d'une considération générale, rien à dire. S'il s'agit de moi, j'ai tellement entendu ce genre de choses que je n'y prends pas garde. S'il s'agit de mon style personnel, chacun est juge de ce que je dis et écris. Je n'ai pas l'impression que l'opinion soit si réticente. S'il s'agit de la ligne politique, elle est celle du P.S.

En 1933, une importante personnalité socialiste a dit de Léon Blum qu'elle le trouvait « archéo »[18]. Trois ans plus tard c'était le Front

18. Au Congrès extraordinaire de la S.F.I.O., qui se tient à Paris du 14 au 17 juillet 1933, les « néo-socialistes », soucieux avant tout d' « efficacité », attaquèrent violemment Léon Blum. Les « néos », qui font sécession, sont animés par Marcel Déat, fondateur sous l'Occupation du

populaire ? Je ne veux pas comparer les situations historiques, mais je constate qu'on est toujours l' « archéo » de quelqu'un...

Devons-nous considérer que la belle aventure s'est terminée un soir de mars ? Un parti comme le nôtre doit connaître le temps des épreuves pour être digne du temps des victoires. Peut-être était-il nécessaire de passer par cet échec ? L'heure approche d'un futur succès. Au cours de ces six derniers mois, j'ai vu partout en France la confiance populaire monter...

29 octobre 1978.

Il est bon pour la France qu'il existe au moins deux projets politiques. Il ne serait pas supportable que le peuple de France que nous avons rassemblé, que l'ensemble des travailleurs qui croient au socialisme, demain se voient moqués et confondus parce que le Parti socialiste aurait préféré gouverner dans n'importe quelles conditions. Le P.S. doit prendre le temps qu'il faudra pour que le gouvernement de la gauche dirigé par les socialistes soit en mesure de développer une politique socialiste et non pas la politique de nos adversaires. [...]
Le Parti socialiste, en dépit des sollicitations de toute sorte, doit rester accroché au terrain où il se trouve, être celui qui rassemble et refuse d'entendre les paroles de la division. [...]

22 novembre 1978.

Je cherche passionnément l'unité des socialistes à quoi je me consacre depuis huit ou dix ans. Je réclame l'union des forces populaires et je ne me laisserai pas distraire par des contradictions et des rivalités qui peuvent exister dans n'importe quelle formation démocratique.
Je gêne beaucoup de gens, le pouvoir en place avec tous les moyens dont il dispose, une grande partie de la presse écrite, Georges Marchais, des organes de presse qui se réclament de la gauche, voire les Etats-Unis et Moscou, mais cela me plaît car j'ai la conviction que je mène la bonne politique.
Nous, socialistes, nous troublons tous ces gens. On voudrait retrouver les habitudes d'autrefois : un bon gros Parti communiste qui ne serait jamais

R.N.P. (Rassemblement National Populaire), un des « ultra » de la collaboration, et Adrien Marquet, député-maire de Bordeaux, ministre de l'Intérieur du Gouvernement de Vichy. En 1933, Adrien Marquet traita Léon Blum de « mandarin de la décadence ». Marcel Déat lui reprochait la « stérilité » de sa politique, le « byzantinisme » de sa doctrine. Il le trouvait « archéo ».

majoritaire, un petit Parti socialiste sans ambition, on aimerait enfin voir se maintenir au pouvoir des gens qui continueraient une politique comparable à celle que nous connaissons actuellement.

Le Parti socialiste peut changer le cours des choses. Comme j'incarne la possibilité de renouveau, avec des millions d'électeurs socialistes, alors je gêne.

25-26 novembre, à la Convention nationale du parti socialiste.

Chers camarades, un Parti tel que le nôtre aurait eu intérêt, à l'occasion de cette convention nationale, rendez-vous fort attendu par la presse et par l'opinion, à consacrer un peu de temps à l'analyse critique de la situation du pays telle qu'elle résulte des décisions du président de la République et de sa majorité, expression des forces conservatrices, elles-mêmes interprètes des forces économiques qui dominent le monde où nous vivons. Il eût été intéressant, par exemple, sur des faits aussi démonstratifs de l'échec gouvernemental qu'un indice de hausse des prix à 0,9 % pour le dernier mois connu, qu'un taux de chômage s'exprimant par plus de 1 300 000 chômeurs — et tant d'autres choses encore — de vérifier l'exactitude de nos analyses et de préciser nos propositions. Mais la controverse publique qui se déroule actuellement entre dirigeants socialistes a conduit nombre d'entre vous — et je ne saurais leur donner tort, même si l'emploi du temps s'en trouve désorganisé — à traiter des problèmes propres à notre Parti et à dire ce qu'ils en pensaient. Et moi, qui déplore cette controverse et surtout son aspect public, me voici contraint d'intervenir à mon tour.

Je suis dominé, en cet instant, par l'idée que je me fais des réactions, des pensées, des espoirs de nos militants et, au-delà des militants, de ces femmes et de ces hommes qui, depuis sept ans, croient en nous — ils sont quand même plus de 7 millions aujourd'hui comme l'indiquent les beaux résultats des élections partielles —, qui ont besoin de croire en nous, qui savent que nous ne sommes pas des purs esprits, qui n'attribuent pas à notre fonction politique des vertus transcendantales, mais qui attendent, pour le moins, l'honnêteté au regard de nos engagements, l'unité et la fraternité au service de notre cause. Or, en raison de la polémique excessive qui oppose des socialistes à d'autres socialistes et qu'utilisent contre nous nos adversaires, nous atteignons des limites qu'on ne peut dépasser sans provoquer l'immense désarroi de ceux qui veulent croire à la victoire du socialisme et qui pensent que notre parti porte cette espérance. C'est pourquoi il devient nécessaire d'examiner si nous restons fidèles à nous-mêmes.

Suis-je personnellement en cause ? Si j'en juge par ce que je lis et par ce que j'entends, difficile de dire le contraire. Or, je ne sais pourquoi on veut à tout prix me mêler à une querelle à laquelle je n'ai pas de part. « Le grand débat », « le duel Mitterrand-Rocard », « les anciens et les modernes », « les archéo et les néo », « le romantisme et la rigueur », « le politique et l'économiste », tous ces discours, tous ces articles à ce sujet ont fini par peser sur le comportement du Parti. Mais je vous le demande à vous, mes amis, je vous le demande, me suis-je jamais prêté à ces campagnes ? Les ai-je jamais alimentées ? Ai-je depuis huit mois, je veux dire depuis les élections générales, prononcé un seul mot qui m'eût fait entrer dans ce cercle infernal ?

Chaque semaine, parfois plusieurs fois par semaine, je me rends dans nos fédérations. J'y ai toujours veillé à représenter le Parti tout entier. J'y ai souligné les qualités et la valeur des camarades qui travaillent à mes côtés, sans distinction de courants et de clans. Je n'ai jamais fait des moyens dont dispose le pouvoir, radio, télévision, journaux à grande diffusion, une tribune dont je me serais servi pour combattre d'autres socialistes. J'ai systématiquement décliné les sollicitations des amateurs de drames. Je puis vous révéler que j'ai refusé — j'en ai fait le compte et noté les dates — quatorze invitations en six semaines qui m'étaient adressées par les médias, ordinairement plus chiches, pour m'amener à répondre aux propos tenus ici ou là par tel ou tel dirigeant socialiste.

Et pourquoi ?

Parce qu'en parlant en votre nom je suis comptable des efforts, des mérites et de l'engagement de chacun et de tous. Chers camarades, je ne me départirai pas de cette attitude : elle est conforme à mon devoir. Je ne suis pas le premier secrétaire d'un courant, je ne suis pas le premier secrétaire d'un sous-courant, je suis le premier secrétaire du Parti socialiste.

Mais tentons d'analyser ce qui se passe.

Première question : s'agit-il d'un conflit personnel ? Je vous rassure tout de suite pour ce qui me concerne. Je le dis sans fard, citant son nom puisqu'il a pris l'initiative de relancer la discussion publique, j'aime les talents de Michel Rocard [19], son talent d'exposition notamment, j'apprécie ses connaissances et je respecte ses convictions. J'ai plaisir à le voir, à l'entendre, à partager avec lui nos tâches en commun. Je comprends qu'il sente — il n'est pas le seul — le besoin d'accéder à des responsabilités plus hautes. Et si j'émets des réserves sur un goût immodéré de l'organisation parallèle, qu'il partage avec beaucoup d'autres, cela ne va pas au-delà d'un simple rappel aux règles d'un grand parti qui ne peut se permettre toutes les fantaisies... Et ce que je dis de Michel Rocard, je le dirais de tout autre.

Deuxième question : s'agit-il d'un conflit de pouvoir ? Je ne ferai l'injure à personne au sein d'un parti, qui exige un engagement de pensée et de vie, de supposer qu'un conflit de pouvoir pourrait être autre chose qu'un conflit politique.

S'agit-il alors d'un conflit politique ? Examinons cette troisième question en commençant par ce jeu de miroirs que l'on appelle les apparences. A cet

19. Sur Michel Rocard, cf. *infra*, p. 214.

égard, oui, pas de doute, il y a conflit politique. Les apparences, c'est l'image que projettent les moyens audio-visuels, la presse écrite extérieure au Parti. On prend de ce côté-là un malin plaisir à diriger un projecteur sur nos contradictions, à moins que l'on n'obéisse tout simplement à des mots d'ordre. De même que Georges Marchais a été pendant la campagne des législatives le meilleur orateur et le plus efficace de la majorité giscardienne, de même le pouvoir cherche aujourd'hui à placer au-devant de la scène quiconque parmi nous s'y prêterait pour installer le doute sur nos capacités.

Pour être justes, reconnaissons qu'il est difficile à ceux d'entre nous qui s'expriment d'échapper à la traduction souvent malhonnête que l'on fait de leurs propos. Le moindre de nos éternuements fait un bruit de tonnerre. Je n'en conclurai pas pour autant qu'il nous soit désormais interdit d'éternuer ! N'êtes-vous pas frappés, chers camarades, de ce que depuis pour le moins deux années votre premier secrétaire ait concentré sur lui les tirs d'artillerie de tous ceux que gêne l'ascension du Parti socialiste ?

Se passe-t-il un jour sans qu'on entende, à son égard, des appréciations peu flatteuses quand elles ne sont pas injurieuses ? Sachant d'où cela vient, cela me flatte, mais je ne puis méconnaître qu'à la longue, au-dehors du Parti, de braves gens s'inquiètent ou se détournent, et, qu'au-dedans, on finisse parfois par oublier que, nonobstant mes propres défauts, c'est, au-delà de ma personne, la ligne politique du Parti qu'on vise. Car je défie quiconque de découvrir dans mes prises de position autre chose que la ligne du Parti, dans mes combats autre chose que le combat pour le Parti. Je ne veux pas, disant cela, m'identifier à une organisation qui dispose, et heureusement, d'hommes et de femmes disponibles pour remplir après moi mes fonctions et mon rôle. Et si l'on estime que la puissance et la permanence des attaques que je subis ont effectivement diminué l'utilité de mon action, il sera bon pour le Parti d'assurer la relève dès le prochain congrès.

Tirons cependant cette leçon de l'événement : on nous combat, on me combat, surtout parce qu'on sait que, ni dans l'opposition aujourd'hui ni au pouvoir demain, nous ne transigerons, je ne transigerai sur le mandat que nous avons reçu de la confiance populaire.

J'ai déjà remarqué qu'un parti qui rassemblait contre lui la coalition des puissants : droite, grand capital, pouvoir d'Etat, information, machine communiste, qui inquiétait à la fois Washington et Moscou, qui n'enthousiasmait ni Bonn ni Pékin, avait le droit de penser qu'il dérangeait les habitudes, parce qu'il incarnait le renouveau. La France ne pourra bientôt se déterminer sans nous, les socialistes, ni l'Europe sans la France ni les empires sans l'Europe. Tout se tient. Or, à l'instar des adeptes du karaté, nous avons depuis Epinay fait de notre faiblesse initiale une force, et ébranlé à son point d'équilibre le système que nous combattons. C'est ce que nous appelons, au risque des sarcasmes, notre stratégie de rupture. J'y reviendrai plus loin. Mais je devais noter dès maintenant ces éléments de réflexion pour que l'on saisisse bien que même s'il n'y avait pas entre nous de conflit politique, l'apparence de ce conflit représenterait un atout maître dans le jeu de nos adversaires.

Mais sont-ce seulement des apparences ?

Si j'observe la vie quotidienne du Parti, rien ne me permet de penser qu'il existe entre nous un conflit politique. Jamais au niveau de la direction un débat de fond n'a opposé les membres de la majorité sur l'orientation générale et la démarche du Parti. D'où vient qu'il ne soit bruit dans les salles de rédaction, dans les couloirs parlementaires, dans les salons où l'on cause et désormais dans nos assemblées que de la crise qui secoue le Parti socialiste ?

La crise, quelle crise ? Certes, j'ai bien entendu dans la nuit du 19 mars Michel Rocard [20] considérer que le lent, que le dur effort entrepris depuis Epinay pour relever le socialisme se réduisait à six défaites pour s'achever sur une septième — compte non tenu sans doute des défaites plus sévères encore subies par ceux qui ont pris, la moitié de ce temps, une autre route que la nôtre. Mais peut-on résumer ainsi sans une certaine injustice l'histoire du Parti socialiste devenu, en sept ans, et à coups de « défaites », le premier parti du pays, et n'est-ce pas nous atteindre tous ?

Nous nous étions fourvoyés, suggérait-on, mais comment ? En nous engageant dans l'Union de la gauche ? En signant le Programme commun ? En maintenant le cap envers et contre tout au fort de la tempête ?

Je m'inquiétai de ces jugements, mais on me rassura. Ceux qui les avaient émis m'affirmèrent que, malgré les apparences, nous étions d'accord là-dessus.

Certes, surgit peu après une thèse sur l'*animus* et l'*anima*, l'existence et l'essence, thèse qui eût paru philosophique si elle ne s'était très politiquement rabattue sur le quantitatif et le qualitatif et n'avait nourri le procès. Nous aurions, j'aurais visé bas en parlant trop de S.M.I.C., de riches, de pauvres, d'heures de travail, de T.V.A., d'exploitation, de lutte et pas assez du reste. Il m'avait semblé cependant que la qualité de la vie d'un travailleur commençait avec le travail, commençait avec le salaire, commençait avec l'école, commençait avec le loisir, commençait avec la conquête de ses plus humbles droits et que le reste, nécessaire assurément, viendrait par surcroît ! Au demeurant, de ce « reste », qui donne à la vie son sens, n'avais-je pas parlé tout le temps de la campagne électorale, n'est-ce pas chers camarades qui avez vécu avec moi les immenses réunions publiques auxquelles j'ai

20. Le 19 mars 1978, au soir du 2ᵉ tour des élections législatives, sur Antenne 2, Michel Rocard a analysé la défaite de la gauche : « Nous nous sommes un peu fourvoyés et la campagne aurait pu être plus forte... Jamais pour la gauche, sauf cette fois-ci, l'essentiel ne s'est limité à de l'argent. Même quand il s'agit de mieux le partager, l'argent reste de droite. La gauche, c'est la liberté, la responsabilité, la justice ; ce doit être plus de pouvoir pour tous en même temps que plus d'égalité. Par loyauté envers le Programme commun de gouvernement, nous l'avons laissé réduire à une plate-forme revendicative. C'est peut-être là, notre responsabilité à nous, socialistes. »

participé, cinq par jour et pendant sept semaines, qui avez vécu avec moi ces heures puissantes et fraternelles ?

Mais on me rassura. Quantitatif, qualitatif, la querelle était dépassée. Ceux qui l'avaient provoquée m'affirmèrent que nous étions d'accord là-dessus.

Certes, une controverse s'éleva sur le S.M.I.C. à 2 400 F, sur la signification et le contenu des nationalisations, sur la réduction du temps de travail hebdomadaire. Mais le Parti s'était prononcé et sa loi s'imposait. Je suppose, parce que cela va de soi, que nous sommes désormais d'accord là-dessus.

Certe, on crut un moment que la poussée de fièvre était affaire de style. J'avoue m'être assez peu inquiété de cet aspect particulier. Je ne postule pas le prix Goncourt de la littérature politique. Lequel, au demeurant, lequel d'entre nous vieillira le premier aux yeux de la postérité ? Malin qui le devinera. A chacun de comparer et de juger. J'espère qu'on sera d'accord là-dessus.

Certes, on s'agita un peu partout, avec trois ans d'avance, autour de la candidature à la présidence de la République. Mais ce fut à mon tour de rassurer les impatients, en irritant les indiscrets. Je refusai, et je refuse de me placer sur la ligne de départ de cette course lointaine. Je pense que d'autres combats et d'autres échéances requièrent notre action militante, et d'abord servir le Parti. Nous avons autre chose à faire. Sommes-nous d'accord là-dessus ?

Certes, la confusion gagnant, trente mousquetaires mirent, au printemps, les points sur les « i » de leur préférence et l'on atteignit un nouveau paroxysme. Je m'en inquiétai. Chacun me rassura en approuvant la déclaration que je fis le 8 juillet dernier au comité directeur, déclaration votée à l'unanimité [21].

C'est tout, je crois, ou à peu près.

D'où vient donc que, tout malentendu dissipé, du moins à ma connaissance, une presse réputée amie l'ait à plaisir entretenu [22] ? D'où vient que nos adversaires ne s'y soient pas trompés, distribuant — à sens unique ! — le blâme et l'éloge et comptant les points d'une bataille dont chacun prétendait qu'elle n'avait pas lieu ?

On m'annonce maintenant que les dés sont jetés et qu'ici ou là on prépare des contributions pour le prochain congrès. Pourquoi pas ? Les divergences dans notre Parti ne sont pas nouvelles et n'ont pas empêché notre unité en profondeur, elles se sont exprimées lors des congrès passés, y compris celui d'Epinay, puisqu'une majorité et des minorités s'y sont chaque fois comptées sur des textes. Rien de plus normal, ni de plus légitime. Nous

21. Cf. *supra*, p. 205.
22. L'auteur fait référence à une série d'articles parus dans *Le Matin* et *Le Nouvel Observateur*, soulignant les divergences à l'intérieur du Parti socialiste.

sommes en France le seul parti d'audience nationale qui se soit doté d'une structure aussi démocratique.

D'où vient qu'aujourd'hui nous nous interrogions ?

Sans doute, et c'est un point clé de notre discussion, par manque de clarté.

J'approuve ceux d'entre vous qui veulent se distinguer dès lors qu'ils ont conscience d'avoir à proposer une ligne et une pratique politiques différentes de celles de l'actuelle direction. Et si des camarades de l'actuelle direction souhaitent s'en séparer pour la même raison, je les approuve encore. Tout vaudra mieux que ces obscurs combats que de vaillants soldats se livrent sous la casaque de champions qui restent au pesage.

Tout vaudra mieux que ces défis, ces duels, ces petites phrases, que ces écuries concurrentes, ces états-majors parallèles, ces agences de presse clandestines, qui ne vivent qu'en parasites sur le corps du Parti et lui sucent le sang.

Parlons clair, camarades, nous y gagnerons tous.

S'il faut changer de ligne et si d'autres que ceux qui s'y trouvent doivent conduire le Parti, dites-le et dites pourquoi. Et si, au bout du compte, il n'y a rien à dire, eh bien constatons-le et reprenons la route, sans amertume et sans rancune, délivrés de ces faux procès.

Mais j'entends la réponse, vive, passionnée, indignée : personne n'y songe... personne n'y a jamais songé... les choix d'Epinay sont sacrés...

Permettez-moi à cet égard de vous relire ce que j'écrivais dans ma déclaration du 8 juillet :

« Ne nous contentons pas d'expliquer les manquements à notre règle par des oppositions de personnes et comprenons que s'il en existe, comme dans toute société humaine, elles n'ont de sens qu'en tant qu'expression de réalités, de situations, de projets politiques, et c'est sur ce plan qu'il convient maintenant de se placer. »

Peut-être, chers camarades, me trompais-je ? Il sera facile alors de m'éclairer, de me démontrer que j'ai pris Le Pirée pour un homme, et je me réjouirai de mon erreur.

Le moyen le plus simple pour le savoir consiste à rechercher ensemble aujourd'hui, demain, plus tard, autant qu'il le faudra, par une discussion ouverte et franche, si nous parlons des mêmes choses. C'est ce que l'on appelle la clarification politique.

J'évoquerai d'abord, pour mémoire, les raisons majeures qui nous ont conduits à rechercher à Epinay, et depuis lors, l'unité des socialistes.

Souvenez-vous de ces socialistes dispersés, divisés, éclatés, et qui n'étaient plus rien.

Il fallait choisir : ou bien construire un grand parti, où nous rassemblerions nos forces, nos idées et nos capacités, ou bien entretenir de multiples petites fractions, pures sans doute au regard d'elles-mêmes, mais impuissantes devant l'Histoire.

Nous avons choisi de faire un grand parti. Acceptons-en le risque et les contradictions.

Notre absence de l'Histoire, c'était faire place nette au Parti communiste, c'était laisser libre jeu au grand capital. Nous avons bâti l'unité, et je m'adresse à ceux qui l'ont faite : est-ce que cela ne les lie pas davantage que ne les divisent les querelles subséquentes ? Rien d'utile ne se fera sans la ligne de ce que nous avons naguère décidé.

Mais cette unité ne s'est pas réalisée seulement sur de bons sentiments ou pour faire nombre. Elle est cimentée autour d'une analyse sociale et d'une stratégie politique.

Une analyse sociale ? Il n'est pas de parti politique qui ne soit l'expression de forces sociales. Engagés dans la lutte des classes, nous sommes d'un côté, pas de l'autre. A Epinay, nous avons réenraciné les socialistes dans le terrain que l'Histoire leur désignait depuis l'avènement de la société industrielle. Puis, en définissant, deux ans plus tard à Grenoble, le front de classe, nous avons jalonné le champ de notre action.

Une stratégie politique ? Elle porte un nom : l'Union de la gauche. Sans doute l'association de ces mots a-t-elle perdu de sa vertu à cause du comportement sectaire des dirigeants communistes. Mais la réalité profonde qu'elle exprime, l'Union des forces populaires, traduction politique du front de classe des travailleurs en lutte sous l'effet de l'exploitation qu'ils subissent, continue d'être puissamment ressentie par les masses. Ni l'exploitation ni la lutte n'ont disparu avec les élections de mars 1978. Au contraire, elles se sont amplifiées en même temps que la crise. Et la nécessité de l'union, à mes yeux évidente, doit redevenir à la base une pratique, quels que soient les obstacles dressés par l'état-major du Parti communiste.

J'ajoute que cette Union de la gauche, pour la première fois dans notre histoire et même je crois dans l'histoire de l'Europe occidentale, s'est faite sur un programme de gouvernement, sur un programme commun. Que ce programme ait été imparfait, assurément. Il pouvait être mieux rédigé, plus cohérent, plus hardi. Après tout, il s'agissait d'un compromis, et je ne connais pas de compromis qui satisfasse entièrement ceux qui l'acceptent. Mais mieux valait qu'il existât. Il a, plusieurs années durant, rassemblé les forces populaires et il leur a permis d'obtenir de considérables succès. N'oublions pas qu'avec le Programme commun la gauche est devenue majoritaire dans le pays. Même si juridiquement ce programme est devenu, je le répète, forclos, les obligations politiques auxquelles ils ont souscrit en le signant restent la loi des socialistes.

Certains nous le reprochent : je comprends que ceux qui nous ont rejoints plus tard et après l'avoir combattu n'aient pas, sur ce point, la même opinion que moi !

Préciserai-je que nous avons sauvegardé nos objectifs essentiels ? L'auto-gestion, par exemple, thème esquissé par le programme socialiste de 1972, figure dans le Programme commun comme le seul désaccord explicitement enregistré, la délégation communiste s'étant obstinée dans son refus du concept lui-même. Nous n'avons jamais dissimulé de notre côté que nous rejetions le marxisme-léninisme, avec son parti unique, sa bureaucratie, sa techno-structure, son plan macro-économique et finalement la dictature d'un homme. Nous sommes socialistes et non pas communistes. Parce que nous identifions socialisme et liberté, le socialisme et la défense des libertés, pour nous le système soviétique n'est pas le socialisme.

Mais nous avons vu aussi ce qui s'est passé dans les pays où s'est développée la social-démocratie. De belles, de grandes réussites, sans que l'on s'y soit attaqué au cœur de la bataille, c'est-à-dire sans chercher à détruire autant qu'il le fallait le capitalisme et ses maîtres.

Notre expérience à nous, socialistes français, doit tenir compte de ces données. C'est dans cet esprit que nous avons signé le Programme commun, que nous restons fidèles à ses lignes de force.

Mais venons-en à ce que nous avons appelé notre stratégie de rupture. L'expression nous a valu les sarcasmes de nos adversaires et le doute dans nos propres rangs. Elle a semblé trop ambitieuse, sinon même utopique.

Quelles sont donc nos raisons ? En premier lieu, nous croyons à la prééminence du plan sur le marché. Il ne s'agit pas là d'un vœu, d'un désir, mais d'une constatation. Le marché, fondé sur la libre concurrence, n'est plus le régulateur de l'économie. Dans de nombreux secteurs de notre vie économique, il a même cessé d'exister. Certes, nous connaissons les règles qui prévalent dans cette partie du monde et qui se réfèrent à l'économie de marché et nous n'entendons ni les nier ni les supprimer par notre seule décision, mais nous pensons que les grands choix utiles à notre peuple doivent être déterminés par la connaissance et la confrontation des intérêts, des besoins et des aspirations démocratiquement débattus à tous les niveaux, et non subir la loi de ceux qui, sous le couvert du marché, exercent leur dictature : monopoles, sociétés multinationales et maîtres de la banque.

Voilà pourquoi — deuxième terme de la stratégie de rupture — nous considérons que le Plan n'est pas dissociable de l'appropriation sociale des grands moyens de production et du crédit.

L'appropriation sociale, dans notre esprit, ne se résume pas à une simple mesure de prudence ou de police contre le capitalisme, elle a pour objet d'empêcher que s'accumule indéfiniment le capital et que se perpétue la domination du patronat sur les travailleurs par le seul jeu d'un rapport de forces inhérent aux structures. Privé de cet instrument, privé du moyen de peser sur les pôles principaux où se prend la décision économique, le gouvernement socialiste serait vite incapable de mener à bien le programme pour la réalisation duquel les travailleurs lui auront donné le pouvoir.

Quelle que soit la technique employée — il en est plusieurs — pour réaliser les nationalisations, toutes doivent s'inspirer de ce principe : le pouvoir passe par la propriété, la propriété c'est le pouvoir. Manquer à cette loi reviendrait à renoncer à la construction socialiste.

Ajoutons que, s'il faut casser l'Etat en tant qu'agent privilégié de la dictature de la bourgeoisie d'argent, c'est par la prise du pouvoir d'Etat que nous disposerons du moyen déterminant d'agir. Quand le suffrage universel nous en aura confié la charge, nous transférerons ce pouvoir aux citoyens, aux travailleurs, par de nouveaux mécanismes décentralisés au niveau le plus proche de la vie quotidienne. Mais raisonner comme si la base pouvait d'instinct résoudre les problèmes qu'une organisation méthodique pourra seule entreprendre nous rejetterait dans l'utopie. Redoutez qu'un certain discours ne nous renvoie toujours à l'idéal en bafouant le réel et ne nous fasse manquer l'un et l'autre.

Voilà pourquoi, dès notre arrivée au gouvernement, nous n'aurons pas de temps à perdre. Voilà pourquoi la notion de délai commande nos chances de réussite. Nous ne conduirons notre politique que si, dans les trois premiers mois et selon des étapes précises, comme nous l'avons écrit dès 1971, nous marquons de façon décisive une rupture de style et de rythme, une rupture dans la façon de concevoir les rapports de production et les structures économiques. Si nous n'agissons pas le premier jour, croyez-vous que nous serons encore là le centième ? Et parce que la crise aujourd'hui est plus forte qu'il y a cinq ans, quelle raison y aurait-il d'être moins rigoureux, de reporter les délais à plus tard, de transiger sur l'essentiel.

Je serais incomplet si je négligeais la dimension internationale. Rien de ce que nous avons dit ici ne vaut sans la donnée de l'impérialisme et sans celle des multinationales, ces nouveaux seigneurs de la société moderne. Les multinationales sont installées à tous les carrefours : elles dominent l'espace économique, contrôlent les continents, les océans, commandent le flux et le reflux des marchandises. Elles effacent les frontières fiscales et se moquent de l'Europe et de son Marché commun, assurées qu'elles sont d'imposer leur libre-échange universel. Opposons-leur, comme à l'expansionnisme soviétique et au communisme international, la résolution de ceux qui n'acceptent rien de ce qui pourrait atteindre leur indépendance nationale et le respect d'un droit public, garant des libertés individuelles et collectives.

Qu'est-ce que nous voulons, sinon une France libre dans une Europe indépendante ? Une Europe soucieuse des intérêts des travailleurs, une France capable de défendre les intérêts de son agriculture, de son industrie et de ses régions : telle est notre ambition. Et si l'on nous objecte que, minoritaires dans cette Europe, nous, socialistes, ne serons pas en mesure d'imposer nos vues, bien accrochés à l'article du Traité de Rome qui implique l'unanimité pour les décisions essentielles, nous mènerons notre combat. Tout passe par la capacité de la France de préserver ou d'acquérir la maîtrise de ses choix, de rester maîtresse de ses engagements. Ces engagements pris, nous les tiendrons.

Chers camarades, et je mets dans ces termes, croyez-moi, tout le poids des sentiments et des réalités affectives qui nous ressemblent au-delà des éclats de voix, chers camarades, j'ai entendu parler ce matin, sur le ton de la remontrance, de notre identité. L'identité du Parti socialiste ! Et c'est à nous qu'on dit cela, à nous qui faisons corps avec notre parti depuis le premier jour ! Quoi ? Nous qui l'avons fait, nous ne serions pas résolus à l'affirmer tel que nous avons voulu qu'il le fût, puissant, vivant, irréductible ? Qui pourrait le croire ? Mais de quoi parle-t-on et qu'est-ce que cette identité ?

C'est d'abord exister. Le Parti socialiste n'est pas un fantôme, une ombre chinoise sur le mur. C'est un parti qui existe. Nous lui avons donné son identité première, celle de vivre.

Serons-nous capables de lui donner son identité seconde, celle de vivre bien, longtemps, assez pour atteindre ses objectifs et remplir sa mission ? Qui donc en douterait ?

Rappelez-vous cet appel que je vous lançais l'an dernier : d'abord être soi-même. Soyons convaincus, en tout cas, qu'en retirant l'un des éléments qui ont fait de nous ce que nous sommes, union des forces populaires et stratégie de rupture, il ne resterait pas grand-chose, qu'un faux état civil ou, c'est le cas de le dire, une fausse identité.

Nous n'assurerons au Parti socialiste sa vie adulte que dans la continuité du socialisme historique qui est né et qui a grandi, quelles qu'aient été ses erreurs de jugement, sur le terrain des luttes. Rendons témoignage aux anciens qui se sont dressés face à la toute-puissance de l'argent, alors qu'ils ne pouvaient attendre que le malheur au terme de leur route. Ils se sont acharnés à passer le relais. Saluons leur grandeur. S'il nous est arrivé de condamner leurs fautes de parcours, sachons que c'est à partir de leur combat que nous avons trouvé la force de poursuivre le nôtre. Aborder l'avenir avec les thèmes du présent n'a de sens que dans la continuité et la persévérance.

Oui, sans réforme déterminante des structures de l'économie et des rapports de production, sans planification, sans vaste secteur public, sans une formidable décentralisation, premier chaînon de l'autogestion désirée, nous perdrons notre identité. A quoi nous servirait-il alors de disposer d'un parti qui ne serait que la vague copie de ces éternels groupes qui se prétendent réformateurs et qui ont tous, sans exception, fini dans le lit des classes dominantes ?

Etre soi-même, c'est préserver le rayonnement que nous avons acquis. Quoi ? Cellard, Wilquin, Tondon, Edwige Avice [23], n'avez-vous pas senti — et vos fédérations avec vous — que vous possédiez, parce que socialistes, la confiance populaire face aux communistes qui vous la disputaient ? Et cela cinq mois après les élections générales de 1978 ?

L'échec de mars, ce n'était qu'un obstacle à franchir, une épreuve à dominer, une difficulté grave mais passagère. Tout aussitôt, nous avons

23. André Cellard est élu dans le Gers en août 1978, Claude Wilquin en septembre dans le Pas-de-Calais, devançant le candidat communiste. Yves Tondon bat, à la même époque, en Meurthe-et-Moselle, Jean-Jacques Servan-Schreiber. Quant à Edwige Avice, elle enlève à Paris le siège détenu par le R.P.R. Christian de La Malène.

repris pied et nous sommes repartis de l'avant. Laissons sur le bord de la route ceux qui doutent, ceux qui craignent, ceux qui varient selon les heures du jour.

Nous sommes indépendants, et nous l'avons toujours été, à l'égard du Parti communiste, de son action, de sa pensée ; je le dis à ceux qui répandent les rumeurs que l'on sait. Mais nous ne le sommes pas à l'égard des contrats que nous avons passés avec lui.

Le fait que les responsables de ce parti s'enferment aujourd'hui dans un fol isolement, par sectarisme, par étroitesse de vues, nous donne une autre dimension, celle que confère la confiance populaire.

Car c'est notre parti que l'on dit déchiré, c'est notre parti offert en pâture à l'opinion publique, c'est ce parti-là qui représente l'enthousiasme et l'espoir.

Mais concluons. C'est en restant solides sur la ligne d'Epinay que nous disposerons de ce « point fixe » nécessaire, selon Pascal, pour voir et comprendre ce qui bouge, ce qui change. Ayons, en effet, les yeux grands ouverts sur les besoins des générations nouvelles. Nous sommes au-delà de la troisième révolution industrielle. Chaque jour la science et la technique inventent un nouveau paysage du monde. Impossible de raisonner comme si le vent et l'eau étaient seuls créateurs d'énergie. Impossible non plus d'ignorer que cette puissance de l'homme menace — que dis-je ? —, détruit les équilibres naturels, que la survie de l'espèce est en jeu. La société industrielle structurée par le capitalisme a produit une société urbaine qui n'a pas su, pas pu devenir une communauté. D'où ce formidable besoin d'une civilisation de dialogue, de communication, d'où cette vie associative qui permet à chacun de retrouver les autres et d'agir sans attendre les décrets d'en haut. Enfin, nous savons, en regardant autour de nous, en regardant aussi chez nous, dans notre propre parti, que les inégalités, au-delà des systèmes économiques, tiennent aux mœurs, aux habitudes séculaires, et qu'il faudra beaucoup d'efforts pour les réduire.

Si je demande fidélité à la ligne d'Epinay, c'est pour mieux préparer l'avenir. La ligne d'Epinay a fait de notre parti le premier de France. Mais ce ne serait pas assez si elle n'était accordée aux exigences de demain. Les grands problèmes des années 80 — le chômage, la désertification des régions —, la dépendance de la France à l'égard de l'extérieur, l'inégalité accrue des revenus et des patrimoines, la faillite de l'investissement et de la recherche, l'hypercentralisation et l'hyperurbanisation, les nouveaux enjeux — autogestion, lutte des femmes, aspirations de la jeunesse, démographie —, la construction de l'Europe et la misère du quart monde : tous ces problèmes et bien d'autres encore doivent et peuvent être abordés dans le prolongement du programme socialiste de 1972 et de nos choix ultérieurs. Le S.M.I.C. à 2 400 F serait-il moins nécessaire, alors que l'inégalité dans de multiples secteurs s'accroît ? Les nationalisations seraient-elles superflues, alors qu'une politique industrielle volontariste est plus que jamais indispensable ? Le Plan devrait-il reculer et le marché se développer, alors que la soumission à la « loi du marché » nationale et internationale signifie de plus en plus faillites et effondrement ? La décentralisation, la perspective autogestionnaire doivent-elles être abandonnées, alors même que leurs adversaires semblent s'y rallier maintenant ? L'audace de la réforme fiscale doit-elle être oubliée, alors que la fraude fiscale en France augmente chaque année ? Oui, Epinay, c'est encore une fois l'avenir.

Pour en revenir à nos débats internes, prenons garde précisément, chers camarades, à l'idée folle selon laquelle il suffirait de modifier les structures économiques pour créer les automatismes d'où sortira la société nouvelle. Un socialisme qui s'est figé, qui se flatte d'être scientifique, a répandu l'illusion qu'en asséchant les sources du capital il y aurait réponse à tout. Méfions-nous de l'économisme. Je pense, disant cela, aux fausses traductions de Marx qui ont laissé croire que la loi de la nécessité l'emportait dans ses analyses sur la loi de l'initiative. Je suis de ceux qui pensent qu'il est des valeurs permanentes, liées à la permanence de la personne humaine et qui, une fois sauvé le pain, donnent à la vie son aliment.

Au travers de son goût extrême des formules, présentées trop souvent sous forme de théorème il arrive à notre parti d'oublier qu'il s'adresse à des femmes, à des hommes, à des êtres vivants qui ont besoin de croire, d'imaginer, de rêver, qui ont besoin de mettre en œuvre leur capacité de créer.

Aux valeurs éraillées, épuisées de la société capitaliste opposons les valeurs du socialisme. C'est là le choix fondamental.

Nous sommes à la veille d'un congrès. N'oublions pas notre mission. Discutons de façon responsable avant de trancher qu'il est possible ou impossible de s'entendre, étant bien entendu qu'il serait impossible en effet d'aboutir à un accord majoritaire s'il était demandé de renverser le cours de ce que nous avons nous-mêmes entrepris en 1971. Cet appel, je le lance à tous, quel que soit le courant dont vous vous réclamiez.

Unissons-nous dans la clarté. Sans un choix clair, comment la majorité de demain résisterait-elle à l'épreuve des faits ? Mais, au-dessus de tout cela, sachez que nous sommes camarades, frères, amis, que dans le grand débat qui engage notre vie militante nous sommes d'abord ensemble.

26 novembre.

La ligne politique que j'exprime est celle du Parti socialiste. Si vous voulez même que je sois un peu plus précis, et je crois que c'est ce que vous désirez, je vais essayer, en quelques mots, de l'exprimer.

D'abord, la ligne d'Epinay, celle qui prévaut, date d'il y a sept ans, elle est la loi de notre parti. La ligne d'Epinay, la ligne du congrès de l'unité des socialistes, c'est essentiellement, pour être un peu schématique, mais vous me pardonnerez en raison du genre même de nos débats, c'est d'abord l'union des forces populaires, traduction moderne de l'Union de la gauche à laquelle nous avons souscrit en 1971.

C'est aussi, en dépit des sarcasmes que cela provoque, et j'emploierai l'expression, une stratégie de rupture avec le système économique qui prévaut et prédomine dans l'occident de l'Europe, donc en France. Vous me direz : comment ? Essentiellement, face à la dépendance accrue de la France et à la soumission de ses industries au marché international, nous voulons opposer un secteur public étendu et une planification où, le plan sera, et non point seulement le marché, le régulateur ;

face au chômage croissant, nous voulons une relance sélective et une diminution de la durée du travail ;

face aux inégalités énormes, nous voulons la justice fiscale, la modification de notre type de consommation, une augmentation importante des bas salaires ;

face à une société de plus en plus utilitaire, déshumanisée et centralisée, nous voulons décentraliser, un nouveau cadre de vie, un développement massif de la vie associative ;

face à une vie dans l'entreprise souvent insupportable, nous voulons une extension des droits des travailleurs, une amélioration décisive des conditions de travail. Nous voulons relancer l'investissement, encourager la recherche, bref nous attaquer aux problèmes des années 80 que l'on pourrait énumérer, mais cela ne saurait être exhaustif. Je pense, en particulier, à ceux de la démographie et à l'ensemble des programmes touchant à notre organisation sociale. [...]

La mission d'un parti politique est de devenir majoritaire et de gouverner notre Pays. Le problème est simplement de savoir qui adhère à un parti, sur quel programme, sur quelle doctrine et sur quel projet. Ceux qui vont dans ce parti et qui définissent ce projet expriment, eux, au point de départ, les besoins et les aspirations — telle est ma conviction — d'un certain nombre de groupes sociaux. Cela est vrai plus que jamais dans la société industrielle que nous vivons. Mais la vocation de ce parti est de savoir — ayant fixé sa ligne — que, sa mission étant de gouverner, il doit intégrer l'ensemble des aspirations nationales. C'est ce qui fait que nous sommes, nous, un parti qui accepte la règle pluraliste, c'est-à-dire la règle du débat, du dialogue au Parlement, dans les assises locales, dans les municipalités, dans les conseils généraux, dans les syndicats, dans les associations. Nous ne sommes jamais les ennemis — tout juste les adversaires — de ceux que nous combattons politiquement. Mais ceux dont je parle représentent les couches sociales qui à l'heure actuelle exploitent, oppriment. Il existe une dictature de classe. C'est la dictature de classe de la bourgeoisie d'argent et nous ne voulons plus de cette dictature de classe. A partir de là, il est normal de considérer que nous nous appuyons sur le front de classe qui s'estime aujourd'hui victime de cette dictature.

Si vous voulez parler des engagements individuels — je viens de parler de ceux qui adhèrent au P.S., ce qui est un acte d'engagement ; l'électeur qui apporte un bulletin de vote, ce n'est pas un acte d'engagement mais de confiance —, l'acte de confiance de l'électeur, c'est celui d'hommes ou de femmes qui n'épousent pas forcément l'ensemble des thèses que je viens de développer mais qui se disent que ce parti défendra les travailleurs, les exploités, les malheureux ; c'est également un parti de progrès qui voit loin, qui aime son Pays, qui est patriote, qui a quand même les idées larges, qui ne veut pas enfermer sa patrie derrière un nationalisme étroit ou derrière une autarcie économique, qui regarde l'Europe, qui fait confiance à la France, une France qui peut conquérir de nouvelles positions dans le monde, qui a un souffle.

Ce qui me fait le plus de peine dans la politique d'aujourd'hui, à travers la dernière conférence de presse [24] du président de la République qui avait un côté un peu fade, c'est cette absence de souffle. Il pourrait penser tout à fait autrement que nous mais quel est véritablement le projet pour la France et quelle espérance cela peut-il susciter ?

Un Parti socialiste à partir d'une base de classe est en mesure d'épouser les aspirations nationales. La preuve en est que beaucoup d'électeurs qui ne sont pas exactement définis par le front de classe vont vers nous parce qu'ils nous préfèrent aux autres. Quant aux individus qui sont membres de ce parti, on ne leur demande pas leur état civil. Beaucoup de grandes révolutions ont été conduites par des hommes qui sortaient de la bourgeoisie. Quel était l'exact statut social de Lénine, de Mao ? On sait bien quel était celui de Castro ou d'Allende [25].

26 décembre 1978.

Qu'il y ait un changement dans le paysage politique de la France, c'est certain. La majorité a été élue de justesse, à sa propre surprise, cadeau de Georges Marchais et des dirigeants communistes.

Or cette victoire électorale n'a été ni assumée ni exploitée dans le sens que souhaitait l'immense majorité des Français, ceux qui avaient voté pour la gauche et bon nombre de ceux qui n'avaient pas voté pour elle tout en espérant un véritable changement.

C'est donc une majorité mal assise, mal à l'aise, qui depuis neuf mois gouverne la France. Elle a traversé après mars une période d'euphorie, comme ces périodes de rémission que l'on constate dans les maladies graves.

24. Le 21 novembre 1978.
25. Le 23 janvier 1979, l'auteur précise : « On m'a même reproché mes origines bourgeoises. Mais c'était aussi le cas de Lénine, de Jaurès, de Blum, de Mao, de Castro et d'Allende qui appartenait même à la grande bourgeoisie, ce qui n'est pas mon cas. »

Le président de la République a oublié sa peur de la veille. Il s'est mis à croire que c'était lui qui avait gagné les élections, alors qu'en réalité c'était... Blücher. Mais aujourd'hui le malaise, parce qu'il est ressenti en profondeur, ne peut être dissimulé, en dépit des effluves de sucre et de guimauve répandus par la propagande officielle. Du coup, la majorité s'agite, se tortille. Les rivalités s'aiguisent. Jacques Chirac sait — en toute certitude — qu'il est condamné à disparaître politiquement et son parti avec lui, s'il laisse le champ libre à Valéry Giscard d'Estaing. D'où sa violente sortie de l'autre jour. Cela continuera. Pour moi, cette législature ne devrait pas dépasser l'élection présidentielle de 1981.

6 avril 1979, à Metz, devant le Congrès socialiste.

Sachons, à travers ce congrès de Metz, unir harmonieusement tous les acquis du socialisme français. Evitons l'anathème. Réunissons tous les éléments de notre histoire et essayons de les comprendre. [...]

Le problème qui nous est posé aujourd'hui au sein du Parti socialiste est bien celui-là : comment allier les deux cultures, les deux histoires principales du socialisme depuis qu'il est né ?

J'y ai beaucoup réfléchi, parfois avec anxiété. J'ai aperçu à quel point nous risquions — si nous nous laissions entraîner — d'aller vers des expressions catégoriques et excessives qui ne pouvaient qu'entretenir des blessures envenimées. J'ai aperçu la trace de ces blessures à travers des raccourcis.

Nous en avons débattu, lors d'un Colloque [26], qui fut passionnant, lorsque nous examinions la signification du stalinisme, il n'y a pas si longtemps, à Paris.

La question qui était posée, au fond, était dans tous les esprits ; elle a été traitée par des écrivains, des sociologues, dans des revues et des journaux, en dehors du Parti : est-ce que Staline procède de Lénine ? Est-ce que Lénine procède de Marx ? Et si Staline procède de Lénine et si Lénine procède de Marx, et si le goulag procède de Staline, alors le goulag procède-t-il de Marx ?

C'est une question des plus graves, à laquelle il a été répondu parfois de façon superficielle.

Je retrouve l'article de Léon Blum du 14 août 1933, dans *Le Populaire* : « Opposer Jaurès à Marx serait un non-sens. Jaurès était marxiste. Dans l'état présent des choses, un socialiste antimarxiste ne serait plus socialiste et deviendrait rapidement un antisocialiste... » Il continuait en disant :

26. Les 13 et 14 janvier 1979 à Paris, l'I.S.E.R. (Institut Socialiste d'Etudes et de Recherches) organise un colloque auquel participent des socialistes, dissidents et euro-communistes. Ce colloque est publié sous le titre « feux croisés sur le stalinisme », aux éditions de la revue politique et parlementaire.

« ... Marxisme est le nom qu'en France et ailleurs on a toujours donné au socialisme lorsqu'on voulait le combattre, le vilipender, l'extirper. »

Je suis de ceux qui ne se reconnaissent pas dans le marxisme. Tomberais-je donc sous le coup de la condamnation de Blum ? Deviendrais-je moi-même antisocialiste dans la mesure où je ne serais pas marxiste ?

Du temps a passé aussi depuis 1933 et on ne se refait pas. Qui n'a pas été nourri aux sources du marxisme, qui n'a pas vécu dans la chair, et dès son enfance, le combat simple, cruel, implacable, d'une classe sociale contre une autre, ne peut avoir d'instinct la compréhension immédiate de ce que pouvait signifier le message de Marx. L'intelligence et la réflexion permettent d'y suppléer, mais pour une part seulement, et parce que je suis de l'autre culture, et donc de l'autre histoire, je reconnais en Marx la puissance et la qualité d'une méthode incomparable, et sans doute la plus décisive de toute l'histoire du socialisme. Je ne suis donc pas un adepte — et combien d'autres avec moi, ici, dans cette salle ! — mais je reconnais Marx, le marxisme, comme l'une des sources, peut-être la plus profonde, qui ont fait que le socialisme est devenu ce large fleuve qui nous porte aujourd'hui.

Entre ne pas être marxiste — et je le proclame, je ne le suis pas — et penser qu'à l'intérieur d'un parti comme le nôtre on pourrait et on devrait à tout prix se défaire, se dégager de toute imprégnation marxiste, comme si le marxisme d'aujourd'hui, en vertu de la filiation Marx-Lénine-Staline-le goulag, fidèle au marxisme du premier jour, était l'école d'un Etat centralisateur, oppressif, tyrannique, développant le socialisme d'Etat, niant les réalités d'une base — bien qu'après tout Marx ait écrit cela, et aussi le contraire ! —, identifier le message marxiste comme s'il fallait organiser une sorte de chasse à cette école de pensée — il était facile de lire ici et là toute la révolte d'un certain nombre d'intellectuels, dont le seul plaisir, après tout innocent, est de se livrer chaque matin au « combat de Saint-Sébastien », Marx recevant sa flèche chaque jour... je ne pense pas qu'il en mourra pour cela —, non ! Le socialisme historique a les sources multiples que nous évoquions dans notre émotion, mais il a celles de Marx et je m'élève en faux, pour peu que je connaisse quelque chose à l'histoire, contre Marx = le goulag !

Je crois que Marx a mieux saisi que d'autres la nécessité de comprendre d'abord que c'était à partir des rapports de production que se créait l'état d'exploitation de l'homme par l'homme et que l'ensemble des données dont dispose l'esprit humain était commandé par cet état social, étant bien entendu que, délivré de cet état social, il retrouve toutes ses chances d'affirmation de soi-même et doit — c'est l'apport de quelques autres, et notamment de Jaurès — sortir de toute explication économiste ou mécaniste pour tenter d'atteindre à ce que j'appelais tout à l'heure les dimensions de l'univers, dont nous ne sommes qu'un élément.

La même chose pour Marx et Proudhon. Va-t-on choisir entre le socialisme hérité de Marx et le socialisme que j'appellerai, à la façon de

Jaurès, mutualiste, le socialisme de Proudhon ? Va-t-il falloir choisir entre l'individu et l'organisation sociale ? Va-t-il falloir, alors qu'il y a naturellement dialectique constante entre l'organisation sociale et l'individu, que les socialistes se réfèrent à l'une des deux cultures contre l'autre ? Y a-t-il d'un côté des étatistes, et de l'autre des libertaires ?

C'est là que je retrouve, pour conclure, tout ce qui est en moi, cette révolte que j'éprouve devant cette simplification abusive qui risque d'emporter les socialistes vers de nouvelles concurrences, enfermés dans des querelles d'écoles — j'allais dire des querelles d'églises — dont ils ne sortiront qu'en s'excommuniant ou dressant des bûchers !

S'il y a deux cultures, l'effort du Parti socialiste, réuni en Congrès, son devoir fondamental, c'est de les rassembler !

Si l'on devait choisir, si vous qui êtes marxistes, ici — Dieu sait si nous avons rompu des lances ! —, aviez voulu et vouliez encore que le Parti socialiste se réclame de cette théorie, je vous dirais : non ! Cela n'a jamais été fait par le socialisme français ; la S.F.I.O. s'y est refusée, longtemps avant nous, et pas davantage aujourd'hui nous ne reconnaîtrons dogme et grand prêtre ! Mais si l'on me dit en même temps qu'il convient d'éliminer une forme de culture, parce qu'elle s'identifie à l'oppression de l'Etat, à l'élimination du citoyen, à une bureaucratie dominante, et finalement à la négation de l'autogestion et des valeurs individuelles, alors je sens en moi-même qu'il faut éliminer cette contradiction, parce qu'elle est mortelle. [...]

Allons-nous nier ce qui a été bâti par nos anciens et par nous-mêmes, et qui est la grandeur du Parti socialiste français, les deux histoires, les deux cultures, celle qui recherche la détention du pouvoir d'État, celle qui croit à la nécessité d'une détention du pouvoir économique, celle qui croit à la réalité des structures, celle qui croit à la nécessité des ruptures, et l'une aussi nécessaire que l'autre, si nous n'avons pas parmi nous — quel manque, quelle perte de substance — celle qui à travers tous les temps a en fait approché davantage l'individu, a recherché dans chaque individu cette pointe du diamant qui reste en chacun, conscience et jugement, puissance de la raison, aspiration pour autre chose que la triste condition de chaque jour... Celle qui ne veut pas que l'individu soit écrasé, qui cherche des valeurs morales, qui retrouve les grands principes, liberté, égalité... L'égalité de la personne, d'abord...

Toute l'histoire, je vous la raconte comme cela, et je ne m'attarderai pas davantage.

Comment ne pas vous souvenir de la démarche d'un prolétariat qui avait abandonné tout pouvoir spirituel, complice du pouvoir temporel d'écrasement et d'oppression, de maux, de désespoir. Qu'espérer ? Où donc cette fois regarder ? Qui montrer ? Dieu ou simplement l'espace, au-dessus de la tête, quand on n'avait que la capacité de la baisser sur la machine, de s'épuiser pour tomber ensuite ?

Vie brève, et vie rompue, sans espoir pour l'enfant qui venait après !

Un siècle, un siècle et demi comme cela, et ce n'est pas fini pour beaucoup d'entre eux !

Alors, que voulez-vous qu'ils cherchent, en dehors de la cité idéale, de la cité collectiviste, où chacun ayant abandonné l'intérêt de l'argent partage selon ses besoins, éprouve simplement la force des sentiments de la communauté fraternelle ?

Comment ne pas rêver, même si on sait que ce rêve est impossible ? En tout cas d'ici longtemps ?

Voilà pourquoi j'aimerais que chacun puisse dire comment il ressent ce grand choix, moi qui suis de cette culture-là, qui ai ressenti comme une trahison millénaire l'éloignement de toutes les formes spirituelles, lorsqu'il s'agissait de défendre tout simplement les pauvres et d'être dans leur camp ; et les pauvres c'étaient les prolétaires, les nouveaux esclaves de la nouvelle société, soumise aux nouvelles féodalités.

Mais maintenant, 1979, 1980, nous nous sommes retrouvés ! Avant nous, socialistes, combien d'autres se sont retrouvés par la pensée et par le sacrifice, les cohortes sorties du christianisme, le prolétariat inspiré par tous les théoriciens de la pensée socialiste, la longue marche des foules souffrantes, le combat, les luttes parfois victorieuses...

Et puis, à côté de nous, les déviations qui ont tant fait souffrir les plus nobles esprits, les déviations que sont certaines formes de communisme, les déviations qui font que le socialisme sert à toutes les causes qui ont besoin d'alibis, tout ce qui était le revers de notre histoire, tous ces socialismes qui ont servi tout simplement à écraser davantage, à mutiler et à détruire !

Mais nous sommes ensemble, camarades, et nous sommes ensemble parce que nous avons vaincu les deux cultures et les deux histoires pour n'en faire qu'une seule ! C'est cela, la tâche du Parti socialiste. Je peux vous le dire, c'est la seule que je reconnaisse comme historique, pour vous comme pour moi !

Quiconque vous invitera à choisir l'une contre l'autre se trompe. On dit : François Mitterrand n'a pas choisi. Mais je ne veux pas choisir ! La synthèse ? Abandonnez cette discussion d'épiciers ou de juristes ! Ne mentez pas sur les cultures et sur l'histoire. Faites une synthèse sans exclusive et dans la clarté, en dominant les histoires et les cultures, pour n'en fonder qu'une seule, celle pour laquelle, camarades, vous vous êtes mobilisés en adhérant au Parti socialiste !

18 novembre 1979.

Ma préférence sera, je pense, pour celui qui aura le plus de chance de porter les socialistes dans leur unité vers le pouvoir, c'est-à-dire vers l'élection et, une fois élu, celui qui sera capable de diriger la France [...]

Le désaccord permanent du P.C. avec le P.S. et avec la gauche en général sert indiscutablement les intérêts du pouvoir. [...]

Nous suivons notre ligne et nous avons le mérite de l'écrire et de le publier. Nous avons proposé un programme aux Français en mars 1972 ; nous avons signé le Programme commun de Gouvernement de la gauche en juin de la même année ; et nous venons de soumettre à nos militants socialistes, avant de le remettre à l'opinion publique, ce que nous appelons notre projet socialiste. Nous suivons notre ligne, cela fait déjà longtemps. Bien entendu, chaque fois nous précisons, nous allons plus loin, nous réfléchissons davantage. Mais les données fondamentales qui font que nous sommes les fondateurs, que nous voulons être les fondateurs d'une société socialiste que nous définissons, tout cela c'est très clair. S'il se trouve qu'au hasard des événements tel ou tel groupe, tel ou tel parti, picore dans ce programme, prend telle ou telle disposition, nous le constatons. Dira-t-on, parce que nous avons proposé par exemple des dispositions sur la contraception, que nous avons été partisans du vote à dix-huit ans, du divorce par consentement mutuel, dira-t-on, parce que c'est nous qui l'avons proposé mais que cela a été adopté sous des gouvernements conservateurs, qu'il y a convergence avec ces gouvernements conservateurs ? On ne peut pas comparer le tout et le détail.

D'une façon générale, la ligne que nous avons choisie est celle qui rencontre l'accord, qui devrait rencontrer l'accord de l'ensemble des forces populaires, des partis politiques, des organisations qui représentent les forces populaires, des classes sociales, des groupes socio-professionnels que nous entendons rassembler. Puis, sur certains plans, comme nous entendons rassembler les Français sur des problèmes qui touchent à la vie, à l'existence et à la pérennité de la France, nous pouvons rencontrer l'assentiment d'autres groupes et d'autres personnes. C'est normal, tout cela. Vous pourriez poser la question à chacun de ceux qui viennent ici et ils vous répondraient la même chose.

Le 13 janvier 1980, à Alfortville, la Convention nationale extraordinaire du Parti socialiste adopte par 85 % des voix le « projet socialiste ».

Mais les événements d'Afghanistan aggravent la tension entre communistes et socialistes, puisque le P.C.F., contrairement aux Partis italien ou espagnol, n'a pas condamné l'intervention soviétique.

Il faut quand même comprendre que le Parti socialiste est en situation d'agressé : c'est lui qui est constamment attaqué par les dirigeants communistes, ce n'est pas nous qui attaquons les dirigeants communistes ; et, bien entendu, l'électorat socialiste finit par être exaspéré de ce procès, de cette sorte de chasse aux sorcières, de ce retour, disons, aux mœurs staliniennes que montre aujourd'hui le Parti communiste.

Les observateurs s'interrogent : qui sera le candidat socialiste à l'élection présidentielle de 1981 ?

14 janvier 1980.

Je n'ai pas pris ma décision. Et qui me déterminera ? La politique. La capacité de rassembler les socialistes, de préserver leur unité, de l'accroître, d'assurer la permanence des choix fondamentaux à la fois modernes et historiques du socialisme en France, et puis, comme on se présente pour être élu, la capacité de conduire les affaires de la France. Si j'ai la conviction que je suis en mesure de réaliser ces objectifs, je serai candidat. Si j'ai le sentiment que je ne suis pas en mesure de le faire et que d'autres que moi le peuvent, je serai ce que j'ai été depuis le premier jour, celui qui fait passer le rassemblement des socialistes avant tout autre chose. Car c'est l'arme maîtresse à partir de laquelle la gauche l'emportera. Alors, on voudrait que je sois candidat. Je dis : attendez donc ! On voudrait que je ne le sois pas ; je dis : ça me regarde et ça regarde la majorité du Parti socialiste. Alors, ça aurait l'avantage, puisque nous en parlons, d'avoir de nouveau, un peu plus tard, à parler de ce sujet, ce qui sera un sujet de conversation très intéressant entre nous. On entretient le suspense. [...]

Je suis convaincu que l'immense majorité des communistes français, que ces femmes et hommes désirent de toutes leurs forces la victoire de la gauche, qui signifiera une immense libération pour des millions de Français. Aujourd'hui encore, je m'adresse à eux en particulier pour leur dire : accepteront-ils davantage que la direction de leur parti détourne et déforme à ce point les espérances et les engagements sincères et honnêtes des militants et de tous les électeurs communistes. Et moi, socialiste, je leur dis : j'y ai consacré des années de travail, de foi, d'espérance. Je ne doute pas davantage aujourd'hui de la vérité de la cause que je sers. Il est arrivé un jour, il y a bien longtemps déjà, où j'ai compris que si l'on ne réunissait pas politiquement toutes les forces sociales opprimées, exploitées par une politique d'injustice et d'inégalités au bénéfice des plus puissants, des plus riches, des plus forts, des représentants des sociétés capitalistes et multinationales, ce serait encore pour des années et des années que la majorité du peuple français serait tenue sous la botte des intérêts de quelques-uns. Alors j'ai tenté de donner une traduction politique à cette réalité sociale, et quelle force, quelle puissance ! Vous vous souvenez de nos rassemblements, de nos réunions, de ces chants qui nous rassemblaient, vous vous souvenez de tout cela ? Cela reste toujours possible. Nous sommes encore majoritaires dans le pays.

27 mars 1980.

Pourquoi demande-t-on au seul Parti socialiste de désigner son candidat dès maintenant, plus d'un an avant l'échéance ? Les militants dont vous me dites qu'ils s'impatientent sont parfaitement capables de comprendre qu'on les attire vers un piège en exposant leur candidat aux coups plus tôt que de raison. Vous appelez indécision mon refus de céder à cette invitation. Je suis au contraire tout à fait décidé à agir selon l'idée que j'ai de l'intérêt des socialistes et de leur unité. Permettez-moi de rester maître du moment où je vous en informerai. Je ne me détermine pas par rapport à celui-ci ou celui-là, mais par rapport au parti dont j'ai la charge et que je sers.

9 avril 1980.

Les gadgets de toutes sortes : Brejnev par-ci, Schmidt par-là, Reagan ailleurs, bref, tous les moyens employés pour impressionner l'opinion française, comme s'il était nécessaire d'aller chercher les parrainages ailleurs... Moi, je m'en moque : je suis un homme libre...

20 avril 1980.

Le Programme commun de Gouvernement de la gauche n'était pas un programme communiste. L'erreur des dirigeants du Parti communiste, c'est de l'avoir cru et d'avoir cru que ce serait, pour eux, un moyen de contraindre les socialistes à se rallier, le sachant, ou ne le sachant pas, à un système de caractère communiste. Lorsque nous nous sommes rendu compte que telle était bien l'intention, eh bien, nous l'avons refusée. Voilà, c'est tout. Vous comprendrez cependant que nous souhaitons l'union de la gauche avec tous les travailleurs qui votent communiste, qui ont choisi le Parti communiste de préférence au Parti socialiste, parce que nous voulons le rassemblement populaire. Toutefois, ce ne sera jamais en consentant à l'établissement en France d'une société communiste telle que nous la connaissons. En effet, jusqu'à présent, nous ne connaissons qu'un modèle soviétique qui, à nos yeux, n'est pas acceptable, et qui nous paraît générateur des grands maux dont nous avons encore bien des peines à nous défaire pour convaincre les masses que le socialisme est le système de l'avenir.

A mon avis, il appartiendrait à la majorité de gauche, puisqu'il ne peut y avoir de président de la République socialiste que s'il y a une majorité de gauche, d'appliquer le programme sur lequel elle se serait engagée. Je ne vois pas comment le Parti communiste pourrait ne pas voter l'essentiel de nos objectifs qui figureraient, par exemple, dans le Programme commun.

Pour ma part, je trouve que le Parti communiste a profité d'une certaine carence socialiste pendant longtemps et qu'il a obtenu des suffrages de millions de gens qui cherchaient un défenseur, qui se demandaient comment la couche sociale à laquelle ils appartenaient et comment leurs intérêts propres et légitimes pourraient se trouver mieux défendus. Ils se sont écartés de nous pendant un temps. Puis, le Parti socialiste a retrouvé ses racines populaires et, en même temps qu'il retrouvait celles-ci, il retrouvait ses suffrages. C'est très bien comme cela. [...]

Si le président élu est socialiste, ce que je souhaite vivement, il n'aura pas à donner d'instructions au Parti socialiste, ce ne sera pas la république des partis. Si nous avons beaucoup à redire sur le fonctionnement ou sur certains aspects des institutions de la Ve République, nous n'entendons pas pour autant instituer le régime des partis ; ce serait un contresens très dommageable à la vie nationale. Par ailleurs, on n'imagine pas le premier secrétaire du Parti socialiste se substituant au président de la République dans les décisions à prendre et voulant à tout prix l'infléchir. Le président de la République actuel, et sans doute ses prédécesseurs, n'ont pas fait assez attention à cela. Le président de la République en place en ce moment pousse de plus en plus, sans le dire, vers un régime présidentiel où il est tout à la fois : maître des décisions de l'Exécutif, maître des décisions du Législatif, trop souvent maître des décisions du Judiciaire. Il entend souvent être maître des décisions de la presse audio-visuelle, maître de tout, jusqu'aux jardins de Paris, ce qui est d'ailleurs un souci louable.

Je ne pense pas qu'un président socialiste ait l'intention de remplir un rôle de ce type. Le président de la République socialiste aura pour mission de faire, comme tout autre, respecter la Constitution dans sa lettre, de vérifier que les usages n'ont pas dévié l'esprit de la Constitution, n'ont pas exagérément menti à sa lettre et faire que l'on trouve un moment où le Parlement devra retrouver sa fonction qui a aujourd'hui pratiquement disparu. Mais il n'incombera pas au Parti socialiste et à son premier secrétaire d'être les tuteurs du président de la République.

26 avril, à la Convention politique du P.S.

Quand j'ai dit tout à l'heure que le Parti n'est pas en déshérence, c'est parce que dans les départements, il y a des commissions exécutives et des secrétariats, et au niveau national, des conventions, c'est le cas aujourd'hui, des comités directeurs, un bureau exécutif qui se réunit chaque semaine, un secrétariat et un premier secrétaire. Et ce rappel, qui peut paraître de pure forme, se relie directement à mes arguments précédents.

Il n'est pas bon que peu à peu s'établisse comme une évidence le fait que le candidat à la présidence de la République serait chargé d'exprimer, aux lieu et place des organismes élus, les objectifs, la volonté et les méthodes du Parti socialiste. Il y a là confusion des rôles.

Quoi qu'il advienne, dans les circonstances où nous sommes, le premier secrétaire du Parti socialiste remplit cette fonction. Je la remplis plus ou moins bien ; plus ou moins mal. Quand j'entends les uns ou les autres, ou quand me reviennent les échos, je sais que l'opinion est mélangée. Tantôt j'apparais comme exprimant un socialisme dépassé, tantôt... enfin, arrêtons-là ! Jusqu'ici, je me suis surtout efforcé d'exprimer ce que la majorité du Parti socialiste avait déterminé, et, en effet, je n'ai jamais cru qu'on pouvait bâtir le socialisme d'aujourd'hui en coupant les racines du socialisme d'hier, pas davantage je n'ai pensé que le socialisme d'hier devait imposer ses lois au socialisme d'aujourd'hui, et chacun cherche sa synthèse. Donc, bien ou mal, j'ai cette reponsabilité, et il ne peut pas y avoir, en tout cas il ne serait pas heureux qu'il y ait trop longtemps, chaque dimanche, et peut-être tous les jours de la semaine, plusieurs voix qui expriment la pensée et la volonté du Parti socialiste, qui utilisent autant qu'il est possible la durée de cette campagne électorale, pour ne pas avoir de part et d'autre un premier secrétaire et un candidat avec deux clientèles, avec deux idéologies, avec deux projets, avec finalement deux corps de bataille, et, pourquoi ne pas le dire, deux partis ? Etant entendu que l'actualité dirigera ses feux tantôt sur l'un, tantôt sur l'autre.

Alors, bien entendu, beaucoup penseront — c'est ce qui ressort d'un certain nombre d'interventions — dans ce cas-là, autant que ce soit le même.

S'il s'agit de ma fonction, je ne vois absolument pas où nous pouvons trouver, dénicher dans les statuts le moindre bout de phrase qui indiquerait que par destination le premier secrétaire du Parti socialiste doit être candidat à la présidence de la République, et qu'il se serait établi au sein du Parti socialiste une sorte de hiérarchie de caractère aristocratique qui voudrait que le premier secrétaire soit celui qui doit être candidat. Qu'il le dise d'abord !

Sur le plan de la fonction, c'est une dangereuse confusion. Sur le plan de ma personne, je reconnais que j'en suis flatté, puisque la fonction n'y oblige pas, et que la personne semble donc jouir de l'assentiment général. Je le prends comme cela, puisque c'est comme cela qu'on me le propose et j'éviterai d'y réfléchir plus longtemps de peur d'être contraint de changer d'opinion.

Or, si je pense que le Parti socialiste n'a pas intérêt à découvrir son candidat trop tôt, à le lancer sur les chemins, à faire de lui l'homme sur lequel s'abattront tous les traits, si je pense cependant qu'il faudra bien qu'il dispose d'assez de temps... après tout, janvier, février, mars, avril,... il y a quand même quatre mois... si je suppose aussi que ce candidat, quel qu'il soit, disposera déjà d'une grande notoriété et, de ce point de vue, je ne suis pas inquiet, il s'en occupera... je ne pense pas que le Parti se trouve en situation tellement dramatique le jour où il aura choisi, mais je revendique alors, en tout état de cause, l'autorité de ma fonction, et, pour que tout soit

clair, chers camarades, je vous dirai que je m'acharne à répéter à tout
moment... mais cela aura le mérite de la nouveauté quand même, puisque
nous sommes réunis en Convention nationale... que je ne suis pas candidat.

Que signifient dès lors ces danses du ventre autour de moi, cette volonté à
tout prix de me dire : on ne se présente pas si vous vous présentez, on se
présente si vous ne vous présentez pas... on préfère celui-ci... Qu'est-ce que
j'ai dit, moi ? J'ai fait mon travail, comme je le peux ; le premier secrétaire du
Parti socialiste estime que dans la bataille que nous avons à mener, c'est le
premier secrétaire du Parti socialiste et non pas le candidat à la présidence de
la République qui a vocation à représenter le Parti dans sa continuité.

Je ne suis pas candidat à la présidence de la République, je n'ai jamais
écrit un mot ou une phrase qui autorise qui que ce soit à s'abriter derrière
moi pour se dissimuler.

J'ai dit tout à l'heure qu'ils sont de deux sortes, ceux qui me pressent
ainsi, ceux qui en font argument : il y a ceux qui m'aiment trop et ceux qui
ne m'aiment pas assez... et je tiens le même raisonnement aux deux.

Il fallait à tout prix que je me présente à la Convention du mois de janvier
dernier, il fallait que je me présente à tout prix pour répondre aux
supplications désespérées des candidats potentiels si désireux de l'être et qui
cependant attendent que je le sois !

Ce sont des explications morales, intellectuelles et politiques dans
lesquelles je ne me reconnais aucunement !

Voyez-vous, si je vous parle ainsi, c'est parce que je crois que le Parti
socialiste, sans exagérer ses difficultés intérieures, a le plus grand besoin de
disposer d'hommes, singulier ou pluriel, et d'équipes capables de maintenir
un certain nombre de données hors desquelles ce Parti se briserait.

D'abord, l'unité.

Eh bien, je peux vous assurer que de toutes mes forces, j'y veillerai, j'y
aiderai ! Le candidat désigné, quelles que soient nos interprétations, celles
qui feront sourire et celles qui ne le feront pas, je ferai corps avec lui...

J'entendais, avec une émotion amusée, les appels au rassemblement
autour du candidat... comme s'il pouvait en être autrement... Et pourquoi
est-ce que ces appels sont si souvent redits, ici, à cette tribune ? C'est parce
que commence à se dégager une crainte.

Depuis bientôt deux ans, le combat a été si rude, les insinuations, les
accusations, les intrigues ont été si vives, relayées avec tant de puissance
dans l'opinion, qui n'est pas socialiste, qu'il faut bien prendre garde à ce que
le candidat désigné soit en mesure de surmonter des crises, des défiances,
des amertumes et les ressentiments entretenus jusqu'à cette tribune, il y a
encore quelques instants.

Chacun sait bien que s'il est nécessaire d'en découdre pour imposer son
candidat, en découdre trop signifierait aussi qu'il serait impossible, au-
delà des paroles de pure convenance, de donner à sa candidature et au sein
du Parti l'élan qui conviendrait.

Moi, je vous dis que je serai toujours du côté de ceux qui accroîtront la capacité de rassemblement du Parti socialiste autour du candidat et que je ne serai en aucune circonstance le rival dans un combat où les dagues déjà sont tirées tandis que les poignards cherchent le dos !

L'Union de la gauche s'est brisée, nous avons vécu cet événement ensemble, il est normal que l'homme qui a incarné dans des circonstances exceptionnelles cette union de la gauche en soit atteint devant l'opinion... L'unité du Parti socialiste, il fallait y penser, la mettre en péril, c'était encore atteindre et un peu plus celui qui l'incarnait ; et, de ce fait, s'est déroulée une stratégie, visible à l'œil nu, qui n'a trompé personne, mais dont je vous dis maintenant qu'elle présente de graves dangers... pas les pires, puisqu'avec beaucoup d'autres je serai là pour y mettre un terme.

Voyez-vous, notre unité, elle ne peut pas être simplement un ensemble de dispositions réglementaires écrites, elle suppose quand même une discipline autour des choix adoptés par la majorité. Etrange théorie de droit public développée depuis quelque temps dans les rangs du Parti, qui consiste à estimer que lorsque la majorité impose sa loi, elle agit comme si elle voulait procéder à l'écrasement de la minorité. Mais c'est le Parti le plus libre qui soit, le nôtre ! Les caractères se heurtent comme dans toute société humaine, les intérêts aussi, et finalement nous vivons bien ensemble... Et, s'il faut des explications de ce type, elles ne doivent pas non plus nous faire oublier que l'essentiel est dans ce qui nous rassemble.

Donc, l'unité du Parti n'est pas en péril, elle est à tout moment ébréchée, égratignée, et si cela devait durer longtemps — cela dure depuis déjà longtemps — on pourrait craindre... d'autant plus que nous ne serions pas là... là je dis nous, ce n'est pas un « nous » de majesté, c'est ceux qui ayant fait Epinay ne le déferont pas et chercheront, par les appoints successifs qui ont enrichi notre Parti, à faire que nous sachions lier l'histoire qui n'est pas simplement une histoire de dix ans.

Mon rôle initial est donc de développer l'unité du Parti, mais ce serait en contradiction avec moi-même si, voulant ajouter ce ciment à mon tour, je le détruisais, en aiguisant l'acuité des divisions intérieures.

On veut m'entraîner sur ce terrain ; je n'irai pas. Cela m'empêcherait, ou bien m'empêchera, d'être candidat à la présidence de la République ?... eh bien, c'est très bien comme cela... Quel sera le socialisme si son Parti se perd en chemin, même s'il a un Président ?

24 juin 1980.

Vous me posez la question à moi : serai-je candidat ? Cela fait déjà longtemps que j'ai confié à certains d'entre vous, au cours de réunions plus restreintes, que mon objectif et celui de la majorité du P.S. avaient été initialement d'empêcher que le P.S. soit prématurément déchiré par des rivalités. Par rapport à l'extérieur, par rapport aux formations politiques, par rapport à l'opinion, il n'était pas sage d'exposer notre candidat à connaître toute une série de dépréciations politiques dommageables. Un candidat qui se présente, qui annonce sa candidature, et voilà que de semaine en semaine se déroulent des événements plus importants que sa candidature, qui l'étouffent et qui l'assourdissent. Ce pauvre candidat, dans quel état parviendra-t-il au terme ? En plus, nous n'avions pas non plus intérêt à ce que ce candidat soit comme cela la cible de toutes les attaques après tout, je suffisais à la besogne.

C'est pourquoi, j'ai demandé, aux instances du P.S., de fixer à la fin de cette année le choix du candidat, selon les procédures qui sont les nôtres, et qui ont été adoptées en 1978. On ne connaîtra pas avant, je crois le 19 octobre, les candidatures. Je veux dire qu'elles ne seront pas validées, même si certains socialistes, et je ne peux pas leur en faire reproche ont annoncé qu'ils souhaiteraient pouvoir disposer de la légitimité socialiste, de l'investiture socialiste, pour affronter M. Giscard d'Estaing.

Il est bon que le P.S. dispose de plusieurs hommes, ou femmes de valeur, et il en a, capables d'affronter une campagne électorale de cette envergure, et capables de gouverner la France. J'ai refusé de me placer dans ce jeu. J'aurais pu le faire, puisque de toute part on m'en priait, puisqu'on m'en prie encore, pour les raisons que je viens de vous dire. C'était trop tôt, dans l'intérêt du P.S., seul Parti auquel il était demandé avec tant d'insistance de désigner son candidat, un an et demi à l'avance. J'ai constamment répété que je n'étais pas en posture de candidat et que je considérais que jusqu'au choix de mes camarades — et c'est ce choix qui s'imposera, le mouvement émanant du P.S. — j'étais parfaitement en mesure de parler au nom de mon Parti et le cas échéant au nom des intérêts de la France puisque je représente un grand Parti, reconnu comme tel, porteur au demeurant d'une des grandes réponses historiques aux difficultés et aux problèmes de la société industrielle. J'ai donc qualité pour intervenir, pour répondre, pour proposer en toute circonstance, de même que le premier secrétaire du P.S., quel qu'il soit, aura encore qualité pour le faire, lorsqu'aura été désigné le candidat à la présidence de la République. Il n'y aura pas deux pouvoirs, au sein du P.S., il y aura simplement une double circonstance, dont celle d'une candidature à la présidence de la République que nous souhaitons voir déboucher sur l'élection. Bref, il ne s'agirait pas de moi, je serais le premier militant à soutenir la cause de notre Parti au travers de son candidat, à être solidaire.

N'attendez donc pas du P.S. qu'il offre le spectacle — hors une compétition légitime et normale dans un parti démocratique — de troubles et de divisions, qui finalement nuiraient à la cause du socialisme en France.

Quand je dis que je ne suis pas candidat, devant les socialistes aujourd'hui, devant l'opinion demain, c'est parce que je n'en ai pas besoin pour parler, pour exprimer, pour — tâche noble entre toutes — incarner la démarche socialiste en France. Ah, vous me diriez alors, si le besoin s'en fait sentir ? Ce n'est pas à moi d'en décider. Je reste pour l'instant à la disposition du choix que fera le P.S., et j'exercerai jusqu'à la limite du temps qui m'est imparti les fonctions qui sont les miennes. Ce temps sera-t-il quelques mois avant la désignation du candidat ? Ou sera-t-il un peu plus long jusqu'au Congrès national du P.S. ? Je peux vous garantir que mon vœu à moi le plus profond est de pouvoir assurer encore un peu de temps la responsabilité qui permettra au P.S. de franchir les passes prochaines, d'assurer son unité, de porter au niveau de l'Etat son projet et de rassembler les Français. Vous n'aurez donc pas de réponse sur une candidature de F. Mitterrand à la présidence de la République. Je reste d'une façon beaucoup plus profonde que vous l'imaginez hors de ce sujet. Je le traiterai en temps voulu et je serai celui qui aidera le P.S. à choisir où se trouvent l'intérêt, l'idéal, le service du pays, et le bien du socialisme. [...]

Quelle réussite ce serait pour moi, si je pouvais assurer ce passage entre un présent si difficile et un avenir incertain où seule demeurera précisément pour moi la certitude que le socialisme est devenu la réponse de la France. Porterai-je ces propos au niveau qui fut le mien en deux autres circonstances ? Je rappellerai, pour conclure, qu'en 1965, j'ai relevé un défi, un impossible défi. Si le résultat a été meilleur que celui que l'on pensait, que le meilleur politologue imaginait, cela nous a montré quelle était la volonté profonde du peuple de la gauche. En 1974, moins d'un an après une bataille perdue des élections législatives, je me suis trouvé dans la nécessité de choisir à un moment qui n'était pas le mien, que je n'aurais certainement pas désiré, et on se souviendra que c'est sous la pression répétée d'abord du P.C. et du M.R.G., de bien d'autres mouvements politiques et enfin du P.S. que j'ai répondu oui.

Je dis cela parce que je ne voudrais pas être revêtu de l'uniforme de celui qui se présente toujours. Au bout de quelque temps, nous serons plusieurs à nous être présentés deux fois. Le problème qui se pose à moi est altéré par la communication des sondages, c'est le seul reproche que je leur ferai parce que je ne conteste pas leur authenticité : mais j'ai été en effet battu une seule fois par M. Giscard d'Estaing en 1974, et d'assez peu, après une remontée sensible par rapport aux résultats précédents. Et depuis lors, tous les deux mois, non tous les trois mois, tous les quinze jours, peut-être toutes les semaines, on organise le même combat et l'on produit le même résultat de sorte que je suis obligé de le confesser : oui c'est vrai, cela doit être la 72e fois que je suis battu par M. Giscard d'Estaing[27]. Ah ! difficile manière d'aborder la 73e. J'en ai parfaitement conscience, le maniement de l'opinion publique, ce n'est pas rien par les temps qui courent. Mais en face de cela, il reste la résolution. Je vous la ferai connaître un jour, certainement.

27. Selon tous les sondages, la victoire de Valéry Giscard d'Estaing sur l'auteur, au cas où celui-ci se présenterait, est certaine. Les instituts de sondage précisent qu'ils donnent une photographie de l'opinion au moment où le sondage est effectué.

Un an avant l'échéance, l'élection présidentielle divise la majorité.

Le 30 juin 1980, à Amboise — ville dont il est maire —, l'ancien Premier ministre du général de Gaulle, Michel Debré, annonce sa candidature. A en croire les partisans de Jacques Chirac, cette initiative individuelle « ne saurait ni engager ni concerner le mouvement gaulliste ».

8 septembre 1980.

J'ai quelques facultés d'observation, mais arriver à déterminer ce qui se passe dans la tête du trio : Giscard d'Estaing, Chirac, Debré, ce n'est pas commode !

Ce qui est vrai c'est que Michel Debré, en tant qu'homme, est un homme de conviction, de démonstration. S'il est fidèle à lui-même, il ne peut avancer qu'à sa façon, c'est-à-dire en faisant le bélier. Or, un bélier c'est fait pour enfoncer les portes. Je pense qu'il songera d'abord à enfoncer les portes de la majorité avant d'enfoncer celles de l'opposition. Cependant, je n'en sais rien ; je ne sais pas pourquoi je vous dis cela.

Cette candidature est-elle un facteur de déstabilisation véritable ? Je n'en sais rien parce que, après tout, M. Giscard d'Estaing peut attendre en se disant qu'il rattrapera le terrain perdu au deuxième tour. En attendant, Michel Debré fait un drôle de pataquès dans les rangs du R.P.R. !

Je ne veux pas perdre de temps avec cette affaire. Michel Debré est un adversaire politique estimable. Il a joué un grand rôle dans l'histoire des vingt dernières années de ce pays et même depuis la Libération de la France et pendant les combats qui y ont conduit.

Nous aurons l'occasion d'en reparler. Je pense que cette question n'est pas d'actualité. Elle ne l'est pas, en tout cas, dans mon esprit.

Le problème se pose en termes impersonnels. Le premier responsable du socialisme en France doit-il, ou non, être porteur des couleurs du socialisme français ?

Si l'on veut bien y ajouter un certain sentiment personnel, certaines appréciations sur la personne, peut-être un certain nombre de Français pensent-ils — même s'ils sont contre moi — que ma vie politique me permet d'estimer que je serais capable de remplir ces fonctions.

Personnellement, sauf si je finissais par répondre à vos sollicitations, je n'ai jamais exprimé ni le désir ni l'intention d'être ce candidat. Je les avais exprimés en 1965 alors que j'étais sûr de ne pas être élu. Vous voyez que mon ambition était finalement assez désintéressée !

En 1974 — permettez-moi de vous le dire — je ne suis pas de ceux qui observaient le visage du président Pompidou pour assister à la veillée funèbre. J'avais assez de déférence et de respect pour cet homme en péril, en agonie, pour ne pas spéculer sur sa mort.

Il a fallu aborder la campagne alors qu'un an plus tôt, la gauche, malgré sa progression, n'avait encore recueilli que 46 % des suffrages. Il fallait gagner 4 points ; j'en ai gagné 3,5.

Je ne suis pas quelqu'un qui est nourri par une ambition de caractère obsessionnel. C'est vous et les autres qui, constamment, me mettez en cause.

Dois-je me présenter à la présidence de la République ? Sur ce plan, j'ai un premier réflexe qui se transforme assez vite en réflexion.

Je suis comptable du Parti socialiste et, je peux le dire sans excès, du socialisme en France. Il s'agit d'un parti récent, héritier d'une grande tradition historique. Mon premier souci c'est de faire en sorte qu'il traverse la phase actuelle en s'affirmant.

Suis-je plus utile comme rassembleur et fédérateur des socialistes qu'à la tête de l'Etat ? Il ne faut pas confondre les rôles. Un président de la République ne peut pas être un chef de parti. Un chef de parti peut devenir président de la République, mais il doit alors cesser d'être un chef de parti. Tel est mon premier choix.

Le second me regarde. Est-ce que je pense que je puis être utile à mon pays ? Je crois que oui. D'autres que moi peuvent-ils l'être également ? Je le crois aussi. Dès lors, je ne résume pas toute l'histoire de la France à ma seule décision.

— *Si un socialiste était élu président de la République, n'y aurait-il pas une certaine redistribution des rôles ? La fonction présidentielle ne serait-elle pas éclatée : plus de rôle au Parlement, ni au sein du parti ?*

— La fonction serait différente, sans aucun doute. Il faudrait veiller — j'ai vécu cette période et je me méfie — à ce que le régime parlementaire ne redevienne pas un régime de partis, ces derniers se substituant à l'Exécutif dont ils n'ont pas la charge.

Il faudrait également veiller à ce que la Ve République se guérisse des maladies contractées depuis sa naissance. [...]

Je fais allusion à une série de dispositions qui font que l'usage à dépassé la lettre.

Enfin, vous avez lu les différents programmes : programme socialiste, programme commun, projet socialiste aujourd'hui dans lesquels il est écrit qu'un certain nombre de réformes constitutionnelles seraient rendues nécessaires par l'arrivée au pouvoir d'un président de la République de gauche, d'un président de la République socialiste.

Cela n'implique pas, c'est vrai — nous pensons en effet qu'il y aura mieux à faire dans une période aussi difficile — le renversement des institutions. Cela sous-entend un certain nombre de changements pour que chaque pouvoir soit remis à sa place.

Vous avez raison de le dire, la fonction du président de la République de gauche — particulièrement du président de la République socialiste — n'aurait pas l'étendue de celle qui est actuellement exercée par le président de la République. [...]

Vous me posez la question pour Michel Rocard. Il semble qu'il désire lui-même être candidat. C'est donc qu'il a procédé à la même analyse. Et s'il dit oui à sa propre candidature, c'est parce qu'il s'en sent capable.

De quelle façon est-ce que je le juge ? Il est trop tard et ce serait bien compliqué. J'emploierai cependant des termes simples. Au Parti socialiste, il y a plusieurs hommes et femmes capables de remplir les plus hautes fonctions. Tous ne sont pas en situation de se présenter et d'être élus. Cela, c'est le paradoxe de l'histoire. Et puis chaque chose vient en son temps.

Je pense que si le Parti socialiste désigne un candidat — qui s'appellerait Michel Rocard, qui pourrait s'appeler autrement — c'est parce que nous aurons pensé que la France méritait ce choix.

Est-ce que je pense que Michel Rocard... ? Vous m'invitez à participer aux sondages et je le fais de grand cœur, j'aimerais bien que vous lui posiez la même question lorsque vous le verrez par ici ; il viendra sûrement...

Ainsi que je vous l'ai dit tout à l'heure, je suis comptable d'une grande histoire, non pas passée, mais passée, présente et à venir. L'estime que je porte à Michel Rocard, c'est son intelligence, sa vivacité, ses capacités que j'observe dans la vie quotidienne ; j'aime aussi son ambition : il faut être ambitieux si l'on veut franchir les obstacles ; cette envie d'être m'intéresse. Mais je le regarde comme ça, avec attention, sympathie et quelquefois aussi des points d'interrogation qui se logent dans mon esprit. C'est à lui d'y répondre. Un homme devant l'Histoire n'est responsable d'abord que de lui-même avant d'être responsable des autres.

Le candidat que choisira le Parti socialiste sera le mien. Je serai à ses côtés. Je me souviens d'avoir dit — c'était peut-être ici mais cela a été mal compris — que je ferai corps avec lui. Répétons-le et ainsi vous en aurez encore pour quelque temps à vous poser des questions, ce qui aura au moins le mérite de me donner l'agrément d'observer vos visages. Et vous vous dites : alors, qui ce sera ? Eh bien, figurez-vous, moi, je le sais, mais pas vous. C'est ce qui fait toute la différence.

Le 13 septembre, à la fête de l'Humanité, Georges Marchais se présente comme « le candidat anti-Giscard ».

Le 19 octobre, au jour fixé pour l'ouverture de la procédure de désignation du candidat socialiste, de la mairie de Conflans-Sainte-Honorine, Michel Rocard s'adresse aux socialistes et aux Français. Aux premiers, il « propose d'être leur candidat à la présidence de la République dans le respect de ses engagements », aux seconds, de « conquérir ensemble le pouvoir pour devenir ensemble les responsables de la France ».

14 octobre 1980.

J'ai respecté scrupuleusement les décisions de notre Parti qui a fixé, il y a quatre mois, la date du 19 octobre pour que s'engage le processus démocratique de désignation de notre candidat à l'élection présidentielle.

Nous sommes le 19 octobre. Je me suis tu jusqu'à ce jour. On a dit que c'était bien tard. Nous avons pourtant devant nous plus de six mois encore. On a dit que j'avais trop attendu pour arrêter ma position. Je n'ai fait attendre que les gens trop pressés.

Longtemps, vous le savez, j'ai jugé que l'ouverture dans nos rangs de cette compétition serait prématurée. La paix menacée, la montée du chômage, la somme des injustices, le désarroi de la jeunesse exigeaient de nous une présence dans les luttes dont les rivalités internes risqueraient de nous distraire, dont elles nous ont parfois distraits.

Et pourquoi le Parti socialiste, seul parmi les grandes formations politiques, aurait-il dû se déterminer un an avant l'échéance, tandis que nul ne songeait à reprocher au Parti communiste de prendre son temps et aux partis de la droite de reporter leurs décisions aux premiers mois de l'année prochaine.

Mais puisque le moment est venu de parler, je vais le faire.

J'ai entendu bien des appels qui s'adressaient à moi. J'ai même entendu des candidats, sans que je leur ai demandé, renoncer à l'avance à l'être plus longtemps si je me présentais à votre investiture.

Je n'en ai jamais eu, faut-il le répéter, ni l'intention ni le désir. Le problème pour moi et, je l'espère, pour vous, se pose en d'autres termes.

Nul ne peut porter nos couleurs, dans une circonstance aussi grave, qui n'ait pour première vertu d'unir les socialistes et de défendre leur projet. Nul ne peut aspirer à conduire le pays qui n'incarne la volonté de rassembler les forces populaires, pour en appeler au-delà des luttes partisanes à l'accomplissement d'un dessein national où chaque Français retrouvera sa raison d'espérer.

Le devoir de notre candidat sera d'être à la fois l'artisan, l'interprète, le symbole d'un combat pour la liberté, pour le socialisme, le nôtre, qui plonge ses racines dans l'histoire de la France et de notre peuple fier, patriote, créateur, porteur d'universel.

Je forme des vœux pour que chacun des candidats s'inspire de ces principes.

Nos instances dirigeantes ont estimé que les candidatures, pour être recevables, seraient soumises au Comité directeur par une ou plusieurs de nos fédérations. Laissons à celles-ci le temps de se concerter, de réfléchir, de proposer.

Mais le moment ne saurait plus tarder où les socialistes devront connaître le nom de ceux d'entre eux qui souhaitent obtenir et l'honneur et la charge de mener la bataille pour la victoire du socialisme.

J'ai toujours considéré, pour ma part, que ma tâche essentielle était de préserver, maintenir et accroître avant tout autre chose, l'unité du Parti.

De cette unité dépend la cohésion du rassemblement populaire. De cette cohésion dépendra la victoire.

C'est dans cet esprit que je me prononcerai avant la fin de cette semaine.

8 novembre 1980, lettre au comité directeur du Parti socialiste.

En réponse aux fédérations [28] qui m'ont demandé d'être le candidat des socialistes, je soumets cette candidature au vote des membres du Parti.

28. Laurent Fabius, porte-parole du parti socialiste, précise que 75 commissions exécutives fédérales ont proposé la candidature du premier secrétaire.

L'avènement du socialisme

19 janvier 1981.

Je ne suis encore candidat que devant mon parti : après le Congrès extraordinaire du 24 janvier, si les socialistes m'approuvent, je le serai devant les Français — c'est alors seulement que je m'expliquerai devant eux. Mais j'ai toujours considéré que les chances du candidat socialiste n'ont jamais disparu derrière l'écran de ceux pour qui la réélection de M. Giscard d'Estaing était assurée. La volonté politique du pays ne se transforme pas au gré des humeurs de chacun.

Il existe en France deux forces, la droite et la gauche, qui, depuis quelques années, s'équilibrent autour de 45 %, le reste étant constitué par diverses opinions marginales. M. Giscard d'Estaing devrait être prudent parce qu'il suffit de quelques transferts pour que tout bascule. Or c'est peut-être une vague de rejet à son endroit qui se prépare. Si l'action du président sortant avait justifié la création d'un mouvement d'opinion dépassant les frontières politiques traditionnelles, il aurait pu se trouver, de par sa fonction même et l'autorité qui lui est attachée, dans la situation que connut le général de Gaulle en 1958, fort, lui, d'une grande charge historique. Mais ce mouvement ne s'est pas produit.

L'accumulation des échecs (emploi, prix, commerce extérieur, pouvoir d'achat, écrasement des petits salariés, malaise des cadres, difficultés des travailleurs indépendants, des paysans, aggravation des inégalités, pour ne parler que de politique intérieure) a entraîné une somme de mécontentements qui lui interdisent d'espérer rassembler les Français. Il a été, il reste le président des privilégiés. Il a usé sans retenue de l'instrument que lui conférait le pouvoir. Avec lui les Français sont restés, c'est le cas de le dire, sur leur faim.

Certes, un élément nouveau est, entre-temps, intervenu : chaque camp s'est divisé : les principales familles politiques sont désormais davantage occupées par leurs guerres civiles que par l'affrontement avec le camp d'en face.

J'ai regretté, je regrette la division des partis de gauche. Mais les électeurs communistes, qui ont compris le jeu destructeur des dirigeants de leur parti, ont maintenant surmonté dans une large part leur trouble initial. Cela s'est vérifié aux récentes élections législatives partielles[1]. Le rassemblement populaire à la base garde force et vigueur.

Jusqu'ici, ces luttes intestines étaient moins évidentes, moins visibles à droite qu'à gauche, en dépit de la fronde R.P.R.[2]. Elles apparaîtront en plein jour lorsque Jacques Chirac sera candidat. La crise de la gauche demeure mais ses effets s'estompent. La crise de la droite, elle, ne fait que commencer.

Au-delà de ces données, si le candidat socialiste exprime comme il convient la dynamique qu'il représente, l'adéquation de son projet aux intérêts de la France et des Français, ses chances ne cesseront de s'affirmer.

Le 24 janvier 1981, les socialistes, réunis en Congrès extraordinaire à Créteil, adoptent à une très forte majorité (83,64 % des suffrages) la candidature de l'auteur à l'élection présidentielle.

Chers camarades, vous venez de m'appeler à conduire le combat des socialistes, d'abord pour gagner, ensuite pour ouvrir le chemin de l'autre politique, celle qu'attend, celle qu'espère, celle que veut, dans ses profondeurs, notre peuple, enfin pour que commencent les temps nouveaux, avec cette rencontre préparée depuis longtemps par l'Histoire : la rencontre du socialisme et de la France.

Me voici donc, par votre choix, le candidat socialiste à l'élection présidentielle de 1981.

Je vous remercie de la confiance que vous me faites. Je la reçois comme un honneur — il n'est pas d'honneur dans la facilité — et comme le témoignage fraternel d'un Parti rassemblé. Cet honneur, je ne l'ai pas sollicité pour mettre dans ma poche notre drapeau. Soyons nous-mêmes, vous ai-je dit si souvent... Eh bien, je porterai le socialisme auquel nous avons adhéré et auquel nous croyons, sans renoncer à rien de ce qui fait sa force et sa grandeur, de ce que signifie son message et de ce qui est sa réalité.

Mais il ne s'agit plus de moi. C'est le Parti tout entier qui s'engage maintenant dans la bataille politique, peut-être décisive, qui débute aujourd'hui. Chacun de nous y a sa place et, au premier rang, ceux qui, par la constance de leur action et la richesse de leur pensée, ont fait du socialisme ce qu'il est et qui assureront, demain, sa marche en avant.

Je n'en veux distinguer aucun, si ce n'est, me tournant vers Lionel

1. Cf. *supra*, p. 220.
2. En décembre 1980, Bernard Pons, secrétaire général du R.P.R., proclame : « Tout fout le camp... le président de la République actuel, s'il est de nouveau candidat en 1981, a toutes les chances d'être battu. »

Jospin[3], l'assurer de notre concours et de notre affection qui l'accompagneront dans la lourde tâche qui l'attend et qui n'est pas, dans mon esprit, un intérim..., et vers Michel Rocard[4], qui pouvait prétendre à nous représenter dans cette grande circonstance, pour lui dire avec amitié, s'il ne le savait pas déjà, qu'il n'est pas de frontière plus facile à franchir que celle qui sépare le présent de l'avenir.

Je me tourne aussi vers ceux qui, à Epinay, il y aura bientôt dix ans, autour de Pierre Mauroy, auquel je dois et nous devons à ce Parti d'être aujourd'hui ce qu'il est, Gaston Defferre — faut-il donc insister ? C'est une amitié si forte et si ancienne —, Jean-Pierre Chevènement, Louis Mermaz, Marie-Thérèse Eyquem, Gérard Jaquet, et combien d'autres que j'ai l'injustice de ne point citer, vers ceux qui avant Epinay et autour d'Alain Savary, sans oublier les grands témoins comme Augustin Laurent..., ont ramené l'histoire à notre seuil.

Mais, candidat des socialistes, je veux l'être aussi, je dois l'être du rassemblement populaire si nécessaire à la sauvegarde de la démocratie, à la transformation de notre société et à la grandeur de la France.

Je n'ai jamais cessé, depuis qu'ensemble nous avons pris la route, d'en appeler à l'union des forces populaires, au-delà des rivalités de partis et des manœuvres de retardement. Lourde est la responsabilité de ceux qui ont retardé l'heure du changement et cru qu'il leur serait possible d'arrêter le mouvement de l'Histoire. Tel n'est pas notre cas et j'en appelle encore à notre peuple.

Qu'il donne donc, ce peuple, dès le 26 avril, sans perdre davantage de temps, l'appui massif de ses suffrages au candidat des socialistes, seul en mesure, par la force des choses, de battre Giscard d'Estaing et, avec lui, la droite, le camp des privilèges et le grand capital !

3. Le même jour, Lionel Jospin devient premier secrétaire du parti socialiste, poste que l'auteur assumait depuis le Congrès d'Epinay et que, selon les règlements et décisions du Parti socialiste, il quitte puisqu'il est candidat à l'élection présidentielle.

4. Michel Rocard, député des Yvelines, ancien secrétaire national du P.S.U. (Parti socialiste unifié), candidat en 1969 à l'élection présidentielle, a rejoint le Parti socialiste en 1974. Pierre Mauroy, député-maire de Lille, a toujours milité à la S.F.I.O. puis au Parti socialiste dont il est secrétaire national, a joué un rôle décisif au congrès d'Epinay. Gaston Defferre, député-maire de Marseille, a toujours milité à la S.F.I.O. puis au Parti socialiste, fut, lui aussi, un des acteurs essentiels du congrès d'Epinay. Jean-Pierre Chevènement, député du Territoire de Belfort, milite à la S.F.I.O., depuis 1964, puis au Parti socialiste. Il est le fondateur du C.E.R.E.S. (Centre d'Etudes, de Recherches et d'Educations Socialistes). Louis Mermaz, député de l'Isère, a milité, depuis sa création, à la Convention des Institutions Républicaines, puis, depuis le congrès d'Epinay, au Parti socialiste. Marie-Thérèse Eyquem, fondatrice avec Colette Audry, du « Mouvement démocratique féminin », secrétaire générale du Comité de soutien à la candidature de François Mitterrand en 1965, secrétaire nationale du Parti socialiste, morte en août 1978. Alain Savary, compagnon de la Libération, milite à la S.F.I.O., démissionne du gouvernement Guy Mollet pour protester contre l'arraisonnement de l'avion de Ben Bella, hostile dès 1958 à la Ve République, fonde le P.S.A. (parti socialiste autonome), premier secrétaire de la S.F.I.O. de 1969 à 1971. Depuis le congrès d'Epinay, il milite au sein du Parti socialiste. Gérard Jaquet, militant socialiste de toujours, a préconisé depuis l'Union de la Gauche. Augustin Laurent fut toute sa vie un militant socialiste. Il a précédé Pierre Mauroy à la mairie de Lille.

Ainsi serai-je, je l'espère, en votre nom, le candidat d'une majorité de Françaises et de Français, candidat de la France, pour la France !

Une campagne électorale se prête mal à la tolérance et au respect mutuel. Insensible aux coups, j'en porterai sans doute, non pour atteindre les hommes mais pour combattre les idées et la domination des puissants qui ont contraint les travailleurs et des millions d'hommes et de femmes à connaître, à subir la dureté et l'injustice. Mais je respecterai toutes les chances — je dis bien, toutes les chances — d'unir ce grand pays, le nôtre autour d'ambitions à son niveau, et d'entraîner sa jeunesse et ses forces de création vers les seules conquêtes, celles de la vie et de la connaissance, qui justifient la condition de l'être humain.

Rien ne sera facile, je ne promets rien d'autre que le courage, la continuité de l'effort et la volonté de gagner.

5 février 1981.

Chaque régime [5] a tenu à affirmer un certain nombre de principes, parmi lesquels il en est qui ont longtemps dominé le droit public : la souveraineté populaire et la séparation des pouvoirs. [...]. Ces principes ont conduit à considérer que le pouvoir exécutif devait être représentatif du peuple au travers des élus, puis, depuis 1962, au travers de celui que le peuple a choisi en élisant le chef de l'Etat. Dans un système représentatif, celui que nous pratiquons, il convient que le chef de l'Etat cohabite avec l'autre forme de représentation populaire : le Parlement. Le Président dispose de grands pouvoirs [...], en tout état de cause, c'est la loi de mon pays. Je m'y soumets. Et si nous réformons tel ou tel aspect de nos institutions, ce sera dans le cadre de ces mêmes institutions existantes.

Je ne pense pas qu'il faille mobiliser, plus qu'il ne convient, l'attention du rassemblement populaire, qui aura d'autres choses à faire que de se transformer en une assemblée de trente-six millions de juristes. Il est une loi fondamentale, cependant, qui est que le gouvernement doit être l'interprète de la majorité populaire exprimée dans ses assises où siègent les représentants du peuple. C'est une règle qui a été presque toujours respectée en France [...]. L'un des plus fidèles, sur ce plan-là, à respecter la loi, a été le général de Gaulle, qui, lorsqu'il se trouva, une seule fois, avec un Gouvernement qu'il avait nommé et qui était devenu minoritaire, demanda au peuple de trancher : il a considéré qu'il n'avait pas le droit d'imposer lui-même à la majorité du moment une loi qui n'eût pas été celle de la représentation nationale [6].

5. L'auteur évoque les cinq Républiques Françaises.
6. Le 27 avril 1969, le référendum sur la création des régions et la réforme du Sénat est rejeté par les Français (par 52,41 % de Non contre 47,58 % de Oui). Comme il l'avait annoncé, le général de Gaulle, dans la nuit du 27 au 28 avril, prend acte de ce vote : « Je cesse d'exercer mes fonctions de Président de la République. Cette décision prend effet aujourd'hui à midi. »

De sorte que lorsque j'affirme moi-même qu'il faut que le gouvernement de demain soit fidèle à l'expression de la volonté nationale, elle-même fixée par des élections législatives, je suis l'interprète le plus fidèle des institutions de la République [...]. La France n'est pas, selon la volonté du peuple, dans un régime présidentiel, elle est dans un régime parlementaire. Le chef de l'Etat dispose de grands pouvoirs que nous ne lui contestons pas, sinon, peut-être, dans le domaine de la justice, et que nous lui contestons d'autant moins que nous entendons nous-mêmes exercer ces pouvoirs. Mais pas davantage. Nous ne voulons pas faire du président de la République ce qu'il est aujourd'hui : un touche-à-tout obsédé de toucher à tout. Disposer de tant de pouvoirs et rester si loin des intérêts des gens, à quoi bon ? Ceci explique, pour une large part, la signification du combat que je mène.

6 février.

Tout le monde sait que je n'ai pas voté pour la Constitution de 1958. Mais je ne me suis pas réfugié dans les faux-semblants et j'ai expliqué dans plusieurs livres que j'avais davantage voté contre le contexte politique que contre le texte constitutionnel. Les critiques que j'avais à faire (notamment sur l'article 16, sur la définition — à mon avis trop restrictive — de la Communauté, sur le mode de désignation du Conseil de la magistrature, etc.), je les ai faites au grand jour.

Par contre, je n'ai jamais demandé le vote d'une nouvelle Constitution et aussi bien le Programme commun de la gauche que le programme socialiste n'ont prévu qu'un certain nombre de modifications constitutionnelles. N'oublions pas que la Constitution de 1958 est une Constitution parlementaire. Le général de Gaulle lui-même a tenu à l'affirmer dès l'origine, et ce que je demande aujourd'hui c'est que l'on en revienne à l'application stricte du texte voté par le peuple. C'est la Constitution de la Ve République qui exige que le Gouvernement soit non pas l'émanation mais l'expression de la majorité de l'Assemblée nationale. Cette règle a été constamment pratiquée et la seule fois où, sous la Ve République, un Gouvernement s'est trouvé en minorité, c'était en 1962 ; le général de Gaulle a tranché le débat en dissolvant l'Assemblée nationale et en procédant à de nouvelles élections. C'est le peuple qui a tranché. Je n'ai pas d'autre position. Toute autre interprétation de la Constitution conduirait à l'élaboration d'un régime présidentiel de type américain et nécessiterait alors la création d'une VIe République. MM. Giscard d'Estaing et Marchais y songent-ils ? En vérité, c'est surtout contre l'usage des textes que je proteste, usage qui nous a conduits à l'établissement de fait d'une monarchie déguisée.

Le 3 février, Jacques Chirac, président du R.P.R., fait acte de candidature à l'élection présidentielle : « J'appelle toutes les Françaises et tous les Français à l'ardeur de l'espérance et au sursaut de la volonté. »

Le 2 mars 1981, c'est au tour du président de la République. Dans une allocution radiotélévisée, Valéry Giscard d'Estaing déclare : « ... L'opposition demeure identique à elle-même, avec les mêmes dirigeants acharnés depuis 1958 dans leur lutte contre la Vᵉ République... J'ai décidé de me présenter à l'élection présidentielle pour un septennat nouveau... »

11 mars.

Dans un pays comme la France, il est impossible d'en appeler au redressement national, s'il n'y a pas un immense effort de solidarité [...]

(*Si le candidat sortant*) est un champion du monde, c'est bien celui-ci : le champion du monde des promesses non tenues... Il est difficile d'être un aussi bon candidat et un aussi mauvais président. Il a une spécialité, c'est d'avoir du cœur, beaucoup de cœur deux mois tous les sept ans[7].

16 mars.

Qu'est-ce qui vous a convaincu d'être de nouveau le candidat du Parti socialiste ?

A quoi sert une élection, sinon à juger le bilan d'une politique. Et puisqu'il s'agit d'une élection présidentielle, à juger le bilan d'un homme. Je répondrai à votre question, mais je veux, auparavant, faire cette brève déclaration.

Juger ce bilan du candidat sortant, je le ferai honnêtement mais, vous vous en doutez, sans complaisance. Je ne suis ni une star, ni un gladiateur, ni un boxeur, toutes professions fort honorables, mais un responsable qui s'adresse à des gens responsables, un adulte qui parle à des adultes. Et je me poserai beaucoup des questions qu'ils se posent. Par exemple, même si je combats le candidat sortant, après tout, je me pose la question : pouvait-il faire mieux ? Ne le pouvait-il pas ? Etait-il entraîné dans un cycle de crise économique qui frappe toutes les sociétés capitalistes et particulièrement l'Occident ? Il n'y pouvait peut-être rien. J'essaierai de juger, comme je l'ai dit, honnêtement. Mais, bien entendu, je me suis déjà fait une opinion et j'aimerais précisément profiter de cette émission, comme de celles qui suivront, pour dire aussi clairement que vous l'avez demandé ce que j'en pense.

Alors, vous m'avez dit, pourquoi avez-vous décidé d'être candidat au nom des socialistes ? D'abord, parce que je pense que la France a besoin d'une autre politique et d'un autre Président. Ensuite, puisqu'il s'agit de moi, parce que je m'en sens la capacité, parce que j'ai acquis l'expérience des responsabilités, non seulement dans ma jeunesse au Gouvernement mais aussi au Parlement et enfin à la tête du Parti socialiste pendant dix ans. Et je

---

7. Le 10 mai 1974, au cours de son face à face télévisé avec l'auteur, Valéry Giscard d'Estaing lui avait lancé : « Vous n'avez pas le monopole du cœur. »

ferai pour la France, ce que j'ai fait pour le socialisme. Enfin, parce que je pense que si je suis encore loin du terme du chemin j'ai suivi une ligne droite. Depuis le temps où j'ai appelé à se rassembler toutes les forces populaires afin de changer de politique, je suis donc dans ma logique. Et puisque par-dessus le marché j'ai eu la confiance des miens, la confiance des socialistes, alors votre question n'a plus beaucoup de sens [...].

— *Votre élection n'entraînerait-elle pas un changement de société ?*

— Qu'est-ce qu'on appelle un changement de société ? Changer la société, changer de société, changer la société, changer de société... c'est une sorte de refrain que j'entends constamment, qui bourdonne à mes oreilles. Je ne comprends pas bien ce que ça veut dire. Ce qui est évident c'est que, élu président de la République, je changerai un certain nombre de choses, en particulier dans le cadre des relations du président de la République, du Gouvernement, du Parlement, dans les relations du président de la République et des citoyens, tout en étant très volontaire pour préserver la charge de la fonction et la remplir entièrement, je voudrais qu'on en revienne, disons, à des mœurs un peu plus démocratiques [...].

Le candidat sortant [a dit qu'il avait en face de lui] le recordman des candidatures à la présidence de la République, recordman du monde — ce qui est tout de même assez flatteur pour moi. De fait, j'ai été candidat trois fois, c'est la troisième, la première en 1965, la deuxième en 1974. Eh bien, figurez-vous, puisque ce candidat sortant voulait me précipiter dans mes souvenirs, que je me suis souvenu qu'au moment où je me suis présenté pour la première fois à la présidence de la République, lui, il était déjà, depuis 1959, c'est-à-dire depuis six ans, responsable de l'économie et des finances, d'abord pendant trois ans en sous-ordres, comme secrétaire d'Etat, ensuite pleinement responsable comme ministre des Finances. C'est-à-dire qu'il était déjà depuis très longtemps, lui, le responsable de l'économie et des finances — si on fait le compte, 1959/1962 : secrétaire d'Etat ; 1962/1966, ministre de l'Economie et des Finances — puis a été renvoyé, comme vous le savez, par le général de Gaulle, qui était las de ses services. A son tour, M. Giscard d'Estaing a largement contribué à renvoyer le général de Gaulle, vous le savez aussi, mais on aura l'occasion d'en reparler et en 1969, rappelé au gouvernement en 1974, ministre de l'Economie et des Finances, et de 1974 à 1981, président de la République, responsable de tout, donc de l'économie et des finances ça fait donc 18 ou 19 ans que M. Giscard d'Estaing est responsable des affaires économiques du pays. Bref, il a de l'ancienneté sur moi. Je dirais presque au moment même où je me présente de nouveau contre lui, avec une rencontre au deuxième tour probable, je dirais que j'ai plutôt sept ans de moins que lui.

J'insiste sur ces choses parce que c'était un peu contenu dans votre première question. Pourquoi vous êtes-vous présenté, me disiez-vous. Vous êtes un homme poli, vous n'en avez pas dit davantage mais il y avait quand même quelques sous-entendus. Voyez-vous il est arrivé dans ma vie... j'étais très jeune, j'ai subi le sort de ma génération, naturellement ; j'étais soldat, soldat du premier jour de la Deuxième Guerre mondiale et, les armées ayant subi aussi le sort que vous savez, je me suis trouvé prisonnier de guerre, blessé ; prisonnier de guerre ça ne me plaisait guère et je voulais, tout simplement, retrouver ma liberté, c'était un point de vue peut-être un peu égoïste : ma liberté. Alors je me suis évadé une première fois, je me suis évadé une deuxième fois. J'ai échoué la première, je me suis évadé la troisième fois parce que la deuxième fois j'ai échoué mais la troisième fois ça a été la bonne. De telle sorte que s'il m'arrive parfois de penser puisqu'il s'agit cette fois des autres et de la liberté des autres, du sort des autres, alors mon obstination a tenter de répondre de façon claire et positive à la politique que je combats se justifie. Il y a une politique, celle qu'applique le candidat sortant, il y a une autre politique, celle que je propose. Choisissons que les Français choisissent [...]

Quand M. Giscard d'Estaing ou quand M. Chirac déclare : je veux rassembler les Français, cela signifie ordinairement : je veux rassembler les Français, moins les 5 ou 6 millions d'entre eux qui votent communiste. Eh bien, moi, je ne dirai jamais cela. J'ai travaillé depuis quinze ans à réunir, sans exclusive, tous ceux qui peuvent contribuer à reconstruire la France. Cela quelqu'un l'a dit et l'a fait avant mois : de Gaulle, en 1944, c'était la guerre et il avait besoin de tout le monde. Maintenant c'est la crise et j'aurais besoin de tout le monde. Voilà pourquoi, ayant constaté comme je viens de le faire, l'énorme, l'écrasante responsabilité de la direction communiste dans une sorte de retour au ghetto désiré dans lequel ils se sont à nouveau enfermés, moi j'ai toujours dit aux électrices et aux électeurs communistes que j'entendais réaliser le plus vaste rassemblement populaire pour le redressement national [...]

La vie politique m'a appris beaucoup l'humilité ; c'est une bataillle difficile. On subit des échecs, rencontre des victoires. Dans la réalité présente il est vrai que le socialisme en France, que je représente, est devenu la première force politique française et la conclusion à en tirer est devenue toute naturelle : c'est que cette formation politique-là et l'esprit qu'elle représente et l'histoire qu'elle porte, doit normalement se retrouver au deuxième tour face au candidat de la droite. Voilà ce que je pense [...]

Si je suis élu président de la République, vous croyez que les choses ne vont pas changer ? Dans la nuit même où j'aurai obtenu cette victoire est-ce que tout aussitôt il n'y aura pas des milliers et des milliers, et j'emploie le chiffre millier par modestie, de Français qui se reconnaîtront dans leur nouvel élu, même s'ils n'ont pas voté pour lui, et qui, par loyalisme à la République, par fidélité à l'idée qu'ils se font de la démocratie, se sentiront aux côtés de cet homme choisi contre leur sentiment ? Croyez-vous que le parti du candidat sortant résistera à ce choc, lui qui n'était qu'un vague composé, un agrégat d'ambitions disparates, vous croyez que mon élection ne libérera pas partout en France des masses nouvelles disponibles pour une politique audacieuse sur la base des options que j'ai proposées et qui m'auront fait élire. Donc, raisonnez par rapport à mai 1981 dans la situation où nous sommes des quatre grandes formations politiques, des quatre candidats, et du reste je crois que ce n'est pas raisonnable, c'est manquer de vue audacieuse sur ce qui va se passer.

Entre le moment où, par hypothèse, vous seriez élu président de la République et le moment où les Français choisiraient une nouvelle majorité à l'Assemblée nationale, qui gouverne ? [...]

Le Gouvernement ne peut être composé que d'hommes et de femmes ayant adopté les options du président de la République jusqu'à ce que la sanction populaire renouvelée élise une majorité à l'Assemblée nationale. Ce président de la République pourra-t-il agir ? Bien entendu le domaine réglementaire est vaste et d'importantes décisions peuvent être prises sans passer par la loi [...]

Je serai et j'ai toujours été respectueux de la loi et je m'impose, président de la République, un respect plus scrupuleux encore. Je crois que le premier devoir du premier responsable c'est de respecter d'abord la liberté des autres, et d'abord celle de ses adversaires et de ses concurrents, de garantir la loi pour tous. Donc il ne pourra pas y avoir d'abus de pouvoir, il y aura l'action exigée par cette volonté populaire qui se sera affirmée en m'élisant moi, le candidat socialiste, président de la République...

Et pendant cette période vous vous imaginez que vous bénéficierez de la neutralité des forces syndicales, sociales et politiques pour appliquer en attendant les élections...

— Je pense que tout élu à ce poste suprême par l'ensemble de la nation, dispose d'un état de grâce que lui accordent les citoyens le temps de justifier la confiance qui lui est faite...

— *Quel que soit cet élu ?*

— Quel que soit cet élu. [...]

— *Le correspondant de la* Pravda [8] *vous présente comme une sorte d'adversaire tenté par l'atlantisme et qui aurait viré à droite.*

— Oui, j'ai lu cet article ; puis-je dire avec surprise ? Ce serait excessif. Bien entendu, je comprends que *la Pravda,* à certains points de vue le

---

8. Le 13 mars, la *Pravda* a publié son premier article sur l'élection présidentielle : « la présence pendant sept ans au poste de président de la République donne sans doute à M. Giscard d'Estaing certains atouts, mais en même temps elle l'expose aux coups de ses adversaires politiques. En France : il a gagné une autorité personnelle en tant qu'homme politique prudent et réservé, en particulier dans l'arène internationale où les positions de la France se sont consolidées ces dernières années... (Quant au candidat socialiste il) n'a pas de programme politique clair et conséquent (et aspire à suivre) les intérêts parfois très contradictoires de larges milieux d'électeurs. La *Pravda* reprend l'expression de « glissement à droite » et évoque « la méfiance de larges milieux » devant le programme socialiste de politique étrangère.

Gouvernement soviétique, soit contente de M. Giscard d'Estaing [...] Il fallait bien que le voyage à Varsovie puisse recevoir un salaire. [...]

Et d'autre part, le président de la République française [s'est rendu à Varsovie] à la veille de la conférence de Venise[9]..., ils sont 7 à Venise, ils vont se réunir, il y a les Européens, il y a aussi les Etats-Unis, il y a aussi le Japon, le Canada, on va se trouver devant de graves problèmes : l'Afghanistan est envahi, c'est la fin de la détente, on se demande si ce n'est pas un retour à la guerre froide. Le sort de la paix est peut-être en jeu. Et tout à coup arrive un petit facteur, un petit télégraphiste, c'est M. Giscard d'Estaing. Il a une dépêche dans sa poche et il semble la connaître. Il est tout content naturellement, il remplit un rôle important ; et qu'est-ce que dit la dépêche ? Il l'apporte là. Les autres sont émus, un peu mortifiés de ne pas avoir droit au même secret ou à la même confiance de M. Brejnev, mais non, c'est M. Giscard d'Estaing qui a cette confiance, il apporte le petit télégramme et il dit : voilà, il ne faut rien décider parce que M. Brejnev vient de me dire, vient de me faire savoir qu'il allait évacuer l'Afghanistan, par petits bouts, quelques divisions, montrer sa bonne volonté. Mais enfin on y va. Et sur la base de ce que j'appellerai une tromperie, la conférence occidentale plus le Japon s'est séparée. Tout aussitôt on s'est aperçu que chacun était dupé. Et on en est resté là.

Donc, je comprends que la *Pravda* soit contente de M. Giscard d'Estaing.

En effet, moi je n'ai pas attendu 11 jours pour protester contre l'invasion de l'Afghanistan[10], 11 jours, ce qu'a fait le candidat sortant, 11 jours pou.· s'apercevoir qu'un pays venait de perdre son indépendance, n'avait plus le droit de disposer de lui-même, qu'il y avait une rupture de l'équilibre international. Moi je n'ai pas mis 17 jours à m'apercevoir qu'il y avait des otages américains en Iran. Je suis pas de ceux qui accablent les Iraniens et qui fournissent des armes à leurs adversaires, mais prendre des otages c'est un acte de banditisme qui offense le droit, le droit public et le droit privé, qui offense tout simplement la conception que j'ai de la civilisation. Je n'ai pas mis 17 jours à m'en apercevoir comme le candidat sortant.

Et puis un jour moi je me suis aperçu, je ne suis pas le seul, je n'exagère rien, je me suis aperçu qu'il y avait un certain nombre de fusées nucléaires qui étaient disposées patiemment à la séparation de l'Est et de l'Ouest, en Europe, et que ces fusées elles ne pouvaient pas traverser l'Atlantique. Donc elles ne visaient pas les Etats-Unis d'Amérique. Dans l'équilibre général des forces elles ne comptaient pas. Ça ne visait que les pays d'Europe du nord de

---

9. Le 22 juin 1980, les dirigeants des pays les plus industrialisés du monde libre (Japon, Italie, Canada, République fédérale allemande, France, Etats-Unis, Grande-Bretagne) se réunissent à Venise. Les sept examinent trois grands dossiers de politique internationale (Afghanistan, Iran, Israël, Palestine) avant de débattre les problèmes économiques (énergie, inflation).

10. Cf. *supra*, p. 36.

la Norvège au sud de l'Italie, et ces fusées qui sont appelées S.S. 20 étaient en mesure en un quart d'heure-vingt minutes d'atteindre leurs objectifs avec une précision à 50 mètres près ; en un quart d'heure, le total du dispositif militaire en Europe pouvait se trouver détruit. Je m'en suis aperçu et j'ai protesté à la tribune de l'Assemblée nationale. Depuis ce jour-là je suis devenu indésirable. Je ne suis plus le meilleur candidat que la France puisse proposer à sa présidence de la République [...]

Ce ne sont pas les Russes qui votent mais les Français. Je suis quand même assez étonné de constater que jamais M. Giscard d'Estaing ou presque jamais — je crois qu'il a fait quelques brèves allusions dans des conférences de presse spécialisées sur les problèmes de l'armement et de la sécurité de la France — n'ait remarqué, lui, que nous étions à la merci de ces fameuses fusées S.S. 20.

Je vais maintenant faire une troisième considération qui va atténuer mes propos, parce qu'en réalité l'Union soviétique est, je vais vous livrer le secret, pour les gens en place. C'est comme ça, elle est un peu conservatrice. Elle aime bien les gens qui sont là. Par exemple, l'Union soviétique était pour Carter...

J'ai entendu dire que l'on y penchait plutôt du côté de Carter. Une chose qui est moins discutable c'est qu'une fois que le coup a été fait elle était plutôt pour les colonels grecs, et une fois que le coup avait été fait naguère, elle était plutôt pour Franco. Maintenant, l'Union soviétique elle est, non pas pour Reagan, mais enfin elle est pour négocier avec Reagan, elle est plutôt pour le gouvernement conservateur de Caramanlis, elle est plutôt bien avec le roi d'Espagne. Eh bien, elle traitera avec moi et je traiterai avec elle sans la moindre difficulté, attaché que je suis à préserver l'équilibre de l'Europe selon une amitié traditionnelle et nécessaire entre les deux bords de notre continent, à la différence près que, moi, je ne passerai pas sous la table...

Je souhaite que la France soit un allié sûr pour ses amis, qu'elle respecte ses engagements ; et je vais peut-être vous surprendre après tout ce que j'ai dit, mais je suis de ceux qui pensent que la France doit entretenir avec les deux grandes puissances, et avec d'autres bien entendu, je pense spéciale-ment au tiers monde, doit entretenir de bonnes relations. La France doit être un facteur de paix. Mais, pour répondre à votre question, Reagan félicite le candidat sortant, la *Pravda* aussi, et si ça voulait dire qu'on nous félicite ou plutôt qu'on félicite le président de la République d'hier, aujourd'hui encore mais peut-être pas de demain, de s'aligner si bien sur plus grand que soi ? [...] J'observe que dans le même moment où nous protestons mollement contre l'invasion de l'Afghanistan, nous protestons non moins mollement contre les mesures prises à l'égard du Salvador. J'observe que nous avons très aisément concédé aux Etats-Unis d'Amérique la responsabilité de l'aide sanitaire à l'ensemble des pays d'Afrique. J'observe que notre diplomatie a tendance à raser les murs. Et que l'on nous félicite dans tous les cas, je trouve ça normal, car, après tout, c'est bien commode une France qui dans chacune des circonstances sert d'obligeant intermédiaire et à l'un et à l'autre [...]. Le candidat sortant est un homme intelligent, un homme compétent. Je veux croire, je n'ai aucune raison d'en douter, qu'il est autant que moi un patriote, je dis simplement qu'il a une politique, que cette politique est un tissu d'erreurs, qu'il faut une autre politique. Dans le domaine de la politique étrangère tout autant que dans le domaine de la politique économique et sociale française, et c'est pourquoi j'entends rassembler les Français sur ma politique afin que nous parvenions le mois prochain à aborder les temps nouveaux en croyant à ce que l'on fait.

Est-ce que justement certains amis de l'Union Soviétique en France ne vont pas compliquer votre tâche pour l'élection au moment du report des voix communistes, par exemple au moment du second tour ?

Quand vous parlez des amis de l'Union Soviétique, vous parlez de M. Giscard d'Estaing ou de Georges Marchais ?

Je parle plutôt de Georges Marchais. Je ne pense pas que c'est avec les voix favorables à M. Giscard d'Estaing...

Vous me rappelez cette expression dont je me suis repenti, je l'ai dit comme ça un jour — vous savez, on parle entre amis, on se laisse un peu aller et j'avais dit « copains comme cochons ». Ce n'est pas du tout mon langage habituel. J'ai aussitôt remis ça dans ma poche, naturellement. Mais il y avait en effet entre l'attitude du président de la République et la démarche de la direction communiste une certaine similitude, comme si l'objectif essentiel c'était que ne soit pas élu le candidat socialiste, seul en mesure d'assurer la victoire des travailleurs, la victoire des forces populaires.

Alors, je dis aux Français qui nous écoutent : j'aborde cette élection avec beaucoup de sérénité, beaucoup de tranquillité pour ce qui me concerne. Je pense que le moment est venu parce que sept ans c'est déjà long. Je crois que c'est une erreur de nos institutions que de ne pas avoir prévu un seul mandat qui ne soit pas renouvelable. Sept ans c'est déjà long, mais alors quatorze, c'est tellement plus. Et si l'on pense à l'accumulation des erreurs ou des échecs que j'ai cités tout à l'heure, alors, il va falloir recommencer ? Et quand j'ai expliqué que je n'entendais pas remâcher le passé de ces sept dernières années, la question qui s'impose à mon esprit et que je pose aux Français c'est celle-ci : est-ce que vous croyez raisonnable de confier pour sept ans de plus aux responsables du désordre véritable que sont le chômage, l'inflation, les inégalités sociales, est-ce que vous croyez raisonnable de leur confier pour sept ans encore, sept ans, quatorze ans, toute la durée d'une génération, de leur confier le sort du pays ? Je crois que même si on avait lieu d'être plus satisfait d'eux se serait déjà imprudent. Tout homme est faillible. Moi comme les autres. Et je pense qu'un pouvoir excessif et pendant trop longtemps c'est nuisible aux intérêts du peuple. Voilà pourquoi, proposant une autre politique, face à la politique du candidat sortant, je pense qu'il est temps pour la France de choisir le changement [...].

Il y a actuellement cinq condamnés à mort dans des cellules. Si vous étiez élu président de la République, les gracieriez-vous ?

— Pas plus sur cette question que sur les autres je ne cacherai ma pensée. Et je n'ai pas du tout l'intention de mener ce combat à la face du pays en faisant semblant d'être ce que je ne suis pas. Dans ma conscience profonde, qui rejoint celle des Eglises, l'Eglise catholique, les Eglises réformées, la religion juive, la totalité des grandes associations humanitaires, internationales et nationales, dans ma conscience, dans le for de ma conscience, je suis contre la peine de mort. Et je n'ai pas besoin de lire les sondages qui disent le contraire, une opinion majoritaire est pour la peine de mort. Eh bien moi, je suis candidat à la présidence de la République et je demande une majorité de suffrages aux Français, et je ne la demande pas dans le secteur de ma pensée. Je dis ce que je pense, ce à quoi j'adhère, ce à quoi je crois, ce à quoi se rattachent mes adhésions spirituelles, ma croyance, mon souci de la civilisation, je ne suis pas favorable à la peine de mort.

— *Donc vous les gracieriez ?*

— Je ferai ce que j'aurai à faire dans le cadre d'une loi que j'estime excessive, c'est-à-dire régalienne, un pouvoir excessif donné à un seul homme, disposer de la vie d'un autre, mais ma disposition est celle d'un homme qui ne ferait pas procéder à des exécutions capitales [...].

— *Quel est, à votre avis, votre plus grand échec et votre plus grande réussite ?*

— Mon plus grand échec c'est d'avoir mis si longtemps à convaincre les Français, ma plus grande réussite c'est d'avoir avec d'autres fondé une grande formation qui rassemble le meilleur de notre histoire contemporaine, qui représente l'avenir, seule porteuse de cet avenir, je crois avoir commencé à faire du socialisme la force principale du pays et par là même je me sens autorisé, à partir de là, à demander aux Français leur confiance pour présider la France.

Moins de vingt-quatre heures après cette intervention de l'auteur, le 17 mars, le ministre des Affaires étrangères Jean François-Poncet déclare : « M. François Mitterrand a parlé de la politique étrangère de la France d'une façon indigne. La grossièreté de son expression, la fabrication des faits, la présentation caricaturale des réalités internationales rabaissent le débat à un niveau inacceptable. M. François Mitterrand a dépassé les limites. Son langage est une insulte pour la France. »

20 mars.

J'ai été sévère, en effet, mais je l'avais déjà été à l'époque. Je veux dire au moment des événements de Varsovie et de Venise[11]. On ne peut donc pas insinuer que j'ai tenu ce langage à cause de l'élection présidentielle. Je suis seulement resté fidèle à moi-même dans ma condamnation d'une initiative, celle de M. Giscard d'Estaing allant au-devant de M. Brejnev, sans profit pour personne alors que l'Union soviétique venait d'occuper l'Afghanistan. Pourquoi aurais-je changé d'avis ? Parce que M. Giscard d'Estaing était entre-temps devenu candidat à sa propre succession ?

D'ailleurs, quelques heures avant les communiqués « indignes »[12] lancés par les troupes de choc du candidat, son porte-parole, au micro d'une station périphérique, ne s'était pas, lui, montré le moins du monde « indigné ». Non, je pense qu'il s'agit là d'une opération tactique montée par M. Giscard d'Estaing, qui n'est malheureusement pas chiche de ce genre de procédé.

Et puis, si je vous disais la somme d'injures que j'ai subies pendant les semaines précédentes alors que j'étais en Chine[13], Jean-François Deniau[14] m'appelant par exemple, au « Club de la Presse » à Europe, Fantomas. « Vous imaginez, disait-il, Fantomas à l'Elysée ? Fantomas, voleur, pilleur, assassin[15] ?... » Je puis demain, être président de la République. Est-ce préserver les intérêts de la France — comme ils disent — que de m'insulter ? Pourquoi ce qui est vrai pour M. Giscard d'Estaing ne le serait-il pas pour moi ? Je suis candidat comme lui, nous avons droit aux mêmes égards. Au surplus, je ne dispose pas toujours des moyens de répliquer et de faire savoir la manière dont on me traite. Il y a une distorsion considérable dans les moyens d'information.

25 mars 1981.

J'ai le droit d'en appeler au rassemblement populaire pour le redressement national parce que ce qui m'est reproché, ce sont ces quinze ou seize ans de

11. Cf. p. 80.
12. Le 17 mars, Jean-Philippe Lecat reprenant les termes de la déclaration de Jean-François Poncet, a jugé les critiques de l'auteur (sur la politique étrangère de Valéry Giscard d'Estaing) « légères et indignes... On ne gagne pas des voix et on ne cherche pas à piper des voix en affaiblissant la position internationale de la France ».
13. L'auteur s'est rendu en Chine du 9 au 17 février 1981.
14. Jean-François Deniau, ministre dans le gouvernement Barre (au commerce extérieur, puis — en octobre 1980 — délégué auprès du Premier ministre, chargé de la réforme administrative), a abandonné ses fonctions ministérielles à l'annonce de la candidature de Valéry Giscard d'Estaing, dont il devient le porte-parole durant toute sa campagne présidentielle.
15. Le 25 mars 1981 à Rouen, l'auteur précise que Fantomas est « violeur, pilleur et voleur... de rivière de diamants ».

lutte... Qu'est-ce que cela signifie ? Sinon que depuis déjà longtemps, je suis avec vous, ouvriers et forces populaires, assuré qu'il est possible de l'emporter si nous nous unissons. Si nous nous rassemblons, si nous sommes capables de nous opposer aux calculs, aux petites tactiques, au sectarisme, et si nous sommes capables d'être entendus du peuple de France...

Est-ce ma faute à moi, si des responsables inconscients ont pris sur eux la responsabilité de briser l'élan des travailleurs. Est-ce ma faute à moi, si des responsables inconscients ont pris la responsabilité de renoncer à la victoire ? Jamais, moi, je ne prendrai la responsabilité de désespérer le peuple qui lui fait confiance avec la force de la gauche.

27 mars.

Je ne renie rien de mon combat politique passé contre le général de Gaulle. J'ai eu le mérite de le mener loyalement, franchement, au grand jour, et de ne pas me laisser aller comme d'autres aux petites phrases assassines et aux coups de poignard dans le dos. J'ai aussi apprécié ce qu'il avait fait avec les socialistes et les communistes, pour nationaliser les grandes banques et pour relancer la planification.

Mais ce qui compte aujourd'hui, c'est de rassembler les Françaises et les Français pour une grande œuvre de redressement national, c'est d'en appeler à la résistance nationale, contre la fatalité de la crise, comme le général de Gaulle l'avait fait en son temps, dans d'autres circonstances difficiles pour l'indépendance de la Nation. [...]

J'ai déjà eu l'occasion de déclarer, que si, en 1974, certains avaient surtout voté contre le candidat du Programme commun, en 1981 on votera sans doute plus contre le candidat du bilan de l'échec. C'est l'une des règles de la démocratie que de rendre les comptes lorsque l'on a exercé le pouvoir. Or, ces comptes sont peu reluisants.

Cela étant, j'ai aussi déclaré, que je n'irai pas à la bataille avec mon drapeau dans ma poche. J'ai des propositions à faire aux Françaises et aux Français et je les expose sereinement chaque jour, dans toutes les régions de France : pour l'emploi, pour la justice, pour la paix, et je suis sûr que les millions d'hommes et les millions de femmes y voient l'espoir d'une amélioration concrète de la vie.

28 mars.

M. Giscard d'Estaing demande sept ans de plus pour réduire l'injustice que les sept années passées n'ont fait qu'accroître. Alors se pose le problème institutionnel, celui du mandat présidentiel, celui du mandat présidentiel infiniment renouvelable. [...] Nous sommes le 27 mars 1981, il a été élu en mai 1974. Il rédige, à l'heure où je vous parle, un ouvrage où il explique comment vaincre le chômage [16] ! Il aurait pu y penser plus tôt.

29 mars.

Je crois tellement à la réalité présente d'un rassemblement populaire qu'il balaiera les réticences et les refus. Comment refuser à ce peuple la victoire qu'on lui doit. [...]

Moi, j'ai l'orgueil de n'avoir jamais lâché la rampe et d'avoir tenu bon depuis quinze ans. Il a fallu plus de quinze ans à Léon Blum pour donner à la gauche ses chances. J'en appelle à mon tour au rassemblement populaire.

22 avril.

Le président de la République est sur le plan institutionnel élu au suffrage universel pour sept ans. Ses compétences sont définies par la Constitution ; ces compétences sont grandes, l'usage qui s'est établi depuis 1958, et plus encore depuis 1962, et plus encore depuis 1974, a tendu à élargir ses compétences à une série de domaines qui, limités en fait, s'appelaient secteurs réservés du temps du général de Gaulle, et aujourd'hui s'étendent de A à Z. Ce président dispose de sept ans, mais il est indéfiniment rééligible, aucune règle ne lui impose de ne pas se représenter, de telle sorte que le système français repose sur l'existence d'un président de la République, doté de très grands pouvoirs et, le cas échéant, pendant très longtemps. Sept ans, quatorze ans, vingt et un ans, et pourquoi pas la suite, tout dépend de la complaisance du peuple, de l'habileté du pouvoir et, le cas échéant, des méthodes employées pour corrompre la démocratie. De ce point de vue, je dis tout de suite que la défense de la liberté suppose l'équilibre des pouvoirs, et implique donc que soient remis à leur rang, sans que pour autant on parle de nostalgie à l'égard de quelque système antérieur, le Gouvernement et le Parlement.

Le Gouvernement, on peut le dire, n'est plus qu'une vague administration, une sorte de cabinet élargi du président de la République. L'administration d'autorité dépend, en fait, du président de la République, le Gouvernement assure des relais ou sert de paravent. Aujourd'hui, comme le Président est essentiellement un candidat, le Gouvernement n'est qu'un instrument de plus pour le développement de sa propagande, du moins de sa campagne électorale. L'administration d'autorité est à son service ; lorsque la présidente du Comité national de soutien de M. Giscard d'Estaing s'est

16. *L'État de la France,* par Valéry Giscard d'Estaing, Fayard.

présentée en Bourgogne, c'est le préfet de région lui-même qui l'a présentée à la télévision. La candidature est une candidature officielle : nous avons tous lu dans la presse que huit ministres se rendaient dans les départements et territoires d'Outre-Mer pour convaincre les populations, par les moyens traditionnels, sans doute, dans les endroits dont je vous parle, c'est-à-dire pour accroître les pressions de toute sorte, ainsi que les truquages. [...]

... Le Parlement en est arrivé au point où des lois sont déclarées adoptées, alors qu'elles n'ont pas été votées. Où d'autres lois sont déclarées adoptées, alors qu'elles n'ont pas été discutées. Les lois déclarées adoptées, sans avoir été votées, ce sont celles qui passent par le tamis de procédure assez complexe qu'on appelle la censure (qui n'est pas la même censure que l'autre censure strictement politique) : procédure qui consiste pour un Gouvernement qui se voit en difficulté lorsqu'il veut faire adopter une loi, à déclarer qu'il demande la confiance au Parlement : si personne ne bouge, la loi est adoptée d'emblée. Il suffit d'avoir prononcé les phrases sacramentelles. [...]

... Pour ce qui concerne les pouvoirs centraux, je m'attarderai maintenant sur le cas de la justice, de l'administration de la justice. Les lois qui nous ont été soumises, qui ont été discutées et adoptées, et encore dans quelles conditions, notamment la loi « Sécurité-Liberté », ont visé et ont réussi, pour une part, à remettre en question les relations établies comme conditions de liberté entre la justice et la police : même, à l'intérieur de la justice elles ont réussi à renverser la situation dans la relation justice assise, magistrature assise et magistrature debout, ainsi que dans les différentes étapes qui font que les juridictions exercent leur compétence selon un certain processus qui n'est pas celui de la lenteur, mais simplement celui de la précaution et de la prudence. Il y a dans ce domaine toute une série d'excès, d'irrégularités ou de tentatives pour faire disparaître la Justice derrière des opérations de police, qui doivent être à tout moment dénoncés par les forces de l'opposition. On mélange tout ; la suspicion, l'enquête, la répression elle-même, qui est souvent confuse en ce qu'a voulu le pouvoir quant à la répression individuelle à l'égard de tel et tel délinquant, avec la répression collective qui montre le bout de son nez au travers de ces lois. Il y a donc une tentative de faire main basse sur la Justice, qui s'ajoute à la réalité institutionnelle qu'il faudrait corriger : je veux dire le fait que le Chef de l'Etat est celui qui nomme le Conseil supérieur de la magistrature et le Conseil supérieur de la magistrature celui qui nomme les magistrats ; il est inutile, je suppose, de faire un dessin. On me répondra aussitôt que les magistrats sont honnêtes et sont indépendants. Bien entendu, ils le sont, mais enfin il suffirait d'un — celui-là on le trouve toujours — pour que leur honnêteté et leur indépendance soient à la fois suspectées et impuissantes. [...]

... Est-ce que la presse peut être insérée dans ce que j'appelais, à l'instant, l'équilibre des pouvoirs centraux ? Je dirai oui. Bien entendu, les journalistes qui sont ici ne feront pas de confusion, ils savent très bien ce que je veux dire : je ne place pas la presse à l'intérieur des pouvoirs institutionnels puisque, précisément, la presse doit exercer constamment, c'est son devoir et c'est sa loi, un contre-pouvoir. Mais à partir du moment où se dessine le schéma dont je vais donner connaissance, je suis bien obligé de parler là d'un pouvoir central, car qu'est-ce que c'est que la presse et où s'exerce son influence ? Aujourd'hui, elle est davantage concentrée dans les moyens audio-visuels que dans la presse écrite, même si la presse écrite, heureusement, continue d'exercer un grand rôle.

La presse audio-visuelle : comment fonctionne-t-elle ? En vertu d'un monopole, les trois chaînes de télévision ainsi que Radio-France sont, à l'heure actuelle, des chaînes et des postes d'Etat. En fait, en raison de l'idée que se font les dirigeants actuels de la démocratie, c'est la majorité politique qui se considère comme identifiée à l'Etat. Pis encore, c'est le parti majoritaire, bien qu'il soit minoritaire, enfin celui qui dispose des pouvoirs réels, qui exerce les pouvoirs de la majorité. Pis encore, c'est le chef de l'Etat qui, en vérité, est l'inspirateur et le maître de cette minorité de la majorité qui s'est appropriée les moyens d'expression. Aujourd'hui, à partir du monopole d'Etat, on constate qu'il existe une propriété personnelle : le candidat sortant dispose, par voie d'autorité, des grands moyens audio-visuels, c'est-à-dire de l'essentiel de la presse française. Comment le sait-on ? Il existe une société financière, une société publique. Cette société dispose de parts d'actions dans un certain nombre de sociétés qui sont les sociétés de radio-diffusion, c'est-à-dire, en plus, des trois chaînes d'Etat, de Radio-France. [...]

... Les directeurs de chaînes, parlons simplement, ce sont les agents du président de la République. Leur honnêteté, par rapport au pouvoir qui les nomme, consiste naturellement à pratiquer mieux que personne la servilité. Voilà déjà une porte fermée à clef pour la liberté d'expression. Un certain nombre de responsables de la presse qui ne sont pas des journalistes, ou bien ne méritent plus ce nom, participent également à cette mainmise. D'où matraquage, et dans tous les domaines. Quant aux postes périphériques : de 87 à 99 % des actions de Sud-Radio, de Radio-Andorre, de Monte-Carlo sont détenues par la société dont je viens de vous parler. Elle dispose aussi à Europe 1 d'une minorité de blocage. A R.T.L., c'est un peu plus ténu, c'est une minorité de blocage à l'intérieur d'une société qui elle-même exerce un blocage possible à l'intérieur de cette société. C'est moins direct, c'est vrai, et il y a un peu plus de jeu dans l'administration de ce poste. A l'intérieur de chacun de ces postes, sauf ce dernier, la société financière qui représente l'Etat, qui représente la majorité qui représente le président de la République, bref tout le système se trouve incarné par un seul personnage, le même. C'est le même qui se trouve là pour transmettre les instructions, pour veiller au grain. Ce personnage était récemment membre du Cabinet du candidat sortant et c'est l'actuel trésorier de la campagne présidentielle de M. Valéry Giscard d'Estaing. [...]

... La liberté de la presse, au plan central, est aujourd'hui une duperie, et cela fera partie des obligations du nouveau pouvoir que de remettre les choses en place et d'assurer la défense de la liberté par le juste droit des citoyens qui doivent précisément vivre en compagnie et parfois sous la coupe de ces pouvoirs. Voilà pourquoi sur le plan de la presse audio-visuelle, je suis plus que jamais partisan du projet que les socialistes avaient mis au point, à partir d'un rapport de François Régis Bastide, et qui envisageait un Conseil de l'audio-visuel, un Conseil national dans lequel se trouvaient représentées les forces réelles du pays, dans tous les ordres d'idées, l'Etat se contentant d'être présent, mais minoritaire. Quant à la presse écrite, elle reste heureusement le moyen pour chacun de pouvoir s'exprimer avec, cependant, un certain nombre de contraintes dues, essentiellement, à la concentration de la presse. Par manquement aux ordonnances de la fin de la dernière guerre mondiale, sur le plan de la concentration, de la multiplicité des pouvoirs et des intérêts dans les sociétés, existent ou se sont bâtis un certain nombre d'empires de presse qui, répandus jusqu'au dernier de nos villages, ne représentent évidemment pas la diversité désirable. Heureusement, il reste de grands témoins, et ce sont ces grands témoins-là qui, dans la presse, grands ou petits, mais enfin ils sont grands par le sens de l'honneur, ce sont ceux-là qui, en vérité, sont les témoins de la liberté. [...]

C'est presque le corollaire du premier point, mais ce n'en est point le seul corollaire. Ce n'est pas parce qu'il y a déséquilibre des pouvoirs centraux que l'on en conclurait obligatoirement qu'il faudrait une décentralisation.

C'est parce que c'est notre conception, c'est parce que nous pensons qu'à pouvoir, il faut contre-pouvoir, et contre-pouvoir d'un pouvoir légitimement exercé. Je veux dire que dans la démocratie que nous voulons bâtir, la nécessité du contre-pouvoir est aussi évidente que dans le régime actuel : par nature et par définition, tout pouvoir sécrète l'abus, et il n'est pas de formation politique ni d'idéologie qui puisse corriger cela. L'abus doit être corrigé par des contre-pouvoirs. [...]

... Cela nous amènera, car je dois aller vite, à insister sur l'urgence de doter les régions d'un pouvoir démocratique par les compétences financières, par le mode de désignation des députés ou des délégués régionaux ainsi que par le transfert du pouvoir exécutif de l'Administration d'autorité des préfets de région au président et au bureau de la région. De même, dans les départements, avec les pouvoirs dévolus au Conseil général ; enfin, du côté de la commune, ce devra être la fin des tutelles. [...] Sans oublier qu'au sein de la commune, le droit associatif doit épouser les termes de la proposition de loi qui a été déposée récemment par le Parti socialiste.

Je sais bien que ce n'est pas la haute culture qui assure toujours à chacun les qualités indispensables pour que celui qui en a été doté soit nécessairement un homme libre. On sait bien qu'il est de grands savants, de grands intellectuels qui se soumettent très aisément ; mais il n'empêche aussi que quiconque est voué à l'ignorance va rejoindre ce lumpen-prolétariat, ce sous-prolétariat dont se satisfait si bien le pouvoir capitaliste, car c'est l'indispensable appoint dont ce pouvoir a besoin pour se perpétuer. S'il n'y avait pas, dans un pays comme la France, quelques centaines de milliers, peut-être un million ou deux millions de femmes et d'hommes délibérément écartés des sources du savoir, s'il y avait une possibilité de prise de conscience par une connaissance accrue, alors nous aurions déjà, depuis longtemps déjà, renversé ce pouvoir. Lorsque l'on fait la constatation que sur le total des ouvriers, il y a un bon tiers qui votent pour les partis conservateurs, à l'intérieur de ce tiers-là, il y a une moitié ou un bon quart qui représentent les plus pauvres des pauvres, ceux qui n'ont pas le moyen culturel de juger autrement : ils savent qu'ils sont exploités, mais ils ne savent ni comment, ni pourquoi.

La liberté est dans l'accession aux responsabilités dans le cadre d'un métier et dans la conquête de droits et de libertés collectives. Un chômeur est déjà moins libre. Un ouvrier, un employé, un cadre qui travaille et qui se sait menacé par le chômage est déjà moins libre. Et l'on sait bien qu'à différentes époques, le grand capital a toujours maintenu un volant de chômage, cela s'appelait une armée de réserve, qui permettait de jouer, de peser sur l'emploi, sur le salaire et sur la revendication sociale. La liberté reconquise, pour un travailleur, c'est l'emploi. Mais l'emploi, ce n'est pas suffisant, il faut aussi que cet emploi soit doté d'un salaire, il faut aussi que ce salaire soit doté d'une garantie de sécurité. De la même façon, l'ensemble des travailleurs qui vivent dans l'entreprise doivent accéder aux responsabilités : la plénitude de la liberté, c'est la responsabilité. Elle suppose une lutte pour la conquête du droit de contrôle, du droit de décision, pour le partage de la connaissance et de l'information économique. La répartition finale du produit national entre ceux qui en sont les véritables artisans, les véritables auteurs, les véritables producteurs, tout cela suppose une certaine idée de la société et de l'entreprise dans la société, qui est pratiquement inséparable du statut politique, c'est-à-dire des institutions. A ce stade de notre réflexion, je ferai un sort spécial aux femmes, dans la mesure où, on le sait, elles sont encore écartées de la maîtrise de leur propre vie, de leur propre destinée. [...] Et je voudrais faire un sort plus spécial encore aux immigrés : si l'on parle de liberté, les travailleurs immigrés doivent disposer des mêmes droits sociaux que les travailleurs d'origine nationale, ils doivent cesser d'être simplement du gibier de police ou de répression policière, ils ne doivent pas être ceux que ne protège aucune loi. [...]

Si l'on suppose la réussite de notre action pour le plein emploi et, d'abord, l'arrêt de la progression du chômage, si l'on suppose qu'au bout de quelques années, nous avons réussi à rétablir les équilibres indispensables, il n'en restera pas moins que l'objectif même d'une société telle que nous la voulons consiste dans une juste répartition du temps de travail et du temps de vivre, et que le travail doit être véritablement le moyen d'assurer sa vie, et non pas la vie, le moyen d'assurer un travail. La vie n'est pas simplement une sorte de prolifération du temps de travail : avec les progrès de la science, de la technique, de la production et de la productivité, on ira vers une époque (c'est ce que nous pensons en proposant les 35 heures) où une certaine éthique du temps de travail, du temps de loisirs, du temps de culture, bref du temps de vivre, doit finalement prévaloir dans l'organisation sociale. [...]

... Liberté et sécurité : la sécurité est dans le bon usage des institutions, elles-mêmes protectrices de la liberté, malgré tout ce que nous racontent les gens du pouvoir qui n'ont plus qu'une chance d'assurer leur pérennité : l'emploi de la peur. Seront-ils capables d'effrayer assez les Français, par les moyens dont ils disposent, pour que les Français, dans un dernier réflexe, après avoir voulu depuis si longtemps se débarrasser d'un homme et d'une faction d'intérêts qu'ils ne supportent plus, soient finalement repris par la peur et laissent en place cet homme et cette faction ? [...]

... La sécurité, vous l'avez dit, je le répète après vous, elle est dans l'emploi, dans le salaire et dans l'honnête revenu. Elle est dans l'emploi ; je n'illustrerai mon propos qu'en reprenant à mon compte les paroles de cette jeune femme de 23 ans qui s'est tuée à Sète, cette militante de la J.O.C. qui n'a laissé qu'un seul message : « Je ne veux pas de fleurs, un jeune travailleur vaut plus que tout l'or du monde. » La sécurité, elle est dans le logement. J'étais l'autre jour dans une ville où l'on me montrait, exemples à l'appui, l'extraordinaire situation dans laquelle se trouvent des milliers et des milliers d'habitants de H.L.M. où l'on ne peut plus payer les charges collectives, etc., où les allocations-logement sont retirées. Les dettes s'accumulent, l'angoisse s'empare de chacun, les familles craignent d'être expulsées. La crainte de l'expulsion, c'est la pire des insécurités, et qui risque d'être expulsé, sinon le plus pauvre ? [...]

... La sécurité, elle est dans l'épargne, et l'épargne est spoliée : 7,5 % d'un côté, 14 % d'inflation de l'autre, faites le compte du pillage de l'épargne populaire.

La sécurité, elle est dans l'éducation. Elle est dans la possibilité de multiplier les écoles maternelles et de donner un milieu socio-culturel égal aux filles et aux garçons qui, autrement, seront pauvres parce que le père est pauvre, riches parce que le père est riche, éliminés du premier cycle s'ils perdent un an, du deuxième cycle et à tout jamais de la vie sociale s'ils en perdent deux. La sécurité est dans la solidarité sociale. Elle est dans la solidarité sociale à compter du moment où l'on doit savoir qu'aucune catégorie socio-professionnelle ne peut être écartée, non pas de l'assistance, mais de la solidarité, c'est-à-dire du devoir que nous avons, chacun d'entre nous, d'assurer au moins un minimum de droit de vivre à ceux qui sont démunis par l'âge, par l'accident, ou tout simplement qui sont écartés de la vie active parce que nous sommes dans une société mal organisée, égoïste, et qui, suivant le cours du développement du capitalisme multinational, n'a trouvé le moyen de traverser la phase actuelle de mutation technologique qu'en multipliant ses propres profits sur la base de deux colonnes de chiffres assises sur deux piliers : l'inflation et le chômage. [...]

... D'où l'acharnement de nos édiles municipaux, de nos maires, de nos conseillers municipaux à transformer les données de la vie urbaine à partir d'un matériau, d'un instrument qui leur échappe. L'avenir des grands combats pour la liberté, pour la sécurité, est tout entier contenu dans la capacité de nos structures municipales, de nos structures socialistes qui ont déjà réussi, sur le plan culturel, à atteindre un niveau jamais atteint : 14 % des crédits en moyenne dans les grandes villes détenues par les socialistes sont consacrés à la culture, facteur de liberté. De même, dans la redistribution de la ville, dans son équilibre interne, dans les possibilités de l'homme et de sa famille à l'intérieur de la ville, la sécurité et donc la liberté seront assurées par la présence d'hommes et de femmes sur le tas, sur le terrain, acharnés à défendre en toutes circonstances ce qui s'appelle, tout simplement, les chances de vivre. Voilà comment je conçois la liberté et la sécurité. La sécurité n'est qu'un appendice de la liberté, et c'est un raisonnement de gens de droite, c'est l'héritage de M. Thiers, que de prétendre fonder la liberté sur une sécurité répressive, sur une sécurité considérée simplement comme un moyen, au-delà de l'ordre social, de maintenir je ne sais quel ordre moral : de M. Thiers à Mac Mahon jusqu'à Giscard d'Estaing et Peyrefitte, en passant par Vichy, c'est une lignée qui se tient, nous n'avons pas besoin de leurs petits-enfants. Changeons de société, changeons en même temps de philosophie sociale et nous assurerons la sécurité. Nous n'avons pas de complaisance pour le crime et pour la délinquance, nous cherchons simplement à les réduire, en comprenant mieux les ressorts humains qui tiennent pour beaucoup aux systèmes économiques et sociaux. A partir de là, par le moyen d'une justice moderne et libre, nous avancerons aussi dans une meilleure connaissance des chances de l'homme de vivre sainement et de s'accomplir dans une société qui, jusqu'ici, s'est davantage comportée comme son ennemie que comme son alliée.

31 mars.

J'ai déjà dit et écrit en diverses circonstances qu'il ne faut pas confondre élection présidentielle et élection législative. Une élection présidentielle engage un candidat et bien entendu, au-delà de lui, ceux qui lui ont fait confiance. Dans mon cas, ce sont les socialistes. Et cette confiance, elle est totale. Je ne pense pas qu'il soit possible d'engager des conversations et des négociations soit avant le premier tour, soit entre le premier et le deuxième tour de scrutin, sur la façon dont seront menées les affaires publiques au lendemain de l'élection. Je n'entends donc pas engager de négociations avec quiconque. [...]

Je ne peux d'ailleurs être élu que si [...] se rassemble ce grand courant populaire que j'appelle de mes vœux pour le redressement national, sans quoi C.Q.F.D. je ne serai pas élu. J'entends donc rester fidèle, parce que c'est ma nature et parce que c'est ma conviction, j'entends rester fidèle au combat que je mène depuis, on va dire depuis quinze ans, c'est significatif, quinze-seize ans, en tout cas depuis 1965. Parce que je pense qu'il faut absolument rassembler et réunir, réconcilier le cas échéant, des forces pupulaires divisées et dont la division fait, il faut le reconnaître, le succès de la droite, c'est pour ça que la droite est aujourd'hui au pouvoir. Il y a une majorité sociologique qui n'est pas encore parvenue à trouver sa majorité politique. Le moment, à mon sens, est venu. Et je ne tournerai pas le dos à mes engagements précédents, mais qu'est-ce que vous voulez que j'y fasse, un contentieux est né au cours de ces quatre dernières années entre les principales formations politiques de la gauche, il faut que ce contentieux soit réglé si l'on veut gouverner de façon suffisamment harmonieuse et efficace, dans l'intérêt des Françaises et des Français. [...]

Et j'ai bien dit ceci, c'est que j'entendais poursuivre l'action que je mène depuis de longues années à travers trois candidatures à la présidence de la République, que l'on me reproche parfois, et dont j'éprouve quelque fierté dans la mesure où j'ai la chance historique de pouvoir pendant si longtemps incarner un choix politique fondamental. Et c'est pourquoi, lorsque je pose des questions claires qui peuvent paraître un peu brutales à la direction du Parti communiste, je n'en dis pas moins aux millions d'électrices et d'électeurs communistes que la politique que je mènerai c'est une politique conforme aux engagements fondamentaux et principaux, c'est-à-dire ce rassemblement populaire, qui sans doute a priori n'exclut personne, je veux dire personne de ceux qui voudraient s'y rallier, mais qui commence par un programme, des propositions, une action et le regroupement de couches sociales qui ne permet pas la confusion que vous venez tout à l'heure d'émettre [17]. Ce n'est pas la peine que je répète mes choix, depuis tant d'années qui ont fait que j'ai été deux fois le candidat de l'Union de la Gauche, et si je ne le suis pas encore aujourd'hui c'est parce que cette rupture, que j'ai évoquée tout à l'heure, s'est produite en 1977 et 1978 : voilà pourquoi je ne récuse personne, je ne refuse personne, je veux une autre politique et je demande seulement à ceux qui voudraient venir jusqu'à moi s'ils acceptent cette politique. [...]

Vous savez qu'une majorité en France n'a jamais été obtenue par un parti politique à lui seul, même pas dans le moment le plus euphorique du gouvernement du général de Gaulle. Dans notre démocratie, et c'est une bonne chose, il faut toujours qu'il y ait association ou coalition de plusieurs formations politiques pour obtenir, pour atteindre la fameuse majorité absolue sans laquelle il est assez difficile de gouverner. Mon souhait serait

17. Le journaliste Jean-Claude Bourret, à qui répond l'auteur, a envisagé la rupture du Parti socialiste et du Parti communiste, la formation d'une nouvelle majorité socialiste et gaulliste.

que l'on pût relancer le mouvement populaire dont j'ai parlé ; entre mon souhait et la réalité, la marge est grande, je l'ai souvent mesurée, tristement. Je pense donc que les socialistes seront comme moi, c'est-à-dire qu'ils poseront des questions politiques ; ils diront : nous allons nous lancer, si nous l'emportons bien entendu, vers une grande politique sociale assortie d'une grande politique économique dont j'espère que nous parlerons dans un moment. Et viendra qui voudra. [...]

Dans l'histoire de nos républiques, les nationalisations datent de l'immédiat avant-guerre 1939-1940. Bon, il y a eu une nationalisation, si on peut l'appeler comme cela, il y a bien longtemps ; c'était au temps du roi Louis XI, c'était ce qu'on appelle aujourd'hui les P.T.T., la poste, et il est question, je crois, que si M. Giscard d'Estaing était réélu, ce qui devient, il faut le dire, de plus en plus improbable, il voudrait même revenir sur les dispositions du roi Louis XI ; enfin, ça le regarde... Il y a eu quelques nationalisations qui étaient désétatisation c'est l'Etat, qui, au lendemain de la guerre de 14-18, a voulu que les biens allemands, la navigation du Danube, les potasses d'Alsace — on ne sait pas à qui les attribuer, bon — c'est la nation qui les a gérés. La première nationalisation véritable, c'est celle de l'armement par Léon Blum, on pourrait dire aussi la nationalisation de la Banque de France, et aussitôt, à la fin du Front populaire, la nationalisation des Chemins de Fer en 1937 sous un gouvernement Chautemps. C'est tout, et le gros des nationalisations françaises a été mis en œuvre, mis en place par le général de Gaulle dans son gouvernement de 1945 : ce sont les banques, les banques de dépôt, les assurances, les grandes assurances, les charbonnages, l'électricité, Renault, etc., etc. C'est-à-dire que si nous vivons aujourd'hui avec un secteur public très élargi, c'est le gouvernement du général de Gaulle qui l'a fait, je ne sache pas que le général de Gaulle était collectiviste et je crois savoir qu'il était gaulliste comme l'affirme M. Chirac. Alors, pourquoi voulez-vous qu'un homme de gauche, convaincu qu'il faut empêcher les monopoles de se constituer, c'est-à-dire une personne, une famille, un groupe d'intérêts, maîtres absolus d'un secteur clé de l'économie, d'un secteur indispensable à la vie nationale, maîtres absolus, et donc ayant tué la concurrence, les petites et moyennes entreprises étant devenues des sous-traitants ou des salariés de ces grandes puissances capitalistes, pourquoi voulez-vous, lorsque ça intéresse la Nation, que je refuse, pourquoi voulez-vous que je n'aille pas plus loin que le général de Gaulle, par exemple, en disant : « je vais parachever ce qu'il a entrepris par la fin de la nationalisation des banques et des assurances », pourquoi voulez-vous que je ne dise pas, il existe un certain nombre de domaines, par exemple l'armement, dont j'ai dit qu'il avait été nationalisé par Léon Blum et il a été dénationalisé depuis, pourquoi voulez-vous que les avions de bombardement soient la propriété d'un seul homme qui achète, enfin qui vend spécialement uniquement à des puissances d'Etat, en particulier à la France. J'emploierai le même raisonnement pour des industries chimiques, j'emploierai le même raisonnement pour l'ordinateur, qui sont indispensables à la France, également pour certaines industries de produits pharmaceutiques (je ne parle pas là naturellement des officines); est-ce que c'est excessif? j'ai cité dix entreprises industrielles — en effet, nous avons ajouté récemment en raison de la situation présente la sidérurgie en disant qu'une expérience de 18 mois et les sommes perdues par les Français — car le gouvernement donne, a donné de l'argent aux grands patrons de la sidérurgie à perte — je pense que tout cela doit être comptabilisé de telle sorte que la Nation devienne majoritaire dans des entreprises de ce genre. Qu'est-ce qu'il y a d'extraordinaire dans tout cela? Où est le collectivisme? Cela représente jusqu'alors un ensemble de nationalisations que je crois inférieur à ce qui est réalisé pour le temps présent en Autriche où s'exerce une social-démocratie et je crois que la comparaison pourrait être faite avec le secteur public de la Démocratie chrétienne en Italie lors, je vous en prie, pas de faux procès... Par contre, je pense à l'existence d'un secteur public élargi qui nous permettra de mieux opérer la restructuration industrielle — n'oubliez pas que les grandes entreprises qui investissent, que celles qui réussissent à exporter, que les principales d'entre elles sont des entreprises nationales. Faut-il citer Renault, faut-il citer Elf, faut-il citer la S.N.I.A.S.?

Faut-il citer des grandes banques françaises qui se trouvent à l'heure actuelle parmi les plus importantes banques du monde? Donc, si l'on veut ranimer, relancer l'économie, nous avons besoin de ces entreprises qui sont plus audacieuses que leurs concurrentes privées. [...]

Président de la République, mes responsabilités devant l'histoire et devant la France contemporaine, devant les Françaises et devant les Français, seront d'une très grande lourdeur, mais une action comme celle que j'ai menée dans une ligne droite, sans jamais céder, sans jamais compromettre, sans jamais rechercher les menues monnaies du pouvoir, ni les grandes, justifie, je crois, mon ambition d'aujourd'hui d'être le premier Président socialiste de la République. Alors, je n'ignore rien des difficultés, je les mesure! Et quand je me place au-dedans de moi-même dans la réflexion que chaque homme doit mener face à lui-même, face à ses devoirs, face à sa vie... oui, il m'arrive de me poser cette question : En suis-je digne? Alors, je me retourne vers les années passées, jusqu'au jour présent. Je vois ce peuple immense, ce peuple rassemblé, dont j'ai eu la chance d'être si longtemps l'interprète. Et je me sens comme une obligation de ponctuer et de conclure maintenant par l'action, en gouvernant la France.

5 avril 1981.

Vous êtes le seul candidat à mettre des églises sur vos affiches [...]. J'aimerais savoir ce que cela signifie parce que vous avez eu des mots très durs pour l'Eglise catholique en général. [...]

Est-ce la nostalgie de votre enfance au collège Saint-Paul à Angoulême ? Est-ce l'espoir de regagner une partie de ces 300 000 voix de l'enseignement catholique dont on dit qu'elles ont fait basculer les élections en 1974 et 1978 ? Vous avez trouvé votre chemin de Damas...

D'abord je vous ferai observer que c'est la même église qui sert à tous ces décors. C'est le même fond d'affiche, c'est la même église, une petite église de la Nièvre, du Morvan, l'église de Sermages. Comme le Parti socialiste n'a pas une très grande variété d'images à proposer à ce niveau à l'opinion publique, elle sert de fond de décor. D'ailleurs, je m'en réjouis parce que je trouve que c'est une belle affiche.

Le fait qu'il y ait une église flatte toujours de résonance en moi. Je n'ai vu aucun inconvénient, j'ai même vu beaucoup d'avantages à symboliser une certaine France dont on pourrait penser qu'elle cède du terrain, la France rurale. Il y a beaucoup de citadins qui y pensent encore et qui aimeraient bien la retrouver et retrouver surtout ce type de civilisation, de la réflexion, de la méditation, du silence, une certaine lenteur qui se trouve aujourd'hui terriblement bousculée par une société urbaine qui n'a pas trouvé les normes de sa civilisation [...].

Pendant toute une grande période du XIXᵉ siècle, l'église a été du côté de la classe dirigeante, implacable, dure, de la société de la bourgeoisie d'argent et en ce sens, nombreux ont été les très grands catholiques qui se sont élevés contre. Vous entendez encore la voix d'Ozanan, je pense, à certains moments celle de Montalembert, pas toujours, celle de Lacordaire ; vous connaissez aussi la crise de Lamennais ; je pourrais citer aussi beaucoup de sociologues et de philosophes qui ont marqué un tournant de l'Eglise jusqu'à ce que Léon XIII, à la fin du siècle, d'une part, et le petit mouvement du Sillon, en France d'autre part, commencent à amorcer une réconciliation entre l'Eglise catholique et les masses ouvrières [...]

Maintenant, est-ce que je présente cette défense pour me concilier les voix des catholiques ? Je n'en ai pas besoin. Les catholiques, d'après les sondages, ont un certain nombre de positions. Je ne suis pas leur préféré. Je suis catholique moi-même. Je ne suis pas un catholique, je l'ai cent fois dit, particulièrement pratiquant, mais je n'ai jamais renié ma formation d'origine. J'ai rapporté le récit de mon enfance au collège Saint-Paul d'Angoulême, et c'est peut-être là que vous l'avez appris.

Je n'ai donc pas mis mon drapeau dans ma poche ni comme socialiste, ni comme catholique de formation et d'origine familiale. Cela dit, je vais vous faire — le mot tombe à pic — une confession. J'aime les églises et particulièrement les églises romanes. J'y passe beaucoup de temps. Est-ce une façon de prier que d'admirer la ligne de quelques pierres ou de regarder la façon dont un édifice est posé sur le sol ? Je ne le crois pas, mais j'aime quand même. Et je ne vois pas pourquoi un candidat socialiste, qui, par-dessus le marché, compte beaucoup de catholiques dans son sein se priverait de le dire comme cela à des millions de gens, alors qu'il est interrogé d'une façon à mon avis un peu trop curieuse sur sa vie personnelle. [...]

Un certain nombre de gens se disent, parce qu'on l'a dit : « Que vont faire les communistes ? », puisqu'on a parlé de grève[18]. C'est vrai que d'autres disent : « Les capitaux ne vont-ils pas s'enfuir, ne va-t-il pas y avoir une sorte d'opération, de complot, de conspiration contre le nouveau président de la République que serait François Mitterrand ? »

J'ai parlé de ce que j'ai appelé l'état de grâce. Voyez, cela nous ramène à la conversation précédente ; je ne sais pas pourquoi cette expression m'est venue à l'esprit, elle était vraiment totalement improvisée et, si elle ne l'avait pas été, d'ailleurs, je ne l'aurais certainement pas dite, j'aurais employé un terme plus juridique, plus en conformité avec ma formation de juriste. Enfin, c'est ainsi, « l'état de grâce ».

Voyez-vous, quand je serai élu, le 10 mai au soir, dans le premier moment, ce sera une surprise pour beaucoup, mais aussi une immense joie pour le plus grand nombre, et ce sera le plus grand nombre puisqu'il m'aura élu. Cette joie, cet enthousiasme suscitera très vite, à mon avis en quelques heures, un formidable élan national, cet élan national que j'appelle déjà, je dirai presque, qui est, le thème fondamental de ma campagne. Il faut bien que la France se réveille, il faut que les Français sortent de la léthargie dans laquelle les a placés M. Giscard d'Estaing, il ne faut pas qu'ils continuent de dire : « il n'y a rien à faire », il ne faut pas qu'ils pensent qu'il n'y a qu'une seule politique, celle qui a raté, celle qui les a mis là où ils sont. Donc, quel soupir de soulagement : « Eh bien ! il y en a une autre, et non seulement il y en avait une autre, mais elle vient de gagner. »

Vous savez, mes électeurs et mes électrices, ce sont des gens qu'on rencontre, ce sont des gens qu'on rencontre sur les chantiers, quand il y a des chantiers, ce sont les gens qu'on rencontre dans la rue, les jeunes, ce sont les gens qui sortent, agissent, qui produisent, ou bien qui enragent de ne pas pouvoir produire parce que ce sont des chômeurs, mais ce sont les forces vives du pays, et ces forces vives, à peine serai-je élu, je ne leur donne que quelques heures pour qu'elles trouvent le concours de nombreux citoyens et citoyennes, qui auront voté contre moi dans la nuit et qui diront : « Puisque c'est ainsi, maintenant on va l'aider. » Moi, je crois à la force de l'élan national, je ne négligerai rien pour le susciter, et quand on me fait des pronostics pessimistes, naturellement d'une façon intéressée, sur la suite des choses, je me contente de sourire avant de prendre les choses tout à fait au sérieux. [...]

Il est bon qu'il y ait deux politiques dominantes qui s'opposent, appelées à

18. Le 23 mars, à l'émission « Cartes sur Table », d'Antenne 2, Georges Marchais a affirmé : « Le danger réel, c'est de voir demain, François Mitterrand, s'il a les mains libres, gouverner avec la droite pour continuer et aggraver la politique actuelle... (En 1936), quand la gauche l'avait effectivement emporté, « l'état de grâce » ç'a été la décision des travailleurs dans les entreprises, d'engager la lutte pour imposer au patronat... les fameux accords Matignon. (En 1981, si le candidat socialiste est élu) « l'état de grâce », ce sera la ferme volonté des travailleurs par la lutte d'imposer la satisfaction de leurs légitimes revendications ».

se remplacer l'une l'autre. C'est ce qu'on appelle la loi de l'alternance dans une saine démocratie.

De ce point de vue, je ne pense pas qu'il soit raisonnable d'imaginer qu'il puisse y avoir des ponts ou des identités entre ces deux politiques. D'ailleurs ce n'est pas souhaitable.

Et puis il y a l'usage, la pratique quotidienne, la vie, les relations entre les hommes, les relations entre les organisations politiques. Je suis un légaliste. Je suis député de l'opposition depuis bien longtemps et je suis dans des assemblées où je me trouve généralement minoritaire. Cela ne m'empêche pas d'y vivre, de participer à la discussion des lois. J'ai d'ailleurs mené pendant longtemps une vie parlementaire très active. J'ai apporté mes éléments de solution, ils n'ont jamais été retenus mais, en fait, je participe à la vie de la République, même si je condamne la politique qui prévaut. J'ai donc un comportement normal dans le cadre des institutions, je respecte les lois et si je dis que j'entends les changer, c'est par la loi que je veux le faire. Que peut-on me demander de plus ? [...]

Dans ce cadre, mandaté par mon parti, le Parti socialiste, j'ai rencontré M. Giscard d'Estaing [19]. Qu'en est-il ressorti ? Pas une seule malheureuse présidence de commission à l'Assemblée nationale pour un socialiste ou pour un communiste, pour l'opposition, pour la minorité ; il n'en est pas sorti la moindre équité dans la façon dont sont tenus les moyens audio-visuels et dont marche le Parlement. Le Gouvernement a continué d'imposer l'ordre du jour de l'Assemblée avec une rigueur implacable sans jamais tenir compte d'une proposition de la minorité ; il a fait jouer les votes bloqués, interdisant à l'opposition de déposer ou de discuter ses amendements ; il a fait adopter des lois qui n'ont pas été votées et qui n'ont pas été discutées : qui n'ont pas été votées par le jeu subtil et maladroit de la censure ; qui n'ont pas été discutées — je le disais il y a un instant — par le moyen du vote bloqué.

Je me demande donc à quel moment, sur le plan de l'usage — je ne le demande pas sur le plan politique ; je ne suis pas demandeur —, de la commodité de la vie, du bon air démocratique qui doit quand même bien finir par passer les portes et les fenêtres dans ce pays — c'est en tout cas mon ambition —, jamais je n'ai été saisi d'une proposition intéressante. On a parlé à un moment de la réforme du mode de scrutin et de la proportion- nelle ; qu'en a fait M. Giscard d'Estaing ? Rien du tout. Il a d'ailleurs affirmé récemment qu'il n'en était pas question dans le cas où il serait réélu. [...]

Je voudrai simplement vous faire comprendre le problème qui m'est posé. Rarement, au fond, un homme politique aura connu une telle charge d'espérance et, je l'espère aussi, de moyens, d'ambition nationale, rarement. En 1974, l'expérience n'était pas faite. La France ne connaissait pas la crise ; elle pouvait se laisser prendre aux promesses : elle pouvait être séduite par un homme de talent ; bref, elle pouvait croire aux promesses. Au bout de

19. Cf. *supra*, p. 117-118.

sept ans, n'est-ce pas un délai suffisant dans l'histoire d'un pays et dans la vie d'un homme pour savoir à quel point on en est arrivé ? C'est tout.

Je n'ai pas eu l'occasion de rencontrer M. Giscard d'Estaing depuis le début de la campagne mais il y a une question toute simple qui vient à l'esprit : ou bien ce que vous nous proposez est juste et pourquoi ne l'avez-vous pas fait, ou bien vous nous le proposez et cela n'a pas d'intérêt particulier, pourquoi vous présentez-vous ?

Il ne peut pas sortir de ce dilemme. J'ai le sentiment que le candidat des socialistes — surtout s'il relève les graves iniquités dont souffre la société française : ces ouvriers dont le salaire est frappé à 50 % par l'ensemble de la charge fiscale et sociale qu'ils doivent supporter (ce sont eux qui supportent le poids le plus lourd comparativement aux autres catégories de la société française), ces jeunes de moins de 25 ans qui représentent 45 % des 1 700 000 chômeurs que l'on annonce pour 2,5 millions dans deux ans ; ces femmes qui représentent 53 % des chômeurs (mais alors, elles, elles sont sous-payées, ne sont pas promues et pas formées pour le métier qu'elles exercent ; elles n'ont pas acquis véritablement la maîtrise de leur propre vie personnelle ; bref, elles sont éliminées trop souvent des responsabilités et du jeu normal de notre société) — se sent porté par tout cela. Pas simplement sur le plan d'un grande bataille pour la justice, bien que cela m'habite, mais aussi parce que j'ai le sentiment qu'il y a des énergies par millions qui sont aujourd'hui disponibles, qui ne demandent qu'à y croire. Mais, bien entendu, elles n'y croiront que si elles se sentent emportées par cet élan national auquel je vous invite.

10 avril 1981.

Ma campagne a commencé réellement le 16 mars. Depuis cette époque, je me suis attaché à développer une série de propositions essentiellement axées sur trois problèmes : d'abord l'emploi, donc le chômage, puis la vie chère et les inégalités sociales. Ce qui m'a conduit à élargir le champ du débat par la définition de « *l'autre politique* », la politique socialiste, seule capable, à mes yeux, d'assurer le changement souhaitable pour la France. Bien entendu, j'ai abordé les aspects les plus importants de notre politique étrangère. Enfin, j'ai répondu aux nombreuses questions posées sur ce que j'avais l'intention de faire dans la foulée de mon élection : le bilan du septennat passé, la consultation des forces économiques et sociales, la constitution du Gouvernement, la dissolution, les élections législatives, la nouvelle majorité.

J'ai parallèlement précisé que je n'engagerai de négociation avec personne, ni avant le premier tour, ni entre le premier et le second tour de l'élection présidentielle, qu'il appartenait aux Français de se déterminer sur mes options, que la majorité serait celle qui se rassemblerait le 10 mai sur mon nom et qu'à partir de là les organisations politiques auraient à discuter, selon leur libre choix, de leurs alliances au sein de la future Assemblée ; j'userai alors pleinement des droits et compétences que la Constitution reconnaît au président de la République.

Mais j'entends, au cours de cette deuxième partie de ma campagne, saisir les Français de quelques questions fondamentales dont dépendent la plupart des mesures à prendre dans le court terme pour le long terme. Oui, je veux aborder les grands choix politiques non pas par le bas, mais par le haut.

En premier lieu, j'évoquerai les conséquences et les leçons de la mutation technologique. Après la machine à vapeur et l'électricité, voilà maintenant l'ère de l'électronique et de la robotique. L'informatique pose en termes nouveaux le rapport entre l'emploi de l'homme et l'emploi de la machine. Selon la politique qui prévaudra, on assistera à une formidable désintégration de la main-d'œuvre ou, au contraire, on organisera le temps de travail et des cadences, on aménagera le temps de vivre, on développera de nouveaux champs pour l'activité humaine, on répartira plus justement les fruits multipliés de la production et de la productivité ; ou bien il y aura des millions d'assistés, et plutôt mal que bien, ou bien on aura des hommes, des femmes responsables et actifs.

Il serait absurde de bloquer le progrès scientifique et technique. Mais il faut le mettre au service de l'homme. Le maîtriser. La société dirigeante actuelle n'a songé qu'au profit immédiat, le sien. La crise est sa façon de s'adapter, de moderniser les moyens de son pouvoir. Et le chômage est un de ces moyens. C'est pourquoi j'insiste, parmi de multiples propositions, sur mon programme de relance et sur la durée du temps de travail.

Les 35 heures ?

Oui, les 35 heures. Non seulement considérées comme un facteur déterminant de création d'emplois — 950 000 en trois ans — mais aussi comme une autre façon de maîtriser le temps de vivre. Cela dit, la mutation technologique ne touche pas qu'à l'informatique. Elle embraie directement sur la biologie et sur le nucléaire, deux domaines qui commandent de nombreuses, d'importantes décisions politiques.

Le deuxième point, que j'entends traiter au fond, est celui du développement du tiers monde. Pas parce que c'est à la mode, du moins dans les salons, mais parce que c'est nécessaire et parce que cela me touche. Il ne m'est pas indifférent, il n'est indifférent à personne que cinquante millions de gens meurent de faim chaque année. Mais au-delà de la nécessaire solidarité humaine qu'il convient de réveiller, l'intérêt bien compris et des peuples du tiers monde et des pays industrialisés dont nous sommes est de multiplier les échanges, donc d'investir, d'accroître la demande de près de deux milliards d'êtres humains, de réformer à cet effet le Système monétaire international et les institutions du F.M.I. et de la Banque mondiale, de différencier les aides, de les accroître, de mettre au point et d'engager un plan mondial de développement. Pour cela, d'intéressantes propositions ont été faites, celles de la commission Brandt, celles de la Commission européennes, celles de plusieurs pays arabes, celles de La Havane. Les pays industriels profiteraient tout aussitôt de cette relance, leur production retrouverait bien des capacités perdues. Chacun y gagnerait. A condition de créer les infrastructures internationales qui feront définitivement reculer le néo-colonialisme.

Le 10 avril, lettre aux Français à l'étranger.

Vous vivez, vous travaillez à l'étranger et vous êtes français. Il n'est pas inutile de rappeler cette évidence au moment où la politique du Gouvernement, au service des privilégiés, met en danger les liens qui unissent, par-delà toutes les différences, la communauté nationale.

A ceux qui au sortir de l'école n'ont d'autre perspective que le chômage, à ceux qui après un travail acharné doivent quitter leur terre ou l'entreprise qu'ils ont créée, à ceux qui sont écrasés par des décisions prises dans de lointains ministères, à toutes celles et à tous ceux que l'on traite en figurants d'une pièce qui ne les concernerait pas, et à vous Français du monde, je dis d'abord ceci : Vous êtes le peuple français.

Bien sûr les Français de New York ou de Tunis ne subissent pas les mêmes contraintes que ceux d'Angers ou de Carpentras. Chaque catégorie de Français a des problèmes qui lui sont propres.

Je connais les vôtres : les structures de l'enseignement français à l'étranger sont insuffisantes et inadaptées ; la protection sociale reste un privilège hors de portée des plus démunis ; rien n'a été fait pour préparer votre réinsertion dans l'économie française ; votre sécurité, enfin, n'est pas toujours garantie comme elle devrait l'être par une diplomatie ferme et sans détours. L'égalité des droits entre les Français et la solidarité nationale sont à mes yeux des principes intangibles : l'enseignement doit être gratuit pour tous les enfants français comme la protection sociale doit bénéficier à tous les Français.

Mais ces principes ne seront respectés et appliqués qu'à deux conditions :
— La première, c'est que vous puissiez faire entendre votre choix au Parlement. Tous les Français ont leur député qui les représente et peut soumettre leurs problèmes au gouvernement, sauf vous. Et ce ne sont pas six sénateurs désignés dans des conditions peu honorables pour notre démocratie qui peuvent représenter dignement ceux qui ne les ont pas élus.

— La deuxième condition — dont tout dépend —, c'est que la France change de politique. Car par-delà les différences, la solution des problèmes auxquels est confronté chaque Français dépend de la place de notre pays dans le monde, de la maîtrise de son économie et de la garantie de ses libertés démocratiques.

La politique actuelle va à l'inverse de ces objectifs.

Lorsque notre diplomatie épouse le langage de ses interlocuteurs, tantôt Washington, tantôt Moscou, lorsqu'elle s'abaisse en Afrique et qu'elle ne sait pas dire le droit, la voix de la France porte moins haut et moins loin, les chances de la paix reculent.

Lorsque notre économie est livrée aux puissances financières supranationales, on détruit les forces vives de la nation. Des régions et des secteurs de production sont foudroyés, c'est l'inflation, c'est un million sept cent mille chômeurs. L'environnement intellectuel n'excuse pas sept ans d'erreurs accumulées.

Il faut aujourd'hui à la France, avant qu'il ne soit trop tard, une autre politique économique : mettre en œuvre une croissance sociale plus économe en énergie et en matières premières, conduire une politique industrielle digne de ce nom, maîtriser les circuits financiers, faire de la lutte contre le chômage la première des priorités, stimuler la recherche et l'innovation, mettre fin aux privilèges et aux injustices qui découragent l'effort, c'est le contraire de ce qui a été fait, c'est ce que je propose.

Mais pour enrayer le déclin et mobiliser les énergies, il faut que chaque Français se sente libre et responsable. Ceux qui refusent d'entendre la voix des élus du peuple et qui préfèrent la technocratie à la démocratie n'ont rien fait de bon et ne feront jamais rien de bon en France.

Je dis qu'il est urgent de restaurer les compétences du Parlement et l'indépendance de la magistrature, de mettre fin à la mainmise présidentielle sur l'audio-visuel, de rendre la police à sa véritable mission, mais aussi de donner une large autonomie aux collectivités locales, de développer la démocratie dans l'entreprise, d'encourager le mouvement associatif, en un mot d'ouvrir de nouveaux espaces de libertés.

A la fin du prochain septennat nous fêterons le bicentenaire de la prise de la Bastille. Où en sera la liberté ? Où en sera la démocratie ? Vous, Français de l'étranger, dont on a, en 1978, manipulé l'expression démocratique, vous savez comment ont été traités les principes républicains. Ils n'ont pas compris que la France qui compte dans le monde, c'est la France de la liberté, de la démocratie, le pays dont la langue et la culture ont partout sur la planète inspiré les hommes de progrès.

Ceux d'entre vous qui se battent sur le front du sous-développement, ceux qui maintiennent — autant que faire se peut — nos positions culturelles scientifiques et commerciales, savent que la France peut encore entendre un message que le monde respecte.

Mais il est grand temps de changer de politique.

C'est vous, le peuple français, qui en déciderez le 26 avril et le 10 mai prochain.

13 avril, début de la campagne à la radio et à la télévision.

Depuis plusieurs semaines, depuis le début de la campagne présidentielle, je sillonne notre pays. J'y ai même rencontré un certain nombre d'entre vous.

J'ai vu votre inquiétude.

J'ai partagé vos espérances.

J'ai vu votre inquiétude.

De toutes les forces dont nous disposons, il faut maintenant sortir la France de l'état moral et matériel où l'ont mise les personnes et la politique qui nous gouvernent depuis sept ans. Le désordre est partout.

Il est dans le chômage : près de deux millions de chômeurs.

Il est dans la vie chère, vous le savez mieux que personne.

Il est dans une société qui rejette sa jeunesse.

Le désordre est dans les difficultés que rencontrent les personnes âgées, dans l'inégalité qui frappe les femmes, au travail et dans la vie de tous les jours, dans l'impossibilité où se trouvent, les uns d'emprunter, les autres de se loger ou de payer leurs charges locatives.

Le désordre est dans la disparition de cent mille exploitations familiales agricoles, dans l'accélération des faillites et des liquidations judiciaires.

Il est dans la façon dont les travailleurs, ouvriers, employés, cadres sont tenus à l'écart de la gestion et de l'information dans leur propre entreprise.

Bref, le désordre est dans l'injustice.

Là, le privilège et le luxe insolents, et de l'autre côté la grande masse des gens, la plupart des familles, qui ont de la peine à joindre les deux bouts.

On nous dit : c'est la crise, bien entendu c'est la crise ! Et il est vrai que le monde occidental a quelques difficultés à s'adapter aux progrès de la science et de la technique, à faire que l'homme ne soit pas tout à fait écrasé, éliminé par la machine.

Et pourtant, ne nous y trompons pas. On ne sortira pas de la crise par les moyens jusqu'ici employés. On ne sortira pas de la crise en demandant les sacrifices toujours aux mêmes. Seul un élan national, la volonté de réveiller les énergies et de donner leur chance à tous, seul un formidable élan de solidarité nationale nous permettra de reprendre la route.

Le corps s'ankylose quand il ne bouge pas. L'eau croupit quand elle ne coule pas. Tout est mouvement dans la vie. Sept ans, c'était déjà beaucoup, et lequel d'entre vous ne sait pas que quatorze ans ce serait trop.

J'ai partagé vos espérances. Eh oui, je m'émerveille devant cette volonté de travail, cette capacité de bien faire chez l'ouvrier, encore trop souvent relié à ses chaînes ; chez le paysan qui connaît le poids des saisons et des réalités ; l'artisan amoureux de l'objet, l'entrepreneur qui crée, l'instituteur qui éveille l'intelligence de nos enfants. Je m'émerveille de voir, dans les universités de troisième âge, les anciens chercher à apprendre, pour peu qu'on leur en donne le moyen. Je m'émerveille de voir ces jeunes exiger, rechercher l'harmonie des choses, plus intransigeants que les autres pour la défense des Droits de l'Homme. Oui, je le répète encore, je crois aux possibilités de notre pays, à ses talents, à son intelligence, et je me dis : pourquoi tant de reculs et pourquoi tant d'échecs ? C'est sans doute qu'il faut changer de direction.

Voilà pourquoi, candidat des socialistes, candidat de la gauche seul placé pour l'emporter, j'ai besoin de votre aide.

Fidèle à mes engagements, tels que je les pratique depuis plus de quinze ans, puisque j'ai eu le bonheur et la force d'incarner le rassemblement populaire, je vous le répète : je n'écarte personne. Et je vous demande seulement de servir avec moi la grandeur du pays.

21 avril 1981.

Je vous parlerai aujourd'hui de la politique étrangère de la France.

Sujet très vaste, impossible à traiter en douze minutes. Aussi aurai-je l'occasion, d'autres fois, avant la fin du deuxième tour de scrutin — c'est-à-dire avant le 10 mai — de revenir sur ce sujet si important qui conditionne la politique de tout candidat à la présidence de la République.

D'abord je me situerai par rapport aux superpuissances. Elles sont deux, vous le savez ; d'une part, les Etats-Unis d'Amérique et, d'autre part, l'Union soviétique. Tout ce qui se décide dans le monde, notamment sur le plan de l'équilibre des forces, dépend de ces deux pays. Pas entièrement, bien entendu, les autres ont quelque chose à dire ; mais, il est nécessaire de savoir de quelle façon la France — conduite par un nouveau président de la République — de quelle façon, elle engagera des conversations à longue distance. C'est-à-dire, comment on envisagera les vingt années qui viennent, par rapport aux Etats-Unis d'Amérique et par rapport à l'Union soviétique.

Par rapport aux Etats-Unis d'Amérique : nous sommes — vous le savez — dans le cadre d'une alliance. C'est l'Alliance atlantique. Elle résulte des événements de la Deuxième Guerre mondiale et des relations particulières d'amitié et de coopération, d'entraide et d'alliance militaire qui sont nées entre les Etats-Unis d'Amérique et la France. Depuis cette époque, un certain nombre de choses ont changé, c'est évident, mais l'alliance demeure. Que va-t-on faire de cette alliance ? D'un côté, il y a l'Alliance atlantique : c'est l'Ouest. De l'autre côté, il y a le Pacte de Varsovie : c'est l'Est ; c'est-à-dire, la réunion d'un certain nombre de pays d'Europe de l'Est autour de l'Union soviétique. Le Pacte de Varsovie continue d'exister ; il a même renforcé sa puissance ; impossible d'ignorer la nécessité d'une alliance — je dirai en face, bien que je sois tout à fait hostile à l'existence de ces blocs militaires : je dois tenir compte de la réalité, il faut donc que l'alliance subsiste. Du moins, jusqu'au jour où les super-puissances, ainsi que les pays de l'Europe, seront parvenus à définir une autre situation internationale.

Aujourd'hui, face aux Etats-Unis d'Amérique, et dans le cadre de cette alliance, nous avons quand même un certain nombre de questions à poser. En particulier, quel est le réel contenu de l'Alliance atlantique ? A travers le temps, les choses se sont dissipées, les liens se sont distendus, on a vu la plupart des pays qui composent cette alliance adopter des attitudes différentes selon les circonstances dans les grandes confrontations modernes de ces dernières années. Il faut donc savoir ce que veut dire exactement — ce que veulent dire les obligations mutuelles entre les différents partenaires de l'Alliance ; celles des Etats-Unis d'Amérique, je l'ai dit, mais aussi celles de l'Europe occidentale.

Puis, d'autre part, nous avons les concurrences avec les Etats-Unis d'Amérique. C'est un puissant pays, dont la force économique est considérable, et qui a naturellement tendance à asseoir cette puissance à la fois sur des bases militaires et aussi sur la pénétration de nos marchés. Par exemple, les Etats-Unis d'Amérique sont gênés par l'existence du Marché commun agricole, et voudraient que leurs produits, notamment leurs produits agricoles, — je pense en particulier au soja — puissent peu à peu envahir un marché qui, par définition, est formé précisément pour résister à cet envahissement. Il faut pouvoir discuter avec eux sans faiblesse, pour que les Etats-Unis d'Amérique, finalement, ne dominent pas le Marché commun de l'Europe.

Et puis, il y a d'autres aspects. Je vais prendre l'exemple du Salvador. Le Salvador est un petit pays d'Amérique centrale, extrêmement troublé, où règne une oligarchie financière de grands propriétaires qui ont mis en place une dictature, et contre cette dictature se développe une révolte, une révolte populaire. On dit souvent que c'est une révolte communiste. Ce n'est pas exact. Le président des forces révolutionnaires est un social-démocrate, M. Guillermo Ungo, que je connais personnellement, et qui est un ami de tous les démocrates, de tous les socialistes, de tous les travaillistes en Europe. Il s'agit d'un cas typique de révolte populaire contre la domination excessive des puissances de l'argent, et contre une dictature politique. Alors, il ne faudrait pas que les Etats-Unis d'Amérique, qui sont assez proches du Salvador, veuillent assurer leur puissance et leur autorité en Amérique centrale, au détriment des intérêts du peuple. Déjà dans le passé on a vu des cas semblables se produire. On se souviendra de l'affaire du Chili, en Amérique du Sud. Il faut éviter que cela recommence. Et la France peut donner de bons conseils à ses alliés des Etats-Unis d'Amérique, et en même temps faire savoir qu'elle ne s'associerait pas, ni politiquement, ni bien entendu sur aucun autre plan, à des mesures qui tenteraient de briser l'élan populaire au Salvador. Plus que cela, je souhaite que la France, bien assise sur l'Europe, qui pourrait contribuer à cet effort, vienne en aide sur le plan alimentaire au Salvador. Ce serait une façon de dire que nous avons une politique indépendante, dans le bon sens du terme.

Par rapport à l'Union soviétique, il en va de même. Je tiens à ce que se développent des relations d'amitié et de coopération. Il le faut. Nos deux pays sont aux deux bouts de l'Europe. C'est une amitié traditionnelle, quelle que soit la différence des régimes politiques, économiques et je dirai même les différences d'explication philosophique sur le devenir de nos sociétés.

L'Union soviétique est un très grand pays, c'est un pays redoutable, il dispose d'un armement colossal, il a installé aux frontières de l'Allemagne une série de fusées qui menace l'existence du dispositif militaire occidental du nord de la Norvège au sud de l'Italie. Il faut obtenir de l'Union soviétique qu'elle replie ses armes, qu'elle les ramène très loin de ces frontières. Ces fusées peuvent atteindre 4 500 km ; eh bien, il faut que nous soyons hors de portée de ces fusées. C'est une négociation à mener bien entendu dans le cadre général avec les Etats-Unis d'Amérique, avec les autres pays d'Europe, mais cela nous concerne particulièrement.

Lorsque l'Union soviétique envahit l'Afghanistan, quelles peuvent être nos réactions ? La mienne a été de protester parce que le droit des peuples à disposer d'eux-mêmes est le fondement même du droit international et celui qui y manque menace la sécurité et la paix dans le reste du monde. Il faut donc veiller à ce qu'on ne « passe » pas comme cela, qu'on n'efface pas l'ardoise : l'Afghanistan doit redevenir libre et il faut le dire.

De la même façon, nous devons être vigilants sur l'affaire de la Pologne afin que les droits syndicaux d'abord, et les libertés tout court du peuple polonais soient préservés. On sait les menaces qui pèsent sur eux.

Mais le problème qui reste dans mon esprit, et sur lequel j'entends agir, c'est l'organisation de la sécurité collective en Europe. Il est absolument indispensable d'organiser cette sécurité, par discussion. Il faut mêler à cette discussion les Etats-Unis d'Amérique, bien entendu, mais il faut que les pays d'Europe, sans perdre davantage de temps, organisent, avec l'Union soviétique, une vaste discussion, bien au-delà de ce qui est fait actuellement à Madrid, pour la sécurité collective, sur la base de certaines neutralisations de territoires, sur la base d'un nouvel accord sur le plan du désarmement, pour que nous puissions ensemble garantir la paix.

On dira, ce sont des vœux pieux. Assurément, si l'Union soviétique n'en veut pas, nous n'y pouvons pas grand-chose, sinon affirmer notre capacité d'indépendance, la force de nos alliances et disposer nous-mêmes d'une force militaire — nous l'avons à condition de la maintenir naturellement en état, de telle sorte qu'elle dépasse le seuil de la dissuasion —, disposer d'une force militaire assez redoutable pour que nul n'ose nous attaquer. Mais je préfère la discussion, le débat, se trouver autour d'une table, engager le dialogue, dire les choses comme elles sont, ne jamais hésiter à exprimer sa propre pensée plutôt que de s'enfermer dans une sorte de silence redoutable qui finirait par déchirer le voile de la paix, c'est-à-dire aboutir à la guerre.

Il existe une troisième force. Cette force, c'est l'existence de l'Europe ; de l'Europe occidentale autour de son Marché commun qui est un Marché commun surtout agricole, qui est, en même temps, une communauté économique avec des tarifs douaniers communs, avec une union douanière, des tarifs préférentiels, c'est-à-dire que nous formons une entité, une unité qui tente de se défendre commercialement face aux autres puissances qui tentent de nous déborder et de s'emparer de nos marchés.

Je crois beaucoup à l'Europe à la condition qu'on l'organise autrement, c'est-à-dire qu'on ne laisse pas aller sans véritable contrôle, sans véritable unité, l'ensemble des compétitions nationales, entre l'Allemagne, la France, l'Angleterre, l'Italie et les autres. Certes, nous devons avoir une bonne entente avec l'Allemagne. Je suis de ceux qui ont développé le thème de réconciliation avec l'Allemagne dès le lendemain de la Deuxième Guerre mondiale. J'ai participé au premier congrès européen. C'est dire mon souci — et pourtant nos familles étaient blessées par tant de deuils à la suite de l'occupation allemande, et ma propre famille — mais il était nécessaire de repartir du bon pied pour bâtir l'Europe.

Mais il ne faut pas qu'un axe Paris-Bonn se substitue au développement d'une Europe qui reste boiteuse, boiteuse parce que, souvent, la France et les gouvernements de M. Giscard d'Estaing ont manqué de précision dans l'esprit, de courage dans l'esprit, de volonté d'agir. Ils ont été souvent négligents : ils ont été négligents pour la défense des agriculteurs, pour la défense des pêcheurs, pour la défense des viticulteurs. L'Europe n'est pas ce qu'elle devrait être parce que l'Europe n'a pas trouvé un élan politique que le candidat sortant n'a pas été, pour sa part, capable de lui donner.

Je parlerai une autre fois d'autres problèmes d'une très grande importance. Il faudra aborder les problèmes du tiers-monde, celui du Proche-Orient, veiller à ce que, au Proche-Orient, tout soit fait pour que le Liban cesse d'être déchiré, cesse d'être divisé. Il faudra éviter l'amateurisme avec lequel la diplomatie française a abordé ce problème en proposant la création d'une force internationale, sans avoir véritablement consulté les responsables libanais qui ont eu un réflexe patriotique, bien entendu, en estimant que l'on n'avait pas à disposer d'eux sans qu'ils aient pu donner leur consentement. Je pense aussi à Israël, Israël qui se trouve parmi de nombreux pays arabes, qui est un petit pays, courageux, fort, qui, cependant, ne peut pas vivre durablement dans un climat de guerre latente. Mais il faut assurer le droit d'Israël à exister, il faut lui en donner les moyens, c'est pourquoi j'ai été le seul homme politique représentant un grand parti français à approuver les accords de Camp-David ; j'ai dit que lorsque deux peuples se font la guerre, ils doivent pouvoir se faire la paix sans qu'on le leur reproche et j'ai beaucoup admiré le geste du président Sadate, président égyptien, lorsqu'il a tendu la main à Israël. Il faut que cette main soit prise dans le respect d'Israël et puis il faut chercher à donner les moyens aux Palestiniens de disposer d'une patrie : c'est le droit de tout peuple, l'existence sur la terre.

J'entends vous développer ces idées fondamentales dans le sens d'une grande indépendance de la France, l'indépendance de la pensée, l'indépendance de l'action, l'indépendance de la diplomatie : que nous ayons nos propres choix, que nous sachions les organiser dans l'intérêt de la paix et du monde, et c'est comme cela que la France reprendra la grande tradition qui a fait d'elle le pays que nous servons et le pays que nous aimons.

22 avril.

En 1974, ce n'était pas mûr. Vous savez ce que c'est qu'un fruit ? Vous l'avez vu. Et puis vous avez vu comment les saisons, les intempéries, tout ça... C'est la vie politique aussi.

En 1965 — vous auriez pu remonter jusque-là — je n'avais strictement aucune chance de battre le général de Gaulle. Je me suis présenté, j'ai obtenu un résultat que je crois honorable et j'ai commencé de rassembler la gauche.

En 1974, c'était un an après les élections législatives où la gauche n'avait obtenu que 46 p. 100 des suffrages. Un an après seulement ! Et la crise n'était pas ressentie. Je partais donc avec un certain handicap en face d'un candidat qui apparaissait comme à l'état neuf. Il me fallait remonter quatre points : j'en ai remonté trois et demi.

Bref, après la mort du président Pompidou — car les choses se sont passées de la sorte, c'est-à-dire que nous n'avons disposé que de cinq semaines pour aborder cette compétition, ce remplacement du président de la République — j'étais, en somme, pris de court par les événements ; je n'avais pas eu le temps de porter assez haut le mouvement du rassemblement populaire et je n'avais pas eu non plus le temps de donner au Parti socialiste l'audience qu'il connaît aujourd'hui.

Or tous ces éléments se sont transformés. En 1981, le Parti socialiste, les socialistes sont devenus la première force politique du pays.

La difficulté tient au fait que l'union des forces populaires que j'avais réalisée, comme toujours avec d'autres — je ne veux pas en retirer à moi seul le mérite —, s'est dissipée, comme vous le savez, car il y a eu les querelles, les ruptures. En face, il y a aussi les ruptures que connaissent les partis de droite.

Je pense véritablement, le 22 avril 1981, que le candidat des socialistes que je suis a les plus grandes chances, sinon toutes, d'être élu président de la République, parce que l'Histoire a fait son chemin, tout simplement. Je viens de la retracer rapidement.

Et puis, vous savez, les Français ont besoin de changement. Pas de n'importe quel changement. Moi, je propose un autre président et une autre politique. Je fais des propositions : je n'aime pas les mots vagues.

Je me contenterai de citer un de mes auteurs, qui n'est pas un de mes auteurs favoris, ni habituels, mais quand même... Je veux dire : M. Chirac.

C'était à « Cartes sur table », le 9 mars 1981. M. Chirac disait ceci : « Nous sommes aujourd'hui dans une situation extrêmement préoccupante qui exige un changement complet de politique, et on ne change pas de politique avec les mêmes hommes. »

Cela condamne M. Chirac et M. Giscard d'Estaing. Mais il n'empêche que dans cette affaire, M. Chirac a montré une certaine qualité de jugement.

23 avril.

Les forces politiques sont des moyens de conquérir le pouvoir par le suffrage universel. Il est illusoire de détacher leur évolution de la sanction des votes des Françaises et des Français. L'élection d'un président socialiste changera en profondeur les données de la vie politique française. A gauche parce que le rassemblement populaire créera de nouveaux devoirs aux partis politiques. A droite parce que seront balayés ces conglomérats hétérogènes qui ne vivent, ne survivent que par la volonté de servir un homme et par les moyens que le pouvoir leur a abusivement accordés. Imaginez les ralliements au président socialiste ! D'abord les républicains, ils sont nombreux, qui reconnaissent le fait démocratique, voudront aider leur président. Et puis ceux qui n'auront pas cru au changement, mais qui prendront conscience rapidement de celui-ci. Enfin, ceux qui auront subi l'inévitable chantage à la peur que la droite ressort régulièrement de ses placards et qui, eux aussi, auront conscience de leur erreur. Bref, les principaux changements viendront de l'élection d'un socialiste à la présidence de la République.

24 avril.

Vous en appelez au « rassemblement populaire pour le redressement national ». Pourriez-vous expliciter cette notion ? Quels sont les contours de ce rassemblement et quels doivent être les grands axes de ce redressement ?

— J'ai dit qu'en tant que président de la République française, j'aurai besoin de tout le monde. Mais j'ai d'abord besoin d'une majorité d'électeurs, ceux qui, précisément, sont écartés depuis trop longtemps de l'exercice du pouvoir, auxquels s'ajoutent normalement ceux — et ils sont nombreux — qui ont été déçus par un septennat au bilan négatif. Une fois que les citoyens se seront prononcés pour cette autre politique, alors tous les Français — quelles que soient leurs convictions — auront à cœur de travailler pour le redressement national. C'est cela le civisme, c'est cela le patriotisme. Je n'imagine pas un seul instant que telle ou telle organisation professionnelle — d'entrepreneurs, de salariés ou d'autres catégories de producteurs — puisse prétendre s'extraire du climat d'espoir créé par mon élection ou négliger les grandes orientations arbitrées au niveau le plus élevé, celui de la politique. A partir de là, chacun aura sa place pour travailler, pour innover, pour assurer l'expansion économique, le développement social, le rayonnement culturel. Je le répète : en démocratie, il est plus efficace et plus satisfaisant de changer la société par contrat que par décret. Ainsi, chacun se trouvera-t-il devant ses responsabilités.

— *Quelle que soit l'issue des négociations qui s'engageraient, si vous étiez élu, entre P.C. et P.S., n'est-on pas en droit de considérer que le P.S. est durablement engagé, de même d'ailleurs que le P.C., sur une ligne autonome ?*

— N'injurions pas l'avenir. Ne négligeons pas la force de l'élan populaire. Ne sous-estimons pas le bon sens et la raison des Français.

» J'ai posé des questions au Parti communiste. Le Parti socialiste se déterminera en fonction des réponses, quand le moment sera venu.

Pour ma part, j'aurai, comme président de la République, à constituer un Gouvernement, à faire dresser un état de la société française pour mieux en évaluer les forces et les faiblesses, à consulter toutes les forces vives de la nation. Le Gouvernement me relaiera dans ces actions, approfondissant, dans le dialogue social, les problèmes prioritaires, décidant, dans le cadre réglementaire, les premières mesures correspondant au programme qui aura obtenu la faveur des Français. Je serai donc dans l'action, et le Gouvernement avec moi, afin d'assurer les transitions nécessaires, de marquer le cours nouveau des choses, de démontrer qu'il est possible de marier le progrès social et une saine relance de l'économie, l'un épaulant l'autre, et inversement.

C'est en fonction de ces actes que les Français réagiront, sollicités qu'ils seront par moi de prendre part à cet immense mais stimulant exercice de concertation sociale, de prise en main de leur avenir. Croyez-moi, le climat sera tout autre que celui, délétère, qui marque la présente fin de septennat.

— *Quelle idée vous faites-vous du gaullisme en cette fin de campagne ? Quelle idée vous en faites-vous pour le début du prochain septennat ? En quoi un candidat de la gauche peut-il au second tour espérer incarner l'espoir d'au moins une partie des gaullistes ?*

— J'ai été aux côtés du général de Gaulle pendant la guerre. Je l'ai combattu dans la paix. Il a dit, je crois : « Tout le monde a été, est ou sera gaulliste. » Je n'ai pas approuvé sa politique économique et sociale, certains aspects de sa politique institutionnelle, sa position initiale sur l'Europe, tout le monde le sait et je n'ai rien à retirer de ce que j'ai cru devoir faire.

Mais si le général de Gaulle entendait par là une certaine idée d'une France indépendante mais consciente des solidarités indispensables pour survivre et agir, à commencer par la construction d'une Europe capable d'agir pour la paix et la justice, alors je suis d'accord avec sa formule et j'entends bien promouvoir cette France-là. S'il parlait d'une France assez généreuse pour transférer ses énergies, des ventes d'armes à une aide accrue aux pays en voie de développement, alors je serais à nouveau d'accord, puisque je compte impulser une telle évolution et une telle politique. Ma démarche consiste à proposer une politique. Or nul ne contestera que j'ai été on ne peut plus clair sur la défense, nos rapports avec le tiers monde, la conception d'une Europe indépendante des deux blocs, les bases d'un ordre économique et monétaire mondial plus juste et plus efficace.

— Pierre Mauroy a affirmé à Lille : « Avec François Mitterrand, ce sont les classes exploitées qui entreront à l'Elysée. » A la faveur de votre entrée à l'Elysée et du renouveau sociologique que votre victoire implique, peut-on penser que le renouvellement du personnel s'étendra à d'autres niveaux que celui du pouvoir d'Etat ?

— C'est l'alternance, indispensable au bon fonctionnement de la démocratie, qui amènera enfin les classes exploitées et leurs représentants à l'exercice des responsabilités du gouvernement de la France. C'est une démocratisation poussée dans tous les domaines qui fera progressivement de chacun l'auteur de sa propre vie, le participant actif à l'élaboration du destin national dans sa collectivité de travail, dans sa commune, dans son association.

Voilà mon ambition qui est liée aussi à une lutte patiente contre l'inégalité des chances, cette matrice de la société élitiste et technocratique.

Mais pour le reste, pas de chasse aux sorcières, pas de petite ou grande revanche. Chacun aura sa place, notamment dans le service public auquel j'entends redonner toute sa noblesse, et dont je souhaite rénover la déontologie. Chacun à sa place, selon ses mérites, ses apports, son dévouement, sa compétence !

24 avril 1981.

Ce soir, quand les derniers mots auront été dits par tous les candidats, ce ne seront plus les responsables politiques qui auront la parole ; ce sera vous. Et ce que vous déciderez dimanche pèsera lourd sur le choix final du 10 mai. Je veux vous dire très franchement ce que j'en pense.

Candidat des socialistes, je suis aussi, et vous le savez bien, le seul candidat de la gauche qui soit en mesure de l'emporter. Les voix qui se disperseront sur d'autres candidats, aussi respectables soient-ils, compromettront cette victoire. Plus je serai fort dans le scrutin du premier tour, plus j'aurai de chances d'être élu pour conduire le changement. C'est pourquoi je demande à celles et à ceux d'entre vous qui veulent ce changement, une autre politique, un autre président, de m'en donner maintenant le moyen. Seul, je le répète, à pouvoir représenter les forces populaires face à M. Giscard d'Estaing, je le battrai, en votre nom, si vous vous rassemblez dès dimanche sur le mien.

Tout au long de cette campagne, j'ai développé des propositions. Elles sont précises ; elles sont ambitieuses ; elles sont réalisables. J'ai autour de moi des conseillers, des experts, parmi les meilleurs. Ils travaillent depuis plusieurs années et dans chaque domaine, en faisant la part du souhaitable et la part du possible, sans jamais oublier que derrière les chiffres, derrière les statistiques, il y a des femmes et des hommes qui vivent aujourd'hui un drame quotidien. Je pense au chômage, à la vie chère, aux inégalités, à l'inquiétude des jeunes, à la solitude des personnes âgées. Mais qu'ils se rassurent : des équipes nouvelles sont là et la relève est prête. Oui, nous sommes prêts à gouverner. Avec votre soutien, avec votre concours, je ferai sortir la France de la crise.

Vous entendrez dans un moment les deux principaux responsables de la situation dont souffre notre pays. Ils parleront de changement, de sécurité et même d'espérance. Mais comment feraient-ils demain ce qu'ils n'ont pas été capables de faire pendant plus de sept ans ?

Après tant d'échecs, après tant d'engagements non tenus, ils ont perdu le droit de promettre. Renvoyez-les à leur passé et préparons ensemble l'avenir.

Notre peuple dispose de formidables capacités d'intelligence créatrice, d'initiative, de renouveau. Nous avons d'immenses possibilités.

Depuis plus de quinze ans, je lutte pour que le rassemblement populaire, que j'appelle de mes vœux, prenne en charge la renaissance du pays.

J'ai réuni les socialistes ; j'ai réuni la gauche aussi. Et je souhaite qu'elle sache bientôt se retrouver.

Président de la République, je rassemblerai les Français et, sans rien renier de mes convictions, je cimenterai l'unité nationale.

Mais le moment est venu où les forces de la jeunesse, les forces du travail, dans lesquelles j'ai placé mon espoir, assumeront le pouvoir qui leur fut refusé si longtemps. Elles en sont dignes ; elles sont la réalité profonde de la France. La liberté les inspire, et la volonté de rebâtir un grand pays.

Allons, mes chers concitoyens, c'est le moment de décider.

Le 26 avril 1981, Valéry Giscard d'Estaing obtient 28,31 % des suffrages exprimés ; François Mitterrand 25,84 % ; Jacques Chirac 17,99 % ; Georges Marchais 15,34 %. Jamais, dans l'histoire française, le Parti socialiste n'avait obtenu un tel résultat.

27 avril.

Je remercie du fond du cœur les sept millions et davantage encore de Françaises et de Français qui m'ont fait confiance en ce jour important pour la France et pour la République. Et l'on comprendra que j'ajoute l'expression particulière de ma gratitude aux socialistes, mes amis.

Mais le combat continue. Il nous faut maintenant rassembler dans un grand élan national celles et ceux qui ont choisi le changement, contre la politique de chômage, d'injustices sociales et d'inégalités. Ils sont la majorité. Que nul ne relâche son effort et le 10 mai sera jour de victoire pour les forces de la jeunesse, du renouveau et du progrès.

Merci encore à vous toutes et à vous tous dont j'ai ressenti profondément cette manifestation de confiance. Et maintenant ce sont nos idées qui vont gagner, car ce sont les seules qui peuvent assurer l'avenir et le bonheur de la France.

28 avril.

Le premier devoir d'un président de la République est de rassembler les Français. Or, je constate avec regret que la façon dont M. Giscard d'Estaing engage sa campagne du deuxième tour lui interdit désormais d'y prétendre. Il est grave de l'entendre mettre en accusation la majorité des Français qui l'ont désavoué dimanche. Les libertés seraient en danger, dit-il. Je lui réponds hautement : n'insultez pas ceux qui, contre vous, veulent conquérir la liberté de vivre hors des angoisses du chômage dans un pays réconcilié, et qui pensent que se défaire d'abord de votre politique est une chance de vivre mieux. Je rappelle à M. Valéry Giscard d'Estaing que la liberté, c'est le peuple qui l'a conquise il y aura bientôt deux siècles, contre la féodalité de l'ordre ancien, que c'est le peuple qui l'a défendue, souvent au prix de son sang contre la féodalité de l'argent, que c'est le peuple encore qui lutte pour elle aujourd'hui, contre la castre étroite et égoïste que lui, Giscard d'Estaing, incarne.

Je récuse donc la campagne de violence verbale qui annonce d'autres violences du candidat sortant et je ne le suivrai pas sur ce terrain. Il divise. Moi, je veux réunir. Je lui conteste simplement le droit de s'approprier un combat qui appartient en vérité aux forces populaires dont je suis le représentant. « Que les bons se rassurent et que les méchants tremblent », s'écriait en 1849 le prince président, futur Napoléon III qui voulait, lui aussi, se faire réélire président de la République. On croyait ce langage périmé. Je crois que la vieille droite reste dans sa logique, identique à elle-même, sectaire, intolérante. Et j'interroge les Français : est-ce cela qu'ils veulent ? Non, les Français veulent la paix civile, et qu'on respecte, de part et d'autre, notre démocratie. Mais pourquoi M. Giscard d'Estaing agit-il de la sorte ? Il veut tout simplement faire oublier le chômage, la vie chère, les inégalités et l'exclusion des jeunes de notre société. Mon choix de société c'est l'emploi. Le sien, c'est le chômage. Voilà tout. La France n'a pas besoin pour président de ce monsieur super-chômage qui se propose à leurs suffrages.

2 mai.

La présidence de la République n'est ni le commencement ni la fin de tout. Mon ambition est de faire gagner mes idées plus encore que ma personne. J'ai simplement de la suite dans les idées, mes idées font leur chemin et le chemin est ascendant. En 1965, j'ai rassemblé sur mon nom, au deuxième tour, onze millions de voix ; en 1974, quatorze millions. Aux Français de fixer la prochaine étape.

Les idées mûrissent comme les fruits et les hommes. Il faut qu'on laisse le temps au temps. Personne ne passe du jour au lendemain des semailles aux récoltes, et l'échelle de l'histoire n'est pas celle des gazettes. Mais, après la patience, arrive le printemps. Nous y voilà, je pense.

[...] On ne sortira pas de la crise à coups de décrets ou de mesures purement techniques. Pas de changement sans un souffle nouveau. L'élan et l'enthousiasme, voilà ce qui manquent aujourd'hui. Comment des dirigeants fatigués, à court d'idées, blasés et résignés, pourraient-ils arracher le pays à la morosité et à la langueur ? Comment redonner à notre peuple ardeur et ferveur, et donc goût d'entreprendre et de vaincre la crise, s'il n'y a pas inversion du système de valeurs et substitution d'une politique fondée sur le respect de l'homme à une politique centrée sur le profit d'un petit groupe ? Je le dis souvent. Le socialisme de la liberté est avant toute chose un projet culturel : un choix de vie ou de survie, ou plutôt un choix de civilisation. Je propose aux Français d'être avec moi les inventeurs d'une culture, d'un art de vivre, bref d'un modèle français de civilisation.

En tête du texte d'orientation adopté par le dernier congrès du P.S. à Metz, j'avais placé sous le titre « Regarder devant soi » un préambule consacré à la science et à la technique. On pouvait notamment y lire : « *Le refus du progrès technique, la peur de l'acte créateur sont le propre des sociétés perdues. Le danger pour l'humanité n'est pas que l'homme invente, mais qu'il ne maîtrise pas ce qu'il a créé.* » Aucune science en elle-même ne m'inquiète. Toutes me réjouissent et me donnent confiance. Seul l'usage qu'on en fait pose question. Je reprends à mon compte l'image de François Jacob : « *On peut se servir d'un couteau pour peler une pomme ou pour le planter entre les côtes de son voisin.* » Une seule solution : gouverner l'avenir et non en être le jouet. C'est toute la différence entre le régime du laisser-faire de M. Giscard d'Estaing et mon projet.

Prenez l'exemple de la révolution introduite par l'informatique et la génétique. Vont-elles créer une société de solitude, de manipulation et de dépossession ? Ou, au contraire, libérer le travail, inventer des machines à soigner et à enseigner, économiser l'énergie et augmenter le temps et la joie de vivre ? Rappelez-vous l'effroyable régression sociale qui résulta du machinisme en Angleterre au XVIIIe siècle : le travail des enfants attachés à la machine, l'accouchement des femmes à même le sol, la vie écourtée des ouvriers prématurément usés. Voilà ce que je voudrais éviter à l'ère de la troisième révolution industrielle : que l'homme ne soit transformé en robot solitaire, dialoguant avec la seule machine. Mais qu'au contraire les technologies nouvelles l'aident à se retrouver lui-même et à nouer avec les autres hommes un dialogue neuf et amical.

Encore faut-il que notre pays conserve la maîtrise de sa recherche scientifique. Tel ne peut être le cas lorsque les crédits d'aide à la recherche stagnent depuis sept ans. La France doit se placer en tête : le pétrole gris est sa vraie richesse. Là est notre avenir : l'exploration des gisements encore insoupçonnés de notre intelligence.

[...] L'Europe a les moyens d'être le premier continent à sortir de la crise. Il y a l'intelligence, les ressources naturelles, la vitalité, l'industrie, la culture. Mais il manque une finalité, la volonté de relever les défis. D'utiliser les moyens de la science et de l'économie au service d'un projet de civilisation.

Mon ambition est de contribuer à redonner à l'Europe un autre souffle et de lui proposer quelques autres missions mobilisatrices : nouveaux programmes communs de recherche, nouvelles réalisations technologiques communes, préservation de nos patrimoines culturels, maîtrise de notre indépendance intellectuelle face à l'apparition des technologies nouvelles...

A l'Europe aussi de se porter à l'avant-garde de nouvelles relations avec le tiers monde et de porter plus loin encore l'œuvre généreuse et ambitieuse engagée avec succès par mon ami Claude Cheysson, commissaire européen à Bruxelles...

Le système actuel n'est pas sans parenté avec le Second Empire : accaparement de l'Etat par une famille, un clan, une caste ; police des consciences et des cœurs : centralisation et bureaucratisation.

Relisez Victor Hugo et ses éblouissantes analyses du régime de Napoléon le Petit et de son assise sociale : la subordination de l'immense masse des paysans parcellaires, isolés les uns des autres, simple addition de grandeurs de même nom.

Oui, la démocratie est une idée d'avenir. Le moment est venu de l'alternance, ce poumon de la démocratie. Se peut-il que, créateurs de l'idée de République, les Français l'aient laissée se défraîchir ?

Seul, tout seul, l'Etat décide de la vie de nos communes. Seul, tout seul, le préfet gouverne le département. Seuls, tout seuls, les hommes choisissent trop souvent à la place des femmes. Seuls, tout seuls, les directeurs de télévision... Seuls, tout seuls, les mêmes décident de tout pour tous, et se trompent souvent.

Autre est mon projet. Je fais confiance à la vie, je crois aux vertus de nos intelligences partagées, je souhaite qu'à chaque étage du pouvoir la voix de chacun soit écoutée, et sa contribution imaginative ou critique sollicitée.

Bref, une démocratie est à construire : une administration transparente, une information libre et contradictoire, un apprentissage généralisé des responsabilités, des collectivités locales enfin librement gérées. Là où il vit et travaille, le citoyen doit pouvoir peser sur son destin et infléchir le cours des choses.

Aucun des projets de libéralisation, annoncés à grand fracas de publicité, n'a été mis en chantier : ni le financement des partis, ni l'établissement de la proportionnelle, ni la réforme du Parlement, ni la décentralisation... Tant d'engagements non tenus font perdre à jamais le droit de promettre.

Je n'ignore pas, avec Thucydide et Montesquieu, que tout pouvoir est porté à abuser de son pouvoir. Aussi bien proposerai-je, dès les premières semaines suivant mon élection, l'adoption de grandes lois de liberté portant sur la radiotélévision, la décentralisation, les droits des travailleurs, les droits de la femme, etc.

La réalité même du travail est encore aujourd'hui trop proche de son sens étymologique : instrument de torture. Pour beaucoup de femmes et d'hommes, le travail signifie peine, souffrance, humiliation. Et pourtant, qui en cette période de chômage ne s'inquiète de le perdre ? Le travail est la seule source de survie matérielle pour des millions de gens. En vérité, le combat pour le droit effectif à l'emploi et le combat pour la transformation des conditions de travail sont un seul et même combat. Les larmes de crocodile de ceux qui plaident pour une humanisation du travail, sans jamais au demeurant l'entreprendre, m'indignent. Les dissertations pour dames du monde sur les bienfaits du travail ne sont plus tolérables dans la bouche de ceux qui privent les travailleurs de leur première dignité : servir la communauté nationale par l'exercice d'une activité de production.

Ennoblissement ou servitude ? Le choix serait-il seulement entre l'aristocratie et l'esclavage ? En vérité, la fonction du travail se situe ailleurs. Le travail est indissolublement lié au génie même de l'être humain. Il est transformation du monde, recréation des idées, découverte des mystères de l'univers. Le travail est un acte naturel : la contribution de chacun à l'avancée des hommes.

Comme tel, il pourrait être source de joie et de plénitude. Je m'emploierai de toutes mes forces à redonner au travail sa signification originale d'acte de création.

3 mai.

Depuis quelques jours, un extraordinaire effort de propagande voudrait faire oublier aux Françaises et aux Français la réalité de la crise dont ils subissent les douloureux effets depuis bientôt sept ans. Une mise en scène à grand spectacle voudrait faire passer derrière le décor le chômage, la vie chère, les inégalités sociales et l'exclusion de la jeunesse de notre société.

Ce dimanche[20], des experts parmi les plus qualifiés se sont réunis ici, sous la présidence de Pierre Mendès France, pour étudier les dossiers économiques et sociaux du pays. Ils nous ont apporté leur compétence et leur conviction. J'y ai participé au niveau de la préparation et ai pu y entendre plusieurs interventions de qualité. Je les en remercie. Le travail qu'ils ont

20. Au Palais du Luxembourg.

accompli montre que la relève est prête et je suis heureux que Pierre Mendès France ait bien voulu présenter leurs conclusions.

Pour ma part, je voudrais limiter mon propos à quelques observations.

Avant le premier tour, M. Giscard d'Estaing, pour essayer d'échapper à son bilan, a fait appel à la fatalité de la crise. Les Françaises et les Français ne s'y sont pas résignés. Ils ont été attentifs à ce qu'ont dit les autres candidats et ils savent maintenant qu'une autre politique est possible.

Le candidat sortant a donc été contraint de changer ses batteries, de modifier sa tactique. Lui qui se voulait calme et souverain, le voici agité et perdant tout contrôle. Au lieu de discuter mes propositions, de parler de l'avenir en termes de projet et de programme, il n'a plus qu'une idée : éveiller des réflexes de peur en brandissant l'épouvantail d'un changement de société. J'ai déjà dit ce qu'il fallait en penser. Les chômeurs, les agriculteurs obligés de quitter leur terre, le commerçant ou l'entrepreneur acculés à la faillite ont déjà subi le choix de société de M. Giscard d'Estaing. L'argument a trop servi pour être encore pris au sérieux.

Ce qui est grave, c'est qu'un candidat qui prétend au gouvernement de la France puisse se comporter de la sorte. Il est dangereux, dans les circonstances où nous sommes, de jeter l'anathème sur une partie de la France, d'en dresser une moitié contre l'autre, en la traitant comme si elle n'avait pas le même amour de la patrie et la même volonté de la servir.

J'ai déjà dit que je ne suivrais pas le candidat sortant sur ce terrain. Je sais que c'est en rassemblant toutes les énergies, tous les savoir-faire et, en premier lieu, les forces du travail et de la jeunesse, que l'on sortira notre pays de la crise. Plus nous serons nombreux, mieux nous y parviendrons.

En appeler à la peur, l'organiser, parler de « valse avec la mort », de « Pologne de l'Occident » c'est perdre le sens commun, comme c'est perdre le sens commun que de n'avoir plus pour recours que les menaces sur la bourse. Bref, en appeler à la peur, c'est battre en retraite.

Croyez-moi, rassembler et unir, c'est chercher au contraire à rétablir la confiance en les chances de la France.

M. Giscard d'Estaing incarne une politique qui a échoué. Je représente l'autre politique qui reposera sur l'adhésion profonde du pays. Vous le savez bien, l'économie ce n'est pas seulement une affaire de chiffres et de technique, c'est une affaire de volonté et c'est aussi une question de confiance entre le Gouvernement et le peuple. Comment voudriez-vous que la confiance renaisse avec ceux qui ont échoué ? Comment les travailleurs et leurs syndicats pourraient-ils avoir confiance dans un pouvoir qui les ignorerait, les traiterait par l'indifférence, voire le mépris ? Comment un chef d'entreprise pourrait-il faire confiance à une politique déterminée par une dizaine de groupes très puissants qui dictent leur loi à tous les autres ?

Parce que j'ai foi dans les capacités de notre pays, je ferai appel à toutes les bonnes volontés, à la seule condition que l'intérêt général prime sur les intérêts des privilèges de la fortune et du pouvoir.

La peur, c'est la méfiance envers soi-même, le doute dans les possibilités de la France. La peur, c'est le chômage et le désordre qu'engendre toute société en crise. La confiance, c'est le retour au plein emploi dans une économie qui se remettra en état de marche. C'est l'appel à l'enthousiasme, à la générosité de notre peuple, à son aptitude à faire face, pour peu qu'on lui parle le langage du courage et de la vérité. Pour redonner toutes ses chances à la France, il faut unir et non déchirer. C'est dans cet esprit, que j'aborde la dernière semaine de la campagne électorale.

5 mai.

Vous êtes près de la victoire et tout, nous dit-on, peut se jouer sur un écart de cent à deux cent mille voix, dans les deux ou trois derniers jours. Or ces ultimes hésitants ne se décideront pas en fonction de la préférence qu'ils auraient pour Giscard d'Estaing mais, peut-être, de la peur que votre programme leur inspire. La peur, vos adversaires s'emploient à la susciter, à l'amplifier, à l'organiser. On ne parle plus de votre programme, on parle de collectivisme.

— C'est exact. Il n'y a plus du côté de la droite aucun débat sur le fond, plus rien que deux mots magiques : collectivisme, bureaucratisme. Ajoutons-y, pour faire bonne mesure, les perspectives d'inflation, de dissolution, les ministres communistes, la C.G.T. dans la rue, les craintes des P.M.E. N'ai-je rien oublié ? Eh bien, parlons-en, et clairement !

Je veux ici, chez vous, lever toutes les ambiguïtés et aller au fond des choses, point par point. J'ai reçu des lettres ahurissantes de retraités me demandant s'ils allaient perdre leur retraite, de petits propriétaires m'interrogeant : pourront-ils conserver leur modeste maison, fruit de toute une vie de travail ? Je sais bien que, dans l'imagerie du schématisme électoral, parler de « collectivisme », c'est une façon de dire aux Français : « Demain, on va tout vous prendre. » Du moins tel est l'effet que recherche Giscard. Mais qu'on en soit là, qu'on ait pu par une propagande éhontée conduire des femmes et des hommes simples à se poser de telles questions, c'en est trop.

Aujourd'hui, je m'expliquerai sur tout. Parlons donc d'abord du collectivisme, maître mot de mes adversaires. Qu'est-ce que c'est exactement ? Le concept est apparu il y a bien longtemps, alors que toute une classe sociale, celle des travailleurs, du prolétariat, était exploitée, humiliée, agressée. Elle vivait sans espoirs et sans perspectives. Et elle rêvait. Elle imaginait évidemment, comme solution à ses problèmes, une société idéale qui serait l'exacte antithèse de ce qu'elle subissait : le profit n'y jouerait plus aucun rôle, chacun produirait des biens que tous partageraient en un équilibre harmonieux. Vision utopique ? Sans doute. Mais pas plus que celle des premiers chrétiens imaginant eux aussi la cité parfaite. Dans leur foi et leur élan, ces chrétiens du début recommandaient de vivre non seulement selon la parole du Christ mais d'aller encore plus loin, de se contraindre et de se dépasser, de se retirer dans les cloîtres ou dans les monastères. Et ils le firent, pendant toute la période conventuelle. Est-ce une raison pour affirmer, aujourd'hui, que le but de l'Eglise catholique était de réduire toute la chrétienté à l'état monastique ? Absurde !

Pourtant, ce procès, ce faux procès, est de tout temps intenté au socialisme. Depuis le XIXe siècle, de grands esprits et des théoriciens ont bâti des doctrines qui ont fait voyager le socialisme du scientisme à l'utopie, de la coopération à l'autogestion, du réformisme à la révolution... Ça, c'est l'histoire du socialisme, de ses avancées et de ses contradictions, de son incessante recherche. M. Giscard d'Estaing, lui, qui semble ignorer cette histoire, me relie, par tactique, à une expérience donnée qui est la pratique soviétique du collectivisme. C'est-à-dire exactement ce à quoi nous autres, socialistes, avons tourné le dos depuis plus de soixante ans, depuis le congrès de Tours, parce que nous avons toujours refusé la mise en coupe d'une société où ni les libertés ni la délibération à la base ne nous semblaient assurées. Nous avons réfuté très tôt ce système, ce qui nous a valu une véritable guerre de religion. Voyez avec quelle constance et quelle maestria jusqu'à aujourd'hui ont été dirigés les coups contre toute expérience socialiste non conforme au modèle soviétique. Et on voudrait maintenant nous assimiler au marxisme-léninisme ? Nous accuser de tout ce qui justement nous en distingue ? Nous faire endosser ce que nous dénonçons ? Il y a là, de la part de M. Giscard d'Estaing et de la droite, un détournement intellectuel, une perversion morale qui ne m'étonnent pas mais m'indignent.

— *Cela signifie-t-il que vous reniez le collectivisme en tant que concept révolutionnaire ?*

— Le collectivisme, je le répète, fait partie — comment dire ? — de notre passé commun à nous tous, socialistes, nous qui avons rêvé, voulu, agi, pour que cesse l'exploitation de l'homme par l'homme. Et, pour qu'elle cesse, il faut commencer par changer les structures économiques qui en sont le facteur principal, il faut s'attaquer à une société tout entière vouée à la recherche du profit pour le profit, toutes autres valeurs éliminées. Mais les approches et les moyens diffèrent selon les tempéraments, les expériences, les caractères nationaux, l'évolution des temps. Certains ont été jusqu'à l'extrême pointe du raisonnement, d'autres se sont arrêtés à mi-chemin, tous avaient le même objectif, libérer l'homme, même quand ils se sont trompés. Engels est mort en disant : « *Mon honneur aura été d'être resté jusqu'à la fin un bon social-démocrate.* »

— *La social-démocratie apparaît quand même comme étant la plus en rupture avec ce patrimoine commun.*

— Il serait injuste de le dire. Les social-démocrates ont quand même réalisé de grandes choses. Le reproche qu'on peut leur faire et que certains d'entre eux se font à eux-mêmes aujourd'hui, c'est de n'avoir pas atteint la société capitaliste dans son véritable pouvoir de décision économique. Le résultat, c'est que, lorsque les conservateurs reprennent le pouvoir, ils parviennent en quelques années à détruire tout l'édifice péniblement bâti. Le grand capital s'impose avec d'autant plus de vigueur qu'il a toujours été là.

— *Entre le modèle soviétique que vous réfutez et la social-démocratie scandinave que vous critiquez, où situez-vous le socialisme français ?*

— Si on avait réalisé, en France, ce que les socialistes scandinaves ont fait, nous n'aurions pas à nous en plaindre. Quant à notre conception du socialisme, je la crois plus « avancée », plus engagée que la social-démocratie, mais elle n'a évidemment rien à voir avec le modèle soviétique, dont je viens de vous dire ce que nous pensions et auquel personne — sauf M. Giscard d'Estaing — ne saurait réduire l'histoire du socialisme. Mais je ne devrais pas m'indigner : au fond, cet amalgame est un des grands classiques de la propagande de droite. Chaque fois que la gauche est portée vers le pouvoir, la droite ressort le même vieux thème du collectivisme-épouvantail. Louis Blanc, pourtant bien modéré, était déjà traité de communiste en 1848. Alors moi !

— *Mais cela semble marcher de moins en moins.*

— C'est vrai. La gauche unie a approché 50 % des suffrages en 1974 et en 1978. Et en 1978, dans quelles conditions !

— *Il reste que ceux des Français qui n'auront pas voté pour vous sont inquiets sur un plan très pratique, très concret. Ils ont peur de l'impôt sur le capital, de l'inflation, de la bureaucratisation, des communistes dans la rue... que sais-je.*

Il y aura un impôt sur les grandes fortunes, c'est vrai, au-dessus de trois millions de francs (trois cents millions de centimes), l'instrument de travail étant mis hors de ce calcul. Nous ne voulons pas taxer, par exemple, la valeur de la terre, instrument de travail de l'exploitation familiale agricole, ni le fonds de commerce, autre instrument de travail. L'inflation me posera certainement un grave problème. D'abord, parce que j'hériterai d'une situation très mauvaise : nous étions déjà à près de 14 % d'inflation l'an dernier, ce qui représente une importante prime pour les riches, un lourd impôt pour les pauvres. Ensuite, si je veux — et je le veux — relancer la demande — avec, bien entendu, la relance de l'investissement —, il faudra veiller au grain jusqu'à ce que l'industrie française, remise à flot, tourne enfin au plein de sa capacité et ait atteint un meilleur niveau de compétitivité. Il y aura dix-huit mois difficiles à passer ; mais le moyen de faire autrement ? C'est cela — ou la mort par asphyxie, par maladie de langueur. Je crois les Français assez responsables pour pouvoir assumer avec moi cette difficulté et assurer ainsi leur survie à long terme.

— *On vous posera évidemment la question : comment allez-vous financer tout cela ? Comment relancer la demande ?*

— Je ne peux pas tout développer ici. Une relance sélective de la consommation populaire, assortie de l'ouverture de la négociation sur la réduction du temps de travail — réduction du temps de travail des femmes et des hommes, pas des machines ! —, et un plan de grands travaux et de construction de logements, créeront un élan nouveau. Vous savez, il y a beaucoup de vrai dans le vieux proverbe : « *Quand le bâtiment va, tout va.* » Le bâtiment fait travailler des centaines de milliers de gens, des petites entreprises souvent très décentralisées qui ne provoquent pas d'inflation parce qu'elles importent peu. De plus, certains aspects de leurs activités (comme l'isolation pour économiser l'énergie, par exemple) sont particulièrement intéressants. Cela vaut la peine de lancer un emprunt pour une telle relance. D'ailleurs, ne voit-on pas à quel point il est indispensable de recréer des activités productrices ? Savez-vous qu'actuellement des centaines de milliers de locataires d'H.L.M. ne peuvent plus payer leur loyer et leurs charges locatives et sont menacés d'expulsion — et les H.L.M. de faillite ? Comment s'en sortir ? Dans l'immédiat, il faudrait d'abord déclarer un moratoire et, ensuite, essayer de débloquer le système. Je ne vois pas d'issue à tous ces problèmes si on ne se décide pas à faire ce que je propose, d'une manière réaliste : aller vers la croissance, ranimer la production industrielle, le mouvement, la vie tout simplement. Alors, la richesse nationale augmentant, on pourra la redistribuer mieux : je pense naturellement à une redistribution répartie entre le capital, le travail et l'investissement. Est-ce là de l'utopie ?

— *Voulez-vous ainsi rassurer les artisans, les commerçants et surtout les petits et moyens entrepreneurs, qui sont, c'est vrai, extrêmement inquiets ?*

— Mais qu'est-ce qui menace les P.M.E. dans le projet socialiste ? Que craignent-elles ? Les nationalisations ? Seront nationalisées les entreprises par nous désignées, c'est tout. Celles qui n'y figurent pas n'ont rien à redouter. Quand la situation aura évolué au point d'entraîner une révision de cette liste (à mesure que se formeront de nouveaux monopoles dans des secteurs clés de l'économie), ce seront les Français qui en décideront. Par le moyen des élections. Ce que je dis ici a valeur de contrat. La bureaucratie ? Les charges ? Les P.M.E. en sont actuellement tellement écrasées qu'il me semble difficile d'imaginer plus. Ce qu'elles ont à redouter, c'est le poids du C.N.P.F., du grand patronat, qui veut se servir d'elles comme de chair à pâté. C'est pourquoi je juge nécessaire d'assurer la représentation du patronat indépendant dans toutes les instances de concertation et de décision.

C'est étrange, mais dans ce monde difficile de l'entreprise, de la liberté d'initiative, de la lutte pour devenir le plus fort et le plus puissant, les petits ou les moyens s'identifient toujours aux très gros, et c'est souvent vrai également dans l'agriculture. Ils ne voient pas que ce sont les gros, justement, qui les exploitent, les dévorent. La tendance naturelle du grand capital, sa pente, est d'accélérer les fusions et les concentrations pour augmenter encore les profits. Les petits en font les frais, ils sont les premières victimes de ceux qui les transforment en sous-traitants, puis en salariés, enfin en chômeurs. En luttant contre les monopoles et la concentration, je les protège contre cette mise en coupe. Logiquement, ils devraient me soutenir.

Quant aux comités d'entreprise, ils sont entrés dans notre droit en 1945 : ils y resteront ! Et verront leurs compétences accrues à la mesure du besoin social et de la nécessaire information économique.

— *Que se passera-t-il pendant les treize jours de l'interrègne, entre Giscard et vous ? Craignez-vous des fuites de capitaux ?*

— Dans une hypothèse de ce genre, le Gouvernement en place, donc celui de M. Barre, aurait le devoir de prendre les mesures indispensables. Au besoin, je le lui rappellerais.

— *Et ensuite, avec le Gouvernement transitoire ?*

— Ce ne sera pas un Gouvernement transitoire mais le Gouvernement tout court, le Gouvernement de la République, nommé et exerçant ses compétences comme le veut la constitution. Il se mettra sans tarder au travail et prendra toutes les initiatives et décisions nécessaires. Le mouvement sera créé, les Français s'en rendront compte. En outre, le Gouvernement préparera les élections législatives qui devront avoir lieu en juin, avant les vacances d'été.

— *A ce moment peut s'exercer la pression des communistes. Marchais, comme il l'a dit lui-même, ne roule pas gratuitement.*

— Aucun Parti politique ne roule gratuitement.

— *Alors, quel prix le P.C. va-t-il demander ? Comment va-t-il s'imposer ou essayer de s'imposer ? Imaginez-vous déjà la négociation ?*

— Il faut reconnaître à Georges Marchais et à la direction du Parti communiste qu'ils ont pris leur responsabilité avec beaucoup de clarté, sans chercher à négocier. Simplement parce qu'ils ont estimé devoir agir ainsi et qu'ils ont su tirer les leçons du caractère particulier d'une élection présidentielle très différente des autres consultations populaires. Pourquoi chercher midi à quatorze heures ? Pour le reste, il faut se rappeler que la gauche a rompu en 1977 parce qu'elle a échoué dans l'actualisation de son programme de gouvernement. Nous vivons encore sur cette rupture, ce qui signifie qu'un débat de fond est nécessaire entre les formations politiques de gauche pour savoir si elles peuvent ou non s'entendre sur un contrat de gouvernement. D'ici là, j'entends mettre en place un Gouvernement cohérent, harmonieux, sur la base de mes options. Je ne ferme pas la porte à l'avenir. Si on m'apporte, après les élections législatives, cette cohérence que je souhaite, si les Français y souscrivent, alors j'en tirerai la conclusion normale et je gouvernerai avec la majorité issue des élections.

— *Et la C.G.T. dans la rue, exerçant une pression vigoureuse, cela ne vous inquiète pas ?*

— D'abord, ce serait une illusion de croire que les pressions sociales me seront réservées. Croyez-moi, Valéry Giscard d'Estaing en aurait beaucoup plus que moi sa part si jamais il était réélu. Ensuite, je crois que les partenaires sociaux, face à mes propositions et à ma politique de concertation permanente, ne pourront pas ne pas se sentir concernés, impliqués, intéressés. Le premier mois, des mesures. Le second, des élections. Ensuite, de vastes réalisations. De toute façon, nous n'aurons pas le choix entre l'épreuve et l'harmonie mais entre une épreuve assumée par l'ensemble de la nation et une épreuve que la caste qui nous gouverne encore tentera de maîtriser à son seul profit.

— *Passons à la politique étrangère : Brejnev a rencontré Schmidt, il propose de rencontrer Reagan. S'il veut vous voir, que répondrez-vous ?*

— Que j'y suis prêt. Mais après une bonne préparation des conversations. La négociation est utile avec Moscou, notamment sur les problèmes de désarmement et de sécurité collective. Mais sans rien dissimuler de notre point de vue et en veillant à ce que les Soviétiques n'aient pas le sentiment d'avoir devant eux une diplomatie sans échine.

— *Les fusées américaines Pershing vont s'installer en Europe, en réponse à l'installation des S.S. 20 soviétiques. Pensez-vous qu'il faut là aussi négocier d'abord avec l'U.R.S.S. ou laisser les fusées américaines s'installer et voir ensuite ?*

— Les Soviétiques proposent de « geler » les S.S. 20. La première chose à faire, c'est de leur demander ce qu'ils entendent par gel. Si c'est le départ de leur S.S. 20, très bien. Nous n'aurons pas besoin des Pershing non plus. Heureusement. Car elles répondent à un déséquilibre des forces en Europe par un déséquilibre des forces dans le monde. Je m'explique : les S.S. 20 ne traversent pas l'Atlantique, elles ne menacent que l'Europe, pas les Etats-Unis. En revanche, les Pershing américaines seront pointées sur les centres vitaux de l'Union soviétique : elles mettront moins de temps à les atteindre que les fusées soviétiques à atteindre les Etats-Unis. Cette simple différence de temps romprait l'équilibre entre les grandes puissances. Les Russes ne peuvent, dès lors, que vivre dans la crainte ; et la crainte ou la méfiance sont toujours mauvaises conseillères. Cela dit, que l'on aborde franchement et sans délai le problème des S.S. 20, condition première de tout arrangement.

— *La doctrine américaine actuelle consiste à expliquer par un terrorisme d'origine soviétique toute tension politique ou toute évolution dans les pays du tiers monde. Si les Américains tentent de faire partager par leurs alliés leur nouvelle attitude et leurs choix diplomatiques, que doit faire la France ?*

— Que la France garde donc sa liberté de jugement ! Notamment en maintenant ses aides à qui elle veut, Nicaragua ou Salvador, par exemple. Dans des pays où les oligarchies exercent une dictature insupportable, appeler automatiquement communiste ou cubaine toute révolte populaire est simplement une folie. Souvenez-vous de Foster Dulles, qui pensait faire barrage au communisme en Indochine en faisant barrage aux partisans nationalistes de l'indépendance. Résultat, on a rendu communistes ceux qui étaient nationalistes. La position américaine d'aujourd'hui, notamment en Amérique latine, me semble retomber dans cette erreur-là.

Quand il se produit ou se produira une intervention réelle de l'U.R.S.S., comme c'est le cas en Ethiopie, bien entendu nous devrons en tenir compte dans notre appréciation du rapport de forces mondial et, là encore, parler clair et sans retard.

— *On connaît vos positions sur le Proche-Orient. Mais, une fois au pouvoir, est-ce que vous ne changerez pas d'avis ? Ne considérerez-vous pas que l'intérêt de la France, finalement, est d'avoir une politique proarabe ?*

— On sait ce qui me vaut, je crois, l'amitié de la communauté juive de France : c'est sans doute mon admiration connue pour le génie du judaïsme. C'est aussi la solidarité dont j'ai fait preuve lorsque cette communauté a souffert. Et peut-être le fait que je n'aie jamais changé de position sur un problème pour elle à la fois intime et déchirant, celui d'Israël. Je ne suis pas l'homme des séductions électoralistes oubliées aussitôt l'élection terminée. Mais ce dont je suis le plus fier, c'est que cette amitié, précieuse, me permet aussi de n'avoir qu'un langage. Je peux me permettre d'insister, sans que nul ne se trompe sur ma pensée, sur l'opportunité et l'urgence d'une patrie aux Palestiniens. Comme je peux me permettre de dire aux Palestiniens que rien ne sera possible sans l'assurance de la pérennité d'Israël dans des frontières sûres et reconnues. A cause de cette liberté, je peux compter — je m'y efforcerai, en tout cas — autant sur l'amitié des juifs que sur l'estime des Arabes et, croyez-moi, j'ai éprouvé l'une et l'autre. La France fera tout pour que les Israéliens puissent sans angoisse, même secrète, coexister avec les Palestiniens dans une région du monde où ne devraient jamais se reproduire les atroces événements qui font saigner le Liban martyr d'aujourd'hui.

— *Ne regrettez-vous pas de ne pouvoir exposer tout cela à la télévision, au cours de ce grand débat que vous avez, paraît-il, refusé*[21] *?*

— Je ne l'ai pas du tout refusé. Valéry Giscard d'Estaing a décidé tout seul du nombre, de la nature, des thèmes de nos rencontres, et il a considéré d'emblée que ce sont les gens choisis par lui qui devraient arbitrer. Moi, j'ai demandé une seule chose : que la direction du débat soit assurée par un jury impartial de journalistes choisis d'un commun accord. Que je désigne de mon côté des journalistes et lui de même, et le débat aura lieu. Ces journalistes organiseront, animeront le débat qui ne peut être abaissé au rang d'un corps à corps ! Même le catch a des règles. Est-ce trop exiger ? En tout cas, le candidat sortant a refusé jusqu'ici ce minimum.

— *Ne craignez-vous pas que, cette fois-ci encore, la gauche ne fasse au pouvoir qu'un passage éclatant mais bref ?*

— Ce fut vrai autrefois, au temps du Cartel des Gauches, du Front populaire, de même à la Libération. Je crois que cette fois, les institutions de la Ve République qui nous ont si longtemps écartés du pouvoir, contribueront à nous y maintenir. Et nous avons pu cette fois-ci réfléchir, définir une politique, en étudier les moyens, préparer le court terme dans la perspective du long terme, bref prévoir.

---

21. Le débat télévisé a eu lieu le mercredi 6 mai.

— *Que voulez-vous dire par là ? Qu'envisagez-vous ?*

— Oh ! simplement qu'il me faudra très largement rassembler les Français ! Je m'y sens prêt. J'ai déjà rassemblé les socialistes, puis j'ai contribué à rassembler la gauche. Aujourd'hui, j'essaie de repousser les frontières de cette gauche, de l'élargir encore. Demain, lorsque je serai élu, je demanderai à être jugé sur mes actes. Et je crois que je serai en mesure de prouver qu'il est possible de rendre à notre pays non seulement l'espoir, mais aussi l'unité.

3 mai.

Françaises, Français, avant de terminer ce soir cette campagne présidentielle, je répondrai à trois questions qui préoccupent un certain nombre d'entre vous. La première question est celle-ci : Si vous m'élisez dimanche Président de la République, que se passera-t-il dans les semaines qui suivront ? Ma réponse sera simple, je nommerai un Premier ministre, avec lui je constituerai le Gouvernement, et ce Gouvernement sera formé de femmes et d'hommes qui auront soutenu mon action ou qui auront rejoint mes options politiques. Pourquoi ? Parce que le Gouvernement de la République doit être cohérent pour agir. Nous serons alors à la fin du mois de mai. Aussitôt après, j'engagerai une vaste consultation avec les organisations syndicales, ouvrières, patronales, cadres, avec la Fédération de l'Education nationale, avec les organisations agricoles, artisanales, commerciales, avec les Mutuelles, avec les grandes associations familiales, culturelles, écologistes. Je leur demanderai notamment leur avis sur la réduction du temps de travail, ses moyens et ses conséquences. De son côté, le Gouvernement ne perdra pas une minute pour prendre les mesures économiques et sociales nécessaires à la relance pour lutter contre le chômage. Entre-temps, faute de pouvoir faire autrement, je dissoudrai l'Assemblée nationale dont la majorité aura été désavouée par l'élection présidentielle. Et les élections législatives auront lieu, dans ce cas, conformément à la Constitution, dans un délai de vingt à quarante jours : ce seront les organisations politiques, les partis qui auront préparé les élections. Je demanderai pour ma part au pays de donner à la majorité présidentielle son prolongement parlementaire, et c'est vous, Françaises et Français, qui déciderez. Nous en serons alors au 28 juin. Ainsi seront scrupuleusement respectées les règles de notre démocratie.

Deuxième question. Qu'y a-t-il de vrai dans les affirmations de M. Giscard d'Estaing, ces derniers jours, au sujet de mon programme ? Je n'hésite pas à le dire, tout est faux. Je sais que déferle sur la métropole et l'outre-mer une vague de calomnies, nous nous trouvons devant des manœuvres électorales que je vous laisse le soin de qualifier. Je méprise ces méthodes. Mais il n'est pas vrai que je veuille taxer le logement et les résidences principales, il n'est pas vrai que je me propose d'augmenter les droits de succession en ligne directe, alors que précisément je veux au contraire les réduire, à l'exception des grandes fortunes. Il n'est pas vrai que je veuille m'en prendre à la retraite des cadres. Il n'y aura pas de déplacement de la cotisation vieillesse, et je préserverai les régimes complémentaires. Il n'est pas vrai que je veuille nationaliser la médecine et les pharmacies. Il n'est pas vrai que je veuille abandonner les départements d'Outre-Mer, alors que je prêterai plus d'attention encore à leur condition d'existence comme à celle de tous les Français. Je suis engagé devant vous par mon programme présidentiel et par lui seulement. Mon concurrent a le droit de le critiquer, il n'a pas le droit moral et politique de le déformer. Il serait déplorable que la campagne électorale s'achève autrement que dans la dignité. Quoi, le président de la République de demain sera à l'évidence l'un des deux candidats d'aujourd'hui. Nous avons l'un et l'autre la même obligation : assurer l'avenir de la France dans l'unité des Français.

La troisième question est celle-ci : peut-on changer de politique sans changer de Président ? Il suffit pour y répondre de regarder ce qui s'est fait pendant sept ans, de faire le compte des engagements non tenus, de comparer les promesses d'aujourd'hui à celles de 1974, et on ne peut guère attendre, espérer du même homme, pour demain, que les mêmes échecs et les mêmes défaillances. La voix populaire nous crie : sept ans, cela suffit. Et il est vrai que quatorze ans ce serait courir trop de risques. Quels Français, je vous le demande, auraient à perdre au changement ? Pensez-vous qu'un jeune, fille ou garçon, qui termine ses études aura plus de chances de trouver un emploi si la même politique continue ? Pensez-vous qu'un travailleur, homme ou femme de cinquante ans, aura plus de chances d'échapper au chômage si la même politique continue, pensez-vous qu'un petit épargnant aura plus de chances de sauver ses maigres revenus, si la même politique continue ? Pensez-vous qu'un consommateur aura plus de chances de garder son pouvoir d'achat si la même politique continue ? J'arrête là mon énumération, il n'y a rien de plus à attendre du candidat sortant.

Je vous propose cinq objectifs : vaincre le chômage, relancer l'économie, construire une société plus juste, plus libre, plus responsable, restaurer la vigueur et l'indépendance de la France, défendre la paix dans le monde. Elu président de la République, je serai l'homme de la réconciliation, s'il le faut, du rassemblement, du dialogue. Dans la fidélité à mes engagements. J'entendrai les forces syndicales, toutes les forces syndicales, les partis politiques, tous les partis politiques et les mouvements de pensée. Je m'efforcerai de rétablir notre unité dans un grand élan de renaissance nationale.

Françaises, Français, en ce jour du 8 Mai, anniversaire de la victoire, de la liberté sur l'oppression, du courage sur la résignation, je me présente à vos suffrages. Sûr de vous, sûr que vous agirez comme vous l'avez toujours fait aux grandes heures de notre histoire.

Le 10 mai 1981, François Mitterrand obtient 51,76 % des voix, Valéry Giscard d'Estaing 48,24 %

A 20 h 30, l'état-major de Valéry Giscard d'Estaing diffuse un message du Président sortant : « J'adresse mes vœux à M. François Mitterrand pour son élection à la présidence de la République. Je crois avoir fait tout ce qui dépendait de moi pour expliquer aux Françaises et aux Français la portée et les conséquences de leur choix... »

22 h 27, Château-Chinon.

Cette victoire est d'abord celle des forces de la jeunesse, des forces du travail, des forces de création, des forces du renouveau qui se sont rassemblées dans un grand élan national pour l'emploi, la paix, la liberté, thèmes qui furent ceux de ma campagne présidentielle et qui demeureront ceux de mon septennat.

Elle est aussi celle de ces femmes, de ces hommes, humbles militants pénétrés d'idéal, qui, dans chaque commune de France, dans chaque ville, chaque village, toute leur vie, ont espéré ce jour où leur pays viendrait enfin à leur rencontre.

A tous je dois et l'honneur et la charge des responsabilités qui désormais m'incombent. Je ne distingue pas entre eux. Ils sont notre peuple et rien d'autre. Je n'aurai pas d'autre ambition que de justifier leur confiance.

Ma pensée va en cet instant vers les miens, aujourd'hui disparus, dont je tiens le simple amour de ma patrie et la volonté sans faille de servir. Je mesure le poids de l'Histoire, sa rigueur, sa grandeur. Seule la communauté nationale entière doit répondre aux exigences du temps présent. J'agirai avec résolution pour que, dans la fidélité à mes engagements, elles trouvent le chemin des réconciliations nécessaires. Nous avons tant à faire ensemble et tant à dire aussi.

Des centaines de millions d'hommes sur la terre sauront ce soir que la France est prête à leur parler le langage qu'ils ont appris à aimer d'elle.

J'ai une autre déclaration brève à faire. A M. Giscard d'Estaing que je remercie de son message, j'adresse les vœux que je dois à l'homme qui, pendant sept ans, a dirigé la France. Au-delà des luttes politiques, des contradictions, c'est à l'Histoire qu'il appartient maintenant de juger chacun de nos actes.

21 mai 1981. A 10 h 34, dans la salle des fêtes du Palais de l'Elysée, le président du Conseil constitutionnel, Roger Frey :

« Monsieur le président de la République, le 15 mai 1981, le Conseil constitutionnel a constaté que le scrutin du 10 mai dernier vous a conféré la majorité absolue des suffrages exprimés.

En vertu des articles 7 et 58 de la Constitution, le Conseil constitutionnel a donc l'honneur de proclamer votre élection à la présidence de la République... »

En ce jour où je prends possession de la plus haute charge, je pense à ces millions et ces millions de femmes et d'hommes, ferment de notre peuple, qui, deux siècles durant, dans la paix et la guerre, par le travail et par le sang, ont façonné l'histoire de France sans y avoir accès autrement que par de brèves et glorieuses fractures de notre société. C'est en leur nom d'abord que je parle, fidèle à l'enseignement de Jaurès, alors que, troisième étape d'un long cheminement, après le Front populaire et la Libération, la majorité politique des Français, démocratiquement exprimée, vient de s'identifier à sa majorité sociale. Il est dans la nature d'une grande nation de concevoir de grands desseins. Dans le monde d'aujourd'hui, quelle plus haute exigence pour notre pays que de réaliser la nouvelle alliance du socialisme et de la liberté, quelle plus belle ambition que de l'offrir au monde de demain ? C'est en tout cas l'idée que je m'en fais et la volonté qui me porte, assuré qu'il ne peut y avoir d'ordre et de sécurité là où régnerait l'injustice, où gouvernerait l'intolérance. C'est convaincre qui m'importe, et non vaincre. Il n'y a qu'un vainqueur le 10 mai 1981, c'est l'espoir. Puisse-t-il devenir la chose de France la mieux partagée. Pour cela, j'avancerai sans jamais me lasser sur le chemin du pluralisme, confrontation des différences dans le respect d'autrui. Président de tous les Français, je veux les rassembler pour .es grandes causes qui nous attendent et créer en toutes circonstances les conditions d'une véritable communauté nationale.

J'adresse et je renouvelle mes vœux à M. Valéry Giscard d'Estaing, mais ce n'est pas seulement d'un homme à l'autre que s'effectue cette passation de pouvoirs. C'est un peuple qui doit se sentir appelé à exercer les pouvoirs qui sont, en vérité, les siens.

De même, si nous projetons nos regards hors de nos frontières, comment ne pas mesurer le poids des rivalités d'intérêts et les risques que font peser sur la paix de multiples affrontements. La France aura à dire avec force qu'il ne saurait y avoir de véritable communauté internationale tant que les deux tiers de la planète continueront d'échanger leurs hommes et leurs biens contre la faim et le mépris.

Une France juste et solidaire, qui entend vivre en paix avec tous, peut éclairer la marche de l'humanité. A cette fin, elle doit compter sur elle-même.

J'en appelle ici à tous ceux qui ont choisi de servir d'Etat. Je compte sur le concours de leur intelligence, de leur expérience et de leur dévouement.

A toutes les Françaises et à tous les Français, au-delà de cette salle et de ce palais, je dis : ayons confiance et foi dans l'avenir.

Vive la République, vive la France !

SOURCES

Les textes qui figurent dans « La longue marche » proviennent essentiellement de quatre origines :

1) le *Journal officiel de la République française,* débats parlementaires ;

2) de comptes rendus sténotypiques de conférences de presse de l'auteur, de nombreux débats radiodiffusés et d'interventions à la télévision ;

3) de deux ouvrages de l'auteur : *L'Abeille et l'Architecte* et *Ici et Maintenant ;*

4) de très nombreux articles parus dans la presse.

On trouve en fin de l'ouvrage l'origine de chaque citation.

Annexes

Annexes

« *110 propositions pour la France* »

Le 24 janvier 1981, au Congrès extraordinaire de Créteil, le Parti socialiste publie le
« manifeste », esquisse de programme de gouvernement, et les « 110 propositions pour la
France », qui constituent la plate-forme présidentielle du candidat.

Manifeste

1

Dans un monde tourmenté qui requiert qu'elle rassemble ses forces en sachant où
elle va, la France doute d'elle-même. Trop de difficultés assaillent les Français dans
leur vie quotidienne, trop de combinaisons et d'appétits, trop de faux pronostics et
de vaines assurances donnent de nos gouvernants une image trouble. La dégradation
de l'esprit public accompagne celle des institutions. L'actuel président de la
République accapare tout, se mêle de tout, pour ne faire de la plus petite chose que
l'instrument de son pouvoir. Indifférence ou désinvolture, l'Etat laisse se rallumer le
racisme, la violence et la haine. Les jeunes ne connaissent qu'un monde répressif qui
les exclut de toute décision et même du travail. On assiste à la lente corruption des
principes de la République. La démocratie est en cause.

Par voie de conséquence, hors de nos frontières, la voix de la France porte moins
haut, moins loin, situation d'autant plus dommageable que le déséquilibre du monde
s'accroît. Partout le droit des peuples à disposer d'eux-mêmes est bafoué. On ne parle
plus de la détente qu'au passé. Le surarmement nucléaire menace à tout moment la
survie de l'humanité. Les droits de l'homme cèdent le pas devant le fanatisme et la
montée des dictatures. La crise du système monétaire, les manipulations du dollar,
les hausses rapides et successives du pétrole altèrent les termes de l'échange.

Durement exploité, le tiers monde des peuples pauvres s'enfonce dans la misère. Expansionnisme soviétique d'un côté, impérialisme économique américain de l'autre, le sort de chacun balance au gré des puissants tandis que l'Europe reste en panne.

Alors que la défense de la paix exige clarté dans les choix et fermeté dans la démarche, notre diplomatie épouse le langage de ses interlocuteurs successifs, tantôt Washington, tantôt Moscou, quand ce n'est pas tel ou tel pays détenteur de matières premières. Faiblesse ou illusion, notre politique étrangère témoigne d'une indécision périlleuse. Quand la paix est en jeu, le risque devient insupportable.

2

L'augmentation constante et dramatique du nombre des chômeurs, une hausse des prix qui n'en finit pas, le commerce extérieur en large déficit, les lourdes charges des salariés, le malaise des cadres, le désarroi des travailleurs indépendants, l'irritation des étudiants que l'on provoque, des agriculteurs que l'on trompe, comment qualifier le bilan de M. Giscard d'Estaing ? La remise en question des grands acquis de la République, du Front populaire et de la Libération (école, statut et neutralité de la fonction publique, Sécurité sociale, etc.) procède d'une volonté de revanche et de restauration des privilèges un moment menacés. Comment s'étonner de l'amertume, de l'anxiété, voire de la colère qui monte ? Nous vivons dans une sorte de monarchie, éloignée de la réalité populaire et des problèmes de chaque jour. M. Giscard d'Estaing a d'abord prétendu lutter contre le chômage en laissant courir l'inflation, puis il a prétendu lutter contre l'inflation en laissant courir le chômage. Nous avons par ses soins et l'inflation et le chômage. Dans le même moment, le commerce extérieur s'effondre et le franc est, en réalité, menacé. C'est l'échec sur toute la ligne. L'héritage sera lourd.

Encore faut-il savoir que ce bilan ne doit rien au hasard. La société dite, sans rire, « libérale avancée », qui n'est que le relais du capitalisme multinational, réserve ses coups aux faibles et, d'année en année, élargit sa cible. La majorité des Français est désormais atteinte dans son niveau de vie. Inflation, chômage, inégalités, dirigisme, asphyxie des services publics sont le produit normal du système économique dominant. La crise a commencé, en effet, bien avant la hausse du prix du pétrole, qui n'a fait qu'amplifier les difficultés avant de servir d'alibi à nos gouvernants.

Que l'on nous entende bien. Nous n'ignorons rien des contraintes nées de l'environnement international. Parce que nous connaissons le prix de nos approvisionnements énergétiques, nous voulons promouvoir un autre type de développement. Parce que nous refusons de nous soumettre à la « fatalité » sur laquelle personne, par définition, n'aurait prise, nous préférons l'audace à la passivité.

Pour nous, sortir de la crise, c'est rechercher les conditions du plein emploi par la mise en œuvre d'une croissance sociale, plus économe en énergie et en matières premières. C'est sauvegarder les bases industrielles de l'indépendance du pays. C'est partir à la reconquête de notre marché intérieur. C'est faire de la lutte contre le chômage la priorité numéro un. C'est compter sur l'effort de tous, en commençant par ceux dont les privilèges échappent aux sacrifices. C'est croire en la capacité des

Français d'aborder les temps difficiles, oser leur dire la vérité et faire ce que l'on dit. C'est pratiquer le respect d'autrui et non la flatterie universelle. C'est en appeler au courage et au rassemblement des énergies. C'est donc tourner le dos à la politique de M. Giscard d'Estaing.

Car il n'est pas vrai que la France soit condamnée au déclin d'une puissance de seconde zone, les travailleurs à l'insécurité, les citoyens à toujours moins de liberté. Nos atouts sont nombreux. Fortifions nos esprits, mobilisons nos moyens, rassemblons notre peuple en luttant contre les inégalités dont il souffre et nous retrouverons l'inspiration des hautes heures de notre Histoire. Les socialistes pensent qu'un grand peuple ne supporte pas longtemps d'être privé d'un grand dessein. Ils en appellent à la conscience populaire. Entre l'abandon et le sursaut, entre le passé et l'avenir, ils demandent que l'on choisisse. C'est le moment pour chacun de nous de mesurer l'importance de l'élection présidentielle.

3

Partout s'élève cette interrogation : que faire du progrès ? On pensait au XIXᵉ siècle que la machine, en relayant la force physique de l'homme au travail, avancerait sa libération, mais les détenteurs du capital en ont fait l'instrument de leur domination. La machine moderne, qui ne se substitue plus seulement au muscle de l'homme, mais à sa mémoire et à son jugement, contribuera-t-elle à cette libération manquée ? Il dépend de nous de ne pas laisser passer cette chance. Toute évolution scientifique entraîne une mutation des idées et des mœurs, suscite de nouvelles formes d'expression et prépare l'autre révolution, celle des structures économiques et des rapports sociaux. Nous vivons l'une de ces époques. Non seulement les socialistes ne craignent pas le progrès, mais ils le désirent. Il n'est pas de socialisme sans la science. La peur de l'acte créateur est le propre des sociétés perdues. Le danger n'est pas que l'homme invente, mais qu'il ne maîtrise pas (dans les domaines notamment de la biologie et de la génétique, de l'informatique et du nucléaire) ce qu'il crée. D'où la nécessité de le rendre responsable et, par le développement du savoir et le mécanisme des institutions, de lui en donner le moyen.

Accordons-nous sur ce point : quelque idée qu'on ait de l'avenir, rien ne changera si les inégalités, l'accès au savoir, le partage du pouvoir restent ce qu'ils sont. Regardons autour de nous. La société capitaliste asservit l'homme. La société communiste l'étouffe. Capitaliste ou communiste, la société industrielle, par ses entassements dans les centres urbains, par la dégradation des équilibres naturels et par ses critères scientifiques, se ressemble plus qu'elle ne diffère. La technique triomphe mais l'homme fiché, informatisé, médiatisé, manipulé, perd son autonomie. Objet ou sujet, la marge est étroite. La volonté des socialistes, au contraire, est que « l'homme fasse lui-même sa propre histoire ».

Ecoutons Jaurès : « L'histoire humaine ne commencera véritablement que lorsque l'homme, échappant à la tyrannie des forces inconscientes, gouvernera par sa raison et sa volonté la production elle-même. Ce sera le jaillissement de la vie, ardente et libre, de l'humanité qui s'appropriera l'univers par la science, l'action, le rêve. »

Mais balayer les inquiétudes et réveiller l'espoir, mobiliser les énergies, retrouver confiance en nous-mêmes, conduire le progrès, asseoir la paix sur des bases solides, combattre l'égoïsme et le repli sur soi, essayer de rendre la société plus juste et les hommes plus solidaires, qui le fera sans un projet audacieux et sans le soutien de forces vives du pays, de ses travailleurs, de sa jeunesse, de ses intellectuels, de ses savants ?

C'est ce projet que nous soumettons aux Français. Il n'offre pas un modèle de société toute faite. Il ne décrète pas à l'avance les étapes de sa transformation. Il ne codifie pas le futur. Fidèle aux enseignements des luttes ouvrières, il esquisse une démarche, propose des objectifs et en détermine les moyens. Les socialistes, assurés qu'il n'est pas, dans la société industrielle, de libération de l'homme qui ne commence par sa libération des structures économiques imposées par le capitalisme, refusent pour autant d'enfermer l'homme dans les mécanismes de tout autre système — comme celui du marxisme-léninisme, théorie officielle des régimes communistes — dont l'idéologie cherche sans eux, et malgré eux, à pourvoir aux besoins matériels, spirituels, culturels de tous et de chacun. Le problème de notre société se pose désormais en termes de civilisation.

4

Depuis que le Front populaire a réalisé en quelques semaines une mutation économique et sociale comme la France n'en avait pas connu au cours du siècle précédent, les aspirations des Français, sacrifiées par la Seconde Guerre mondiale, détournées de leur sens par les guerres coloniales, ignorées par les gouvernements conservateurs, continuent de se réclamer des mêmes idéaux.

C'est pourquoi nous nous donnons pour tâche aujourd'hui, à partir de la fameuse trilogie : le Pain, la Paix, la Liberté, de rechercher et de défendre avec la même ardeur la paix, l'emploi, la liberté, l'emploi au lieu du pain étant devenu, par la nature des choses, synonyme du droit de vivre. A quoi s'ajoute notre « violent amour pour la France » et notre volonté de réveiller ses forces assoupies sous le septennat de M. Giscard d'Estaing.

Autour de ces quatre thèmes, la Paix, l'Emploi, la Liberté, la France, s'exprime la politique des socialistes.

LA PAIX

L'état du monde en 1981 conduit les socialistes à définir sept objectifs majeurs pour la défense de la paix :
— l'affirmation intransigeante du droit des peuples à disposer d'eux-mêmes ;
— le désarmement progressif et simultané en vue de la dissolution des blocs militaires dans l'équilibre préservé des forces en présence. Dans l'immédiat, le retrait des fusées soviétiques S.S. 20 et l'abandon du projet d'installation des fusées américaines Pershing sur le sol européen ;
— la non-prolifération de l'arme nucléaire et le renforcement du contrôle sur les centrales civiles ;
— la dénucléarisation de zones névralgiques ;

— l'ouverture d'une négociation sur la sécurité collective en Europe conforme à l'initiative du Parti socialiste français pour une conférence sur la réduction des forces et des tensions ;

— la définition d'un ordre économique international et la mise en place d'un système monétaire international comportant la réforme du F.M.I., de la Banque mondiale et du « panier de monnaies », un moratoire et de nouvelles liquidités pour les pays pauvres du tiers monde ;

— la cohésion de la Communauté européenne par l'application réelle du Traité de Rome. La présence accrue de l'Europe sur la scène du monde, notamment face au danger que représenterait un Yalta à l'échelle planétaire. Des mesures immédiates de protection face à la concurrence japonaise.

L'EMPLOI

La première des sécurités est celle de l'emploi. Qui se résignera au chômage, ce malheur ? Plus d'un million et demi de femmes et d'hommes dépossédés de leur droit au travail, frappés dans leur dignité ; des régions et des secteurs de production foudroyés ; des faillites par milliers : le grand capital dévore notre substance. C'est pourquoi le Parti socialiste a adopté un plan de lutte contre le chômage par :

— la relance sélective de notre économie et la réanimation de notre production intérieure grâce à l'investissement et à l'élévation du niveau de vie des catégories les moins favorisées ;

— un programme de grands travaux dans le cadre de la restructuration industrielle ;

— l'élargissement du secteur public ;

— la réduction de la durée du travail ;

— l'amélioration des conditions de travail ;

— la réforme des circuits de distribution ;

— une politique énergétique différente et diversifiée ;

— l'aide aux P.M.E. ;

— la sauvegarde de la petite et moyenne exploitation agricole ;

— la généralisation de la formation continue ;

— la protection et le développement de l'épargne ;

— la lutte contre la spéculation ;

— une réforme fiscale visant à établir l'équité devant l'impôt et à combattre la fraude ;

— la restauration et l'élargissement du champ d'action des services publics. Encore faut-il commencer par changer de politique ! Le plan démocratique sera l'instrument essentiel du redressement. Développer une croissance sociale compte tenu de tous les facteurs de production inemployés et des réserves de productivité existantes ; dynamiser la recherche et diversifier nos industries ; rééquilibrer nos échanges et faire de l'agriculture la chance de la France autrement que par le verbiage officiel ; tels sont les principaux objectifs de la bataille économique que veulent livrer et gagner les socialistes. Disons franchement qu'aucun ne serait durablement atteint si la hausse des prix, impôt sur les pauvres, subvention pour les riches, n'était pas en fin de compte jugulée.

En élargissant le secteur public par la nationalisation du crédit et des assurances et celle des entreprises industrielles — dont la liste a déjà été arrêtée — qui exercent un monopole dans un secteur clé de l'économie ou qui fabriquent des biens indispensables à la vie et à la sécurité du pays, nous libérerons l'Etat du diktat du grand capital et le marché du poids des groupes dominants.

La droite a étatisé ce que les gouvernements Léon Blum et de Gaulle avaient nationalisé. Une gestion plus autonome où les travailleurs et les usagers joueront un rôle déterminant, la décentralisation régionale, tandis que, parallèlement, se développera l'économie sociale, moduleront à l'avenir des structures jusqu'ici exagérément rigides et uniformes.

Nous récusons tout monopole d'Etat. La nationalisation est un moyen, pas une fin. De là notre volonté d'entreprendre l'itinéraire de la liberté et de la suivre jusqu'à son terme, l'autogestion, c'est-à-dire un état social qui permettra aux femmes et aux hommes, là où ils vivent et travaillent, toute forme de centralisme et de gigantisme brisée, de décider ce qui leur semblera bon pour eux-mêmes et pour les diverses collectivités auxquelles ils participent.

LA LIBERTÉ

Exprimons cette double conviction : il n'est de socialisme que celui de la liberté ; il n'est de liberté réelle et vécue que celle qu'apporte le socialisme dans lequel nous croyons.

D'immenses espaces de liberté restent à conquérir. Sur le système en place, sur sa classe dirigeante, sur ses rapports de production et son modèle de croissance, sur son organisation, ses cadences, sa durée du travail, sur son détournement du temps libre, sur sa bureaucratie et sa fiscalité injuste et tatillonne, sur ses critères culturels, sa presse, sa radio, sa télévision, sur l'inégale condition de l'homme et de la femme.

Que signifie la liberté du travail pour le chômeur, la liberté pour la femme victime d'une ségrégation juridique, politique, professionnelle et sociale ? La liberté des jeunes devant lesquels la société se ferme ? Que devient la liberté de la presse quand le pouvoir contrôle les grands moyens d'information, quand les maîtres de l'argent s'approprient les techniques modernes de communication ? Où est la liberté de l'exploitant agricole obligé de s'endetter pour survivre, celle de l'entrepreneur suspendu à la décision de son banquier ?

Si l'on nous oppose, comme l'a fait le gouvernement avec la loi Peyrefitte, que la sécurité des Français justifie la réduction du champ des libertés traditionnelles, nous répondrons que l'insécurité est d'abord sociale : insécurité de l'emploi, du pouvoir d'achat, du revenu, de l'épargne, du logement. Quand l'iniquité corrompt le corps social, le désordre n'est pas loin.

Liberté et sécurité, nous voulons préserver l'une par l'autre. Non pas à la manière de M. Giscard d'Estaing qui spécule sur la peur pour que dure son pouvoir, mais en assurant, partout et à tous, une vie mieux respectée, mieux remplie et plus libre. Nous pourrons alors appliquer la loi sans faiblesse.

La défense de la liberté commence avec le respect de la démocratie. Démocratie politique dont les socialistes se veulent les héritiers naturels, démocratie économique et sociale dont ils sont les artisans. Or, sous tous ses aspects, la démocratie est menacée.

La démocratie politique. Il nous paraît dangereux, par exemple, que le chef de l'Etat concentre dans ses mains, comme c'est le cas aujourd'hui, la totalité des pouvoirs. Il nous paraît plus dangereux encore qu'un tel état de chose puisse durer plus longtemps. Nous ne sommes déjà plus tout à fait en République. Où en serons-nous dans sept ans si, par malheur, M. Giscard d'Estaing était réélu le 10 mai ?

D'où ces propositions :

— la durée du mandat présidentiel sera réduite à cinq ans, une seule fois renouvelable. Ou bien la durée du mandat sera maintenue à sept ans, mais non renouvelable ;

— les membres du Conseil supérieur de la magistrature cesseront d'être nommés par le chef de l'Etat ;

— dans sa définition des relations entre le gouvernement et le Parlement, la Constitution sera strictement appliquée ;

— les modifications constitutionnelles prévues par le programme socialiste seront soumises au Parlement ;

— la représentation proportionnelle sera instituée pour les élections législatives, régionales et, à partir de 9 000 habitants, communales.

La démocratie économique. La réforme de l'entreprise et les droits nouveaux des travailleurs — au sein des comités d'entreprise, des conseils de gestion et de surveillance, des conseils d'atelier, avec la participation effective des cadres — feront l'objet de dispositions législatives dès la première session de la nouvelle législature.

Des droits pour les femmes, égaux à ceux des hommes, sur le plan professionnel (formation, emploi, rémunération), sur le plan patrimonial et dans la responsabilité politique, ainsi que la reconnaissance de leur droit à la maîtrise de leur vie personnelle (régulation des naissances, vie du couple, femmes seules ou divorcées) ; le droit à l'emploi, la réduction de l'éventail des revenus, la revalorisation des bas salaires, une politique de la famille et de l'enfant, le droit pour la jeunesse d'être elle-même (à l'école, dans l'armée, par le métier, dans ses loisirs et par l'accès à la vie publique), le droit au logement pour tous, des immigrés respectés, la protection de la santé, un grand service public, unifié et laïque de l'Education nationale, l'école ouverte sur le monde, la formation des maîtres, une information libre et pluraliste, constituent le fondement de la *démocratie sociale.*

Mais c'est au regard d'une action nouvelle : *la conquête du temps libre,* qu'il faut comprendre l'ensemble de ces mesures et leurs correspondances. Par la réduction de la durée du travail — les 35 heures hebdomadaires, la cinquième semaine de congés payés, la retraite (facultative) à 60 et 55 ans — dont la portée dépasse les simples considérations économiques pour signifier une autre conception de l'homme dans sa relation avec le travail, une autre conception du temps de vivre face aux avancées de l'électronique, des microprocesseurs et de l'automation, le temps de vivre, enfin conquis, enrichira la société future de valeurs que les tenants de la vieille société ne peuvent aujourd'hui ni admettre ni comprendre.

Se développeront alors des formes de culture, une intensité créatrice, un besoin d'apprendre et de sentir, une approche de l'art auxquels seule une politique culturelle audacieuse sera capable de répondre.

Directement reliée à la recherche du temps de vivre, la politique socialiste des *équilibres naturels* s'identifie à son histoire. Les socialistes qui luttaient contre les ravages de la silicose des mineurs faisaient de l'écologie sans le savoir. Nous n'avons qu'à suivre leur trace. Pour la première fois depuis la nuit des temps, l'homme, oubliant que la nature c'est lui et qu'il est la nature, est en mesure de la détruire. Il la détruit et se détruit. Cette atteinte profonde à sa liberté d'être doit être rangée parmi les fléaux à combattre en première urgence. Ecologie et socialisme ne font qu'un.

Nous avons gardé pour la fin de cette première partie de notre manifeste ce qui constitue peut-être le point central de notre action, car il conditionne tous les autres, que l'on appellera, selon l'objet, décentralisation, responsabilité à la base, organisation des contre-pouvoirs, autogestion. L'Etat, instrument de la classe dominante, est aussi, en France, le produit d'une tradition centralisatrice qui, commencée sous la monarchie, s'est perpétuée jusqu'à nous. Or nous pensons que si le pouvoir central a servi, naguère, l'unité sociale, aujourd'hui il lui nuit. Double raison de s'attaquer aux structures étatiques. Les Français n'ont plus à craindre de voir la nation éclater sous la pression des forces centrifuges. Ils ont, au contraire, à se défendre contre un Etat omnipotent, uniforme et tracassier. La décentralisation, c'est le droit à la différence. En application de ce principe et conformément à la proposition de loi déposée par le groupe parlementaire socialiste, la Corse, spécifique par sa situation géographique, économique, sociale, et sa forte identité culturelle, bénéficiera d'un statut particulier. Les langues et cultures minoritaires seront respectées et enseignées.

Quand le suffrage universel nous en aura confié la charge, nous transférerons au niveau le plus proche de la vie quotidienne nombre des pouvoirs confisqués par l'Etat : fermeture des bureaux de l'administration parisienne qui régentent les collectivités locales, éclatement de ministères tels que l'Intérieur, les Finances, l'Equipement, décentralisation des grands services publics (E.D.F., G.D.F., P. et T., etc.), suppression de l'autorité des préfets sur l'administration des collectivités locales, accroissement des pouvoirs des assemblées élues — conseils régionaux, conseils généraux, conseils municipaux —, loi associative et loi pour les départements d'Outre-Mer (déjà déposées à l'Assemblée nationale).

Nous nous attacherons à saisir dans son ampleur le phénomène urbain, à la fois attirant et redouté, soumis aux pressions contradictoires du travail et de l'architecture, du logement et des transports, de la vie culturelle, des loisirs, de la rue, du goût de vivre en communauté et du refus de l'entassement. La société capitaliste a fait de la ville un piège pour des millions et des millions de femmes et d'hommes abandonnés à leur solitude dans l'anonymat de la foule. C'est à la ville — où, si l'on s'en tient aux données actuelles, vivront d'ici la fin du siècle 8 Français sur 10 — que les socialistes, lui restituant son rôle, consacreront le meilleur de leur action et de leur réflexion comme le font déjà nos élus municipaux dans leur pratique sur le terrain. C'est là que le socialisme fournira la preuve de ce qu'il est : le fondateur de la nouvelle communauté des hommes, où ils trouveront enfin un langage et réapprendront à s'aimer.

LA FRANCE

Nous proclamons notre attachement irréductible à la patrie.
- D'abord en *assurant sa sécurité* :
  — par le développement d'une stratégie autonome de dissuasion ;
  — par une définition claire de la portée et du contenu de l'Alliance atlantique ;
  — par le respect des accords existants avec l'U.R.S.S. ;
  — par l'existence de liens privilégiés avec les pays non alignés de la zone méditerranéenne et du continent africain ;
  — par la possession des industries lourdes et des industries de pointe sans lesquelles nous serions privés du potentiel économique nécessaire à notre indépendance ;

— par notre présence active dans l'Europe de la C.E.E., à la fois pour qu'elle affirme son rôle dans le monde et pour qu'elle respecte nos légitimes intérêts.

• Ensuite en *préservant son identité* :
— par son message universel de liberté, de droit et d'arbitrage international ;
— par sa culture et par sa langue ;
— par la vitalité de sa démographie ;
— par sa fidélité aux principes qui la font reconnaître comme l'un des grands acteurs de l'Histoire.

Il lui sera facile d'être elle-même, de reprendre avec le socialisme la plus haute de ses traditions : la souveraineté populaire pour la conquête des Droits de l'Homme.

5

Le moment est venu d'engager le combat politique dont l'issue commandera pour longtemps l'avenir du pays et le sort des Français. Le Parti socialiste, tout entier rassemblé autour de François Mitterrand, vous demande de le rejoindre et de l'aider. Les sept ans accordés à M. Giscard d'Estaing par une faible majorité de suffrages pour qu'il mène la France vers le changement désiré ont été sept ans de promesses non tenues et de dégradation matérielle et morale continue. Chacun de nous peut aujourd'hui mesurer dans sa vie quotidienne et dans ses espérances l'ampleur de l'échec et le dommage subi.

Mais si sept ans, c'est déjà trop, qui ne pressent le drame où conduiraient quatorze ans de cette monarchie à peine déguisée, indifférente à la peine de millions de Françaises et de Français et incapable de répondre aux exigences du temps présent ? Il n'est pas trop tard. Non, le déclin n'est pas fatal.

Le Parti socialiste s'adresse aux forces vives du pays, à sa jeunesse, aux travailleurs, aux créateurs de l'avenir, comme il en appelle à celles et ceux qu'écrase une société injuste et dure.

Afin que les uns et les autres trouvent de nouvelles raisons de croire en la victoire et surtout de la vouloir, les socialistes ont, par ce manifeste, tracé les chemins de l'autre politique, celle qui entraînera dans un puissant élan le rassemblement populaire pour une grande ambition nationale.

110 propositions pour la France

Nous avons rassemblé ici, dans cette deuxième partie de notre manifeste, les principales propositions, tirées de l'inventaire des quelque trois cent cinquante mesures arrêtées par le Parti socialiste dans son projet de janvier 1980 et dans les textes qui ont suivi (propositions de loi, décisions du Comité directeur et du Bureau exécutif). Certaines de ces propositions ont déjà été énoncées dans l'exposé général qui précède. Nous les avons reprises cependant afin de procurer à l'opinion un document récapitulatif aussi complet que possible.

Le manifeste esquisse le programme de gouvernement qu'il appartiendra de mettre au point lors des élections législatives qui suivront la dissolution de l'Assemblée nationale dans le cas de l'élection de notre candidat.

Il sera ensuite de la responsabilité du nouveau gouvernement d'engager avec l'ensemble des partenaires sociaux une négociation en vue de fixer le calendrier et les modalités de la politique sociale à mettre en œuvre. De son côté, le Parlement, restauré dans la plénitude de ses droits constitutionnels, aura à traduire dans la loi les nouveaux droits et libertés que revendique le Manifeste socialiste pour les citoyens et les collectivités.

I. — LA PAIX : UNE FRANCE OUVERTE SUR LE MONDE

● Défense du droit et solidarité avec les peuples en lutte

1. Exigence du retrait des troupes soviétiques de l'Afghanistan.
2. Condamnation de l'aide apportée par les Etats-Unis aux dictatures d'Amérique latine.
3. Affirmation du droit des travailleurs polonais aux libertés et au respect de l'indépendance syndicale.
4. Paix au Moyen-Orient par la garantie de la sécurité d'Israël dans des frontières sûres et reconnues, le droit du peuple palestinien à disposer d'une patrie, l'unité du Liban.
5. Indépendance du Tchad. Respect de la souveraineté du Cambodge. Soutien au droit à l'autodétermination de l'Erythrée et du Sahara Occidental.

● Désarmement et sécurité collective

6. Désarmement progressif et simultané en vue de la dissolution des blocs militaires dans l'équilibre préservé des forces en présence.
7. Action internationale énergique contre la dissémination de l'arme nucléaire et pour le renforcement du contrôle des centrales nucléaires.
8. Ouverture d'une négociation sur la sécurité collective en Europe à partir de la conférence sur la réduction des forces et des tensions proposée par les socialistes français. Retrait des fusées soviétiques S.S. 20 en même temps que l'abandon du plan d'installation des fusées américaines Pershing sur le sol européen.

● Nouvel ordre économique mondial

9. Priorité au dialogue Nord-Sud pour la mise en place d'un nouvel ordre économique mondial. Aide publique au tiers monde portée à 0,70 % du P.N.B. de chaque pays développé.

10. Définition d'un nouveau système monétaire mondial par la réforme du F.M.I., de la Banque mondiale et du « panier de monnaies », un moratoire et de nouvelles liquidités pour les pays pauvres du tiers monde.

● Une France forte dans l'Europe indépendante

11. Application stricte du traité de Rome (Marché commun) : poursuite de la démocratisation de ses institutions et mise en œuvre immédiate de ses dispositions sociales. Défense de l'emploi européen par le développement de politiques industrielles communes, par la protection des secteurs menacés par l'invasion de certains produits en provenance du Japon et des Etats-Unis, par l'élaboration d'un règlement communautaire sur l'activité des sociétés multinationales. Réforme profonde de la politique agricole et de la politique régionale.

12. Avant toute adhésion à la C.E.E. de l'Espagne et du Portugal, respect de quatre préalables (agricole, industriel, régional et sur la pêche maritime), conformes à la résolution socialiste adoptée à Montpellier en septembre 78.

13. Création d'un Conseil des peuples méditerranéens.

II. — L'EMPLOI : LA CROISSANCE SOCIALE PAR LA MAÎTRISE DE L'ÉCONOMIE

● La relance économique

14. Un programme de relance économique fixera, dès la prochaine session de la législature, les premières orientations : emploi, prix, développement technologique, cadre de vie.

15. Des actions industrielles seront immédiatement lancées dans les secteurs de l'électronique, de l'énergie, des biens d'équipement, des transports et de l'automobile, de la chimie fine et de la bio-industrie, de la sidérurgie et de l'agro-alimentaire afin de reconquérir le marché intérieur et de créer des emplois.

16. Un programme de grands travaux publics, de construction de logements sociaux et d'équipements collectifs (crèches, restaurants scolaires, maisons de l'enfance) sera engagé dès le deuxième semestre de 1981.

17. La recherche sera stimulée pour atteindre d'ici 1985 2,5 % du P.N.B. Des mesures d'aide par le crédit et d'encouragement à l'innovation seront prises en direction des P.M.E.

18. 150 000 emplois seront créés dans les services publics et sociaux en vue d'améliorer les conditions de travail et les capacités d'accueil au public (santé, éducation, P. et T., etc.). 60 000 emplois d'utilité collective seront mis à la disposition des associations et des collectivités locales.

● Une nouvelle croissance

19. Le plan, démocratisé et décentralisé, donnera un nouveau contenu au développement économique. La croissance sociale s'appuiera sur le dynamisme du

secteur public, l'encouragement à l'investissement, l'augmentation des bas revenus et l'amélioration des conditions de travail.

20. Le franc sera défendu contre les manœuvres spéculatives. Le développement industriel et agricole et les économies d'énergie rendront la croissance moins tributaire des importations d'ici 1990, la part du commerce extérieur dans le P.I.B. sera ramenée au-dessous de 20 %.

21. Le secteur public sera élargi par la nationalisation des neuf groupes industriels prévus dans le Programme commun et le Programme socialiste, de la sidérurgie et des activités de l'armement et de l'espace financées sur fonds publics. La nationalisation du crédit et des assurances sera achevée.

22. Le contrat de travail à durée indéterminée redeviendra la base des relations du travail ; les capacités d'intervention du syndicat dans l'entreprise seront étendues et affermies : moyens et protection des délégués élus, temps consacré à l'information et à l'expression collective.

23. La durée du travail sera progressivement réduite à 35 heures après négociation entre les partenaires sociaux. La cinquième équipe sera instaurée dans les métiers pénibles. La cinquième semaine de congés payés sera généralisée.

24. L'A.N.P.E. sera démocratisée. Elle sera transformée en un grand service public de l'emploi (coordination de l'ensemble des moyens d'information, de formation et de conversion, travail intérimaire).

25. Une loi fixera les conditions d'évolution de la révision des loyers et de la répartition des charges. En outre, des dispositions particulières seront prises en faveur des locataires des logements sociaux.

26. L'épargne sera fortement encouragée. Un livret A par famille sera indexé sur les prix. Les taux d'intérêt des autres dépôts seront relevés. La réforme des circuits financiers permettra l'affectation de l'épargne des Français aux investissements considérés comme prioritaires par le Plan.

27. Des bonifications d'intérêt ou des avantages fiscaux, sur une base contractuelle, seront accordés pour contribuer à la réalisation des objectifs de la politique économique et sociale, en particulier pour les industries de main-d'œuvre.

28. Les prix des produits pour lesquels la concurrence ne joue manifestement pas seront contrôlés. Les circuits de distribution seront réformés, l'implantation des grandes surfaces réglementée, les pouvoirs des consommateurs renforcés.

29. L'artisanat et le petit commerce verront leur rôle social et humain reconnu et protégé. Le salaire fiscal sera institué pour les travailleurs non salariés.

30. L'assiette des cotisations patronales de la Sécurité sociale sera modifiée afin de ne pas pénaliser les entreprises de main-d'œuvre.

● La justice sociale

31. Le S.M.I.C. sera relevé. Son montant sera fixé après négociations avec les organisations syndicales. La nouvelle hiérarchie des salaires inscrite dans les conventions collectives sera respectée. Les prestations pour handicapés et le minimum vieillesse seront portés au niveau des 2/3 du revenu moyen. Les prestations familiales seront revalorisées de 50 % en deux étapes. Les indemnités de chômage seront fortement augmentées.

32. Les taux de la T.V.A. seront ramenés au taux zéro pour les produits de première nécessité.

33. De nouvelles prestations familiales seront progressivement substituées au quotient familial par enfant qui sera, en attendant, plafonné.

34. Un impôt sur les grandes fortunes, selon un barême progressif, sera institué. Les droits de succession seront réformés afin d'alléger les successions modestes (en ligne directe ou non) et de surtaxer les grosses successions. Le capital des sociétés sera taxé sur la base de l'actif net réévalué.

35. L'impôt direct sera allégé pour les petits contribuables, renforcé pour les gros revenus de manière à réduire l'éventail des revenus. L'avoir fiscal sera supprimé.

36. Règlement des contentieux concernant les anciens combattants, application du rapport constant, retour à la proportionnalité des pensions militaires inférieures à 100 %, bénéfice de la carte de combattant aux anciens d'Algérie.

37. Nouvelle loi d'indemnisation pour les rapatriés, prévoyant la reconstitution des patrimoines familiaux, limitée pour les grosses fortunes.

● L'énergie

38. L'approvisionnement énergétique du pays sera diversifié. Le programme nucléaire sera limité aux centrales en cours de construction, en attendant que le pays, réellement informé, puisse se prononcer par référendum. Les crédits en faveur des énergies nouvelles ou des techniques nouvelles d'exploitation des énergies tradition-nelles (charbon) seront très considérablement augmentés.

39. Un vaste programme d'investissement destiné à économiser l'énergie sera entrepris. Des clubs d'économie d'énergie animés par des personnels pris en charge et formés par l'Etat assisteront les ménages. Une politique de normes orientera la production vers des produits, des machines ou des matériaux permettant de réduire la consommation d'énergie.

40. Une loi-cadre garantira le contrôle des citoyens et des élus sur toutes les décisions, et notamment les questions de sécurité touchant au nucléaire.

● L'agriculture

41. Le gouvernement proposera aux partenaires de la C.E.E., afin de revenir à l'esprit du Traité de Rome, une réforme de la Politique agricole commune. Celle-ci devra tenir compte de la nécessité de supprimer les inégalités de revenu entre les agriculteurs, les salariés de l'agriculture et l'ensemble des travailleurs. Des mesures particulières seront prises pour l'élevage, la viticulture, les fruits et légumes, jusqu'ici défavorisés. Les marchés seront organisés par des Offices par produits ou groupes de produits, chargés de mettre en œuvre des prix garantis tenant compte des coûts de production, dans la limite de quantum par travailleur. Cette politique prendra en compte les aspirations des consommateurs.

42. Un statut de travailleuses à part entière sera reconnu aux femmes d'agricul-teurs. L'installation des jeunes — et notamment l'accès à la terre — sera vivement encouragée. L'agriculture de montagne fera l'objet de mesures de soutien spécifi-ques.

43. L'outil de travail — la terre — sera protégé contre la spéculation et contre la surexploitation, par la création d'offices fonciers cantonaux où les représentants de la profession seront majoritaires.

● La pêche

44. Une politique de la pêche maritime, élément d'une politique de la mer, sera mise en œuvre : réorganisation des marchés, amélioration des conditions de travail et de rémunération des travailleurs de la mer, aides à l'investissement... Au plan européen, le gouvernement proposera l'application d'une politique commune de la pêche fondée sur la garantie d'accès à la ressource, la gestion rationnelle des stocks, l'organisation et la protection du marché communautaire et l'harmonisation des régimes sociaux...

III. — LA LIBERTÉ : DES FEMMES ET DES HOMMES RESPONSABLES

● La démocratie respectée

45. Le mandat présidentiel sera ramené à cinq ans renouvelable une fois, ou limité à sept ans sans possibilité d'être renouvelé.

46. Le Parlement retrouvera ses droits constitutionnels. Le recours à l'usage du vote bloqué sera limité.

47. La représentation proportionnelle sera instituée pour les élections à l'Assemblée nationale, aux assemblées régionales et aux conseils municipaux pour les communes de 9 000 habitants et plus. Chaque liste comportera au moins 30 % de femmes.

48. La représentation parlementaire des Français de l'étranger, comprenant non seulement des sénateurs mais aussi des députés, sera assurée selon des procédures qui en garantiront le caractère démocratique.

49. La vie publique sera moralisée : déclarations des revenus et du patrimoine des candidats aux fonctions de président de la République, de député et de sénateur ainsi que des ministres en exercice, avant et après expiration de leurs mandats.

50. La justice sera appelée à faire toute la lumière sur les affaires dans lesquelles ont été mises en cause des personnalités publiques.

● Une justice indépendante

51. L'indépendance des magistrats sera assurée par la réforme du Conseil supérieur de la magistrature.

52. Abrogation des procédures d'exception (cour de sûreté, tribunaux militaires en temps de paix), de la loi anti-casseurs et de la loi Peyrefitte. Le principe fondamental de présomption d'innocence sera réaffirmé.

53. Abrogation de la peine de mort.

● Des contre-pouvoirs organisés ; un état décentralisé

54. La décentralisation de l'Etat sera prioritaire. Les conseils régionaux seront élus au suffrage universel et l'exécutif assuré par le président et le bureau. La Corse recevra un statut particulier. Un département du Pays Basque sera créé. La fonction d'autorité des préfets sur l'administration des collectivités locales sera supprimée. L'exécutif du département sera confié au président et au bureau du Conseil général. La réforme des finances locales sera aussitôt entreprise. La tutelle de l'Etat sur les décisions des collectivités locales sera supprimée.

55. Le secret administratif sera limité et l'administration contrainte à motiver ses actes et à exécuter les décisions de justice.

56. La promotion des identités régionales sera encouragée, les langues et cultures minoritaires respectées et enseignées.

57. Les communes, départements, régions bénéficieront pour assumer leurs responsabilités d'une réelle répartition des ressources publiques entre l'Etat et les collectivités locales. Celles-ci auront notamment la responsabilité des décisions en matière de cadre de vie : développement prioritaire des transports en commun, aménagement des rues, services sociaux, espaces verts. Elles susciteront le développement de la vie associative, contribuant ainsi à l'animation de la ville, au rayonnement de ses activités, à l'affirmation de sa personnalité.

58. Pour les peuples de l'outre-mer français qui réclament un véritable changement, ouverture d'une ère de concertation et de dialogue à partir de la reconnaissance de leur identité et de leurs droits à réaliser leurs aspirations. Entre autres, dans les départements d'outre-mer, institution d'un conseil départemental, élu à la proportionnelle et responsable de la vie locale de chaque département avec consultation obligatoire avant tout accord international touchant à la région du monde où ils se trouvent. La loi déposée à ce sujet par le groupe parlementaire socialiste sera soumise au Parlement dès la prochaine session de la législature.

59. Le projet de loi sur la vie associative sera également soumis au vote du Parlement dès la prochaine session. L'élu social aura un statut reconnu. Les associations d'usagers du cadre de vie verront leurs droits largement accrus et des moyens matériels mis à leur disposition.

● La démocratie économique.
  Des droits nouveaux pour les travailleurs

60. Le Comité d'entreprise disposera de toutes les informations nécessaires sur la marche de l'entreprise. Pour l'embauche, le licenciement, l'organisation du travail, le plan de formation, les nouvelles techniques de production, il pourra exercer un droit de veto avec recours devant une nouvelle juridiction du travail.

61. Le comité d'hygiène et de sécurité aura le pouvoir d'arrêter un atelier ou un chantier pour raison de sécurité.

62. La gestion du secteur public sera largement décentralisée. Les instances de direction des entreprises seront, soit tripartites (collectivités publiques, travailleurs, usagers), soit formées par la coexistence d'un conseil de gestion élu par les travailleurs et d'un conseil de surveillance. Les représentants des travailleurs seront

élus directement à la proportionnelle et à la plus forte moyenne. Des conseils d'unité et d'atelier élus par les travailleurs seront instaurés.

Un secteur d'économie sociale, fondé sur la coopération et la mutualité, expérimentera des formes nouvelles d'organisation des travailleurs.

63. La participation effective des cadres (I.T.C.) sera assurée et leur rôle reconnu au sein des organismes représentatifs de l'ensemble des salariés : comités d'entreprises, comités de groupes et de holdings dans les entreprises de droit privé, conseil d'administration tripartites, conseils d'unité ou d'atelier dans le secteur public.

● Des droits égaux pour les femmes

64. L'égalité des chances devant l'emploi sera garantie par une réelle mixité de toutes les filières de formation professionnelle (quotas minima).

Les crédits seront affectés à la formation continue en fonction du nombre et du sexe des salariés de l'entreprise dans chaque catégorie. La loi supprimera la notion de « motif légitime » invoquée pour refuser à une femme l'accès à un emploi.

65. L'égalité de rémunération entre hommes et femmes sera garantie — et appliquée — au terme d'une négociation des conventions collectives dans chaque branche professionnelle.

66. Le statut de travailleuses à part entière sera reconnu aux conjointes d'agriculteurs, de commerçants et d'artisans, actuellement considérées comme sans profession.

67. L'information sur la sexualité et la contraception sera largement diffusée dans les écoles, les entreprises, les mairies, les centres de santé et d'orthogénie, et par les médias. La contraception sera gratuite, les conditions d'obtention de l'I.V.G. seront révisées.

68. La dignité de la femme sera respectée, notamment à travers l'image qui est donnée d'elle dans les manuels scolaires, la publicité, la télévision. Les associations de défense des droits des femmes pourront se porter partie civile en cas de discrimination.

69. Un fonds de garantie, chargé de la récupération des pensions alimentaires, viendra en aide aux femmes divorcées chefs de famille. La pension de réversion sera égale pour les deux conjoints et pourra se cumuler avec des droits propres. Une allocation sera versée aux veuves et divorcées pendant deux ans minimum moyennant leur inscription à l'A.N.P.E. ou à un stage de formation professionnelle.

● La famille et l'enfant

70. Un congé parental ouvert pour moitié au père et à la mère, rémunéré et assorti de garanties de réintégration dans l'emploi, sera accordé aux parents d'enfants de moins de deux ans.

71. Une allocation familiale unique sera versée dès la déclaration de grossesse et dès le premier enfant.

72. L'égalité devant l'emploi, pour les femmes, exige un vaste programme d'équipements collectifs : 300 000 places de crèche seront créées prioritairement.

73. Un institut de l'enfance et de la famille sera mis en place avec la participation

des représentants du Parlement, des syndicats, des associations familiales et de jeunesse, de la profession médicale et des enseignants.

● Le droit d'être elle-même pour la jeunesse

74. Les jeunes seront éligibles dès 18 ans pour les élections politiques et dès 16 ans pour les élections professionnelles.

75. La liberté de réunion dans tous les établissements scolaires sera garantie pour les parents d'élèves, ainsi que pour les élèves dans les lycées et les L.E.P.

Les délégués de classe participeront aux conseils de classe et à la gestion des foyers socio-éducatifs sans que leurs droits puissent subir de restrictions.

76. Les appelés au service national auront la liberté de réunion et d'association. L'objection de conscience sera respectée selon les termes de la loi.

77. L'enseignement technique sous toutes ses formes recevra les moyens nécessaires en personnel et en matériel afin qu'aucun jeune, fille ou garçon, n'arrive dans le monde du travail sans qualification professionnelle.

78. La vignette moto sera supprimée.

● De nouveaux droits pour les immigrés

79. Les discriminations frappant les travailleurs immigrés seront supprimées. Les refus de délivrance de cartes de séjour devront être motivés.

80. L'égalité des droits des travailleurs immigrés avec les nationaux sera assurée (travail, protection sociale, aide sociale, chômage, formation continue). Droit de vote aux élections municipales après cinq ans de présence sur le territoire français. Le droit d'association leur sera reconnu.

81. Le plan fixera le nombre annuel de travailleurs étrangers admis en France. L'Office national d'immigration sera démocratisé. La lutte contre les trafics clandestins sera renforcée.

● Une société solidaire

82. Le droit à la retraite à taux plein sera ouvert aux hommes à partir de 60 ans et aux femmes à partir de 55 ans. Les retraités auront le droit de siéger dans les instances de la Sécurité sociale et les caisses de retraite. Les cotisations prélevées par le régime général de la Sécurité sociale sur les retraites seront supprimées. Une loi définissant les nouveaux droits des retraités et des personnes âgées en matière de ressources de logement, de santé et de culture, et assurant leur réelle participation à la vie sociale, sera déposée.

83. Les handicapés auront la place qui leur est due dans la société : le travail, l'éducation, le logement, les transports, les loisirs et l'accès à la culture seront adaptés à leurs contraintes particulières.

84. Un système national de protection sociale commun à tous les assurés sera progressivement institué. L'Etat remboursera les charges indues et affectera des ressources fiscales au financement des dépenses d'intérêt social. Le ticket modérateur d'ordre public sera abrogé.

● La santé protégée

85. Un service communautaire de la santé reposera sur le développement de la prévention, le tiers payant généralisé à terme, la création de centres de santé intégrés auxquels chaque médecin pourra adhérer s'il le souhaite. Une nouvelle convention sera négociée. Le Conseil de l'ordre des médecins sera supprimé.

86. Les missions respectives de l'hôpital et du secteur privé seront définies. Adoption d'une nouvelle carte sanitaire. Les équipements seront programmés par région et leur financement réformé (suppression du prix de journée).

87. Une nouvelle politique du médicament sera mise en place en s'appuyant sur les grands pôles industriels nationalisés où la recherche sera intensifiée.

● Droit au logement pour tous

88. Une politique de l'habitat social visera à mettre à la disposition des ménages des logements suffisamment grands et assortis des services à proximité (crèches, haltes-garderies, transports collectifs). Des dispositions particulières seront prises pour favoriser aussi le logement des jeunes (construction des F1 et F2).

89. Réforme des instruments de l'intervention publique. Maîtrise du sol urbain par les collectivités locales grâce à l'instauration d'un impôt déclaratif foncier, d'un droit de préemption et de prêts bonifiés par l'Etat.

● Une éducation de qualité

90. Un grand service public, unifié et laïque de l'Education nationale sera constitué. Sa mise en place sera négociée sans spoliation ni monopole. Les contrats d'association d'établissements privés, conclus par les municipalités, seront respectés. Des conseils de gestion démocratiques seront créés aux différents niveaux.

91. L'école sera ouverte sur le monde. La pédagogie sera renouvelée pour favoriser l'expression sous toutes ses formes ainsi que l'épanouissement physique. L'enseignement de l'histoire et de la philosophie sera développé. Quel que soit le niveau d'étude, chacun devra disposer en fin de scolarité d'une formation générale et d'une formation professionnelle. Les classes comprendront 25 élèves au maximum.

92. La loi Séguin-Rufenacht sur la composition des conseils d'université et d'U.E.R. sera abrogée ainsi que les décrets modifiant la carte universitaire.

93. Chaque travailleur disposera d'un crédit de formation de deux ans qu'il pourra utiliser tout au long de sa vie active. La gestion de l'éducation continue sera tripartite.

● Une information libre et pluraliste

94. La télévision et la radio seront décentralisées et pluralistes.

Les radios locales pourront librement s'implanter dans le cadre du service public. Leur cahier des charges sera établi par les collectivités locales. Sera créé un conseil national de l'audio-visuel où les représentants de l'Etat seront minoritaires. La création sera encouragée. Les droits des « cibistes » seront pleinement reconnus.

95. Les ordonnances de 1944 sur la presse seront appliquées. Les dispositions assurant l'indépendance des journalistes et des journaux face aux pressions du pouvoir, des groupes privés et des annonceurs seront prises. L'indépendance de l'A.F.P. vis-à-vis de l'Etat sera garantie.

96. Toute censure de l'information, y compris dans les casernes et les prisons, sera abolie.

● La science et la culture

97. La recherche fondamentale sera un objectif essentiel : d'importants crédits publics lui seront consacrés, pour son développement sur le plan régional comme sur le plan national. Les coordinations nécessaires seront réalisées.

98. L'implantation sur l'ensemble du territoire de foyers de création, d'animation et de diffusion, sera encouragée par l'Etat, qui en assurera un financement partiel. En dehors de nos frontières, une présence active et rayonnante de la culture française sera assurée.

L'enseignement de l'art à l'école sera développé et des facilités accordées pour accéder aux grandes œuvres : extension des heures d'ouverture des musées, des bibliothèques, des monuments, grâce au recrutement du personnel nécessaire.

99. Le soutien à la création cinématographique, musicale, plastique, théâtrale, littéraire, architecturale placera la renaissance culturelle du pays au premier rang des ambitions socialistes.

Un conseil international pour la science et la culture, une école européenne de cinéma, et un centre international pour la musique seront créés.

100. La libération du prix du livre sera abrogée.

● Les équilibres naturels

101. Une charte de l'environnement garantissant la protection des sites naturels, espaces verts, rivages marins, forêts, cours d'eau, zones de vacances et de loisirs, sera élaborée et soumise au Parlement après une large consultation des associations et des collectivités locales et régionales avant la fin de l'année 1981.

102. La lutte contre les pollutions de l'eau et de l'air sera intensifiée. Les entreprises contrevenantes seront pénalisées.

103. Les normes de construction de machines et moteurs dangereux à manier et générateurs de bruit seront révisées et strictement appliquées.

● Le sport

104. L'indépendance du mouvement sportif vis-à-vis de l'Etat et des puissances d'argent sera garantie. L'éducation physique et sportive deviendra une dimension essentielle des enseignements dispensés par l'Education nationale.

IV. — LA FRANCE : UN PAYS LIBRE ET RESPECTÉ

● Sa sécurité et son identité

105. Développement d'une stratégie autonome de dissuasion et organisation nouvelle du service national réduit à six mois.

106. Définition claire de la portée et du contenu de l'Alliance atlantique. Cohésion accrue de l'Europe.

107. Développement des relations entre la France et l'Union Soviétique dans le respect des traités existants.

108. Renforcement des échanges avec la Chine.

109. Liens privilégiés avec les pays non alignés de la zone méditerranéenne et du continent africain, spécialement l'Algérie.

110. Etablissement de relations étroites avec le Québec. Création d'une académie francophone.

Tout au long de sa campagne présidentielle, l'auteur a, en de très nombreux textes — souvent en réponse à des questionnaires — précisé et développé différents points des « 110 Propositions pour la France. »

La publication intégrale de ces textes composerait à elle seule un volume ; ils sont accessibles à la B.I.P.A. (Bureau d'Informations Politiques et Administratives, qui dépend de la Documentation française).

Sources

Sans l'aide de Marianne Delmaire et d'Anne-Yvonne Etienne, responsables de la documentation au Parti socialiste, il nous aurait été impossible de rassembler les milliers de pages de textes écrits ou prononcés par l'auteur, qui ont été indispensables à la composition de ce volume.

Nous exprimons aussi notre profonde reconnaissance à tous ceux qui, à l'Assemblée nationale, au Journal Officiel, à la préfecture de la Nièvre, dans les archives de différents journaux, nous ont aidés dans cette tâche.

Nous tenons enfin à remercier tous ceux qui, sur tel ou tel point précis, ont apporté les informations indispensables à la rédaction de telle ou telle note : hauts fonctionnaires, diplomates français et étrangers, journalistes, sans oublier Marianne Delmaire et Anne-Yvonne Etienne, dont la collaboration là encore fut précieuse.

I. BIBLIOGRAPHIE

OUVRAGES DE L'AUTEUR

L'Abeille et l'Architecte, chronique, Flammarion éd., Paris, 1978.
Ici et maintenant, Fayard éd., Paris, 1980.

OUVRAGES CITÉS OU CONSULTÉS

A

Volumes Universalia, 1976, 1977, 1978, 1979 et 1980, publiés par l'Encyclopedia Universalis, Paris, France.

VINCENT (Gérard) : *Les Français, 1976-1979,* « Chronique et structure d'une société », Masson éd., Paris, 1980.

Journal de l'Année, 1977, 1978, 1979, 1980, Larousse éd., Paris.

L'Année politique économique et sociale en France, 1977, 1978, 1979, 1980, Société des Editions du Siècle, Diffusion Editions du Moniteur, Paris.

B

FONTAINE (André) : *Histoire de la Guerre froide,* tome II, « De la guerre de Corée à la crise des alliances », Fayard éd., Paris, 1967.

FONTAINE (André) : *Un seul lit pour deux rêves.* « Histoire de la " détente " », 1962, 1981, Fayard éd., Paris, 1981.

DE GAULLE (Charles) : *Discours et messages,* Plon éd., Paris, 1970, Tome II, « Dans l'Attente (février 1946-avril 1958) », Tome V, « Vers le Terme (janvier 1966-avril 1969) ».

PFISTER (Thierry) : *Les Socialistes,* Albin Michel éd., Paris, 1977.

JOURNAUX ET PÉRIODIQUES

Les collections de :

Journal Officiel de la République française, Débats parlementaires (Assemblée nationale 1977-1981).
France-Soir.
Le Figaro.
Le Matin.
Le Monde.
Le Quotidien.
L'Express.
Le Point.
Le Nouvel Observateur.
L'Unité.
Le Poing et la Rose.
Le Courrier de la Nièvre.
Paris-Match.
Valeurs actuelles.
Etc.

II. SOURCES NON PUBLIÉES

Comptes rendus sténotypiques des interventions de l'auteur :
— devant les différentes instances du Parti socialiste, congrès, conventions, etc. (archives du Parti socialiste) ;
— lors de très nombreux débats radiotélévisés auxquels l'auteur a participé.

Procès-verbaux du Conseil général de la Nièvre.

III. ORIGINE DE CHAQUE CITATION

AVANT-PROPOS

PREMIÈRE PARTIE

DEUXIÈME PARTIE

ANNEXES

INDEX DES NOMS CITÉS

D

E

F

G

T

U

V

W

INDEX THÉMATIQUE

LE FONCTIONNEMENT POLITIQUE

DOCTRINES ET RÉGIMES

Partis et mouvements : 29, 112, 163, 266, 288.

Les institutions : 29, 111, 112, 125, 127, 129-131, 150, 196, 197, 246, 300, 305.

CONCEPTS ET FORCES POLITIQUES

CHAMP ECONOMIQUE
ET SOCIAL

CHAMP CULTUREL ET SCIENTIFIQUE

CHAMP DIPLOMATIQUE

PROBLÈMES D'ÉTHIQUE

TABLE DES MATIÈRES

Achevé d'imprimer en novembre 1981
sur presse CAMERON,
dans les ateliers de la S.E.P.C.
à Saint-Amand-Montrond (Cher)
pour le compte de la librairie Arthème Fayard
75, rue des Saints-Pères - 75006 Paris

ISBN 2-213-01061-7

Dépôt légal : 4ᵉ trimestre 1981.
Nº d'édition : 6316. Nº d'Impression : 1979-1245.
Imprimé en France

Dépôt légal : 4e trimestre 1981.
N° d'édition : 6316. N° d'impression : 1976/1746
Imprimé en France.